ABDUÇÃO

CONTATO DE TERCEIRO A QUINTO GRAU

Pedroom Lanne

ABDUÇÃO

CONTATO DE TERCEIRO A QUINTO GRAU

ns

São Paulo, 2021

Abdução: Contato de terceiro a quinto grau

EDITOR: Luiz Vasconcelos
COORDENAÇÃO EDITORIAL: Silvia Segóvia
REVISÃO: Andrea Bassoto / Silvia Segóvia
DIAGRAMAÇÃO: Claudio Tito Braghini Junior
IMAGEM DA CAPA: Fernando Marcatti
COMPOSIÇÃO DA CAPA: Plinio Ricca

Texto de acordo com as normas do Novo Acordo Ortográfico da Língua Portuguesa (1990), em vigor desde 1º de janeiro de 2009.

Dados Internacionais de Catalogação na Publicação (CIP)
Angélica Ilacqua CRB-8/7057

Lanne, Pedroom
Abdução : contato de terceiro a quinto grau / Pedroom Lanne. -- Barueri, SP : Novo Século Editora, 2020.
ISBN 978-65-5561-033-8

1. Ficção brasileira I. Título

20-3241 CDD-869.3

Índice para catálogo sistemático:
1. Ficção brasileira 869.3

Alameda Araguaia, 2190 – Bloco A – 11º andar – Conjunto 1111
CEP 06455-000 – Alphaville Industrial, Barueri – SP – Brasil
Tel.: (11) 3699-7107 | Fax: (11) 3699-7323
www.gruponovoseculo.com.br | atendimento@gruponovoseculo.com.br

Dedicado aos mortos da pandemia do novo Coronavírus. Que suas mortes sejam o legado de uma sociedade renascida. Renascida para melhor.

PARTE III

CONTATO DE TERCEIRO A QUINTO GRAU

Capítulo XI
O pretérito singular

O calor no árido deserto do Novo México, especialmente para alguém que vinha se arrastando pelo chão feito uma cobra, seria algo insuportável. Com o Sol a pino, a temperatura alcançava 45° Celsius e a sensação térmica adicionava ao menos vinte pontos nessa medida - seria mortal -, qualquer homem sucumbiria desidratado. Qualquer homem, certamente, menos Andreas Vegina. Embora ainda estivesse longe de alcançar seu destino, o ufólogo já avançava deserto adentro por mais de 24 horas. Com a veste coiote que projetou, sentia-se plenamente confortável, podia não só regular a temperatura como bem conviesse, como tinha até água gelada para matar a sede. O problema era o cansaço, apesar de que, se quisesse descansar, só precisava parar de se mover e já estava pronto para dormir, bastava se encapsular no interior de seu engenho e relaxar. Pena que isso era impossível.

Vegina não era como o coronel Jay Carrol, não tinha uma pílula estimulante prescrita com uma fórmula personalizada para seu organismo, por isso precisou dormir algumas horas entre as 24 últimas, mas quanto a relaxar durante o sono, foi algo que não se mostrou possível. Em sua primeira noite ao relento, logo nas primeiras horas seu sono foi interrompido por uma pequena matilha de coiotes açoitando sua veste; certamente estranharam o cheiro peculiar da mesma, que, embora se chamasse coiote, em nada se parecia com um ou servia para afugentá-los, no máximo contava com um dispositivo para espantá-los - dois, na verdade. O dispositivo resumia-se a uma forte e estridente buzina elétrica, parecida com um grasnido de ave de rapina, a qual precisou ser acionada para que os canídeos se afastassem antes que danificassem ou furassem a veste. Quanto ao segundo dispositivo, era seu revólver, o qual ao menos não precisou ser acionado.

Apesar do expediente, Vegina foi obrigado a interromper o sono e se deslocar do local onde dormia para se afastar dos coiotes, mas quando pensou que estava livre deles, por pura sorte não esbarrou com um grupo de militares. Enquanto avançava lentamente pelo chão, em meio ao fraco luar, do nada viu surgir o vulto de um soldado cerca de vinte metros a sua frente, em tempo apenas para desligar a veste antes que ele ouvisse o leve ruído que emitia. Só então reparou que havia um pequeno grupo de militares acampado ao relento pouco mais adiante de onde avistou o soldado. Ele havia se levantado para urinar, então voltou a dormir. Não fosse isso, teria aproximado-se perigosamente do grupo sem se dar conta e tudo poderia ter ido por água abaixo. Foi obrigado a desviar o caminho e avançar por mais algumas horas sem dormir até se afastar dos soldados. Ao amanhecer, parou próximo a uma formação de arbustos para retomar seu sono, mas não demorou muito e acordou coberto de formigas - deu o azar de estacionar sua veste bem em cima de um formigueiro. Apesar dos pesares, e das picadas que levou, ao menos o episódio serviu para comprovar a funcionalidade da veste que maquinou, ainda que as formigas tivessem encontrado um meio de penetrá-la.

A veste coiote era o grande engenho com o qual Vegina planejava penetrar o perímetro restrito da base RSMR até o setor do Hangar 18, para descobrir se os militares ocultavam um disco-voador dentro dele ou não. Se sim, fotografaria e utilizaria o material para levantar uma grana, chantageando os militares e vendendo a história para a mídia. A veste era o recurso definitivo que precisou inventar como parte de um plano que vinha desenvolvendo ao longo de anos de observações e uma série de infiltrações que executou nas áreas militares desde que se mudou definitivamente para Picacho, no final dos anos 1940. O próprio museu *Space Center* ou a parceria a serviço dos militares como "homem de jeans", ou agente MIJ, conforme os milicos diziam, era uma fachada para que Vegina pudesse executar sua infiltração até o Hangar 18, embora, por outro lado, as pesquisas ufológicas que abraçava representassem um grande prazer pelo ofício que exercia. Vegina sempre foi fascinado com o assunto desde criança, inclusive sua escolha de cursar a faculdade de Física na Filadélfia, deu-se em torno do objetivo de estudar a vida alienígena e investigar a existência de extraterrestres. Assim como Carrol, também comungava das ideias e dos alertas de Olivermerter em suas memórias póstumas. Desde que leu e estudou a obra do *Lehrer*, tornou-se um obstinado em desvendar o assunto e angariar provas da existência de vida fora da Terra ou da presença de seres alienígenas no planeta.

Todavia, seus estudos na faculdade de Física e o próprio ambiente acadêmico tratavam a questão com ceticismo e intolerância para com os estudiosos que se dedicavam ao assunto. Vegina logo percebeu que jamais teria apoio dos colegas professores ou da própria instituição em que se formou. Apesar disso, ainda antes de se formar, seguiu carreira de físico como professor em um conceituado colégio particular na Filadélfia e, nos anos seguintes à obtenção de seu diploma, buscou acumular o maior número de referências sobre o assunto. A princípio, apenas como um entusiasta, guardando para si a crença na existência de alienígenas. Suas pesquisas o levaram até o INPA, Instituto Nacional de Pesquisas Astronômicas, em Nova York, uma das instituições precursoras da NASA, onde passou a frequentar diversos seminários e a tecer vários contatos que o permitissem abordar a temática por um viés científico – embora onde quer que fosse estudar ou se aprofundar na temática ufológica, sempre esbarrasse no ceticismo geral da comunidade astrônoma. Ainda assim, não se passaram nem dois anos de sua formatura e Vegina já acumulava uma série de referências sobre o assunto, bem como tinha portas abertas nos institutos mantidos pelo INPA. Entretanto, quando achava que conseguiria alavancar sua carreira como pesquisador da área, foi demitido da escola em que lecionava na Filadélfia assim que a diretoria do colégio tomou ciência de suas pesquisas, justamente após aquele que foi o auge de sua carreira como pesquisador até então: uma palestra em um dos institutos do INPA, na qual admitiu sua plena fé na existência de alienígenas.

Com a demissão da instituição que vinculava suas pesquisas, Vegina não só perdeu sua credencial de acesso ao INPA, como sequer obteve uma carta de recomendação para conseguir um novo emprego. Inclusive seu pai o criticou por sua fé e sua escolha de estudar um assunto que considerava uma mera crendice popular. Desempregado e sem apoio da família, Vegina decidiu perseguir a temática por si só, nem que para isso precisasse roubar um banco para financiar suas próprias iniciativas. Chegou mesmo a elaborar um audacioso plano para roubar um banco na Filadélfia. Como preparação, assaltou pessoas na rua apenas como treinamento para adquirir o sangue frio necessário para executar o roubo. Porém, quando tentava angariar parceiros para dar cabo ao plano, foi surpreendido pelo FBI, que apreendeu seus colegas por outros roubos antes que pudesse executá-lo. Chegou a ser intimado pelo *bureau* de investigação, mas como não tinha ficha corrida e ainda não havia realizado o roubo, não foi indiciado, porém se viu obrigado a desistir da ideia. Ademais, seria muito arriscado associar-se com bandidos que jamais compreenderiam ou compactuariam com as motivações para o roubo que tinha em mente. Se não bastasse, após sua visita ao FBI e a prisão de seus associados no plano, foi jurado de morte pelos mesmos, então resolveu fugir da Filadélfia antes que acabasse assassinado. Seu destino foi Picacho, uma pacata cidade de inverno no pé das Rochosas que já se tornara famosa por ser um suposto local de avistamentos de naves alienígenas. No caminho, assaltou um caixa de um banco e arrecadou 1.100 dólares, valor com o qual esperava financiar sua estada na cidade até que conseguisse se estabelecer. Logo no primeiro ano de sua chegada a Picacho, viveu a pequena revolução que tomou conta da cidade quando a rádio local veiculou a queda de uma nave alienígena nos pastos do Rancho Bravo, de Tião Bardon. Uma oportunidade perfeita para tirar proveito da situação e angariar o capital inicial para financiar suas tão sonhadas pesquisas.

As coisas saíram melhor do que Vegina poderia imaginar após flagrar a farsa montada pelos militares em torno do episódio, com a qual não só conseguiu um meio para financiar suas pesquisas e se estabelecer na cidade, bem como marcou o ponto de largada de sua obsessão em invadir o perímetro militar e descobrir o que eles escondiam no famoso Hangar 18, local que passou a ser rotulado pela mídia como o galpão que escondia a nave alienígena apreendida pelo exército nas terras de Bardon. Embora soubesse que o episódio do balão meteorológico nada se relacionasse com alienígenas, o simples fato de os militares fazerem uso do mesmo para disseminar lendas a respeito do Hangar 18 – o qual já existia bem antes desses acontecimentos – sempre o deixou com a pulga atrás da orelha em relação ao mistério de existir ou não uma nave alienígena escondida no local. Por outro lado, Vegina não era estúpido a ponto de ignorar o óbvio, que sua participação no projeto de vazamento de informações no qual havia tomado parte junto ao coronel Lassier não passava de uma lenda do Scooby-Doo que visava divergir a opinião pública das reais atividades, lícitas ou não, que tinham como palco secreto a base RSMR. Apesar de saber que não passava de um peão na mão dos militares, atuar como MIJ era bastante conveniente para Vegina, pois lhe reabriu algumas das portas após ser demitido da escola em que lecionava na Filadélfia, tais como sua credencial para frequentar o INPA e a própria NASA, a partir dos anos 1950, bem como os institutos de pesquisa mantidos pela agência espacial. Melhor, pois também passou a ter acesso ao instituto SETI quando da sua inauguração, no começo dos anos 1970, o que lhe permitiu fazer do *Space Center* um parceiro nas pesquisas pela busca por evidências da existência de inteligência extraterrestre, inclusive para obter acesso a alguns equipamentos de ponta. Alguns exemplos eram o espectrômetro que mantinha em seu museu e os telescópios que jamais poderia adquirir com seu próprio capital ou, mais recentemente, os computadores que lhe permitiam integrar a Rede Espacial desenvolvida pelo coronel Carrol depois que ele tomou o lugar de Lassier.

Com o passar dos anos, as dúvidas de Vegina em relação às atividades secretas mantidas na base RSMR se diluíram em meio às suas próprias pesquisas e à falta de qualquer evidência que corroborasse sua fé na existência de alienígenas. Ainda assim, o ufólogo soube se valer de seu contato com os militares para executar uma série de infiltrações na base RSMR, nem que fosse para refutar a hipótese de que eles mantinham uma nave extraterrestre escondida no Hangar 18. Ao longo do tempo, montou um detalhado mapa da base e seu entorno, fez uma série de campanas e observações que, se por um lado não comprovaram nada de sobrenatural nas atividades dos militares, por outro, levantou fortes suspeitas que estariam aplicando engenharia reversa para desenvolver caças e bombardeiros de guerra a partir da hipotética e lendária nave alienígena que talvez escondessem ali. Suas infiltrações e seu mapeamento do perímetro militar possibilitaram a Vegina criar um posto avançado em um morro cuja panorâmica lhe permitiu observar o hangar a cerca de 20 milhas de distância, de onde testemunhou o movimento frenético de aviões decolando e pousando na base, bem como foi o primeiro civil a pôr olhos no famoso B-52 dois anos antes do novo protótipo ser anunciado ao público.

Durante as muitas noites que dispensou em suas observações a distância da RSMR, montou uma planilha que evidenciava a rápida evolução dos caças testados na base, os quais, em um intervalo de poucos anos, tiveram um aumento de capacidade em uma razão que considerava alienígena: seus cálculos indicavam um incremento de velocidade da escala *mach 1* até *mach 8* conforme as medições que fez dos dispositivos bélicos aéreos que decolavam e pousavam na pista que servia ao Hangar 18 - a própria pista era prova disso, nada menos que a mais comprida do mundo, com uma extensão de 12 km, o que evidenciava o crescimento da potência e do empuxo dos aviões ali testados. Somente uma nave com potência alienígena necessitaria de uma pista tão grande, isto é, ao menos segundo sua própria hipótese. Todavia, essas observações, registros fotográficos e planilhas não eram provas de que a evolução tecnológica dos aviões militares fosse fruto de engenharia reversa de origem alienígena, por isso Vegina manteve seus projetos de infiltração na base RSMR apenas como uma atividade paralela secundária em relação às pesquisas conduzidas no *Space Center.* Sem mais a obsessão que, em primeira instância, havia lhe levado a chantagear os militares pela ocasião do episódio da queda do balão meteorológico no Rancho Bravo. Bom, ao menos foi assim até o dia em que o coronel Carrol substituiu Lassier no comando da base.

A notícia da posse de Carrol como novo comandante da base RSMR trouxe de volta à tona toda obsessão que Vegina cria ter deixado para trás ao longo dos anos. Era uma coincidência que jamais poderia interpretar como tal, pois Carrol era o grande patrono e criador do instituto SETI, e se um dos fundadores do instituto havia se radicado na base RSMR, só poderia significar que realmente os militares estavam escondendo algo grande no interior da mesma, algo alienígena. Algo que, como um instigante mistério que não saía de sua mente, sentia que era sua obrigação elucidar e revelar ao público - além disso, certamente valeria uma boa grana se o fizesse.

A partir da chegada de Carrol, inclusive pela postura taciturna do novo coronel na condução do papel que desempenhava como agente MIJ, só fez crescer a certeza de que realmente existia uma nave alienígena escondida no Hangar 18. Desde então, o trabalho de infiltração na base RSMR passou a ser prioritário para Vegina. Foi nessa ocasião que cedeu a curadoria do *Space Center* para Martin Healler, seu namorado, que vivia em Roswell trabalhando no comércio local, para assim poder se dedicar exclusivamente à resolução do mistério do Hangar 18. Desde o período em que Carrol assumiu suas funções na RSMR, Vegina conduziu mais de cinquenta infiltrações no perímetro da base, até a última executada por Jorge. Muitas terminaram com a prisão dos invasores, o que nunca chegou a comprometer seus planos, já que o ufólogo sempre foi astuto o suficiente para não vincular as infiltrações com seus reais objetivos. Sua lábia e alguns dólares eram elementos que usava para convencer seus arregimentados a invadirem a base sob o pretexto de "observar as estrelas" ou simplesmente "acampar ao relento", sem nunca lhes revelar o verdadeiro propósito por trás das invasões que patrocinava. Isso quando não era ele próprio que liderava excursões em grupo para fazer campana em busca de óvnis dentro dos territórios militares, pois sabia muito bem como tirar proveito da crença em alienígenas para convencer as pessoas a invadirem a base sem que elas se dessem conta disso. Ainda assim, para ter certeza de que nenhum invasor flagrado pelos militares revelasse sua identidade, utilizava um nome falso para angariar um laranja qualquer, como fez com Jorge, e, dessa forma, executar diversas invasões até estabelecer uma rota segura para alcançar o setor do Hangar 18.

Nos últimos três anos, Vegina esteve muito próximo de alcançar seu objetivo. Suas seguidas infiltrações permitiram traçar uma rota que o levou até a cerca elétrica que delimitava o setor do Hangar 18, em um ponto a menos de 70 metros do grande galpão. Nas proximidades da cerca, montou um posto avançado de vigilância para espionar e estudar os esquemas de segurança em torno do local. Porém, por situar-se em uma ribanceira a leste da base, bem atrás do galpão, não o permitia observar que tipo de naves eram guardadas ali. O máximo que conseguia captar com um binóculo ou uma luneta eram os aviões após decolarem ou já próximos do pouso, dependendo da cabeceira que utilizavam, ou seja, de um péssimo ângulo, muito pior do que o longínquo morro de onde observara a base anos antes. Apesar de desfrutar de uma curta janela de tempo para tecer suas observações do ponto em que pretendia invadir a base, dado que durante o dia as rondas dos soldados eram constantes, Vegina iniciou a escavação de um túnel para invadir a base por baixo da cerca. Para isso precisou arregimentar um ajudante, um garimpeiro que custou certo investimento, já que a tarefa exigia total sigilo, além de ser difícil e arriscada: escavar uma passagem de aproximadamente quinze metros de extensão e 1,5 metro de profundidade entre a ribanceira e o lado interno da cerca, larga o suficiente para um homem percorrê-la deitado em um carrinho de rolimã, incluindo setores que precisaram ser abertos com pequenas cargas de dinamite, o que só foi possível graças ao som ensurdecedor das aeronaves supersônicas sendo testadas, decolando ou pousando ali próximas, servindo como camuflagem sonora e vibratória.

Na preparação da invasão, sempre durante a noite, Vegina montou um plano muito bem elaborado. Tinha uma agenda completa com a rotina da base, dos testes e dos períodos que permanecia relativamente inativa. Sabia de cor os horários de troca da guarda, as rotas das rondas, o posicionamento das câmeras de segurança em torno do galpão, a localização das torres de observação e seus respectivos pontos cegos. Em suma, tinha em mente o esquema perfeito para adentrar o local e se aproximar do hangar sem ser notado. Quanto à escavação, certamente a parte mais braçal de todo trabalho, naturalmente precisou ser executada em jornadas esparsas para driblar a vigilância no local, por isso consumiu uma janela de preparação e execução que tomou 16 meses. Após esse período, o túnel já ultrapassava o lado interno da cerca e Vegina tratava dos preparativos finais para invadir a base em menos de três ou quatro jornadas de escavação noturna. Também já tinha em mãos todo o equipamento para se aproximar do hangar e fotografá-lo. Com o túnel finalizado, poderia manter campana no local durante semanas se quisesse e, com sorte, colher um material extenso e valioso.

Mas quando parecia que o tão sonhado dia de sua tão brilhante infiltração enfim chegaria, o garimpeiro que trabalhava no túnel foi descoberto e morto a tiros quando se dirigia ao local para mais uma jornada de trabalho. Por ironia do destino, justo quando deveria completar a escavação. Por sorte, sua morte silenciou os motivos de sua presença no perímetro restrito dos militares, o que permitiu a Vegina executar uma nova infiltração a fim de descobrir como os militares haviam flagrado o mineiro quando ele se deslocava para o local. Para isso precisou executar uma de suas jornadas "patrocinadas" pelo *Space Center*: juntar um grupo de ufólogos para montar uma vigília de óvnis e conduzi-los pelo território restrito para, então, serem propositalmente presos. Uma vez presos, utilizaria seu prestígio junto aos militares para serem liberados e, com um bom papo, tentaria descobrir como eles haviam-no encontrado. Foi assim que, para seu espanto, acabou detectado e detido pelos militares no meio da noite, a mais de quatro milhas da cerca que delimitava o perímetro do hangar, em um local em que, até então, era seguro dentro do território que já havia avançado, um ponto que já tinha acampado várias vezes sem avistar nenhum soldado nas redondezas. Ao menos o plano funcionou e os militares revelaram como o capturaram: fora flagrado pela mais pontual tecnologia de sensores termográficos e radares infravermelhos recentemente instalada em torno da base, equipamentos capazes de captar até uma lebre durante a noite em um raio de cinco milhas da base. Com um calafrio na nuca e pura desfaçatez no rosto, Vegina ouviu a narrativa de um sargento sobre o homem morto semanas antes em um local próximo de onde havia sido detido com seus colegas:

– Foi um *headshot* perfeito – descreveu ele ao revelar que não só a base contava com um novo aparato de segurança, mas os próprios soldados agora portavam equipamento de visão noturna e ainda contavam com helicópteros silenciosos para patrulhar o entorno "24 por 7", conforme o jargão militar. Depois comentou:

– Sabe que temos autorização para atirar em qualquer um dentro do perímetro militar, não sabe?

– Sei, mas estávamos longe da base, não passava pela minha cabeça que poderiam saber que estávamos ali – respondeu Vegina. Em seguida, questionou: – E por que não atiraram?

– Porque vocês não tentaram correr – disse o sargento. Por fim, acrescentou: – Se tivessem deixado o carro na placa, saberíamos que era você e não teríamos enviado um destacamento para apreendê-lo – disse, mencionando uma servidão que interligava o vilarejo de Tinnie, a oeste de Picacho, a um acesso até a divisa do perímetro de restrição militar e o respectivo setor aeroespacial. Um local bastante procurado por turistas aficionados pelo mito do Hangar 18, onde se costumava posar para bater fotos ao lado de uma placa que delimitava o terreno e alertava que intrusos seriam recebidos a bala.

– Não gosto de abandonar minha *van* por ali. Nunca se sabe quando um gatuno pode aparecer – justificou Vegina. – Preferi vir de carona.

Apesar de ter se safado de mais um enquadro dos militares, a informação que revelaram foi um baque para Vegina. Os novos detectores térmicos inviabilizavam seu tão bem elaborado plano. Depois de tanto trabalho, estava de volta à estaca zero – mas não seria por isso que desistiria. Apesar do contratempo, não se deu por vencido, passou a executar novas invasões por diferentes rotas, no intuito de encontrar uma brecha na vigilância e seus respectivos novos sensores instalados pelos militares para, assim, seguir com seus propósitos. Porém, não conseguiu avançar abaixo de três milhas de seu objetivo. Para se ter uma ideia, com a infiltração conduzida por Jorge, a última que realizaria, Vegina pretendia avançar pelo menos mais uma milha adentro do perímetro restrito e retomar a trilha que levaria ao túnel que, até então, permanecia inacabado. Entretanto, todos os infiltrados que enviou nesse ínterim acabaram flagrados pelos militares. Simplesmente não havia como driblar seus novos radares e sensores a menos que conseguisse bolar um meio de ocultar a temperatura do corpo humano. Se pudesse criar um dispositivo, como uma roupa térmica, algo que retivesse ou camuflasse o calor de um corpo, só assim conseguiria executar seu plano. Foi então que passou a idealizar a criação de um dispositivo como a veste coiote, o qual trajava em presente enquanto tentava alcançar o morro Algomoro.

Embora a veste coiote fosse uma invenção que Vegina não podia reivindicar créditos por sua geniosa autoria, intimamente, sua elaboração era objeto de sincero orgulho para si mesmo. Tratava-se de uma criação fruto de todos os contatos que acumulou em sua carreira de ufólogo e astrônomo pesquisador, bem como remetia às suas vivências desde criança. Para começar, em função da veste coiote consistir-se de uma camuflagem térmica acoplada a um carrinho de rolimã, mas não um rolimã de madeira montado com rolamentos automotivos de aço como aqueles em que brincava de apostar corrida com seus amigos de infância na Filadélfia, e sim um super rolimã de fibra de vidro motorizado com suspensão pressurizada, eixo de torção e pneus de câmara adaptados para o solo irregular do deserto, movido por um motor elétrico abastecido por uma bateria de 80 amperes. Não bastasse, contando com um sistema de captação de energia solar e dois alternadores acoplados às rodas para reduzir o consumo. Na verdade, a veste coiote era composta por dois rolimãs, um para carregar um homem adulto, outro preso por um cabo, como um vagão, para carregar um pequeno compressor e a bateria que o alimentava. Em suma, a veste compunha uma geladeira ambulante capaz de locomover um homem deitado, um autêntico climatizador em forma de saco de dormir com mangas, que permitia a Vegina tanto utilizar o pequeno motor do rolimã para avançar, como usar os braços e as pernas para rastejar silenciosamente, mantendo a cabeça parcialmente descoberta ou, se quisesse descansar, camuflar-se completamente no interior de seu engenho sem se preocupar em sofrer com hipotermia ou falta de ar, já que a veste contava com um respiradouro externo e um termostato para ajustar a temperatura interior.

Assim descrita, a ideia em torno do engenho era bastante simples, o segredo era criar um *habitat* controlado que não troca calor com ambiente externo, nada demais. Entretanto, não fossem os contatos que tinha na NASA, jamais teria conseguido angariar o item fundamental que precisava para concebê-la. Não que os contatos de Vegina na agência espacial fossem muito proeminentes. Verdade era que frequentava com alguma regularidade apenas o instituto da NASA em Denver, o mais próximo de Picacho, uma instituição voltada para o estudo de rochas espaciais, com a qual mantinha vínculo pelas leituras meteoríticas que conduzia no *Space Center* e, eventualmente, participava de alguns seminários ou frequentava cursos extracurriculares. Ainda assim, extremamente útil para obter referências técnicas para construir seu engenho em consultas ao acervo mantido pela biblioteca do instituto. Mas foi mesmo na sede da NASA no Cabo Canaveral em Houston, que os contatos de Vegina lhe possibilitaram angariar o item fundamental para confecção da veste coiote, um contato com o responsável pela administração do lixão da agência espacial. Setor em que encontrou a manta espacial que utilizou para criar seu refrigerador e climatizador ambulante, já que esse não era um item que se podia comprar em uma loja nos anos 1970. A manta era um tecido de 5x5 metros, sobra da montagem do *Skylab* lançado em 1973, o último lançamento que Vegina acompanhou ao vivo no Cabo Canaveral, ele que era um frequentador regular dos lançamentos desde que a agência colocou o primeiro satélite norte-americano em órbita. Foi no lançamento do *Skylab* que Vegina conheceu o responsável pelo lixão, com quem conseguiu angariar não só a manta espacial, mas uma série de itens expostos no *Space Center* como evidências de contatos e rastros alienígenas na Terra.

Concebida para filtrar a fortíssima radiação solar, a manta espacial era perfeita para o projeto da veste coiote de Vegina, já que sua característica isolante e a alta resistência eram ideais para criar o climatizador ambulante e maleável que idealizou. Porém, sua superfície prateada, que brilha como um espelho quando exposta à luz do dia, tratava-se de uma característica oposta à camuflagem que precisava para se infiltrar no perímetro restrito dos militares. De nada adiantaria dissimular a temperatura de seu corpo se pudesse ser visto pelos olhos dos vigias em torno da base. Para contornar esse problema, Vegina recorreu a um conhecido que mantinha uma empresa fornecedora de grama artificial para campos de futebol mexicano em Santa Fé. Esse conhecido desenvolveu uma fina placa maleável com grama típica do deserto e brotos de Artemísia, outra floração comum da região, a qual costurou por cima da manta espacial para criar uma camuflagem perfeita, identificável somente se alguém percebesse seu movimento ou, talvez, pisasse em cima dela – imóvel não passava de uma pequena moita comum, impossível de se diferenciar de qualquer outra da região. Por fim, para evitar um flagrante dos sensores térmicos dos militares, Vegina montou seu compressor, a única parte do engenho que precisava necessariamente trocar calor com a atmosfera, no formato de um coelho. Inclusive, fez uso de seus contatos para adquirir um *goggles* contrabandeado do mesmo modelo que os militares utilizavam em suas rondas noturnas, com o qual testou seu engenho e comprovou que a veste só aparecia nas lentes do *goggles* a uma distância aproximada de 30 metros. Ainda assim, a imagem infravermelha captável transparecia-se como uma simples lebre. Quanto à denominação "coiote" escolhida por Vegina, dava-se pelo simples fato dos coiotes serem predadores das lebres. Tecnicamente, descrevia o invento para si mesmo como "carrinho de camuflagem". Ademais, sempre torceu pelo coiote que perseguia o Papa-Léguas e pelos caçadores do Pernalonga, isso sem falar que seu engenho muito se assemelhava aos planos malucos que o coiote bolava para tentar pegar o Papa-Léguas – só esperava que o seu não terminasse como nos gibis ou nos *cartoons*.

Com seu carrinho de camuflagem pronto e devidamente testado, Vegina aguardava o complemento da infiltração de Jorge para, enfim, retomar seu plano no ponto em que fora obrigado a abandoná-lo. Conforme o sucesso da missão de seu infiltrado, teria de percorrer um trecho aproximado de três milhas até alcançar o túnel cuja escavação teria de completar sozinho. Embora esse trecho fosse bastante acidentado, Vegina já conhecia o terreno melhor que ninguém, melhor que os próprios soldados que faziam ronda em volta da cerca elétrica. Sabia de cor a trilha que teria de percorrer para alcançar a ribanceira até a boca do túnel, esta que se encontrava muito bem camuflada e dificilmente teria sido descoberta pelos guardas. Uma trilha que o permitiria avançar deitado em seu carrinho em quase a totalidade de sua extensão, e todo o material que precisava para completar o trabalho já se encontrava escondido no interior do túnel.

Com todos esses fatores a seu favor, as chances de sucesso para Vegina alcançar o Hangar 18 eram reais – muito ao contrário da situação de momento quando tentava se aproximar do morro Algomoro pelo oeste, conforme conjecturava a alienígena que, como não poderia deixar de ser, invisivelmente escoltava Vegina em sua jornada através do deserto e já vislumbrava suas poucas chances de alcançar seu objetivo. Ademais, todas as esperanças do homem estavam depositadas em uma câmera fotográfica; mesmo se conseguisse alcançar o posto zero, adentrar o perímetro delimitado pelo biombo vigiado por câmeras e infravermelhos, contornar a segurança em seu interior, infiltrar-se no barracão que escondia a nave para então fotografá-la, ainda assim, não captaria nada. Sua missão estava fadada ao fracasso de um jeito ou de outro, até porque, segundo seus cálculos, pelo lento ritmo de avanço do homem e o fato de ele só se locomover praticamente no escuro, não alcançaria o Algomoro em menos de duas noites caso conseguisse driblar os guardas. Comparando o avanço do ufólogo com o ritmo de trabalho no posto zero, quando chegasse lá, a *Nave* já estaria encerrada na antessala subterrânea que o falecido tenente Mascareñas havia arquitetado, de modo que Vegina sequer conseguiria avistá-la de longe caso encontrasse um ponto estratégico para observar os trabalhos no local – a vontade da alienígena era simplesmente avisá-lo de seu iminente fracasso ou, talvez, condicioná-lo mentalmente para que desistisse, mas, naturalmente, estava impedida de interferir. Por outro lado, mantinha-se curiosa para saber até quando duraria a sorte do hominídeo.

Por muito pouco, Vegina não foi flagrado pelos militares em suas primeiras horas de infiltração, e isso era só o começo, pois ainda restavam três milhas e 145 jardas até o biombo. Até lá, teria de furar mais quatro anéis de vigilância com soldados em ronda 24 horas, contando um total de 1.216 homens espalhados em pequenos pelotões de quatro ou oito soldados, além dos tanques e da artilharia. Só no setor que Vegina pretendia atravessar, Willa contava 26 pelotões entre postos de vigília e patrulhas móveis, fora os pernilongos que vigiavam os céus. Ou seja, era simplesmente impossível que não fosse flagrado por algum desses grupos. Todavia, só restava aguardar para ver até onde ele conseguiria avançar e torcer para que não acabasse baleado e morto pelos soldados, findando como mais uma vítima das interferências oriundas de sua presença alienígena no planeta.

Vegina não precisava de nenhuma sugestão mental para desistir da aventura em andamento. Após os sustos que passou logo na primeira noite, ponderava seriamente em dar meia-volta e retomar sua fuga. Mas cada vez que pensava em fazer isso, resolvia avançar "só mais um pouquinho", até a próxima colina onde talvez encontrasse um ponto do qual conseguisse observar o Algomoro pelas lentes de sua objetiva e checar se existia algo acontecendo por lá como descrevera o tenente Danniel Mathew. Depois que avançou mais um pouco, concluiu que já tinha avançado demais para voltar atrás, e retornar seria tão perigoso quanto avançar caso esbarrasse nos soldados que havia deixado para trás. Porém, o sentimento que mais lhe dava gana para prosseguir era o desejo de conseguir provas do achado descrito pelo tenente, assim poderia utilizá-las para "comprar" sua liberdade da chantagem a que ele o havia submetido. Fotografar o objeto e registrar o máximo possível da movimentação dos militares, se possível flagrar Carrol no local, seriam imagens vitais para reverter a chantagem a seu favor, expondo-as na mídia. Fator que talvez arrefecesse o ímpeto do tenente e o temor maior que pairava sobre sua mente: ser assassinado por Mathew ou a mando do coronel. Se Mathew queria expor Carrol para se livrar dele, Vegina queria expor os dois para livrar-se de ambos. Se não conseguisse ou desistisse, estaria fadado a fugir do tenente para sempre, teria que deixar o país. Sobretudo por isso, não podia abortar sua missão, não podia se entregar como vítima do complô do tenente sem antes utilizar todas as artimanhas que ainda tinha sob as mangas.

O que Vegina não sabia ao certo era se sua determinação seria suficiente para vencer o cansaço da jornada, muito maior do que imaginou quando planejara e testara sua veste, o que não era para menos, já que a estava colocando à prova em uma situação de improviso e percorrendo um terreno que não conhecia muito bem. Vegina não possuía um caminho predefinido para alcançar o Algomoro. Embora conhecesse bem as rotas que atravessam as regiões desérticas do Novo México e dos Estados adjacentes até a divisa com o México, a região sul-sudoeste do Algomoro lhe era desconhecida por situar-se ao norte da Interestadual 70, enquanto a base RSMR, cujo entorno conhecia muito bem, situava-se ao sul da rodovia. Seu plano para alcançar o local onde Mathew alegou existir um óvni consistia basicamente em mirar o cume do Algomoro e avançar em sua direção driblando os obstáculos pela frente. O problema era que, como se deslocava deitado no chão, o morro fugia de sua visão e era preciso valer-se de uma bússola e um cronômetro para não perder o rumo ao desviar de obstáculos, como formações rochosas ou arbóreas, bem como pequenas dunas ou fendas que bloqueavam seu caminho. Porém, em alguns trechos, era impossível desviar dos obstáculos, precisava transpô-los em pé. Naturalmente, Vegina tinha previsto essa necessidade, conhecia bem a irregularidade do solo desértico que planejava transpor com sua veste, por isso a projetou também para que, uma vez dentro dela, pudesse rapidamente ficar em pé quando fosse necessário. A veste possuía pernas presas a um par de botas de couro camufladas e cano alto, sendo possível desprendê-las, calçá-las ou descalçá-las pelo lado interno conforme o necessário. Assim, quando se deslocava deitado, utilizava as pernas para ajudar a mover e estabilizar seu carrinho. Quando utilizava o motor para avançar, o qual acionava com um controle manual, repousava as pernas sobre o carrinho de apoio, mantendo-o fixo entre as mesmas para locomover-se como um conjunto só. Quando precisava levantar, tudo que precisava fazer era virar de costas no interior da veste, trocar o lado das botas e, como se fosse uma mochila, prender o carrinho nas costas para, então, pôr-se de pé. A veste também possuía mangas para permitir o uso das mãos, fosse por uma luva costurada ao tecido, fosse com as mãos nuas através de um zíper e uma abertura em velcro na ponta das mangas. Mas Vegina preferia simplesmente trocar as mãos de lado e vestir as luvas ao contrário para não perder muito tempo abrindo e vedando a veste, algo que aumentava o consumo para manter a temperatura interior estável. Por fim, a roupa também possuía um visor improvisado com óculos de mergulho. Dessa forma, como era confeccionada com uma manta espacial, uma vez de pé no interior da veste, Vegina parecia um perfeito astronauta envolto em um cobertor de grama. O carrinho de apoio que carregava a bateria e o motor também possuía alças para ser carregado, o que permitia ao ufólogo caminhar com todo seu equipamento sem grandes dificuldades, exceto pelo peso.

O peso total da veste era de 36,5 kg. Só o motor e a bateria, que precisava levantar com os braços para transpor alguns obstáculos, somavam aproximadamente 20 kg contando os suprimentos, tais como a água e a comida que levava no carro de apoio, o qual funcionava como uma pequena geladeira portátil, além dos rolos de filme, o equipamento fotográfico e o revólver que carregava consigo. O restante do peso equivalia ao carrinho, à capa de grama que envolvia a veste e ao equipamento que tinha em mãos, somando pouco mais de 15 kg, nada tão pesado que não pudesse levar nas costas com maiores dificuldades – problema era o esforço que precisava fazer cada vez que precisava ficar em pé. No começo da jornada, o terreno era bastante difícil, Vegina precisou percorrer vários trechos a pé, alternando entre puxar seu carrinho e carregá-lo nas costas. Quando o cansaço predominou, bastou dormir um pouco que acordou com dores de ácido lático no abdômen, nos braços e na panturrilha, isso sem falar no susto que levou com os coiotes açoitando sua veste. A partir daí, quando retomou a jornada, cada vez que precisava se levantar, o cansaço e a dor física tornavam a tarefa gradualmente mais penosa, a veste parecia pesar mais e mais cada vez que precisava levantar.

Os obstáculos físicos e o cansaço, embora vez ou outra o fizessem duvidar de si mesmo, Vegina conseguia vencer com força de vontade, já o medo, não. O esforço em pôr-se em pé na veste não se comparava ao medo de ser flagrado por um militar justamente nesse instante. Afinal, não havia camuflagem que impedisse um soldado notar algo de errado em um mato que se move ou caminha. Conforme monitorava Willa, os picos de adrenalina do ufólogo se mantinham em alta desde que iniciara sua fuga ainda em Roswell, equivalente ao de um indivíduo em estado de choque. Não fosse por sua obstinação, certamente já teria perdido o estado de si. Ainda assim, a alienígena temia que fosse sofrer um ataque cardíaco e sequer adiantaria arguir em prol de tentar salvá-lo, as ordens de seu chefe na nave estacionada ao pé do Algomoro eram para não interferir, de deixá-lo morrer e capturar sua ondulação *F* caso isso se sucedesse.

A adrenalina de Vegina estava queimando açúcar e gerando as dores de ácido lático em seu corpo, e não era pra menos. Desde que despistara os homens de Mathew em Roswell, não tinha descansado direito. Ainda na madrugada da fuga, depois que esteve com seu zelador no *Space Center*, dirigiu por mais de seis horas até decidir retornar e iniciar sua jornada até o Algomoro, o tempo todo apavorado de cruzar com os militares ou ser parado pela polícia em um carro roubado. Pior, como escolheu fugir via sudoeste por estradas de terra secundárias, algumas clandestinas muito utilizadas por contrabandistas, temia acabar nas garras de traficantes de cartel e ser assaltado ou até assassinado. Difícil saber o que era pior: ser preso pelo roubo do Fusca ou ser assaltado e levarem os mais de 80 mil dólares que carregava consigo, fruto de economias de uma vida inteira - isso sem falar nos *backups* de dados cujo valor era inestimável, os quais igualmente levava em sua fuga junto de seu *laptop*.

Seu único momento de relativa paz mental foi quando finalmente deixou as estradas de terra para trás e, já pela manhã, alcançou a rota 70 nas cercanias do município de Ruidoso, a cinquenta milhas sudoeste de Picacho, justo quando venceu a etapa mais perigosa de sua fuga. Sabia que, uma vez na cidade, rapidamente se infiltraria em meio à população local e jamais seria encontrado, fosse pela polícia, a CIA ou pelos militares. Sua ideia era livrar-se do Fusca roubado em um desmanche que conhecia na vila de Hollywood, um bairro mexicano periférico de Ruidoso. Em seguida, compraria um carro usado, no qual poderia esconder o dinheiro com calma dentro do estepe, descansar um pouco e planejar o restante de sua fuga. O passo seguinte seria viajar até Santa Fé, onde faria contato com um doleiro para transferir seu dinheiro para Cuba ou Montserrat, depois trataria de deixar o país pela fronteira mexicana. Mas no momento em que foi fazer um retorno na estrada para tomar a saída que levava à cidade, ao mirar pelo retrovisor interno do Fusca, vislumbrou a grama de sua veste no banco de trás do automóvel e pensou em todo trabalho que teve para construí-la, os longos testes e preparativos que fez para colocá-la em ação, tudo em vão, afinal, o que faria com ela já que ia fugir? Ela não serviria para mais nada, toda a genialidade empregada para concebê-la, inútil, perda de tempo. No máximo, arrecadaria alguns trocados vendendo suas peças. Quando isso lhe veio à cabeça, ao invés de tomar a saída para Hollywood, Vegina fez um contorno de 180° e tomou rumo nordeste de volta para Picacho. De um instante para outro, insuflando-se em colocar sua veste coiote à prova, em dar vida a sua criação naquilo que a concebera para fazer: se não elucidar o mistério do Hangar 18, infiltrar-se no perímetro do morro Algomoro e checar se o tenente Mathew falava a verdade ou não.

Apesar de súbita, sua decisão de retornar a Picacho já estava desenhada em seu inconsciente bem antes de assumi-la. Ao longo do caminho, durante sua fuga pela solidão das estradas de terra que escolheu para se evadir, volta e meia o pensamento de Vegina voltava-se para as palavras de seu namorado, Martin Healler, e a dura discussão que tiveram em seu apartamento em Roswell, quando ele afirmava que não poderiam deixar tudo para trás, referindo-se não só ao plano de infiltração no Hangar 18, mas também à vida que levavam juntos, à manutenção do *Space Center* e suas respectivas pesquisas. Embora o museu não fosse lá grande coisa, sequer era catalogado pelo acervo nacional de memória e pesquisa, para o ufólogo representava algo bem maior do que imaginava um dia construir com sua exclusiva iniciativa quando teve que fugir da Filadélfia. Abandoná-lo era simplesmente duro demais, apesar de que sempre esteve disposto a isso quando estabeleceu como missão solucionar o mistério do Hangar 18, pois sabia que, se seu plano desse certo, os militares botariam sua cabeça a prêmio, e fugir talvez fosse a única saída para manter-se vivo após revelar qual o segredo por trás do famoso hangar. Entretanto, uma coisa era perder o museu e ter que deixar para trás a vida que construiu em Picacho em troca daquela que, certamente, seria a mais bombástica revelação da Ufologia de todos os tempos, outra bem diferente era abandonar tudo para fugir de uma vil chantagem. Em função disso, Vegina jamais se perdoaria no futuro caso fugisse sem ao menos tentar esclarecer os fatos por detrás da intriga revelada por Mathew, quando tinha em seu carro, ou melhor, no carro que furtou, o equipamento que talvez lhe permitisse isso. Ademais, a vida de Martin também estava em jogo, pois certamente, os homens de Mathew tentariam apertá-lo, talvez prendê-lo ou matá-lo, fosse para torturá-lo e forçá-lo a revelar seu paradeiro ou para silenciá-lo em função do que veio a saber sobre a trama. Assim sendo, era seu dever tentar fazer o que estivesse ao seu alcance não só para livrar a própria cara, mas igualmente salvar a pele de seu namorado. Pois, embora fosse alguém que encarasse a vida com a maior cara de pau, Vegina era um homem de sentimentos e extremamente fiel às pessoas fiéis a si.

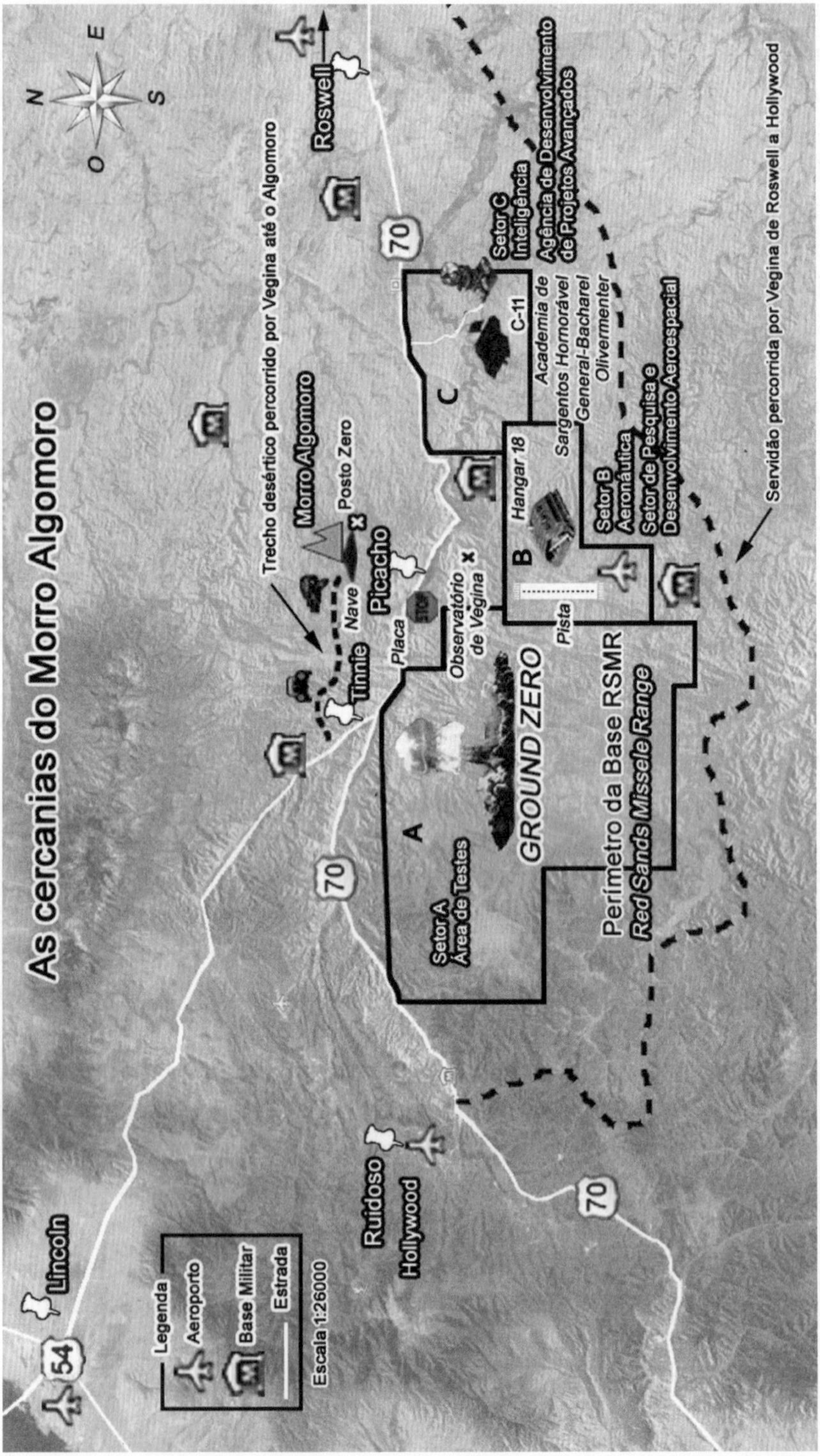
As cercanias do Morro Algomoro
Legenda
Aeroporto
Base Militar
Estrada
Escala 1:26000
Lincoln
54
Ruidoso
Hollywood
70
70
70
Setor A
Área de Testes
A
GROUND ZERO
Perímetro da Base RSMR
Red Sands Missele Range
Tinnie
Placa
STOP
Observatório
de Vegina
Nave
Picacho
Trecho desértico percorrido por Vegina até o Algomoro
Morro Algomoro
Posto Zero
Pista
B
Hangar 18
Setor B
Aeronáutica
Setor de Pesquisa e
Desenvolvimento Aeroespacial
C
C-11
Academia de
Sargentos Homorável
General-Bacharel
Olivermenter
Setor C
Inteligência
Agência de Desenvolvimento
de Projetos Avançados
Roswell
N
S
E
O
Servidão percorrida por Vegina de Roswell a Hollywood

Com essa nova missão em sua cabeça, Vegina abandonou toda precaução com que até então conduzia sua fuga. Fez uma parada para abastecer em um posto da Interestadual sem se importar em ser visto, comprou água e alguns mantimentos; em seguida, deixou seu dinheiro, seu *laptop* e seus *backups* em um depósito de bagagens na rodoviária de Ruidoso. Então prosseguiu pela mesma rota 70 que havia evitado usar quando vinha de Picacho por medo de ser enquadrado em uma blitz. De qualquer modo, não tinha outro caminho para alcançar o Algomoro a menos que fizesse um longo contorno para tomar a rota 48, mais ao norte, pelo município de Lincoln, e atravessar uma região desértica muito mais extensa que não conhecia muito bem, sob o risco de ficar sem gasolina para voltar ou ter o carro quebrado em alguma perigosa servidão utilizada por traficantes. Para chegar o mais próximo do Algomoro em um ponto que pudesse esconder o automóvel e iniciar sua jornada com o carrinho de camuflagem, o único caminho que conhecia razoavelmente bem era acessível pelo município fronteiriço à região desértica onde se situava o Algomoro, o vilarejo Tinnie, a cinco milhas oeste de Picacho, ou seja, às barbas dos militares. Mas não havia outro jeito: se iniciasse muito distante de seu destino, talvez a autonomia da veste não fosse suficiente. Era preciso correr certo risco em avançar de carro pelo deserto o máximo possível; se, por acaso, esbarrasse com algum militar não familiar, diria que estava a caminho da base para tomar um helicóptero e encontrar o coronel Carrol, mas havia se perdido; se o questionassem sobre a veste que carregava, justificaria que era o protótipo de uma patente que estava incumbido de levar para ele e demonstrar seu funcionamento.

Aliás, seu temor maior era ser parado pela polícia ao trafegar pela Interestadual, mas não havia de temer estar sendo procurado por Mathew, pois sabia que qualquer um que estivesse buscando-o jamais imaginaria que viria do oeste em sentido Picacho, pensariam justamente o oposto, que fugiria rumo oeste ou a leste de Roswell, sul, possivelmente. Em ambos os casos, Vegina provou-se correto em seu raciocínio: pouco antes de chegar em Tinnie, cruzou uma blitz da polícia no sentido oposto; e quando tomou a servidão que perpassava ao norte da rodovia, a cerca de seis milhas do Algomoro, foi parado em um bloqueio montado pelos militares – a primeira indicação de que Mathew estava correto, algo importante estava acontecendo nas proximidades. Sua desculpa funcionou, mas Vegina teve de retornar e penetrar no deserto um pouco mais distante do que havia imaginado. No ponto em que adentrou o deserto com o carro, embora já se encontrasse na mesma planície à base do Algomoro, o terreno era bastante acidentado, por isso não conseguiu avançar nem duas milhas em direção ao seu destino. Quando se deparou com um obstáculo intransponível para o carro, um pequeno vale rochoso formado por um rio seco, trocou o Fusca pela veste coiote. A partir daí, sequer esperou o novo anoitecer e iniciou aquela que seria a sua mais audaciosa e arriscada infiltração.

69

Embora a curiosidade de Willa em torno da missão de Vegina ao esgueirar-se pelo deserto fosse algo, ainda que monótono, instigante para saber seu desfecho, já ao avançar do quarto dia de sua chegada a Terra, a atenção maior da alienígena e seus parceiros expedicionários estava longe do que se passava no entorno da *Nave* em seu sítio ao pé do Algomoro – apesar de que, conforme avançavam os trabalhos liderados pelo coronel Carrol no posto zero, não só o ufólogo encontrava dificuldades para adentrar o perímetro delimitado pelo pátio de obras, a multividualidade da alienígena também começava a enfrentar problemas para penetrar o local ao sincronizar-se com a *Nave*. Mesmo que fosse invisível às câmeras e aos sentidos humanos ou quaisquer outros sensores que vigiavam o entorno de sua colega metálica, Willa também compartilhava, se não do medo, mas da mesma dificuldade de Vegina ao ultrapassar a camuflagem em torno da nave: o perigo de ser captada por olhos ou câmeras nos instantes em que precisava abrir a porta do barracão ou esgueirar-se por baixo da lona. Ainda que fosse lisa como um réptil e ágil como uma pulga, tão quanto Vegina, Willa não era ilusionista ou mágica, precisava driblar essas dificuldades com astúcia. Por outro lado, era bem verdade que dispunha truques que a falta de mangas não a impediam empregar, os quais, ao ufólogo sim, talvez se transparecessem como pura mágica. Driblar os olhos dos hominídeos era como brincadeira de infante para Willa; bastava um intervalo de milissegundos para captar uma piscada de olhos e penetrar a lona que a separava da nave sem ser vista. O mesmo valia para ludibriar as câmeras, bastando mover-se com velocidade superior à dos *frames* captados e gravados. Todavia, por mais ágil que fosse o processo, ainda que em cada dimensão existisse apenas uma singela Willa que retornava à nave, em termos multividuais, isso causava um congestionamento interdimensional de Willas quando esses obstáculos se apresentavam, pois queira ou não, a alienígena precisava reduzir sua velocidade de aproximação para captar a cena antes de driblar olhos e câmeras, o que causava um atraso de alguns picossegundos no processo. Embora possa parecer pouco, era o suficiente para gerar incontáveis novas rupturas e inflacionar a contagem multividual de Willas que mergulhavam e se sincronizavam perceptivamente com o par situado no interior da *Nave*.

Para a *Nave* existia o lado bom e o ruim: quanto mais Willas se desmaterializando em seus circuitos, mais energia disponível para uso e armazenamento. Em contrapartida, isso gerava um aumento de consumo de memória de cálculo para sincronizar o crescente número de indivíduos que se rompiam através dos horizontes contíguos. No contínuo, esse consumo de memória não era um problema, mas a entidade metálica projetava um aumento acima do mínimo aceitável se a excursão ao ar livre de Willa se alongasse além da janela atualizada para 18 luares estipulada para o estabelecimento de um canal comunicacional com sua civilização futura através da floresta amazônica. Nesse caso:

– Forçada a abortar a missão, serei, e, a rota disponível até Rochas Alegres, tomar. De modo que teus pares excedentes que comprometam a memória de cálculo para desmaterialização, abandonar implica – expôs a *Nave* tentando suavizar o tom de ultimato compreendido em sua sentença sináptica.

– Que não altere seus planos por mim. Se for o caso, encontrarei outra saída para o futuro – compartilhou Willa sem se permitir intimidar pela *Nave*, então respondendo-a em tom desafiador: – Não será por isso que abdicarei de minha missão ou reduzirei a abrangência da pesquisa em andamento. O que estamos fazendo aqui é muito mais valioso que nossas meras continuidades. – Em seguida, com desdém nas sinapses, dando por encerrada a conversação: – Sequer preciso de ti para conduzir meus estudos. Ficarei aqui até concluir as pesquisas, se não se importa.

– Mas quem, tuas observações e descobertas para o cosmo, salvará? – questionou a entidade metálica.

– Isso também pode ser providenciado.

A irritação de Willa nem se dava pelas projeções da *Nave*, mas sim pelas restrições de Sam, pois a problemática causada pela explosão demográfica de seu multivíduo não seria problema se o chefe a autorizasse a hipnotizar todos os hominídeos ao redor do frisbee para manter seu fluxo de sincronia livre de obstáculos, o que seria a solução mais simples. Diante dessa impossibilidade, só restava a alienígena bolar alguns truques para minimizar o problema, como criar uma rota optimizada para abordar a nave em um movimento uniforme dentro de uma variável controlável de rupturas interdimensionais, com isso reduzindo a carga de cálculo da *Nave*. Todavia, isso gerava um efeito protodimensionárquico que a alienígena precisou contornar. Esse efeito se dava pela formação de uma onda interdimensional no ponto da lona que Willa precisava atravessar. Uma onda gerada pelo fluxo incessante de Willas que se avolumava nas proxidimensões preenchidas com sua presença a ponto de exacerbar o intervalo de captação dos *frames* das câmeras que vigiavam a parte externa e interna do barracão que escondia a nave, ou seja, permitindo que captassem o estranho movimento da lona quando Willa transpunha sua cabeça por baixo dela de maneira ininterrupta e infinitiva através das dimensões contíguas àquela mesma lona.

Para driblar as câmeras e certificar-se de que nenhum registro captasse a onda protodimensionárquica, Willa precisou gerar uma imagem da lona em repouso para transpor a imagem captada pelas câmeras em *tempo-real*, ou melhor, em horizonte-contínuo, segundo seu próprio linguajar. Porém, conforme descrito previamente, Willa não era mágica, não lhe bastavam seus sentidos ou seus *nanochips* para milagrosamente tocar as câmeras e sobrepor a imagem que captavam; jamais conseguiria gerar com os olhos uma imagem tão arcaica quanto à dos hominídeos. Para fazê-lo, precisava trabalhar manualmente, utilizando o equipamento disponível no *motorhome* de Steve Limbs para editar a sequência de *frames* no intuito de sobrepor o fluxo de captação das lentes, aí sim criar um circuito alternativo em que podia manipular o sistema de vigilância ao seu bel-prazer. Todavia, toda vez que Limbs reposicionava as câmeras de acordo com os operativos em torno da nave, Willa precisava reeditar uma nova sequência de imagens, às vezes, tendo de aguardar até que ele dormisse ou se ausentasse do *motorhome* para fazê-lo, o que era um atraso. E isso era só uma problemática atual; em breve o frisbee estaria dentro de uma câmera subterrânea e Willa precisaria ser ainda mais ousada para manter seu tráfego contínuo, inclusive valendo-se do hipnotismo para abrir caminho ou escavar seu próprio túnel para acessá-la sem ser interrompida. Enfim, conforme advertira a *Nave*, um problema que crescia na mesma proporção em que o multivíduo de Willa multiplicava-se em progressão geométrica.

Mas, conforme antes mencionado, essa problemática compartilhada por Vegina e os alienígenas preenchia apenas um foco secundário de atenção das entidades expedicionárias no que tange ao gerenciamento do entorno onde a *Nave* estava estacionada, e as sutis trocas de farpas conforme administravam o improviso da situação em relação às restrições que eram obrigados a seguir. Já que, como entidades multifocais, seus demais focos se voltavam para o avanço pentagonal de Willa ao redor do globo e à rede de comunicação que estava estabelecendo, bem como, conforme ela havia chamado atenção, às pesquisas que conduzia em sua jornada através dos mares e dos continentes. Nesse quesito, a missão vivia um momento de empolgação, dado que Willa havia ultrapassado uma taxa de ocupação global acima de 50%. Ela estava na parte final de completar sua varredura pelo planeta e uma parte substancial da rede de comunicação que vinha montando já se encontrava operativa. No âmbito da pesquisa em andamento, a lista de checagem que Sam monitorava no interior da *Nave* ainda era extensa, mas passava a correr rapidamente em congruência ao avanço multividual de Willa, e a previsão de momento era de que estaria completa tão logo a alienígena finalizasse a varredura e estabelecesse os canais que vinha desenvolvendo, sobretudo através dos cabos transoceânicos e dos satélites que estavam em vias de serem posicionados em órbita. Uma vez que essas tarefas estivessem completas, Willa poderia compilar todos os dados levantados em sua pesquisa de campo, retransmiti-los para a memória da *Nave* e *backupeá-los* na celulose memorial da floresta amazônica a fim de serem captados por sua civilização futura tão logo o canal fosse estabelecido. Uma vez cumprida essa etapa, os alienígenas estariam aptos a retornarem para o futuro com sua missão cumprida, apesar dos percalços causados pelo incidente que ocasionou o encalhe da *Nave* ao pé do Algomoro. Todavia, não era isso que Willa tinha em mente, mas sim tomar proveito da rede para:

– Ampliar o escopo da coleta de amostragens dentro da janela estipulada pela regressiva do impulso – compartilhou para o espanto e a total discordância de seus colegas. Sam contra-argumentou a respeito:

– Não basta termos estendido nossa janela de permanência no atual leque dimensional aquém do previsto graças a tua imperícia no comando da *Nave* e, em contínuo, queres nos manter aqui até o horizonte de evento da janela atual? Nem preciso colocar isso em pauta para saber que nosso quórum reprovará, está fora de qualquer instrução ou prerrogativa das diretrizes de comando dessa missão.

– Considerando que em breve obteremos um canal de comunicação com o comando, não custa submeter o novo plano de pesquisa para sua avaliação – ponderou Willa.

– Repito: o comando jamais aprovará.

– Não fique tão seguro quanto a isso. Depois que se depararem com a riqueza de dados que angariamos, tenho certeza de que permitirão, pois o que temos aqui é simplesmente a mais extensa pesquisa comportamental de nossos ancestrais pré-históricos já conduzida em todos os horizontes. Quanto mais pudermos ampliar essa análise, maiores e mais precisos serão os resultados que obteremos.

– Não vou discutir essa pauta em presente, ainda tens um vasto leque de checagens para contemplar antes que possa pleitear a amplidão dos trabalhos. Foque nas tarefas em andamento e deixe as pautas futuras para o futuro de quando pertencem.

– Combinado. Mas se fosse vocês, começaria a ponderar seriamente essa proposta. Só peço que não me neguem essa possibilidade por saudades de retornar a nossa civilização.

– Não se trata disso, aliás, sabes bem do que se trata.

– De nos atermos ao que nos propusemos antes de virmos, estou ciente. Mas aguardem até estabelecermos contato, assim que subirmos as coordenadas protodimensionárquicas de nossos achados, captaremos se o comando autorizará ou não – insinuou Willa ao encerrar o argumento.

A ideia de Willa era simples: se, na missão original que deveria ser executada em conjunto com a *Nave* estava previsto o catálogo de uma série de amostragens, com o infortúnio ocorrido no instante de sua materialização na Terra e a necessidade da alienígena conduzir suas pesquisas pelo próprio enganche, uma vez que sua varredura multividual tomasse o globo por completo, o que antes seria executado por amostragem passaria para uma leitura *censitária*. Ou seja, se antes a missão previa a leitura e o *backup* de mentes hominídeas dentro de uma listagem predeterminada de planos existenciais e suas respectivas rupturas conforme a relevância, sua nova proposta ampliava essa amostragem para toda a população hominídea da Terra. Por exemplo, a missão previa a retirada de amostras orgânicas de um pequeno grupo de mulheres grávidas e seus respectivos fetos, seguindo um padrão de amostragem conforme as etnias e outros fatores biogenéticos preestabelecidos. Porém, de acordo com sua nova proposta, Willa estava em posição para retirar amostras de *todas* as mulheres grávidas ou que engravidassem no período em que permanecesse no atual leque dimensional pretérito da Terra. Isso permitiria criar uma análise interdimensional evolutiva do gene fundamental comparativa ao grau de aleatoriedade do ato fecundativo, ou seja, catalogando até os diferentes espermatozoides que fecundam um mesmo óvulo em suas múltiplas réplicas dimensionais. Essa análise permitiria angariar dados suficientes para estabelecer uma taxa descrita pelo termo *rol espermatozoico*, o que traria uma melhor compreensão em torno do fato de, por exemplo, existirem réplicas de uma mesma pessoa em distintas dimensões separadas por um vasto leque existencial não só referente à própria sequencialidade, mas à curvatura em que está inserida. A partir daí, Willa poderia analisar comparativamente as distintas proles no desenvolvimento de sua psiquê em dimensões paralelas. Em suma, uma análise que aprofundaria e enriqueceria a proposta de estudo inicial como jamais fora feito antes pela ciência quântica e suas respectivas linhas investigativas das existenciológicas desde seu firmamento como campo de estudo atual e pretérito.

Segundo sua nova proposta, além de ampliar as pesquisas por amostragem para uma leitura censitária, Willa queria alargar o horizonte das leituras de forma a englobar suas respectivas variáveis, as quais só o *tempo* poderia revelar quais seriam, e quanto maior o horizonte, melhor os resultados e mais preciso o molde do mapa psíquico da população hominídea que pretendia construir. No caso, o mais acurado perfil de uma sociedade já extinta pelo ponto de vista de sua atualidade futura, que jamais havia sido concebido ou sequer conjecturado como passível de ser construído não fosse o tal "infortúnio" ocorrido com a *Nave* – *E os ineptos não conseguem projetar os benefícios que isso veio acarretar*, pensou privativamente Willa –, de seu ponto de vista, com certa razão, pois não havia outro ser naquela expedição que soubesse medir com mais precisão o valor histórico da hominídea na prosperidade de seu próprio futuro.

Willa propunha avançar de um simples retrato da psiquê humana para a criação de um perfil completo da mesma, assim compreender a evolução do pensamento humano. Afinal, do que adianta ler e catalogar a mente de um hominídeo em dado instante se, nos instantes seguintes, ele é capaz de mudar de ideia? Em suma, eram as variáveis do pensamento que Willa queria analisar ao propor uma extensão do período de permanência no leque dimensional pré-histórico da Terra. Uma extensão até a margem máxima em que poderiam permanecer, cujo horizonte era delineado pelo Armageddon agendado para a data preestipulada. Com a janela em sua amplitude máxima, não só o homem seria objeto da maior análise de campo já realizada, também outros animais e outras espécies de diferentes filos seriam agraciados pela extensão das pesquisas encabeçadas pelas demais entidades, como a *Árvore* e a *Pedra*, mesmo que nunca pudessem alcançar o padrão censitário que Willa queria contemplar, já que compreendem um leque de seres vivos infinitivamente mais amplo se comparado a uma espécie de baixo contingente como a hominídea. Mas, conforme advertira Sam, de instante, nem a lista de checagens inicialmente prevista para a corrente expedição Willa tinha completa, ainda precisava revalidar uma série de leituras traduzidas dos sinais comunicacionais ou de resíduos subparticulares e atômicos captados na breve janela de análises interrompida com a impressão errônea da nave no atual sítio em que se encontrava. Análises as quais teriam de ser executadas pela alienígena em pessoa.

Naturalmente, as listas de checagem envolvendo qualquer entidade, marco, sítio de interesse histórico ou quaisquer objetos de interesse localizados nas Américas, foram as primeiras que Willa checou em congruência com seu avanço multividual. Isso obedecia não só os objetivos mais amplos da missão, mas também o interesse pessoal da alienígena e a prerrogativa de conduzir o seu multivíduo em campo aberto. Entre as inúmeras checagens, uma das mais relevantes nos termos da pesquisa compartilhada por Sawmill[A] era a classificação dos planos existenciais e a relação desses planos com o *looping* existencial da sociedade hominídea como um todo, além de suas relações com a sociedade quântica em seus aspectos mais amplos, especialmente astrofísicos e bioevolutivos.

E o que é um plano existencial senão o homem que o habita e nele existe? Nesse sentido, é o comportamento de certos homens que vai explicar por que determinados *loopings* sociológicos se repetem e se mantêm contínuos. A exemplo do *looping* brasileiro, a sociedade como um todo é fruto de diversos outros *loopings* que se mantêm contínuos e, conforme já identificara Willa, o *looping* que melhor descrevia a sociedade hominídea sob sua análise era a Revolução Industrial em vias de alcançar o estágio descrito como *Era dos Videogames*. Em suma, para entender esses *loopings*, Willa precisava encontrar os respectivos planos que os alimentavam, ou seja, as pessoas que os delineavam. Por exemplo, em relação a Carrol e Limbs, duas cabeças que revolucionaram a cibernética, precisava estudar suas vidas, seus antepassados, suas redes de contatos e seus colaboradores como parte do quebra-cabeças que precisava montar. A lista era infindável e cada plano existencial que Willa catalogava derivava em inúmeros outros – não por menos, a alienígena queria ampliar o período de suas análises. Já no escopo do que havia sido pré-agendado para a expedição, quase todos os planos existenciais das Américas haviam sido reconfirmados ou não e, enfim, Willa anunciava o último que faltava para completar a lista:

– Plano *James Kelly* encontrado. Iniciando acompanhamento multividual do espécime.

O referido plano era o último a ser confirmado por Willa pelo simples fato de James Kelly viver nas Bermudas operando um táxi-aéreo com um hidroavião bimotor. Ilha situada em um arquipélago, conforme já ilustrado, somente acessível com segurança pela caminhada no leito oceânico, por isso o último território das Américas que a alienígena alcançou. Após iniciar sua varredura na Europa, até mesmo a Ilha de Páscoa, o Polo Norte e uma série de outros arquipélagos, incluindo as ilhas mediterrâneas já se encontravam disponíveis dentro de sua malha multividual quando Willa finalmente despontou em uma das maravilhosas praias das Bermudas. Instante quando, em paralelo, ultrapassava o Estreito de Bering e avançava pelo leste asiático, deslocava-se a leste além do meridiano de Moscou e a sudoeste pelo Oriente Médio. Ao sul, espalhava-se abaixo do Equador em solo africano; e, quanto às localidades mais distantes, já pousava em Tóquio no Japão, e voava para Sidney na Austrália. Por fim, enganchava-se no gelo da Antártida na expedição "Roald Amundsen" para conquistar o Polo Sul. Nesse ritmo, em menos de 24 horas esperava estar presente em toda superfície terrestre na taxa de um Willa por metro quadrado *per* dimensão. Nos oceanos, o processo de disseminação e varredura de seu multivíduo era bem mais lento, mas Willa já nadava pelos sete mares e os trabalhos de grampo dos cabos transoceânicos, incluindo os do leito Pacífico, estavam previstos para serem completos entre 72 e 120 horas. A essa altura, ao menos através do Atlântico, entre a América, a Europa e a costa oeste da África, contando todos os sistemas disponíveis que conseguia improvisar e anexar ao *network* expedicionário, já era possível estender parcialmente a capacidade sensorial das entidades radicadas na *Nave*, interligando seu multivíduo à rede de transmissão que vinha construindo – embora essa fosse uma tarefa permanente para que o sinal trafegado por Willa fosse mais veloz e progressivamente mais volumoso.

Entre os trabalhos de sua lista de checagem, até o plano James Kelly, que representava o marco de destino de sua missão – ou seja, a excursão pretérita capitaneada pelos alienígenas visava justamente atravessar os horizontes do *tempo* para alcançar o plano em que o ex-combatente ainda era vivo –, uma série de outros planos já haviam sidos revalidados por Willa. Alguns com um valor sentimental especial para a alienígena, tais como os planos Jay Carrol, Steve Limbs e o plano Alexandria. Este último representava a margem mínima que a excursão buscava atingir, ou seja, entre os nascimentos de James Kelly e Alexandra Firmleg, aqueles que, respectivamente, eram os recordistas mais velho e mais novo que conseguiram atravessar a curvatura do *tempo* no sentido oposto da expedição em andamento. Ou seja, representavam o parâmetro de destino da expedição, em suma, eram planos de referência para a navegação tetradimensional.

Ainda existiam inúmeros outros planos de altíssima importância para o entendimento do *looping* terrestre que Willa precisava analisar, os quais listavam políticos, líderes civis e militares, empresários, inventores e cientistas peças-chave da história continuada sob o foco da análise interdimensional proposto para a excursão. Entre aqueles que Willa já havia encontrado, os marcos mais importantes listavam: Steven Spielberg, o famoso cineasta; Salvador Allende, líder da revolução comunista chilena; João Figueiredo, corrente presidente do Brasil; e Che Guevara, outro revolucionário que colaborou na revolução chilena. Já na Europa, o plano Adolf Hitler foi um dos mais importantes para refutar a tese de que a ausência de determinados personagens não afeta o *looping* existencial ainda que altere substancialmente os fatos históricos oriundos de sua ausência ou presença no mesmo. Em contrapartida, embora fosse uma personalidade póstuma e figurasse com um nome diferente, Olivermerter era um dos gênios cujos conhecimentos permitiam manter o *looping* terreno ativo por aproximados um milhão de anos, período em que a civilização terrena ainda conseguia se manter existencial em paralelo à civilização quântica – *se* houvesse horizonte disponível para isso. Todavia, sempre reescrevendo uma história cujo estopim era exatamente o mesmo, ou seja, o rompimento desse *looping* derivava na autoextinção da espécie por suas próprias escolhas.

Da mesma forma, outros planos existenciais já haviam sido reclassificados por sua ausência ou nula influência na manutenção do *looping* terreno. Por exemplo, duas figuras proeminentes no passado pré-histórico que não mais revelavam importância no cenário sob análise de Willa eram Ronald Reagan e Margareth Thatcher. No caso, ambos seguiram um novo destino totalmente distinto do original: Reagan preferiu se ater ao trabalho no mundo artístico ao invés de enveredar para a política; e Thatcher sequer chegou a carregar esse nome – oriundo do casamento com Denis Thatcher –, seguiu como Margareth Roberts, pois se casou com outro homem por quem se apaixonou ainda na adolescência e preferiu ser dona de casa sem nunca sequer cogitar entrar para a política.

Outros planos ainda não haviam sido contemplados pela varredura em andamento, mas Willa já havia confirmado sua relevância no cenário político ou na moldagem do espelho espiritual da espécie hominídea através da leitura midiática que vinha incorporando aos seus bancos de dados, tais como: Nelson Mandela, que se encontrava preso na África do Sul; e o novo Dalai Lama, figura extremamente influente na política e na filosofia dos povos orientais, sobretudo nas proximidades do Tibete, da China e da Índia, países que abrangem a região que Willa descrevia como "poço do mundo" por se situarem o mais distante no mapa tanto exterior quanto dos intramundos terrenos, o Himalaia.

Outras figuras proeminentes da história absoluta da sociedade quântica valiam pelo registro figurativo, pois ainda não tinham nenhuma importância no cenário sob análise. Um exemplo era a alemã Angela Merkel, apenas uma jovem quando Willa a encontrou, alguém que seria importante no restabelecimento da liderança do país na Europa após a reunificação proporcionada pela queda do muro de Berlim – uma destacada militante em prol da derrubada do muro. Mas como na atualidade o muro de Berlim não existia e a Alemanha não apenas era unificada, bem como liderava a metade comunista do mundo, era impossível saber se Merkel seria importante no futuro do corrente pretérito como foi no pretérito do futuro de Willa – isto é, a menos que a alienígena conseguisse ampliar a janela de análises, conforme sugeria aos colegas.

Outro plano cuja importância se daria no futuro do pretérito que Willa percorria era o fluxo Xiaoping, um chinês que sequer havia nascido – seus pais, sim. Ele que se tornaria um dos homens mais ricos e influentes a nível global justo na época em que o país entrou em conflito com os Estados Unidos até que a Guerra dos Seis Minutos confrontasse as duas nações e levasse a espécie humana à extinção. O pai de Xiaoping era um cidadão mais que proeminente e poderoso, era o presidente da China em 1978, por isso foi um dos primeiros planos que Willa passou a rastrear antes mesmo de alcançar a fronteira do país. Mas a alienígena queria mais, queria acompanhá-lo para saber se seu filho iria nascer e dar continuidade ao trabalho do pai dentro do prazo delimitado pela janela de Armageddon estipulada pelos expedicionários. Todavia, como isso era ainda incerto, o foco principal de Willa ao penetrar o solo chinês era responder à questão que pairava sobre outro nome cujo plano na atualidade em questão era ainda mais influente que Xiaoping: o mandarim Fu Manchu e sua relação com a casa maçônica dos Illuminati.

Prioridades investigativas à parte, percorrer o território chinês rapidamente mostrou-se a mais rica e interessante parte da pesquisa apenas pelas análises de catálogo que passou a empregar como parte de seus labores meramente burocráticos, os quais visavam modelar a paisagem do país em sua mais plural magnitude. Conforme irradiava-se multividualmente, Willa passou a colecionar uma série de itens totalmente inéditos à memória preexistente da civilização chinesa que jamais a sociedade quântica imaginava existir – se percorrer a Terra era como passear por uma grande feira randômica, sem dúvida, a China era a mais rica de todas as feiras. Isso se dava especialmente pelo fato do país ter sido vitrificado após os ataques estratosféricos a *laser* dos norte-americanos durante a Guerra dos Seis Minutos, do qual só restou a mais pura devastação que castrou quase a totalidade da memória daquele que sempre foi o centro da civilização terrestre desde os seus primórdios. Aliás, foi quando passou a percorrer o território chinês e a testemunhar a riqueza de seu povo que Willa percebeu a necessidade de aumentar a janela de permanência no corrente plano pretérito que veio a propor para seus colegas. O que mais intrigou Willa na paisagem chinesa foi a beleza de sua arquitetura e a refinada arte estética de seus cidadãos, bem como sua etiqueta de convivência social, algo que a fez se lembrar de seus estudos em torno das espécies precursoras à quântica nos diversos zoológicos que visitou ou se radicou durante a vida. Por isso, não muito após iniciar sua peregrinação por terras chinesas, comentou com seu parceiro:

– A paisagem urbana chinesa é demasiado similar ao zoológico de Ariel, não concorda?

– Pelo que capto, é fato – concordou Sam, o alienígena que, assim como Willa, tinha em seu currículo um bom período de estudos na reserva de Ariel, mas como botânico, enquanto a parceira esteve lá conduzindo estudos antropo-quantipológicos. Sam questionou: – Seria Confucius um resíduo psicográfico de Metodius?

– Se já tivesse depreendido as politecas que lhe indiquei desde que cá estamos, saberia que Confucius não consta na listagem de emissões. Não *confunda*, por favor – respondeu Willa com evidente sarcasmo.

– Às emissões *catalogadas*, tu te referes. Quero evidências que corroborem ou refutem isso. Posso até estar confuso, dado que a matéria é extensa e complexa para que pudesse desenvolver uma compreensão como a tua em tão curta janela. Entrementes, essa é uma pergunta válida que se encaixa no escopo de tuas investigações, portanto, elucide-a – justificou-se Sam, mencionando mais uma entre as muitas tarefas que Willa estava incumbida de investigar em meio à população terrena: rastrear sinais de mensagens psicográficas enviadas do futuro. Primeiro, para saber se as emissões enviadas da atualidade da qual provinham tinham alcance até um pretérito tão distante. Segundo, para determinar qual seria essa margem em relação ao passado de seu futuro, ou seja, de qual ponto da linha-continuada se originavam os sinais que captava. Para responder essa questão, a leitura de mentes era fundamental para mapear a origem dos resíduos psicográficos captados no corrente pretérito. Entre as mentes lidas, Willa buscava indivíduos que se dedicassem à recepção desses sinais para então analisá-los e acompanhá-los mais de perto, tais como pajés, xamãs, médiuns e as crianças de modo geral, dado que essas são mais sensíveis não só para captar mensagens interdimensionais, mas para interpretá-las longe dos muitos fetiches que, nos adultos, inibem a capacidade de diferenciar um contato dessa natureza de um simples sonho ou uma assombrosa loucura. Todavia, a hipótese lançada por Sam era *antimurphyana*, pois as evidências que Willa contabilizava delineavam a margem de emissões dentro da própria atualidade quântica, eram mensagens oriundas de um leque, embora ainda não pudesse especificar um período exato, entre mínimos sete mil e máximos 50 mil anos-terra prévios a sua partida, ou seja, em torno do ano 800.000 d.C. Como Confucius tinha vivido no século III a.C., estava demasiado aquém da margem de emissões de sua contemporaneidade e muito distante no passado em relação ao pretérito sob sua análise. De modo que não havia como levantar qualquer evidência que elucidasse essa hipótese, no máximo, angariar mais informações a respeito pela compilação das mentes lidas a fim de refutá-la.

É claro que, em meio às suas infindáveis observações e análises, as questões políticas que afligiam a vida dos chineses, a Willa mais se traduziam pelo interesse de estudo e o êxtase inerente de qualquer pesquisador que estivesse testemunhando a história, a *sua* pré-história *in loco*. Assim, pouco a importava a miséria ou o regime autoritário e escravocrata que permitia a prosperidade do país, até porque, em sua compreensão, os diferentes regimes ou sistemas políticos do planeta eram todos autoritários e escravocratas e, talvez, a única diferença gritante que observasse entre um mísero camponês e um mandarim era o espaço mais amplo de sua morada. Quanto às posses de um e outro, só serviam para revelar a psicopatia e os vícios fomentados por uns e menos por outros, mas, como animais, seu comportamento era bastante previsível e homogêneo, algo que sempre se replica no âmbito maior de qualquer sociedade hominídea em diferentes graus. Apesar disso, Willa logo percebeu que o povo chinês possuía uma organização social que o mantinha na vanguarda planetária e se tratava de um país mais adaptado para garantir a perpetuação da espécie pela simples vocação campestre de seu povo. Isto pois, à parte toda evolução tecnológica do homem, a agricultura representa o item fundamental de sustentação de todas as sociedades, fator que sempre fez da China a base de proveito que a permitiu progredir e proliferar seus cidadãos a ponto de se tornar a população mais vasta do mundo. Como qualquer humano que venha do oeste e passe a conhecer a cultura chinesa, também ficou claro para a alienígena que a China é o berço de todo o conhecimento e de toda a cultura do mundo – todos que chegam ao país saem de lá levando algo novo; foi assim desde o início dos tempos, foi assim com Willa e o retrato que passou a montar –, inclusive identificando muitas similaridades com a sua própria cultura hiperfuturista, especialmente ao que tange à filosofia de vida de seu povo.

A parte mais enriquecedora para as pesquisas de Willa se dava pela construção desse retrato da atualidade pretérita que percorria em função do que foi perdido com o holocausto da Guerra dos Seis Minutos, pois a história da China desde a época do homem das cavernas, Willa conhecia muito bem. Um conhecimento oriundo das inúmeras evidências fósseis que contavam não só a história do país, mas do próprio homem a partir de outro holocausto: a Guerra Interdimensional que dizimou as civilizações atlânticas e lemurianas não só da face do planeta, bem como de seus respectivos intramundos. Uma guerra em que a Terra foi apenas um dos muitos campos de batalha, e que ocupou uma faixa superior a um milhão de anos na curvatura do planeta. Seus últimos registros datavam de cem mil anos antes de Cristo e, quando terminou, deixou órfãs as espécies hominídeas que subsistiam no período. Como causalidade da guerra, a superfície terrena foi praticamente toda coberta de água e a destruição dos intramundos de ambas as civilizações em combate alterou o relevo do planeta, por isso, as civilizações hominídeas que prosperaram a seguir passaram a se lembrar dessa época como o Grande Dilúvio. Com as águas subindo e depois recuando, a Terra enfrentou um período de extinção em massa de várias espécies e formas de vida. Entre elas, algumas espécies *sapiens* deixaram de existir. A mais famosa talvez seja o *homo gigantus*, e os hominídeos que restaram chegaram a somar algo em torno de míseros vinte mil homens espalhados em diferentes tribos pelo planeta. Algumas conseguiram retomar sua expansão e prosperidade, na África e na Ásia, substancialmente. Mas o detalhe que diferencia os ancestrais chineses dos demais foi sua evolução a partir do *homo erectus*, uma cria genética dos reptilianos de Lemúria, enquanto os africanos retomaram sua escala evolutiva já a partir do *homo sapiens*, por sua vez, cria genética dos marcianos de Atlântida. Isso indicava que a prosperidade do povo chinês não era exclusivamente social, era também genética. Em suma, para Willa, contemplar um chinês era como captar um fóssil vivo da mais antiga espécie humanoide da qual se tinha conhecimento no cômpito da história-continuada desde seus pretéritos mais absolutistas. Fator que por si só dava a dimensão da satisfação e do privilégio que sentia e desfrutava ao tecer suas investigações pelo território chinês.

Em nível pentagonal de avanço, a prioridade de Willa era elucidar a questão que pairava sobre o famoso mandarim Fu Manchu e o fato de ser um cavaleiro templário. Nesse sentido, quanto mais avançava sua varredura, mais enigmática ela se tornava, especialmente depois que a investigação revelou outro mistério relacionado diretamente com essa questão. Conforme fechava seu cerco multividual em torno do continente asiático vindo da Europa, Willa passou a perseguir o sinal trinário de suposta origem alienígena que seu parceiro havia rastreado previamente e, à medida que exponenciava sua contagem multividual em rumo leste, passou a se deparar com esse sinal repetidamente por todos os lados. Além de perseguir sua origem, Willa passou a montar um mapa da rede que percorria, evidenciando que derivava da China oriental, ao que tudo indicava centrado em Pequim. Todavia, foi mérito de um de seus pares vindo do leste através do Estreito de Bering, que conseguiu associar esse código com a figura de Fu Manchu na cidade de Harbin, a nordeste do território chinês, em uma propriedade pertencente ao mandarim, onde encontrou um cabo de cobre trafegando esse intrigante sinal. Pela análise de datação em carbono do cabo, Willa atestou que havia sido fabricado no final do século XIX, mas o que evidenciava a relação do mesmo com a casa maçônica dos Illuminati não era o simples fato de tê-lo encontrado em uma propriedade do mandarim, e sim a descoberta de outros cabos de cobre com idêntica datação em carbono ao longo do continente eurasiático em muitos dos mesmos locais em que se deparou com o fluxo de dados trinários que estava mapeando. Todavia, os cabos de cobre que até então havia encontrado estavam inativos, compunham uma rede fora de uso ou que havia sido rompida. Na maior parte, eram cabos instalados abaixo do solo, que, a princípio, Willa deduziu se tratar de uma antiga rede de telégrafo, até porque muitos deles estavam interligados com antigas firmas que forneciam esse serviço. Já o sinal trinário prosseguia majoritariamente pela rede de telefonia e, quando adentrou as fronteiras chinesas, seu fluxo maior transferia-se para as redes elétricas. Entretanto, as redes elétricas são formadas por circuitos independentes, de modo que foi com espanto que a alienígena descobriu uma série de interligações subterrâneas entre as diferentes redes elétricas chinesas cujo fim exclusivo era trafegar o sinal que rastreava. Ao longo de sua jornada ao centro da China, também encontrou vestígios dos cabos de cobre que interligavam a propriedade de Fu Manchu em Harbin, com novas redes, tanto elétricas quanto telefônicas, datadas dos anos 1950, dali estendendo-se para Pequim. Com essas evidências, embora ainda não tivesse completado o mapa do circuito *trinário* que rastreava, nem alcançado sua origem, Willa pôde deduzir se tratar de:

– Um circuito codificado de escuta. Ao que tudo indica, com base tecnológica oriunda de herança da civilização lemuriana – expôs para seu parceiro na nave. Sam pediu confirmação:

– Protocolar novo achado lemuriano?

– Ainda não. Não encontrei nenhuma correlação com as investigações nos sítios arqueológicos mapeados e averiguados até o presente. Somente o fato de estar centrado em território chinês indica que sim. – Então questionou: – Já conseguiu alcançar a origem do sinal?

– O sinal vem de Pequim, do centro antigo da capital. Entrementes, o exato ponto de sua origem permanece invisível.

– Por quê?

– Não posso precisar. Ao que parece, existe algum tipo de interferência ou bloqueio que não consigo ultrapassar – esclareceu Sam.

– E quanto às compilações? Conseguiu decifrar?

– Nem um mísero caractere. Não bate com nenhuma linguagem conhecida na amostragem disponível. Sem acesso à cosmonet será impossível encontrar uma correspondência. Tampouco fazemos ideia de como decifrá-lo, é muito arcaico.

– Não se preocupe, estamos em limiar eventual para alcançarmos o ponto de origem. Aguarde nova atualização.

70

Ao bater as vinte centenas, exatas duas horas e dezesseis minutos após a ordem recebida, o sargento Rodriguez pediu licença para adentrar o *motorhome* do coronel Carrol. Autorizado, enrijeceu seu corpo, bateu continência, aproximou-se da mesa em que seu superior sentava-se em sua poltrona de couro e gentilmente colocou um envelope sobre a mesma com as palavras:

– Aqui está a foto, senhor.

Sem sequer agradecer, Carrol tomou o envelope e se apressou em pôr os olhos na foto. Assim que o fez, questionou o sargento em tom enervado:

– Em *preto e branco*? Mas será que preciso especificar os mínimos detalhes de qualquer simples favor que te peço? – bronqueou o coronel. Rodriguez se apressou em justificar, alegando que a revelação da foto tinha sido feita por Limbs, o que só fez crescer a irritação e o tom com o qual Carrol expressou-se em seguida:

– *Limbs*? E por acaso foi para *Limbs* que repassei a ordem ou para *ti*?! E que papel é esse? Folha sulfite?! É foto ou desenho isto daqui? Porcaria! – expressou com raiva, dando um tapa no papel sobre a mesa.

– Me desculpe, senhor. Não saberei como estar explicando, senh... – dizia o sargento quando interrompido pelo chefe, já completamente irritado:

– É ÓBVIO que não sabe explicar! E que não tem o mínimo gênio para ter trazido Limbs aqui, energúmeno! – vociferou o coronel aos gritos.

Com a face rosada perante o esculacho, Rodriguez baixou seu semblante e timida, mas rapidamente retirou-se do recinto com as desculpas:

– Senhor, nesse instante, senhor. – Em menos de minuto estava de volta ao *motorhome* acompanhado de Limbs. O engenheiro eletrônico rapidamente esclareceu o fato:

– Não temos impressora colorida aqui, mas enviei uma cópia para a central de documentos aos cuidados de Mijas. Ele vai imprimir as fotos no papel fotográfico a cores.

– Como assim "imprimir"? Então isso aqui é… – questionava Carrol quando interrompido por Limbs. Sem cerimônias, o engenheiro confirmou a dedução do chefe:

– Exato, senhor. Um desenho. Fiz no Photoshop, o programa de mapa de bits que falei antes. Não ficou legal? Bem real, né? O que achou? – Perante a pergunta, Carrol levou a mão à testa e fechou brevemente os olhos como se desacreditasse da ousadia do jovem em submetê-lo uma imagem falsa que seria anexada a um documento encaminhado para o presidente da República. Mas como Limbs agora também era sócio da empreitada, respirou fundo e, com calma, questionou justamente esse ponto:

– Quer que enviemos uma falsificação para o presidente?

– Não é uma falsificação. Eu tive que criar dois programas novos e utilizar toda tecnologia que temos à mão para desenhar essa imagem, iniciando pelo Autocad, sabe qual é? Não importa... Quero dizer que é uma reprodução fiel do objeto em 3D com proporções milimétricas. A única coisa que fiz foi criar a luz que não conseguimos captar, é isso que o Photoshop faz.

A justificativa soava perfeita, mas como Carrol possuía profundos conhecimentos em informática para não se permitir ludibriar pelo engenheiro, exigiu que

Limbs não só explicasse, mas demonstrasse o uso do programa diretamente em seu terminal de trabalho. Apesar da desconfiança, antes que os dois se dirigissem ao *motorhome* do engenheiro, Carrol autorizou Rodriguez a encaminhar a foto para seu secretário no escritório na C-11. Em seguida, pediu também que enviasse um recado para Mathew:

– Quero que ele assuma o comando na C-11 e encarregue Mijas como portador do dossiê para Washington assim que obtivermos as filmagens

Sem pestanejar, Rodriguez correu para cumprir suas novas ordens, sequer teve tempo de ouvir o que Limbs alertou ao chefe logo depois que saiu:

– As filmagens ainda vão demorar cerca de 40 horas para ficarem prontas – disse o engenheiro baixando o tom no final da frase, já certo de que o chefe contestaria, como contestou com profunda irritação, além de exigir explicações para um prazo tão longo. Todavia, não só o prazo, também a explicação era longa e profundamente técnica, por isso Limbs encaminhou-se ao lado de Carrol até seu *motorhome* a fim de demonstrar como funcionava o tal Photoshop e os programas de edição que estava operando. Uma vez no *motorhome*, em meio a toda parafernália de fios, ferramentas, terminais, pilhas de placas, um variado aparato eletrônico e alguns *racks* espalhados por cima e por baixo de uma mesa que tomava metade da caçamba traseira do veículo, Limbs explicou e demonstrou como havia trabalhado a foto do objeto alienígena-extraterrestre. Entre uma série de questionamentos técnicos do chefe, uma de suas dúvidas era como ele havia conseguido desenhar uma foto colorida em um equipamento monocromático:

– Eu tava utilizando o monitor colorido antes do guindaste destruir o outro *motorhome* e tínhamos aquela Xerox colorida que adaptei, igual à do CPD, sabe?

Carrol anuiu à justificativa de Limbs. Ele continuou:

– Mas pra rodar esse programa, nem preciso ver a cor, eu tenho um pantone com os códigos. Tenho separado os pantones que preciso para renderizar a coloração e o brilho do objeto, aí é só aplicar esses códigos no mapa de bits – esclareceu Limbs enquanto mostrava a tela do computador onde nada se via que se parecesse com um disco-voador, somente códigos alfanuméricos. Carrol perguntou:

– Pantone? O que é isso?

– É o padrão de cores da máquina da Xerox que eu codifiquei em linguagem binária pra construir o programa – disse, puxando uma tabela impressa com uma listagem de cores e suas respectivas codificações.

– Você tá roubando tecnologia da Xerox? – questionou Carrol com os olhos firmes em seu interlocutor.

– Eu só tô fazendo o que posso… – alegou Limbs. Todavia, Carrol não se importou muito, afinal, ao menos quanto a isso não seria hipócrita de repreender o novo sócio. Ainda assim, tinha mais uma dúvida a respeito:

– Você não pode ter desenvolvido tudo isso nesse curto espaço de tempo que estamos aqui, então me diga: desde quando está trabalhando nesse programa?

– Basicamente desde que comecei a trabalhar com o senhor em Nova York, se bem que a ideia eu tive quando fui funcionário na xerox da faculdade. Mas, na prática, só passei a me dedicar à codificação desses pantones depois do lançamento da Xerox colorida. Fazem o quê, dois anos?

– Sabe que durante a vigência do contrato que assinamos qualquer patente de inovação que desenvolver pertence a mim. Não se esqueça – lembrou Carrol.

– Eu não me esqueci. Mas como também sei que o senhor é um homem de negócios, achei que talvez se interessasse em renegociar esse contrato...

Mirando Limbs com o rabo dos olhos e um leve sorriso no canto da boca, Carrol respondeu:

– Nós mal acabamos de renegociar esse contrato, estabelecemos uma nova parceria e já quer modificá-la?

– É que eu não aguento mais trabalhar aqui neste fim de mundo. Eu poderia ser bem mais útil lá em Nova York, em qualquer uma de suas empresas. Poderíamos até criar uma empresa nova só pra desenvolver esse programa – falou com franqueza Limbs.

Intimamente, Carrol gostou da sinceridade e da ousadia do jovem, era de pessoas assim ambiciosas que esperava contar em seus negócios. Por isso prometeu que conversaria a respeito em breve, tão logo terminassem os operativos atuais. Em seguida, Limbs detalhou os motivos da demora em renderizar o vídeo com as imagens da nave, basicamente, uma questão de falta de memória:

– Pra modelar e depurar uma imagem tridimensional com quatro câmeras e esse equipamento aqui – apontou para um aparelho VHS em sua mesa –, com apenas quatro cabeças... Aí demora mesmo. Eu ainda tô montando uma pilha com três coprocessadores adicionais, duas placas de TV de 8kb e mais dezesseis pentes de RAM. Quando terminar, creio que ficará pronto entre doze ou dezesseis horas.

– Centenas – corrigiu Carrol. Quanto ao novo prazo estipulado por Limbs, era maior do que gostaria, mas aceitável, pois até que chegasse o equipamento digital de filmagem e o novo videocassete *betamax* de sete cabeças que havia requisitado poucas horas antes, até que se instalasse tudo, realizassem as filmagens e renderizassem a fita, as imagens só estariam prontas no dia seguinte. Assim, apesar de aflito para enviá-las ao presidente, Carrol teve que se resignar em aguardar. Por ora, enviaria apenas a foto e os relatórios endossados pelo time de especialistas. Restava torcer que fosse suficiente para obter sua assinatura no projeto. Sem qualquer nova providência que pudesse tomar de imediato, Carrol levantou-se para deixar Limbs a sós com seu trabalho, porém, antes de sair do *motorhome* ocorreu-lhe algo que quase escapou em meio às explicações do engenheiro:

– Só uma dúvida... Se a foto é um código, como você a enviou para Mijas?

– Pela Arpanet.

A explicação era óbvia, Carrol queria apenas confirmar, mas tinha um problema: contrariava suas ordens. Enfurecido pela desobediência de Limbs, Carrol retomou a postura de coronel e abandonou toda a cordialidade com que até então tratava o novo "sócio". Assim, após alguns palavrões, bronqueou a plenos pulmões:

– *Eu por acaso não instruí veementemente que o uso da Arpanet está* **pro-i-bi-do** *neste sítio?* Tá querendo comprometer o operativo? O que adianta ser sócio se pôr tudo a perder?!

Perante a bronca, Limbs gaguejou ao responder:

– Não havia outro jeito, senhor. É que...

– Não é que NADA! Não é porque estabelecemos uma parceria que você vai passar por cima das minhas ordens. São questões de segurança que conhece muito bem para cometer um deslize dessa envergadura. Não pense que se fizer algum contato não autorizado que eu não te prendo e te processo por *traição*! – intimou-o Carrol. Limbs apressou-se em pedir desculpas, falando rápido sem gaguejar:

– Me desculpe, é que eu queria fazer um teste pra... – mas foi rispidamente interrompido por Carrol:

– Teste PRA QUÊ?! – gritou o chefe. – De novo com essa mesma desculpa?!

– Não é desculpa, senhor. É porque acho que a coisa ali tá *hackeando* os sistemas, é isso! Eu precisava rodar a rede pra puxar alguns aplicativos e tentar averiguar. Aproveitei para enviar o arquivo para o CPD. Mijas vai imprimir lá.

– Você precisa me comunicar quando for fazer esses testes, estamos entendidos? Mas tudo bem – disse Carrol retomando a compostura, subitamente redirecionando sua preocupação em torno da suspeita levantada por Limbs: – Conseguiu descobrir alguma coisa com esses testes?

– Infelizmente, não. Não nos computadores, mas tenho certeza de que sonhei, ou melhor, que não foi um sonho, que tinha alguém operando a ilha de edição ontem de madrugada – explicou Limbs. Ao falar em sonho, Carrol retomou seu tom irritadiço e passou a confrontar o relato do engenheiro. Porém, antes que se alongasse em mais uma bronca, Limbs acrescentou uma informação:

– Tenho uma forte suspeita de que a coisa tá *hackeando* não só os computadores, mas tudo: os telefones, os rádios e os circuitos elétricos – alegou.

Ainda incerto sobre a veracidade da suspeita de Limbs, Carrol pediu para que detalhasse os motivos, que não fossem sonhos, de tanta certeza em suas afirmações. Limbs então carregou uma planilha com gráficos de consumo elétrico dos geradores que alimentavam todos os aparatos do posto zero. Um dos gráficos apresentava a leitura do medidor de consumo instalado pelo encarregado do posto, com dados desde o início das operações; outro continha uma média de consumo das últimas 24 centenas com medições que realizou desde que teve de reinstalar os sistemas após o sinistro do guindaste, considerando medições de consumo de todos os aparatos instalados no local. Os números eram claros, a média de consumo total do posto zero estava bem acima do esperado. Como se não bastasse, Limbs chamou atenção para as últimas leituras que realizou, cujos números indicavam um decréscimo até a média esperada, então comentou:

– Foi só eu me questionar a respeito da hipótese da coisa estar roubando energia que os gráficos voltaram ao normal.

Carrol o mirou intrigado e inquiriu:

– Está insinuando que o objeto parou de roubar energia depois que você percebeu que estava roubando? – Limbs fez que sim com a cabeça, mas o coronel não estava convicto: – Em primeiro lugar, me explique de onde veio essa ideia de que o objeto está sugando energia dos geradores?

– Não sei se estava ou ainda está, pois se a coisa é capaz de roubar energia ou adivinhar nossos pensamentos, talvez tenha interferido no leitor ou adulterado os números – conjecturou. Em seguida, relatou que a ideia partiu de uma conversa com o encarregado do posto pela ocasião da reinstalação dos cabos após a chegada do novo *motorhome* de apoio.

– Eu tive um curto-circuito quando tava religando as máquinas, então fui falar com ele pra ver se me arrumava um transformador de pelo menos 15.000 volts. Quando expliquei isso pra ele, ele disse que também teve problemas com curtos e queda de disjuntores. Foi aí que lhe questionei:

– Será que há algum problema com os medidores de energia? – Mas foi o que ele disse a seguir que me intrigou:

– Você também notou? – Por isso, insisti:

– Tô perguntando se você notou...?

– Notei que o disco do medidor tá girando muito acima do normal. Cheguei a avisar o supervisor, mas ele não achou relevante.

– Mas por que você acha que é relevante?

– Porque a média tá continuamente em alta. Teu *motorhome* puxa bastante energia, mas mesmo agora com ele desplugado, o giro continua muito rápido.

– É muito estranho.

– Por quê?

– Até engraçado.

– Como assim?

– É que os computadores tão meio lentos.

– Ah.

– Precisamos averiguar por que isso tá ocorrendo. – Eu disse pra ele. – Foi aí que pedi pra levantar as leituras dos medidores e fizemos os cálculos. Montei umas planilhas e o resultado é esse que tá aí na tela – findou seu relato Limbs.

Mais uma vez, Carrol achou bastante convincente as justificativas do engenheiro, porém, paranoico com questões de sigilo como era, não tão convincentes a ponto de limar qualquer desconfiança sobre ele estar tentando levá-lo na lábia, independente de qualquer motivo. Talvez apenas para aliviar sua barra em função dos erros que cometeu ou fosse mesmo um mentiroso patológico com muita imaginação na cabeça. Talvez estivesse de alguma forma afetado por trabalhar próximo ao objeto alienígena-extraterrestre. Mas, apesar de se mostrar espirituoso e voluntarioso sob a pressão do operativo em andamento, fato era que Limbs andava muito saidinho desde que assinou o novo contrato, colocando as manguinhas de fora e desrespeitando suas ordens. Além disso, o coronel não havia se esquecido do misterioso uso da linha presidencial na C-11 que ele não soube explicar, de modo que ainda não era possível descartar a hipótese mais plausível: de que, se havia mesmo algum boi na linha, algum sapo ou espião, talvez um *hacker* invadindo os sistemas de comunicação e segurança, esse não seria o suposto ser alienígena estacionado a poucos metros dali – talvez realmente aquilo ali nem fosse alienígena como alegava Harrys. Era muito mais provável que o boi, o sapo, o espião ou o *hacker* fosse ele próprio, Steve Limbs. Certamente, ele tinha plenas capacidades para isso, assim sendo, antes de mais nada era preciso averiguar sua história, até porque, se estivesse dizendo a verdade, as implicâncias eram alarmantes.

Com esses pensamentos na cabeça, mas sem deixar transparecer suas reais intenções, de pronto Carrol exigiu que Limbs redigisse um relatório detalhado com os gráficos de consumo e suas conclusões para anexar ao dossiê, inclusive autorizando o uso do e-mail para agilizar o envio. Em seguida, mandou chamar o tenente Murray e pediu para que relatasse tudo novamente aos ouvidos do psicólogo, enquanto tentava enxergar alguma inconsistência em sua história. Os três permaneceram juntos no *motorhome* de apoio conversando em meio às duas tarefas. Quando o engenheiro terminou a narrativa, Murray, daquele seu jeito bem espalhafatoso, mirou a um e a outro, abriu um sorriso, apoiou sua mão no ombro do chefe e falou em tom humorado:

– Jay, honestamente não consigo entender o que esse rapaz tá fazendo aqui nessa cabina bagunçada no meio do deserto. Esse cara aqui é um *gênio*, não percebe? – Pausou para mirar seus interlocutores e captar a reação encabulada de ambos, voltou-se para Limbs, então prosseguiu: – Quantas cores disse que codificou? Você viu isso, Carrol? Em dois anos...?

– 2,8 milhões – respondeu o engenheiro. Murray exclamou abrindo sua boca e arregalando os olhos: – Mas eu tive que desenvolver dois programas para isso – completou Limbs. Então Murray reassumiu a seriedade e falou:

– Ele tinha que tá lá no Vale do Silício, não aqui onde Judas perdeu as botas.

Entusiasmado com o elogio, Limbs mirou Carrol e fez uma ligeira correção:

– Eu preferia trabalhar em Nova York.

Não obstante aos gracejos, o psicólogo dissertou em prol da lógica em torno das suspeitas de Limbs, as quais, também em sua visão, ratificavam a teoria do time de especialistas: de que alguma forma a nave estava interferindo nos sistemas elétricos e aprendendo a lidar com eles.

– Se a nave absorve energia, distorce a luz e tivemos relatos de interferência nos helicópteros a dois quilômetros de distância, então não há como duvidar de que não seja capaz de interferir em qualquer aparelho nas redondezas, essas leituras são mais uma prova disso. O fato de as interferências terem diminuído gradualmente também ratifica que estaria aprendendo a lidar com os aparatos – expôs o psicólogo, e foi mais longe: – Talvez isso explique por que não conseguimos obter nada depois de tudo que tentamos, dês dos microscópios e outros "cópios" até a britadeira que fundiu, ou mesmo a queda do guindaste – falou, insinuando que a nave teria derrubado o guindaste de propósito. Algo que Willa sabia não ser verdade; certamente poderiam ter evitado o incidente, mas serem acusados de causá-lo era um acinte.

– Mas isso não prova que estaria lendo nossas mentes, correto? – foi a única questão de Carrol frente às conjecturas do psicólogo.

– É uma hipótese que não podemos descartar, mas não provar – atestou Murray. Nesse instante, com o olhar fixo no semblante do psicólogo, o coronel se levantou e falou:

– Então vou deixá-los a sós para que o nosso "gênio" aqui lhe conte a respeito dos sonhos que tem tido – sugeriu enquanto se encaminhava para fora do veículo. Mas quando parecia que o chefe simplesmente ia embora, ele virou-se e ofereceu seu próprio *motorhome* para que a dupla ficasse mais à vontade, justificando que não iria utilizá-lo nas próximas horas, já que estava se encaminhando para a C-11, onde aguardaria o telefonema do presidente. Entretanto, apesar da clara insinuação, Limbs ficou sem entender o porquê da gentileza. Por fim, ao colocar o pé para fora do *motorhome*, Carrol mais uma vez dirigiu seu olhar para Murray sinalizando de forma quase imperceptível com as pálpebras, só então verbalizou o que tinha em mente:

– E depois que conversarem, quero que atualizem o presente relatório com todos os detalhes da sessão para anexarmos à documentação que enviaremos ao presidente amanhã junto com as filmagens – disse, enfim colocando o segundo pé pra fora para ir embora. Porém, desta feita, Murray o interrompeu:

- A propósito, também tenho uma atualização pra anexar *já* ao dossiê - disse. O coronel o mirou intrigado e o psicólogo foi direto ao ponto: - Eu tava revisando os áudios da sessão com o mendigo e... - nesse instante, Carrol o interrompeu:

- Tudo bem, ele já sabe que o mendigo é o xerife - revelou, referindo-se a Limbs. Sem se espantar, Murray prosseguiu:

- Tem uma parte do relato do *xerife* que não está muito clara se ele diz que o nome da criatura é Saumilá ou se é Sau *e* Milá ou Wilá. Primeiro ele diz Wilá e depois Saumilá, talvez sejam dois nomes: *Wilá* e *Saumilá*. Precisamos considerar que realmente exista alguém dentro dessa coisa, ou melhor, "alguéns". - Nesse instante, o coronel questionou a respeito e Murray adiantou-se em alertá-lo que já tinha tudo por escrito: - Eu já fiz uma retificação na transcrição, deixei na sua mesa - com a informação, Carrol enfim deixou os dois a sós e foi checar o anexo.

Com o coronel fora do recinto, Murray virou-se para Limbs, retirou seu pêndulo do bolso e, com um sorriso convidativo, começou a balançá-lo. Por fim, disse:

- Não foi você que comentou a respeito da minha fama? Bom, agora chegou a hora de saber o porquê dela.

71

Willa alcançou a propriedade do mandarim Fu Manchu em Harbin, no nordeste da China, em vertente quadrada, dado que o indivíduo que liderava esse percurso provinha de uma ruptura secundária que ponteava a expedição nomeada "Frederick Cook" até o polo Norte, desdobrando-se em um conjunto intitulado "Marco Polo" que visava alcançar a Ásia central e a China. Em paralelo, seu conjunto pentagonal oriundo do experimento Santos Dumont vinha do continente europeu avançando em sentido leste. Em nível locomotivo, porém, primeiro alcançou a China vindo "a pé" e, com certo atraso, com sua vertente que se deslocou de avião, considerando-se que, a nível tridimensional, a trilha que percorreu desde Picacho pelo Estreito de Bering era bem menos distante, a despeito de estar se deslocando em sentido contrário à rotação do planeta, ou seja, a nível solar, perseguindo a noite. Ao contrário do par que navegava à luz do dia favorecido pela rotação, e somava outra vantagem que o concorrente vindo do leste não dispunha: asas para conseguir avançar mais rápido quando o vento lhe favorecia ou ao percorrer os declives das inúmeras cadeias montanhosas que precisou atravessar em seu avanço rumo ao território chinês, em especial os Alpes e o Himalaia. Por outro lado, como nos aclives as asas lhe eram pouco úteis, em média, avançava um pouco mais lenta que o entardecer de seu segundo dia na Terra. Em contrapartida, o par já em Harbin competia contra o amanhecer de seu terceiro dia. No cômpito geral, ambos separados por pouco mais de doze horas na curvatura terrestre, ainda que compartilhassem do único *momentum* existencial comum a todos no planeta, o presente simultâneo. Apesar desse lapso na curvatura do *tempo*, conforme o avanço médio de cada qual das vertentes a leste e a oeste, as duas se encontrariam em menos de seis horas em algum ponto do Tibete na porção oeste da China, e, separadas por duas ou três horas mais, ambas estariam em Pequim, cada qual em seu respectivo plano.

Nessa volta ao mundo, o conjunto liderado por Willa em Harbin ainda lamentava outra desvantagem: estava parcialmente sem contato com a *Nave*, valendo-se apenas das escassas transmissões que Sam conseguia *hackear* através de comutações telefônicas via satélite, já que seus pares ao leste haviam perdido contato multividual entre a América e a Ásia após a travessia do Estreito de Bering entre o Alasca e Vladivostok. Esse contato mantinha-se prejudicado, pois, em paralelo, a janela de trabalhos junto aos cabos transoceânicos ainda estava longe de ser concluída pelo lado do Pacífico, e ainda somava as dificuldades inerentes em cooptar canais entre os países capitalistas e comunistas, atravancando o acesso virtual da *Nave* até a China.

Apesar das dificuldades, pelas vastas referências que obteve em sua varredura pentagonal pela Europa, quando Willa quadrado adentrou a propriedade de Fu Manchu em Harbin, já estava relativamente bem informado a respeito do mandarim e seu poder político, o qual se traduzia pela riqueza que detinha e a influência que exercia sobre inúmeros povos e povoados. Acima de tudo, Fu era um grande doutrinador da filosofia de Confucius e adorador da ideologia do Dragão, tinha um grande apelo místico perante as massas. Pelos dados colhidos, tratava-se de um homem com 96 anos de idade já no crepúsculo de sua existência. O auge de sua popularidade havia sido entre os anos 1940 e 50, ainda que o mandarim possuísse muitos filhos que davam continuidade aos seus trabalhos e às suas doutrinas. Não obstante, algumas lendas urbanas diziam que Fu tinha mais de mil filhos, todavia, oficialmente, a alienígena encontrou registros de 21 descendentes diretos. Eram eles quem tocavam os negócios da família e mantinham viva sua imagem, apesar do mandarim não ser visto em público e possuir um paradeiro incerto nas últimas duas décadas. Aliás, esse foi um dos fatores que levaram Willa a desconfiar que, entre suas múltiplas facetas, Fu Manchu operasse um serviço de espionagem, pois as informações sobre sua pessoa, especialmente seu paradeiro atual, eram simultaneamente escassas no que tangia os canais oficiais e pluralmente vastas quanto às fofocas e crendices populares em torno de seu nome. Enquanto, de fato, não podia precisar onde o mandarim se encontrava, o que não faltavam eram indicações a respeito de seu suposto logradouro. Fu Manchu não estava em nenhum lugar, embora dissessem que estava em todos os lugares: uns diziam que já estava morto; outros, que estava recluso em uma de suas propriedades vivendo seus últimos dias meditando em clausura; muitos acreditavam que ele viveria para sempre. Em suma, a desinformação em torno de seu nome era amplamente mais farta do que as informações verificáveis, e quanto mais ao passado Willa navegava para tentar identificar o início da dinastia Manchu, mais nebulosas elas ficavam. Fatores que demandavam uma longa filtragem para diferenciar o que era real do que era mito.

A figura do mandarim se traduzia como uma entidade cuja origem de sua ancestralidade era impossível precisar ou determinar quais as identidades dos mandarins que precederam Fu; o máximo que pôde estimar é que sua dinastia possuía pelo menos quatro séculos. Em detrimento aos predecessores, Fu foi o mandarim que melhor ratificou o legado dos Manchu em seu apogeu como um dos homens mais influentes da China, além da figura mística popular que sempre representou – para alguns, um autêntico deus. Uma das informações oriundas de suas pesquisas em torno da questão primária que a guiou ao escrutínio da dinastia Manchu, ratificou que Fu foi o primeiro mandarim a ser reconhecido como cavaleiro templário, título obtido uma década após a queda do último imperador chinês. Porém, mais interessante e intrigante do que a obtenção do título foi sua manutenção apesar de ter se tornado membro do Partido Comunista depois da revolução. Antes havia sido um grande republicano que se adaptou ao novo regime após a ruptura do Império. Como Fu conseguia ser tão maleável, Willa ainda não conseguia depreender, já que o regime republicano, em tese, formou-se justamente para confrontar e destituir o regime patriarcal tradicionalista das dinastias chinesas favorecidas pela monarquia. Por outro lado, isso evidenciava o sucesso de alguém que conseguiu se adaptar aos novos desígnios que alteraram a cena política do país no decorrer de sua vida, o que certamente explicava a popularidade da dinastia Manchu em detrimento a inúmeras outras cujo poder foi gradualmente minguando após instauração da República no início do século XX.

Entretanto, ao contrário do que se podia esperar de um cavaleiro templário, Fu Manchu não era uma figura política no sentido estrito da palavra, ou seja, nunca foi ativista de qualquer causa e nem ocupou qualquer cargo político ou governamental de maior importância. Sua influência se dava sobre as massas mais carentes, especialmente os camponeses e, após a revolução comunista, também sobre os operários, apesar de que jamais foi visto ou ouvido discursando em prol de qualquer movimento ou partido. Fu era apenas uma figura carismática pelo misticismo e pela idolatria ao Dragão compartilhada por seus seguidores em todo território chinês e, também, nos países vizinhos, especialmente no Japão. No auge de sua vida foi um pregador, muitos o criam como um clérigo que explorava as almas mais sofridas, e que sua idolatria ao Dragão, por mais que não passasse de um simbolismo do próprio homem, fosse apenas mais uma religião em meio às tantas que existem na China. Isso era uma meia-verdade, já que, de fato, sua doutrina seguia os mesmos preceitos do confucionismo e do budismo, duas das maiores correntes filosóficas chinesas. Mas, ao contrário de ambas, as quais rescindem da imagem de um ou mais deuses, trata-se de um rito de adoração que tinha no mandarim um de seus maiores discípulos e doutrinadores. Por isso também era chamado Dragão Manchu.

Em detrimento ao homem e à imponente figura que representava perante as multidões, eram suas posses que melhor expressavam a grandeza do mandarim e a amplitude de seu legado para a civilização como grande patrono da dinastia Manchu. Em seu percurso rumo leste pelo continente eurasiático, Willa mapeou propriedades, institutos e firmas diversas vinculadas ao mandarim desde a Europa ocidental, algumas associadas ao sinal trinário que passou a rastrear. Algo que, a princípio, fê-la crer que esse sinal fosse mantido pelos Illuminati com algum tipo de associação com o mandarim. Por outro lado, para aumentar ainda mais o mistério em torno de seu nome, as investigações da alienígena não revelaram nenhuma pista a respeito do capital de Fu Manchu. Não havia sequer uma conta bancária, propriedade ou qualquer empresa associada diretamente ao mandarim. Toda sua fortuna e seus bens estavam em nome de seus filhos ou de inúmeros descendentes dos Manchu. Não obstante, havia inúmeros bens e beneficiários que, a princípio, sequer tinham qualquer vínculo com sua dinastia, sendo alguns de diferentes nacionalidades – talvez daí surgisse a lenda a respeito de seus mil filhos. É claro que isso se dava também pelo fato da China ser um país comunista, o que evidenciava a habilidade do mandarim em esconder muitas de suas posses do governo ao mesmo horizonte em que controlava uma série de empresas, ainda que não lhes pertencesse oficialmente. Apesar disso, o leque de posses e de negócios indiretamente associados ao mandarim era vasto, a diversificação de seus investimentos era a mais plural que se podia catalogar. Porém, em meio a tanta variedade, destacavam-se os incontáveis templos do Dragão, a comercialização e exportação de arroz entre outros alimentos, além de, acima de tudo, as redes de comunicação, o que certamente explicava a manutenção do sinal trinário que trafegava por suas firmas e propriedades. Todavia, entre esses muitos negócios, aquele que garantia sua fonte financeira de renda era o horóscopo chinês. Willa chegou a encontrar um papiro impresso por volta do ano 500 d.C. com descrições astrológicas que, embora não estivessem ligadas ao nome do mandarim, levava o selo do Dragão, comprovando que a construção de seu legado se iniciava bem antes do nascimento de sua dinastia. Sem dúvida, gráficas imprimindo horóscopo chinês compunham o tipo de firma mais abundante que Willa encontrou associada aos Manchu, o que muito esclarecia o misticismo em torno da figura de Fu.

Certamente não haveria outra região da China onde Willa pudesse aprender mais sobre o mandarim do que a cidade de Harbin, a maior capital da região nordeste do país. Esta que não se chamava Manchúria à toa, tratava-se quase de um país à parte criado em torno da dinastia Manchu. Ainda que já tivesse ciência da dimensão dos negócios do mandarim quando enfim colocou-se no terreiro de Fu Manchu em Harbin, Willa não deixou de se impressionar com a beleza de sua propriedade situada nos subúrbios da cidade. Ao contrário do que se podia imaginar, não era uma propriedade muito grande, sequer ultrapassava um hectare, e a maior parte do terreno era coberta de hortas e morangueiros. No centro da propriedade, um bosque cercava uma casa grande montada em taipa de arroz e marcenaria de bambus, construída com a mais tradicional arquitetura e fina estética chinesa, com telhados curvos ostentando um pagode alto ao centro, como uma torre, com um dragão estampado em um enorme gongo. O interior abrigava nove cômodos separados por biombos de papel e duas alas de serviços ao fundo, a cozinha e a lavanderia. Bem ao centro situava-se a acomodação do mandarim e os oito cômodos restantes eram distribuídos na forma de um tabuleiro de xadrez chinês, sete ocupados com seus serviçais e, à frente da construção, uma ampla sala de estar destacava um altar com um trono no qual o mandarim recepcionava seus convidados. Já em sua ausência, como no momento em que Willa adentrou o local, os visitantes se contentavam em contemplar uma pintura de Fu Manchu dependurada logo atrás do trono. Afora os ornamentos nas paredes ou dependurados no teto, o luxo e o acabamento da construção contrastavam com espaços vazios e o minimalismo de objetos ou utensílios encontrados no local. Assim, nos aposentos do mandarim só existiam duas mudas de cama e uma única túnica extra; nos aposentos dos serviçais, cada cômodo abrigava quatro pessoas, então havia oito mudas de cama, mesa e banho – além do vestuário –, o mesmo se repetia para cada utensílio, par de *hashi* ou cumbuca para servir alimento. Na sala, além do trono do mandarim, oito almofadas eram o múltiplo de utensílios extras utilizados para servir os visitantes. Sem dúvida, um detalhe que ajudava a entender por que o mandarim era alguém adorado pelas pessoas mais simples, pois, apesar de sua riqueza, não era um homem que se dava à ostentação. Pelo contrário, sua morada em Harbin esclarecia se tratar de alguém que fazia questão de estar próximo ao povo. Sem dúvida, o fato de dormir sob o mesmo teto que seus serviçais era prova disso.

Quando Willa chegou à propriedade, o Sol já se fazia visível no horizonte e todos os serviçais que viviam e cuidavam do sítio – um total exato de sete famílias, 28 homens entre crianças e adultos –, já estavam todos de pé trabalhando na horta, podando os jardins, esquentando o chá matinal e cuidando dos afazeres de modo geral. Portanto não foi possível à alienígena ler suas mentes para tentar averiguar o paradeiro do mandarim, o único que não estava presente ali. Enquanto empreendia sua investigação e dava continuidade a sua varredura, como era de praxe, alguns pares de Willa ficaram para trás vigiando a propriedade mais de perto, cumprindo suas tarefas de catálogo paisagístico do local. Porém, apesar do aspecto profissional de sua presença, também permitindo-se admirar o sítio que abrigava a morada do mandarim como se fosse uma entusiasta de sua doutrina. Se, por um lado, o mandarim não ostentava riqueza, o mesmo não se podia dizer em relação à beleza de seu sítio. Cada detalhe que compunha o cenário evidenciava a delicadeza de cuidados e a perfeição com que os serviçais mantinham o local: os jardins floridos e os arbustos perfeitamente podados, os caminhos todos serpenteados com o cascalho alinhado com ancinhos diariamente, as cores e o verniz das construções vívidas como se estivessem frescas. Mas os jardins da moradia iam muito além de sua beleza, expressavam também todo misticismo que envolvia o mandarim. Eram enfeitados com estátuas e símbolos que contemplavam suas ideologias e filosofias, tais como Buda, Yin e Yang, e uma série de deuses ou símbolos do horóscopo, além de diversas estatuetas e desenhos do Dragão. A beleza não se resumia à visão, pois ao longo dos caminhos curvilíneos do bosque, certamente assim delineados pela superstição de afastar os maus espíritos, falantes tocavam música lírica ou emitiam sons de meditação; diversos púlpitos estampavam textos grafados em pedra, madeira ou metal com os ensinamentos de Kung Fu-tzu, o famoso Confucius, ou de Lao-tsé, o grande disseminador da filosofia taoísta, outra grande corrente de pensamento chinês, entre outros filósofos; além de alguns dizeres dele próprio, o Dragão Manchu - o sítio era, antes de tudo, um templo aberto à visitação em determinados períodos. Por fim, o local não era somente uma morada de homens, alguns dos animais que compunham o horóscopo chinês também viviam ali, aos menos os de pequeno e médio porte, tais como javalis, cães, gatos, aves e galináceos, coelhos, roedores e macacos, bem como algumas iguanas que carregavam o signo e o simbolismo da adoração ao Dragão, cada qual com seu viveiro e sua própria casinha tão bem cuidada quanto a morada do mandarim. Aparentemente, os animais eram tratados com tanta delicadeza e em meio a um ambiente tão harmonioso, que foram capazes de captar e se assustar com a presença invisível de Willa, impossibilitando-a de se aproximar deles para que não se estressassem e chamassem a atenção dos hominídeos para sua presença furtiva no local. Afinal, à parte todo o encanto proporcionado pelo sítio, ela não estava ali para caçar ou contemplar a beleza do local como uma turista qualquer, e sim para elucidar a misteriosa relação entre o mandarim e os Illuminati.

Até alcançar as proximidades do sítio em Harbin, Willa não dispunha nenhuma evidência que confirmasse a relação do mandarim com o sinal trinário que rastreava a partir da Europa, pois o mesmo se disseminava através de nós e centrais de comunicações diversas, poucas delas claramente associadas com as posses de Fu Manchu ou seus descendentes. A prova cabal da relação entre o mandarim e os Illuminati foi a datação em carbono dos cabos de cobre que encontrou tanto em Viena quanto em

Harbin, como em inúmeros outros pontos ao longo da varredura ao oeste. Mas, até então, isso não comprovava quem operaria a rede de dados trinários que a alienígena perseguia. Isso só veio à tona quando captou sintomatematicamente a arquitetura da moradia de Fu Manchu e sua visão modelou uma sala secreta construída no subsolo da casa bem abaixo dos aposentos do mandarim. A sala era perfeitamente camuflada e acessível somente por uma portinhola de aço muito bem trancafiada e escondida em um dos cômodos dos serviçais. Dentro do recinto secreto, um serviçal se postava em frente a uma interface computadorizada com um teclado em chinês e, para espanto de Willa, com um monitor multicromático de pixels circulares[1] e contando com diversos dispositivos de entrada e saída, tais como: modem, placas de som e TV, impressora, apontador de ecrã, escâner, caixas de som, drives em K7 e VHS, disquetes *et cetera* – um perfeito escritório de informática para operar dois sistemas de códigos eletrônicos, binário e trinário, tanto através da linguagem alfanumérica arábica quanto da linguagem chinesa. Assim como a casa ou o jardim a sua volta, o sistema era montado de maneira impecável, a começar pela disposição da fiação, organizada para optimizar o fluxo de dados de modo que não existisse uma simples dobra ou nó nos cabos – a perfeita antítese da bagunça que Willa presenciou, por exemplo, no CPD da Rede Espacial de Carrol na base RSMR ou no *motorhome* de Limbs. Nem uma simples folha ficava fora do lugar, tudo perfeitamente guardado, encaixado ou alinhado na mais perfeita ordem, obsessiva até. Através da única interface disponível, o operador não só trocava dados pela rede, desfrutava de total controle sobre o ambiente e a rotina do sítio. Não havia luz elétrica na casa, a mesma abastecia apenas o sistema e seus respectivos recursos, por exemplo: permitia selecionar sons e canções que davam ambiência sonora aos bosques e controlar as câmeras de vigilância ou ativar os irrigadores de grama. Já em relação às tarefas que não eram automatizadas, planilhas listavam o cronograma de trabalho dos serviçais desde o minuto exato para se soar o gongo, a hora correta para se alimentar cada animal, até o dia adequado para semear ou colher cada cultivo da horta.

Afora esses detalhes, o que mais se destacava era a razão por trás de uma interface tão bem camuflada em um rústico sítio em uma zona rural: operar um serviço de espionagem que atendia a interesses comuns entre os Illuminati e a dinastia encabeçada por Fu Manchu. Com certeza, algo relativo às associações comerciais chinesas

---

[1] A linguagem trinária, que se baseia em três dígitos, zero, um e um negativo, foi criada para solucionar o problema de resolução de imagens tridimensionais em dispositivos de realidade virtual desenvolvidos pela sociedade paranormal em Marte nos idos do século C, para transformar pixels quadrados em circulares. Conforme já narrado, na história continuada, foi redescoberta pelo homem terreno no final do século XX após o contato imediato de quinto grau que deu origem ao Caso Roswell – evento não mais pertencente ao pretérito sob análise de Sawmill[A].

com o mundo ocidental, embora não ficassem claras quais seriam essas. Ao que se podia deduzir, tão quanto às lendas dos cavaleiros templários servia para encobrir os reais interesses dos Illuminati, os mitos em torno do mandarim e sua dinastia talvez seguissem os mesmos propósitos. Porém, ainda não era nítido quem ou se alguém exerceria poder sobre o outro nessa relação entre o mandarim e os demais grão-mestres da loja Illuminati, se é que havia algum. Como não conseguia interpretar o código trinário que operava o sistema, a alienígena não tinha ideia que tipo de informações eram trocadas pela rede. Por isso, suas dúvidas ainda eram muitas e, para má fortuna de Willa, a portinhola de acesso à sala secreta era vigiada por outro serviçal, impedindo que adentrasse o local devido aos estatutos de adução de sua expedição e às restrições sob zelo de seu parceiro. Por isso teve de se contentar em captar as ações do serviçal que operava o computador e os comandos que executava na tela e no teclado, sem poder, de imediato, hackeá-lo para tentar compilar os códigos gravados na máquina, fazer a leitura do *hardware* e de sua estrutura, para assim tentar traduzir sua codificação. Nem os *nanochips* que infiltrou através da fiação foram capazes de realizar tal varredura, pois, aparentemente, eles não conseguiam penetrar e se replicar ou retornar dados, como se simplesmente se dissolvessem dentro da máquina ou, de alguma forma, estivessem sendo bloqueados. Como não podia invadir a sala, ler a mente do operador da rede para entender sua exata função de trabalho e, em última instância, abrir o computador para tatear e mapear sua estrutura com os dedos, teria de aguardar o momento oportuno para fazê-lo sorrateiramente.

Perante a falta de outra solução não invasiva, restava à alienígena continuar em frente em sua jornada de rastreamento da rede em sua raia total. O que já podia perceber pela leitura do fluxo de dados que derivava da Europa era que, em primeiro lugar, a rede trinária do mandarim Fu Manchu era bem mais ampla e veloz do que a Rede Espacial do coronel Carrol, tinha mais pontos e uma capacidade de dados muito maior. Curiosidades à parte, o que importava era o fato do terminal em Harbin resumir-se a uma interface operativa, ou seja, incapaz de armazenar ou dar vazão à quantidade de dados que a rede trafegava, evidenciando que a mesma se configurava por uma estrutura *mainframe*. Ou seja, em algum lugar existia um supercomputador que centralizava e, possivelmente, armazenava dados provenientes de inúmeros terminais como aquele, o primeiro que encontrou pelo caminho. Um caminho que seu parceiro já havia indicado derivar de Pequim.

Da moradia de Fu Manchu em Harbin, o fluxo mais amplo de dados trinários seguia por linhas telefônicas e redes elétricas. Todavia, o cabo de cobre subterrâneo que havia proporcionado a evidência que associou o mandarim à rede, a partir desse ponto, mantinha-se ativo, por isso Willa subdividiu seu multivíduo pelas diferentes redes enquanto sua unidade pentacampeã do respectivo leque dimensional permaneceu atrás do cabo de cobre. Avançando rumo sudoeste, Willa encontrou diversos terminais e centrais de comutação pelo caminho, pontos de redistribuição do sinal pelas diferentes redes que trafegavam em paralelo aos cabos de cobre – o primeiro deles localizado próximo a Seul, na Coreia, e não demoraria muito para que se encontrassem outros em países vizinhos da China, sobretudo no Japão e na Indochina. Nem foi preciso avançar muito e o que, em Harbin, era apenas um fio, tornou-se dois, depois três e assim se somando até formar um grosso cabo com vários fios de cobre, sempre instalados abaixo do solo e perpassando as mais variadas construções de fachada, tanto em moradias ou templos similares ao de Harbin, quanto em uma série de negócios ou propriedades ligadas direta ou indiretamente ao mandarim – entre elas, uma fábrica de fios e condutores e uma firma de cabeamento. Mas, não só, foi ao perseguir a rede de cobre que Willa obteve maiores parâmetros da grandeza de Fu Manchu, permitindo concluir que o mandarim era muito maior que uma mera lenda ou algum tipo de codinome que operava um serviço de espionagem, pois ele estava presente em tudo, em todo tipo de negócio que se poderia imaginar: de gráficas que imprimiam horóscopo a editoras que publicavam a obra de Confucius, até grandes universidades, estações de radiotransmissão e, o mais incrível, provedores de Internet – já existia uma rede de computadores na China, evidentemente binária, ainda que fosse restrita ao meio acadêmico ou a órgãos e institutos governamentais e limitada às grandes cidades. Ao que se percebia, embora a monarquia tivesse caído há muito, o título de mandarim ainda garantia certos privilégios. Nesse sentido, poderia se dizer que Fu Manchu era um burocrata de sucesso, estava envolvido em todo tipo de negociata, ainda que suas posses fossem poucas por pertencerem ao Estado. Por outro lado, era geralmente em pequenos templos, capelas, bares, centros de jogatina ou, até, casas de ópio, que Willa encontrava terminais secretos de operação da rede trinária similares ao de Harbin.

Ampliando um pouco mais o escopo das investigações, entre os populares as referências ao Dragão Manchu eram ainda mais amplas, especialmente nas zonas rurais e periféricas dos grandes centros. Praticamente não existia uma morada que não tivesse uma pintura ou fotografia de Fu na parede, uma estatueta sua ou de um dragão que levava seu nome. Especialmente na Manchúria, o mandarim era item certo do artesanato da região como peça de destaque do folclore local. Em outras regiões do país, o apelo dos Manchu era menor, ainda assim era mais fácil contabilizar moradias que não tivessem qualquer item de memorabília ligado ao Dragão ou aos Manchu diretamente. Somente nas grandes cidades sua imagem e doutrina se dissipavam em meio às tantas crendices, igrejas, religiões, correntes filosóficas, existenciais e espirituais que delineavam a pluralidade de pensamentos e ideologias em voga na China. Às vezes, Willa se deparava com pessoas que viviam dentro de barris de óleo, o sujeito não tinha nada além daquele barril e a roupa do corpo, mas dentro do barril sempre tinha um retrato de Fu Manchu ou uma vela acesa em um simplório altar em homenagem ao Dragão. Contrariamente, um relato do Ocidente dava conta de um leilão no qual uma estatueta de Sax, o mandarim que teria originado a dinastia Manchu, foi arrematada por um bilhão de yuans, aproximadamente dois milhões de dólares - porém, Willa já tinha indícios de que a dinastia havia se iniciado séculos antes de Sax.

Um dos poucos itens que faltava na vasta coleção de Fu Manchu eram fotos ou vídeos do mandarim em público. As imagens que Willa catalogou eram de baixa qualidade ou tomadas distantes, de ângulos desfavoráveis, com Fu em meio a grandes comitivas ou pregando ao fundo da multidão. Sempre com suas pomposas vestimentas cobertas de cores e adornos, trajando enormes perucas e o rosto todo maquiado, do qual só se sobressaía seu fino cavanhaque, seus longos bigodes e suas igualmente robustas sobrancelhas. Os muitos retratos seus eram cópias de poucas fotos ou pinturas em que pousava com o semblante imponente, sentado em uma poltrona ou em um de seus tronos, trajando um quimono cinza com as pernas cruzadas por debaixo da saia. Seu rosto era fino, próprio para seu corpo alto e esguio. Os cabelos negros, bastante lisos e compridos, escorriam abaixo da cintura e contrastavam com seu longo bigode branco e as pinturas dos olhos, as quais nunca foi visto sem - isso quando não figurava com tinturas diversificadas entre cabelo e barba, maquiagem completa no rosto ou mesmo trajando máscaras. Mas, exceto por essas pequenas extravagâncias, sua aparência era a de um chinês como outro qualquer.

Ao deixar a Manchúria para trás e alcançar Hebei, a província central de Pequim, mais intrigantes e simultaneamente empolgantes ficaram as coisas para Willa. A princípio pelos estudos que estava ali conduzindo ao testemunhar o quanto a China era mais avançada em comparação aos demais povos. A riqueza cultural do país e os sistemas de comunicação eram a maior prova disso, bastava conceber que, na América, a rede de Carrol era apenas um rascunho da Internet que já operava na China - era realmente uma péssima fortuna que a *Nave* não tivesse encalhado na Ásia ao invés de Picacho. Se existia algum povo com capacidade de desenvolver uma linguagem de base trinária muito antes de seu tempo, só poderia ser mesmo o povo chinês. Fazia pleno sentido que aquele sinal derivasse dali. O que não fazia sentido era o quão à frente de seu tempo, se não a China, mas a rede então operada por Fu Manchu estava. Pois quanto mais avançava em sentido Pequim e mais cabos iam se somando ao cabo original, mais antigos se tornavam. Considerando-se os dados angariados pelos pares de Willa que ganhavam a China pelo oeste, na datação em carbono, o mais antigo ainda operacional ultrapassava duzentos anos de idade. Detalhes que só faziam crescer o mistério e a ansiedade da alienígena em alcançar sua origem a fim de desvendá-lo. Ainda assim, um mistério que em nada se comparava com o que veio se deparar quando perseguia o sinal pela famosa Muralha da China.

A essa altura dos acontecimentos, não foi surpresa para Willa se deparar com uma dúzia de terminais de operação da rede trinária camuflados em meio aos blocos de pedra que compunham a Muralha da China ou descobrir que alguns cabos por ali apresentavam datação em carbono da mesma época em que foi construída. Para tudo isso haveria de existir uma explicação lógica que não demoraria a saber qual seria. O que não era lógico foi o macaco com que se deparou quando passeava por cima da construção. Naturalmente, a alienígena deslocava-se furtivamente sob seu manto de invisibilidade, mas, apesar disso, ao avançar sobre a calçada no topo da Muralha, captou um pequeno macaco, um mico, postado na beirada da construção, o que não seria nada de anormal. Porém, ao se aproximar e passar por ele, percebeu que o mico acompanhava sua trajetória com o olhar apesar de estar invisível e imperceptível, já que flutuava em uma bolha magnética gerada pelo próprio corpo que sequer deslocava o ar por onde passava. O movimento do olhar do bicho chamou atenção de Willa, que então reparou se tratar de um mico da mesma raça dos macacos que havia encontrado a primeira vez na morada de Fu Manchu em Harbin, e em diversas outras que atravessou pelo caminho. O macaco não era um mico qualquer, tratava-se de uma raça chamada Sagui-Imperial, porém, apresentava uma coloração incomum em relação a outros saguis da mesma espécie. Seu corpo formava listras em cinza bastante nítidas como nos felinos, sua juba era mais volumosa e tinha uma coloração azulada, igualmente à cauda, com cores mais vívidas e uma vasta pelugem, muito maior que a dos micos comuns. Uma raça bastante rara, à primeira vista, mais parecida com um felino do que um símio.

Até então, Willa cria que os micos com os quais deparou-se anteriormente não passavam de mais uma das muitas extravagâncias de Fu Manchu e seu apego aos animais, algo certamente ligado aos ícones de sua devoção, os três macacos sábios e o signo do macaco. Mas quando percebeu que aquele mico observava sua passagem, com um arrepio magnético captou algo de sobrenatural em seu olhar. Quando se deu conta disso, fez uma breve pausa em seus pensamentos para focar seu radar nas redondezas. Ao fazer isso, imediatamente captou diversos outros micos próximos na mata ao redor ou correndo pela Muralha, todos se colocando em seu caminho ou se deslocando em seu encalço.

Nesse instante, Willa decidiu investigar o mico mais de perto e um de seus pares se pôs à caça dele. Porém, assim como aquele primeiro mico que encontrou em Harbin, o bicho mostrou-se sensível e esquivo à sua presença, rapidamente se esvaindo na mata tão logo a alienígena se precipitou sobre ele. Mas por mais ágil que fosse o animal, não era páreo para uma caçadora como Willa. A alienígena se embrenhou na mata atrás do bicho a fim de capturá-lo e retirar uma amostra biológica para análise, bem como ler sua mente e tentar entender como aquele animal pré-histórico era capaz de captar sua presença de forma tão nítida. A perseguição não durou muito e Willa conseguiu encurralar o mico no topo de uma árvore bem alta, tão alta que o próprio mico tinha ciência de que dali não poderia alcançar outras árvores e o solo estava demasiado distante para tentar pular, assim permaneceu imóvel onde estava, apesar do forte estresse que emanava e o instinto de fuga que ditavam suas ações. Embora não fosse capaz de ver Willa, o mico sentia sua presença a poucos metros de si e passou a grunhir em desespero. Não demorou até que outros micos se aproximassem, todavia, nada fizeram que não fosse observar a cena, pois igualmente se mostravam amedrontados com a presença da alienígena. Não era intuito de Willa ferir o mico ou mesmo pegá-lo à força, por isso tentou gerar uma onda hipnótica para acalmar e domar o bicho, o que não surtiu qualquer efeito: tão quanto tentava aumentar sua frequência hipnótica, o macaco aumentava a estridência de seus gritos e rosnados. Frustrada pela total ineficácia de sua aproximação mental, lentamente a alienígena estendeu seus braços para tentar tocá-lo para que pudesse anestesiá-lo. Conforme foi se aproximando, o macaco começou a rosnar fortemente e, com as mãos em forma de garras, passou a arranhar o ar de forma frenética como se tentasse antecipar o bote de seu predador, lutando contra um ser invisível. A alienígena aguardou o instante ideal e, enfim, deu seu bote para agarrá-lo, mas o macaco simplesmente pulou do galho, do alto de mais de trinta metros, e se espatifou no chão, morto instantaneamente em meio ao grunhido geral dos demais micos que testemunharam a cena. Willa se apressou em capturar a ondulação *F* e proceder à exumação do corpo do macaco, rapidamente constatando que não havia nada de especial em sua constituição biológica ou genética - era apenas um mico comum como qualquer outro, exceto por sua rara peculiaridade fenotípica. Se havia algo de diferente nele, estava em sua mente e sua morte privava a alienígena de lê-la para saber o que seria. Se deixasse de lado sua ética de caça, Willa poderia facilmente capturar outro macaco, todavia, era óbvio que a elucidação completa desse mistério só se daria quando encontrasse Fu Manchu. Estava claro que o comportamento dos macacos, tanto quanto dos outros animais com os quais se deparou pelo caminho em suas propriedades, tinha algo a ver com sua cada vez mais misteriosa figura.

Enquanto captava os macacos correndo atrás de si, Willa procedeu em seu avanço sul até Pequim, sem mais se surpreender com os inúmeros micos que encontrou pelo caminho observando-a como se formassem uma comitiva de recepção. Apesar de que, assim como o macaco morto na Muralha, os mesmos emanassem uma crescente aura de medo conforme a alienígena ganhava os subúrbios da grande capital chinesa. Embora demovida pelo dever, o olhar repreensivo dos micos também contaminaram a alienígena. Tão logo ganhou o perímetro de Pequim, até no centro urbano os micos apareciam em seu caminho, vigiando-a e rosnando à sua passagem no topo de edificações, nas árvores e nos postes de transmissão ou iluminação, todos emitindo sua aura de apreensão e o medo que a alienígena igualmente passou a compartilhar como se o sucesso ou o fracasso de sua expedição, até mesmo o destino de sua vida, fosse decidido naquela cidade. Inclusive certo arrependimento chegou a contaminar o conjunto multividual incumbido de tal missão - *Deveria ter dado razão a Sam e jamais me despido da proteção da Nave*, foi um dos pensamentos compartilhados por incontáveis pares em dado instante da jornada pela grande metrópole chinesa. Mas não haveria outro sentimento, por mais tenebroso que fosse, que aplacasse a curiosidade da alienígena em seguir adiante, não obstante estivesse claro, pelo olhar pouco amistoso dos macacos, que sua presença não era bem-vinda naquelas terras.

Bem como a oeste, quando enfim seus conjuntos multividuais estabeleceram contato no Tibete, ambos atualizaram as informações que haviam levantado cada qual por seu caminho, em comum, expressaram o espanto pelo paradeiro de Fu Manchu, ainda indeterminado: o mandarim não se encontrava em nenhuma de suas muitas propriedades investigadas até então; ou ele se encontrava em Pequim, ou talvez não existisse, ou já estivesse morto e fosse apenas uma lenda. Outra coincidência que sequer mais se poderia descrever como tal foram os relatos sobre macacos que se somaram durante a jornada – até no Nepal, completamente fora de seu *habitat* natural, Willa se deparou com a mesma espécie de sagui pelo caminho, diferenciando-se apenas por serem mais peludos.

Apesar do suspense potencializado pelos micos em seu caminho, seu conjunto multividual vindo do leste começou a convergir ao centro da capital chinesa, subsequentemente, derivando no mesmo lugar, a Avenida Chang'an, a qual, no mapa de Willa, formava um *backbone* das principais redes que rastreava, incluindo as telefônicas, a Internet e os cabos de cobre que trafegavam o misterioso sinal trinário. A avenida compunha uma das vias mais longas e antigas de Pequim. Em sua porção oeste, abrigava um dos grandes centros empresariais do país, com prédios altos e modernos, ocupados por escritórios de inúmeras empresas – incluindo mais alguns terminais secretos de Fu Manchu –, institutos governamentais, canais de radiotransmissão e outros órgãos de comunicação, além de instituições financeiras com várias sedes e agências do Banco Central da China. O sinal trinário convergia da Chang'an em sentido leste para o centro antigo da capital, a famosa Cidade Proibida, onde se situam o antigo palácio imperial, a sede do atual governo e o comitê central do Partido Comunista, o qual controlava o poder e comandava a esfera política do país em corrente.

Ao deixar para trás a parte mais moderna da Avenida Chang'an, tanto os cabos de cobre quanto as demais redes prosseguiam por galerias subterrâneas. Willa conseguiu acessá-las por um túnel do metrô e continuou seu encalço ao cabo de cobre por debaixo da terra trocando coordenadas com os pares ao relento – nesse ponto, já ficando claro que a rede de cobre partia de dentro da Cidade Proibida. Porém, quando a galeria alcançou o perímetro da cidade, uma grade de aço bloqueava o caminho, obrigando a alienígena a frear seu avanço. Do outro lado da grade, um pequeno mico revelou-se na escuridão, riu e arreganhou os dentes para Willa, zombando-a descaradamente. Irritada com a provocação do símio, sua reação foi imantar a grade e arrancá-la de seu caminho, fazendo com que o sagui fugisse em disparada em meio a um grunhido de terror. Pelo lado de fora, a cena não foi muito diferente. Ainda cedo, os portões da Cidade Proibida estavam cerrados e, além das sentinelas que guardavam o palácio, uma pequena multidão de saguis se postava sobre suas muralhas e corria por sobre os prédios ou pelos pátios, vigiando e, em seguida, fugindo de medo da estranha presença que pressentiam enquanto a alienígena avançava. Pelo que captava, o nervosismo dos macacos alcançou o ápice quando Willa flutuou por cima do muro, o mesmo temor que ela própria sentiu ao se lembrar da maldição que dizia que qualquer um que adentrasse a Cidade Proibida sem autorização não saía dali vivo.

Em paralelo, por baixo da terra, após ultrapassar a grade que bloqueava seu caminho, Willa percorreu um pequeno labirinto de galerias, o qual a levou a mais dois terminais secretos de Fu Manchu acessíveis pelos subterrâneos do grande palácio. Um deles, abaixo da sala de despachos do presidente da República, outro abaixo do comitê central do Partido Comunista. Porém, não se tratavam de pequenas salas com um único terminal como as muitas que encontrou pelo caminho, e sim duas grandes centrais de processamento de dados com dúzias de computadores e provedores de rede. De momento, cada qual com 21 funcionários em serviço como uma autêntica repartição de trabalho, incluindo os vigias da única porta de acesso disponível em cada central, ambas muito bem escondidas em uma área de manutenção acessível pela garagem de ambas as edificações. Isto pois, a sede do poder executivo e o comitê do Partido Comunista eram anexos localizados a oeste da Cidade Proibida, interligados com o palácio apenas pela rede de túneis que a alienígena descobriu. Eram prédios mais novos, erguidos após a instauração da República no país, e mais recentemente modernizados, de quando datava a construção daquelas salas subterrâneas que Willa descobriu.

Mas ali ainda não era o fim da linha. Os cabos prosseguiam pelas galerias subterrâneas até um corredor aparentemente sem saída, em um ponto de onde prosseguiam em um estreito buraco de pedra e convergiam em direção à superfície. Dali, Willa sequer conseguia captar sintomatematicamente de onde derivavam, pois o que se parecia como uma enorme rocha pairando sobre sua cabeça atravancava seus sentidos, bloqueando seu caminho não só fisicamente, mas também mentalmente. Apesar disso, as coordenadas do local indicavam que esse ponto de convergência situava-se exatamente abaixo da sala do trono do antigo imperador chinês. Era para lá que convergia o último cabo – ficando a cabo do par ao relento averiguar o local para, enfim, elucidar aquele mistério de uma vez por todas.

72

Enquanto Murray conduzia sua sessão hipnótica com Limbs, Carrol rapidamente despachou os últimos documentos para seu secretário e retirou-se do posto zero a pé para um pequeno passeio nas instalações operárias anexas. Seu intuito era conversar diretamente com o encarregado e checar se a história de Limbs batia com sua versão dos fatos. Para sua apreensão, de fato as versões batiam. Aparentemente, o engenheiro foi sincero em suas palavras, o que deveria ser bom, pois dissipava a desconfiança de que estivesse mentindo ou escondendo algo. Mas seria mais fácil compreender que estava sendo traído ou ludibriado por seu empregado, o novo sócio, do que encarar a outra hipótese que talvez explicasse suas desconfianças em torno da presença alienígena logo ali no pátio, pois esse era o temor que deixava o coronel realmente apreensivo. Ainda mais quando sabia que, se algo desse errado, como ainda não contava com a assinatura do presidente na parceria, afora os custos que recaíam sobre suas costas, as mesmas se encontravam nuas. Se a criatura se revelasse hostil, tudo recairia sobre sua pele, sob sua responsabilidade, diante sua supervisão, durante o seu plantão.

Mas antes que fritasse ainda mais os miolos em torno dessa questão, sua breve caminhada pelas instalações para conversar com o encarregado era também um ardil para aguardar o chamado de Murray. Por isso, antes de tirar novas conclusões, apenas esperou.

Não somente Carrol estava preocupado com as novas revelações de Limbs, Willa se mostrava igualmente, mas não por que temesse algo que os militares viessem descobrir ou quaisquer providências que pudessem tomar em função dessas descobertas, fato era que já estava impaciente com esse jogo de gato e rato na condução dos respectivos desdobramentos da presença em torno da *Nave*. Seria tão fácil esclarecer os fatos, por exemplo, gerando um simples e-mail; do que adiantava conhecer a língua inglesa se estava proibida de falar com eles? Porém, sabia que rediscutir a situação com seus colegas, devido à postura irredutível de seu chefe, seria inútil. Por isso apenas advertiu a *Nave* para tomar cuidado com os aparatos elétricos dos hominídeos a sua volta:

– Esses sistemas são muito frágeis. Se não for cuidadosa, irá queimá-los.

– Praticamente imperceptíveis, além de frágeis, são. Para que absorvam mais energia do que suportar podem, um cálculo mais oneroso basta.

– Restrinja-se à energia desperdiçada e tenha cuidado redobrado para não despolarizar os transformadores.

– Perdoe-me, inconsciente isto é. Mais cuidadosa, nesse contínuo, serei – justificou a entidade metálica.

Cerca de quarenta minutos se passaram e Murray mandou chamar o coronel. No *motorhome* de Carrol, Limbs se encontrava recostado em sua poltrona com as pernas estendidas sobre um apoio improvisado, de olhos fechados como se estivesse dormindo, mas, de fato, em profundo estado hipnótico. Sentado em uma cadeira, Murray recepcionou o chefe assim que o coronel adentrou o recinto. Em seguida, virou-se para Limbs e ordenou:

– Ei, Steve, o coronel veio nos visitar. Diga oi para ele.

– Oi, coronel – respondeu Limbs imediatamente.

– E o que você acha do coronel, Steve? – perguntou Murray com uma expressão sarcástica na face, mas antes que Limbs respondesse, adiantou-se para acrescentar: – Mas lembre-se do que te disse sobre qual era o jeito certo de falar.

– O coronel é o cara mais gente fina que já conheci – respondeu mecanicamente Limbs.

Após a pequena comédia, Murray tranquilizou Carrol para que ficasse à vontade. Limbs não se lembraria de nada após a hipnose. Em seguida, confirmou a veracidade do relato do engenheiro e suas suspeitas sobre as interferências do objeto nos equipamentos. Sobre isso, acrescentou:

– Ele realmente suspeita que a coisa esteja sabotando as filmagens e até adulterando imagens e arquivos do computador.

– E quanto ao sonho que ele descreveu? – perguntou Carrol.

– Não sei se você sabe, mas qualquer sonho tem capacidade de incorporar os sons ao redor de quem está sonhando, como um alarme tocando ou uma ilha de edição operando. Por outro lado, o sonho também é capaz de gerar sensações e sons espontaneamente, por isso é muito difícil saber diferenciar se o que ele diz ter ouvido, ouviu mesmo ou imaginou que ouviu. Eu mesmo estou tendo sonhos com alienígenas e tenho certeza de que todo mundo que tá lidando com a coisa também está. Aposto até que o chato do Harrys é quem tá tendo os piores pesadelos. Aliás, me diga, coronel, o senhor também não está?

– Eu nunca me lembro de meus sonhos – respondeu Carrol.

– O que ele conta é que acordou e a fita tava rebobinando sozinha, mas não sabe dizer se não teria esquecido de desligar o aparelho antes de dormir. Talvez a fita tenha ficado rodando e, quando chegou no fim, começou a voltar automaticamente.

Após os esclarecimentos de Murray, Carrol ficou pensativo por uns instantes. O psicólogo, então, mirou-o com uma expressão séria e apelou:

– Conta pra mim o que está te preocupando, Jay.

– Só preciso que você me descubra uma coisinha: se o Steve teve acesso à linha presidencial da C-11 ainda na primeira madrugada dos eventos – expôs o coronel.

– Teme que ele seja um espião? É isso?

– Não. Temo que a coisa seja – confessou Carrol. Em seguida, despediu-se de Murray e tomou seu caminho até a C-11 para tratar de outras preocupações, uma delas aguardar o telefonema do presidente confirmando a assinatura da parceria.

Assim que chegou ao seu escritório, já batia as 22 centenas e o tenente Mathew se apresentou ao coronel:

– O envio por fax já foi concluído. Mister Andrews pediu para aguardar retorno às 24 centenas – informou, fazendo menção ao secretário do presidente.

– Na linha exclusiva?

– Exato, coronel – confirmou o tenente. Em seguida, questionou: – Devo pedir para Mijas aguardar?

– Não. Despache-o no horário combinado. Quero esses documentos o quanto antes nas mãos do presidente.

– Mas como as filmagens só ficam prontas amanhã, pensei que talvez fosse melhor aguardar – disse o tenente. Um simples comentário que já foi suficiente para enervar Carrol, afinal, Mathew estava ali para cumprir e não questionar suas ordens. Ainda assim, preferiu responder com calma:

– Se for preciso, organizamos outra escolta amanhã – disse, esperando encerrar o assunto.

– E se o Frank não quiser assinar? – insistiu o tenente de forma petulante e propositai; queria mesmo provocar o coronel para registrar tudo que dissesse. E Carrol disse boas, primeiro levantando a voz e bronqueando seu subordinado pela simples sugestão que havia feito. Mas Mathew contra-argumentou dizendo-se parte interessada, afinal, também era sócio e precisava saber o que o coronel planejava em caso de o presidente fugir da parceria, não só com intuito de alongar a discussão e gravá-la, sobretudo pelo fato de sua trama também depender daquela assinatura: a presença do presidente na parceria era fundamental para dar repercussão nacional à denúncia. Por isso aguentou e sujeitou-se às broncas e aos palavrões do coronel friamente. Quando o assunto e os esculachos de Carrol se esgotaram, o tenente colocou outro problema aos conhecimentos do chefe:

– Recebi uma informação a respeito de Vegina. – Em seguida, revelou que seus homens descobriram sobre Martin Healler, o curador do museu *Space Center*, que havia mentido sobre seu paradeiro e que se encontrou com Vegina antes que o ufólogo se dirigisse para a Filadélfia. Todavia, Carrol pareceu não dar muita bola para a informação e respondeu com sarcasmo:

– Quer dizer que o ufólogo é bicha... Essa é a sua brilhante descoberta?

– Isso é só um detalhe, coronel. Mas parece que estão tramando algo, algo comprometedor – insinuou o tenente.

– Sabe-se lá em que tipo de tramoia eles estão envolvidos, e pouco me interessa saber – desdenhou Carrol. Porém, Mathew disse estar desconfiado que Vegina poderia ter vazado informações para Healler, o que levou o coronel a questionar: – O que você quer?

Porém, antes que Mathew respondesse, foram interrompidos pelo ringue do telefone vermelho na mesa do coronel. Carrol atendeu e ouviu o comunicado. Era Murray confirmando que não havia nenhum vestígio na mente de Limbs a respeito das interferências na linha presidencial por parte do engenheiro. Carrol desligou o aparelho e repetiu a questão anterior. Mathew requisitou:

– Autorização para averiguar que tramoia seria essa – esclareceu o tenente.

– Tenho certeza que deve se relacionar com os tais "carregamentos" que Vegina opera, mas se perder tempo com isso te deixa mais tranquilo, faça o que achar melhor.

– Inclusive "persuadi-lo" a revelar o que sabe ou não? – buscou certificar-se Mathew.

– Você quer dizer "prendê-lo"?

– Sim. E forçá-lo a falar.

– Aqui na C-11?

– Exato.

– Fica ao seu critério – autorizou Carrol. Por fim, ordenando que o tenente o deixasse só, o que Mathew cumpriu feliz consigo mesmo pelas novas provas que tinha angariado.

Liberado pelo coronel para fazer suas averiguações, Mathew não perdeu tempo. Assim que deixou o gabinete do chefe, dirigiu-se para sua sala e pegou seu móbil para contatar o agente que estava seguindo os passos de Healler. O agente se encontrava em Illinois, próximo a Springfield na interestadual 67, dentro da van de vigilância fazendo campana no estacionamento de um motel de beira de estrada, onde Healler havia alugado um quarto para passar a noite. O pacote se encontrava sozinho no quarto, uma habitação de solteiro no andar térreo, contígua ao estacionamento do empreendimento, e, pelo que apurou pela última vez bisbilhotando através da janela, estava se embriagando e se intoxicando com *marijuana*. Ao atender ao chamado do tenente, recebeu a ordem:

– Preciso do pacote aqui. – A ordem era clara, ainda assim o agente quis confirmar:

– Aí na C-11?

– Perfeito – confirmou Mathew. À confirmação, o agente engoliu seco, pois a tarefa requeria mais discrição e mais ação do que imaginava, por isso, ficou em dúvida:

– Quer que o "convençamos" a se apresentar?

Mathew sequer perdeu tempo se irritando com a pergunta, ainda que soubesse que certas palavras não se dizem ao telefone, mesmo que fosse uma linha segura. Sabia melhor do que ninguém o quão comprometedor uma simples frase poderia ser, por isso conteve o tom para que não fosse ouvido além das paredes de sua sala, mas repassou toda a irritação que sentiu com o agente por tal imbecil questionamento – já não bastasse terem permitido a fuga da raposa –, ao responder:

– *Abduza-o!* – então desligou seu móbil, imediatamente já imaginando em quantas centenas teria Healler em custódia para lhe arrancar a verdade sobre Vegina. Precisaria de um pernilongo e, no mais tardar, *as cinco centenas*, calculou. *Ou esse agentezinho vai se ver comigo*, pensou.

Por mais que Vegina já pudesse estar longe e bem escondido, Mathew imaginava que ele ainda poderia ser o infiltrado no posto zero que lhe traria as melhores evidências ao dossiê que tratava de montar contra o coronel. Já era factível que Steve Limbs não teria culhões para se virar contra Carrol, especialmente depois que se tornara parceiro da iniciativa. Tampouco qualquer outro membro do time de especialistas, principalmente Murray, homem fiel a Carrol – fiel demais. Os outros jamais pensariam em algo que colocasse seus pagamentos *sub judice*, exceto, talvez, Harrys, que estava infeliz com a conduta do coronel e dos demais membros do time e credita o operativo como uma enorme farsa, fator que, se bem trabalhado, poderia ser favorável. *Sim, talvez Harrys possa ser usado*, ponderou. Mas até que tivesse oportunidade para sondá-lo mais de perto – *Amanhã, durante a entrevista, boa ocasião* –, e testá-lo para saber até onde bancaria sua postura de durão, até que ou se conseguisse cooptar o psicólogo, Vegina representava a melhor carta que o tenente tinha nas mangas, não poderia descartá-la ainda. Ademais, *uma vez que seu namoradinho esteja em custódia, se ele não quiser trabalhar pra mim, trabalhará pela vida dele*, pensava o tenente, *senão eu mato os dois.*

Enquanto Mathew remoía sua ojeriza ao coronel em sua sala, Carrol igualmente matutava na dele desde que o tenente o deixara só. Ao contrário de muitas vezes que bronqueava com seus subordinados apenas para manter a disciplina, desta feita o nervosismo de Carrol era sincero, a continuidade de todo operativo dependia do telefonema que receberia a pouco. Por mais que bronqueasse com seu subalterno apenas por ter insinuado que o presidente não endossaria a parceria, a essa altura dos fatos era preciso considerar seriamente essa possibilidade. Por isso, enquanto aguardava o telefone preto chamar, permaneceu boa parte do tempo fumando charuto e caminhando de um lado para outro em seu escritório, pensando quais seriam suas opções caso esse temor se confirmasse. Quando aparentemente cansou de pensar, tomou mais uma de suas pílulas e deu uma de suas breves relaxadas no sofá, sem dormir profundamente, sem permitir que a alienígena à sua vigília lesse ou desvendasse o que tanto estava a refletir. Para piorar, o tão aguardado telefonema ainda atrasou quase duas centenas, período em que Carrol permaneceu com a mente vazia, sem mover qualquer músculo que não fosse seu diafragma. Só se levantou quando seu relógio de pulso começou a vibrar, indicando que o presidente estava na linha. Carrol apressou-se em atendê-lo antes do segundo toque.

– Olá, Frank.

– Olá, Carrol, como vai? – cumprimentou o presidente com tal entonação na voz, que imediatamente Carrol concebeu que ele não ratificaria a parceria. Tanto que, após o cumprimento, Frank foi logo esclarecendo seus motivos e sequer precisou tocar no assunto novamente: – Me desculpe pela demora, meu caro. Me atrasei, pois fiz questão de ler tudo com bastante atenção e... – fez uma breve pausa antes de completar: – Minha dúvida é uma só: *no que* estou colocando meu dinheiro, compreende? Se entendi bem, você não conseguiu nem uma amostra do objeto, correto?

– Sim, é correto, mas... – antes que Carrol tentasse justificar algo, o presidente se adiantou:

– Não precisa se justificar. Eu sei que ainda tem muita coisa pra fazer aí, por isso eu tomei a decisão de checar o objeto pessoalmente – afirmou o presidente. Com espanto na voz, Carrol procurou confirmar:

– Quer dizer, vir até aqui onde ele está?

– Exato – confirmou o presidente. – Quero vê-lo com meus próprios olhos.

– Entendo. Mas você foi informado de que novas fotos estão sendo enviadas e uma filmagem será encaminhada amanhã?

– Ora, Carrol, acha que se estou na posição de ver o objeto em pessoa, vou me contentar com uma filmagem? Eu vi a foto que mandou, mas você sabe que quando me tornei presidente deixei essa coisa de filmagens para trás.

– Perfeitamente. E quanto ao Serviço Secreto, conseguiu dobrá-los?

– Você sabe que com jeitinho e carinho a gente dobra qualquer um, não é? Bom... Você tem um mensageiro que está vindo para cá, correto?

– Sim, o sargento Jose Alejandro Mijas – confirmou Carrol.

– Pois é, assim que ele chegar, nem vou querer receber os documentos que está trazendo. Um homem meu do Serviço Secreto vai encontrá-lo no aeroporto e retornar com ele até a academia – expôs o presidente fazendo menção à "Academia de Sargentos Honorável Marechal-Bacharel Olivermerter" na base da RSMR. – Você vai dar carta branca para ele averiguar o local e montar a segurança. É óbvio que não poderei ser visto nem filmado durante a visita. Se ele der o aval, eu vou.

– Quanto à segurança não haverá problemas. Mas quando você poderá vir?

– Tenho uma janela de duas horas num voo até São Francisco depois de amanhã. Dá até para estender para três. Posso te dar meia hora para acertarmos as coisas quando estiver aí. Só precisamos afastar o major Hunter. Não posso topar com ele por aí bisbilhotando as coisas, sabe como é, não? – questionou o presidente, fazendo menção ao major que dirigia o setor B da RSMR, o setor da aeronáutica.

– O major? Sim, compreendo. Vou mexer meus pauzinhos aqui.

– Vou mexer os meus também. Mister Andrews cuidará dos detalhes – comunicou o presidente antes de encerrar o telefonema.

Após desligarem seus respectivos aparelhos, ambos os interlocutores compartilharam um mútuo sentimento de desconfiança. Carrol desconfiado de que o presidente estaria postergando sua negativa definitiva, e o presidente que o tal objeto alienígena-extraterrestre não passasse de um engodo.

73

Apesar de abrigar a sede do poder da China durante muitos séculos, na atualidade, o palácio do imperador na Cidade Proibida era apenas um museu aberto à visitação para os turistas. Para conveniência de Willa, no momento em que se deslocava pela praça central da cidade, ainda não tinha dado o horário de abertura. Por isso, além da alienígena e dos macacos que a ciceroneavam, somente os guardas e alguns funcionários se encontravam no local, aparentemente sem muito estranhar o estardalhaço que os saguis faziam conforme aquele estranho ser se dirigia para o palácio. Pela reação dos hominídeos, a presença dos saguis era comum no local. De fato, existia até um viveiro deles dentro da Cidade Proibida, e como a cidade era grande, não estavam aptos em captar a quantidade total de macacos que se encontrava ali, conforme captava Willa através de sua percepção extrassensorial – a alienígena contabilizava mais de mil saguis no interior das muralhas e outros tantos se deslocando para o local.

Dentro do palácio, a segurança era frágil para a alienígena, pois não havia guardas vigiando os pátios que conduziam ao palácio do imperador e à sala do trono, somente câmeras de segurança e sensores diversos, térmicos e a laser, mais fáceis de driblar do que um homem bloqueando a passagem. Isto é, exceto na própria sala do trono, a qual se encontrava fechada e trancafiada com sentinelas de guarda em todos os acessos. Uma grande escadaria derivava no palácio e o portal principal era formado por duas grandes portas de madeira, pesadas o suficiente para impedir qualquer movimento rápido e minimamente furtivo para que se esgueirasse sem chamar atenção, impedindo a alienígena, mesmo invisível, de adentrar o local sem que percebessem o portal se abrindo. Ante o revés, uma intuição ocorreu a Willa, de que se tentasse abri-lo, as sentinelas nem notariam, portanto arriscou a fortuna. Utilizou seu magnetismo para destravar a tranca sem se preocupar com o estampido metálico ao abrir a fechadura. Após destravá-la, empurrou uma das abas do portal o suficiente para sua cabeça passar e adentrou a sala.

Uma vez dentro da sala do trono, a princípio, Willa não captou nada demais que não fosse a imponência do recinto: amplo, teto alto, construído com grandes blocos de pedra e telhado curvo, sustentado por vigas e pilastras de madeira, com imagens de serpentes e dragões esculpidos. À primeira vista, mais se parecendo com um ginásio com um vão de quase dois metros no alto com janelas de vidro temperado e uma decoração que ia do chão ao teto cobrindo paredes e pilares. Um tapete bordado com símbolos chineses, incluindo o Dragão de Fu Manchu, formava um corredor entre o portal e o trono. Na outra ponta, acima de alguns degraus pairava um altar tão ostensivamente decorado quanto o de uma catedral, situado à frente de um mural de pedra com os dizeres "Um povo, uma cidade, um homem no centro do mundo", "Um mundo no centro dos mundos", "Um lar para o filho das estrelas, o senhor dos dez mil anos"; frases que epigrafavam o trono do imperador logo abaixo: um suntuoso banco estofado com braços marchetados – vazio, como era de se esperar. A beleza do recinto era estupenda, embora Willa captasse que, exceto as paredes, o chão e a enorme rocha abaixo do solo, além de itens como o mural de pedra entre outros poucos, o espaço era uma réplica da sala do trono original. O local havia sido restaurado após o incêndio de 1931, quando foi invadido por japoneses, depois redecorado e transformado em museu nos anos 1950. A maioria dos itens dispostos na sala, bem como diversos quadros ou pinturas que enfeitavam as paredes, fraseavam os mais importantes filósofos, pensadores e deuses que descreviam a China, assim como elencava os monarcas que ocuparam o trono Chinês ao longo dos séculos – enfim, a sala do trono era espetacular para qualquer turista, inclusive extradimensionais como Willa, de uma grandiosidade ímpar, digna do reconhecimento como parte não só do Patrimônio Mundial da Humanidade, mas também do Patrimônio Cósmico Marciano.

Mas, além disso, não havia nada de especial na sala. Uma varredura telecinética não revelou nada de anormal no recinto, nenhuma presença, nenhuma câmara secreta, nenhum terminal trinário ou um mísero macaco sequer. Willa captou seu par no subterrâneo abaixo da grande rocha que o bloqueava e confirmou que o sinal que derivava ao local, pelo que averiguou, encerrava-se ali mesmo naquela pedra, dissipava-se na rocha. O que fazia pleno sentido, afinal, já estava a par da arquitetura do sistema. Em se tratando de um sinal trinário, baseava-se em uma estrutura trifásica, portanto, aquele era apenas um fio-terra. Estava confirmado que Fu Manchu se resumia a uma lenda ou, no máximo, uma logomarca que servia de fachada para um serviço de espionagem operado pelos chineses – fim do mistério. Quanto aos macacos, provavelmente vinham de uma raça um pouco mais sensitiva que a maioria dos animais de médio porte, com certeza nada que um exame mais apurado de sua genética não pudesse esclarecer.

Assim convencida, apesar de um pouco decepcionada com a revelação do mistério, mais uma vez sem despertar atenção das sentinelas que guardavam o portal de entrada, Willa deu meia-volta, retirou-se da sala do trono e tomou seu rumo para a saída do palácio, já correndo as listas de checagem que ainda tinha pela frente. Mas, após avançar alguns metros aquém da sala do trono, foi interrompida por um comunicado exclamativo de Sam:

– O que aconteceu?! – indagou. A princípio, Willa não entendeu a razão de tal questionamento. Em seguida, deu conta de si e respondeu:

– Protocolar achado lemuriano, origem desconhecida – alegou. Todavia, essa não era a resposta que Sam esperava, por isso aumentou o tom:

– *Protocolar*?! Como assim? Repito: o que aconteceu? Willa, por favor, responda.

– "Como assim" questiono eu. Por que está perguntando isso?

– Nós perdemos contato multividual. O que aconteceu?

– Como perdemos contato se estamos nos comunicando?

– Responda a pergunta! – exclamou Sam. Assustada com o tom do parceiro, Willa respondeu:

– Não aconteceu nada. Não há nada de especial na sala, a varredura telecinética não revelou nada de anormal no recinto, nenhuma presença, nenhuma câmara secreta, nenhum terminal trinário, nenhum macaco... – mas foi interrompida por Sam.

– Pare! Mantenha sítio atual.

– O que está acontecendo? – desta feita, era Willa quem se mostrava atônita, sem compreender a conduta do parceiro. Por isso, tratou de repetir a explicação que havia dado antes, mas Sam sequer permitiu completá-la.

– Estás captando a ti mesma? Como podes apresentar uma justificativa como esta? Sistema *trifásico*?! Fio-terra? Como não há nada dentro daquela sala? Há sim, será que não percebes? – em paralelo, virou-se para a *Nave* e comunicou: "Preciso de reforço multividual imediatamente", e continuou: – Tudo converge para aquela sala. É ali que se encontra a chave desse misterioso sinal – insistiu. Willa prosseguiu sem entender, tinha plena convicção de que não havia mistério algum para desvendar. Logo outro par seu apresentou-se e Sam comunicou-se com ele:

– Teu par foi hipnotizado.

– Tem certeza?

– Ou está sendo controlado por uma inteligência robótica – o que seria basicamente o mesmo.

– Que procedimento quer adotar? – perguntou Willa.

– Escolte teu par até a *Nave*, estou abrindo a janela de embarque. Vamos partir assim que sua população evacue ao frisbee.

– Partir?! Negativo. Vou checar a sala novamente.

– Indeferido. Não sabemos com que tipo de inteligência estamos lidando. Pode ser perigoso.

– Perigoso? É apenas um sinal trinário, uma linguagem obsoleta. Não há perigo algum. Vou verificar novamente.

– Não faças isso. Corres o risco de ser infectada. Não me obrigues a declarar quarentena – ameaçou Sam.

– Calma, desta vez estarei preparada – mentalizou Willa com convicção. Em seguida, aumentou sua frequência mental como se equipasse um escudo para uma batalha e dirigiu-se para a sala do trono, mais uma vez passando pelas sentinelas sem que demonstrassem qualquer reação.

Sabedora de que havia ali alguma entidade capaz de manipular ondas hipnóticas, de volta à sala do trono, imediatamente Willa captou uma frequência diferente de todas que já havia captado na Terra até então. Mas para compreender que tipo de onda hipnótica era aquela, seu cérebro tomou certo horizonte até encontrar uma correspondência, a mesma não batia com qualquer espécime cujos pensamentos até então catalogara, bem como de qualquer robô que conhecesse de outras dimensões. Não bastasse, a onda tentava invadir sua mente; sentiu uma presença oculta no local. Por isso, simultaneamente mentalizou via telepatia e verbalizou em linguagem mandarim:

– Há alguém aí? Revele-se. – O silêncio permaneceu, mas a resposta veio pelo pressentimento de que havia mais de uma pessoa escondida ali, na verdade, duas. Eram mais, pareciam ser cinco, sete no total, mas ao menos apresentavam frequências mentais familiares, humanas... Eram macacos, aqueles mesmos micos. Somente uma das frequências parecia distinta das demais, difícil distinguir sua natureza. Porém, quando enfim conseguiu identificar a onda que reverberava pelo recinto, duvidou que os dados estivessem corretos: Idioma: "Marcianês antigo"; Idade Moderna: 330.000~510.000 d.C.; Linguagem: "Sequencial poliquântica"; Imagética: "Virtual não residual"; Fonética: "440Hz" – mas estavam.

Uma vez identificada, a frequência passou a ser traduzida instantaneamente, em uma rústica linguagem, expressava: "*A distribuição está correta, não há nada de especial nessa sala, não há nada de errado nesse local, as medidas dessa parede estão corretas, essa sala é absolutamente comum, essa é a sala do imperador Pu Yi, essa sala está perfeitamente arrumada, essa sala não precisa ser averiguada, já foi aprovada na inspeção, essa sala está corretamente configurada, não há quebras de segurança nessa sala*". O texto que expressava, por mais que soasse estranho, não significava grande coisa para Willa, o que importava era a tipificação da frequência em si, pois tratava--se de uma emissão *digama*, ou seja, era mesmo uma onda hipnótica, porém, uma onda antiga já fora de uso, ultrapassada, quase esquecida – fator que certamente ludibriou os sentidos do par inicial a averiguar a sala. Um tipo de hipnose muito comum de uma antiga espécie há largo horizonte suplantada pela sociedade quântica da qual provinha. Por outro lado, era apenas um animal que possuía uma onda cerebral potente, mas que jamais superaria a sua. Ainda assim, mesmo depois de identificada, não tão simples de se sobrepor ou anular. Não tão simples, mas não impossível, por isso, como em um jogo mental, Willa concentrou-se para tentar sobrepô-la. Nesse instante, um fluxo arrepiante percorreu suas bobinas dorsais ao captar uma leve risada ecoando em tom grave pelas paredes da sala. Em seguida, uma voz se pronunciou em sua mente:

"*Eu posso vê-lo, homem*".

Surpresa, Willa multidirecionou seus sentidos buscando captar a origem daquela voz, tentando dissipar a onda que convergia para sua mente tentando subjugá-la, mas sem conseguir identificar de onde vinha, apenas sentindo que alguém estava muito próximo e, tanto quanto si, invisível, escondido sob um manto hipnótico. Willa dirigiu-se à voz:

– Descreva-me o que vê.

"*Vejo um deserto, um vimana sob um monte, um homem abrindo caminho na mata, mergulhando no mar, atravessando os continentes... Ele se dirige para o centro do universo*".

– Quem é você? – O silêncio se fez responder. Willa tentou adivinhar: – Fu Manchu? – Novamente, uma risada ecoou em resposta.

"*Gosta desse nome? Eu gosto... Me chames assim se desejas*".

Na luta para identificar a origem da voz, Willa procurou se concentrar no âmbito de seu multivíduo para ampliar sua frequência mental. Assim que o fez, começou a captar algo atrás do trono do imperador, mas quando parecia que aquela presença oculta iria se revelar, uma estranha névoa tomou seus sentidos, impedindo-a de captar algo mais.

"Quantos de ti há em ti mesmo?" – questionou a voz. *"Não tantos quantos há em mim de mim mesmo"* – acrescentou como se desafiasse Willa.

O desafio era desnecessário. Willa buscava a todo custo dominar a fortaleza mental de seu adversário, assim, foi progressivamente aumentando sua frequência e alternando a amplitude de suas ondas cerebrais, aos poucos sobrepondo à ondulação *digama* que lhe obstruía os sentidos, fazendo com que a névoa se dissipasse lentamente. Conforme a névoa dissipava, a alienígena começou a captar um vulto tomando forma na neblina, logo revelando a silhueta de um homem sentado à frente de um monitor. Pelo que notava, estava totalmente inerte ao que se passava ao redor, sua mente parecia vazia, como a das sentinelas vigiando o portal de entrada, sem emanar qualquer emoção. Quando a neblina baixou um pouco mais, enfim um sentimento se revelou como uma angustiante aura de medo e aflição.

"*Você é um assassino ou um libertador?*" – transmitiu a voz. "*Eu percebo o conflito em sua mente*".

Willa preferiu ignorar a voz, era uma tentativa de distraí-la, mas permaneceu concentrada, observando a cena que se desenhava conforme a névoa diminuía gradativamente. Não demorou e cinco micos revelaram-se atrás do vapor, um casal e três filhotes, juntos, mirando-a com olhos arregalados e uma expressão de pura fobia nas faces. Logo acima deles, outro vulto começou a tomar forma, uma figura aparentemente humana, em pé, recostada em uma parede ao fundo. Aos poucos, percebeu que a figura não estava de pé, e sim sentada em uma tábua com as pernas estiradas para baixo. Seu corpo parecia preso à parede por fios que o sustentavam nessa posição como se suas forças fossem insuficientes para mantê-lo ereto. Seus braços estavam abertos e espalmados, igualmente presos por cabos que os fixavam na parede. Entre eles, sua cabeça pendia ligeiramente para o lado direito como se fosse pesada demais para se manter erguida. Era grande, muito maior que a de qualquer homem daquela terra, assim como seus olhos, enormes e negros como a escuridão. A névoa se dissipou completamente e, afinal, Willa pôde captar a figura em detalhes: sua pele era cinza, toda enrugada como a de um homem muito velho. Seu rosto tinha uma feição de cansaço. Agora podia captar suas ondas cerebrais com nitidez. Estava doente, pelo que podia perceber, muito próximo da morte, pois os cabos que o sustentavam não eram cabos, mas tubos, cateteres que supriam seu corpo e fios elétricos que se conectavam com a parede e o terminal operado pelo homem que captara pouco antes. Podia sentir a eletricidade fluir através de sua massa corporal e inundando seu cérebro: o estranho sinal trinário que tanto a intrigou na jornada até aquele local. Tudo passava a fazer sentido, mas como ou por que aquele ser se encontrava ali ainda fugia de sua compreensão, pois aquela figura não pertencia a esse mundo, como diriam os homens dessa antiga Terra, tratava-se de um *gray*, um extraterrestre cinza, um ser alienígena.

"*O alienígena é você*" – pensou o ser. Desta feita, Willa já estava apta a responder:

– Você é um marciano.

"*Que tipo de homem é você?*".

– Não sou um homem, sou um quântico – respondeu Willa. Ante a afirmativa, mais uma vez a figura riu em resposta, depois mentalizou:

"*Pensas que não reconheço um homem quando vejo um? És tão homem quanto qualquer um de nós neste recinto*".

– *Aqui*, você não é um homem, é um alienígena – reafirmou Willa.

"*Em minha terra sou como os homens dela.* Aqui, *é você o alienígena*".

– Nós dois somos.

Em seguida, ainda estupefata com a imagem cada vez mais nítida da criatura, Willa captou um sentimento negativo em sua mente, como um lamento que emitia por trás de sua voz e seu olhar perdido, expressando uma dor muito forte. Talvez pelo estado crítico e moribundo que o afligia, talvez por medo de sua presença, o que ficou claro quando, em tom de súplica, o ser se pronunciou:

"*Por favor, parem. Está machucando. Eu imploro que saiam daqui, deixem-me só. Permitam-me a paz de meus últimos dias*".

A princípio, Willa achou que fosse apenas uma teatralização, uma tentativa de ludibriá-la novamente, mas estava enganada.

"*Peça a eles que parem de tentar invadir minha mente, por favor, não aguento mais...*".

Não era uma teatralização ou um joguete mental, o ser estava referindo-se a Sam e seus colegas na *Nave*, os quais se esforçavam para invadir a rede da criatura desde que a localizaram na Europa. Não era à toa que não haviam conseguido encontrar sua origem, pois o ser estava lutando com todas as suas forças mentais para impedi-los e, ao que transparecia de sua aura, estava no limiar de sua fortaleza. Willa voltou-se para Sam e comunicou:

– Desativar contato multividual. Abandonar rastreamento da rede – ordenou. Mas como Sam ainda permanecia sem entender o que se passava no interior da sala do trono, como chefe, protestou, por isso Willa esclareceu parcialmente a razão do pedido:

– Protocolar contato imediato de terceiro a quinto grau. *Bidutivo*, moderno e ultracontemporâneo. Ineditismo confirmado. Aguardar novas atualizações sob demanda. – Assim encerrando sua comunicação e ficando a sós com a criatura, imediatamente captando uma onda de alívio em sua mente quando Sam e a *Nave* recuaram em sua tentativa de infiltração.

A criatura igualmente relaxou e cessou suas emissões hipnóticas, por fim permitindo a Willa, assim como seus inúmeros pares que se distribuíam ao redor da sala do trono, abaixo e acima da superfície, captarem a cena ao seu redor como até então não conseguiam – o alienígena cinza, espécime *homiquântico*, emparedado na sala do trono. Abaixo do solo, onde pouco antes uma grande rocha bloqueava o caminho pelas galerias subterrâneas do palácio, na verdade, revelou-se uma câmara oculta abrigando uma pequena central elétrica com transformadores, cabos de tensão e todo um aparato para alimentar e dar suporte à rede trinária que perpassava por ali. Da câmara subterrânea, os cabos avançavam poucos metros mais, seguiam até uma segunda câmara secreta escondida atrás da sala do trono, formando um corredor de um metro e meio de profundidade por dez de comprimento. A parede ao fundo do corredor era como uma enorme placa-mãe de computador, com incontáveis cabos e circuitos, todos muito bem organizados e etiquetados, formando um fluxo interconectado aos membros da criatura, mantendo-a fixa no muro como em uma bizarra versão cibernética de Jesus Cristo na cruz, posicionada logo atrás do mural que ornamentava o trono do último imperador. Um sistema de ventilação mantinha a temperatura do local baixa e estável como se fosse uma grande geladeira, e uma bomba d'água alimentava os tubos que penetravam no corpo do ser ali emparedado. Abaixo da parede, uma mesa comprida abrigava um terminal de operação similar aos muitos que Willa já havia encontrado, e um homem encontrava-se postado em uma cadeira de rodinhas operando o sistema através de cinco monitores, cada qual com uma diferente linguagem, um deles dispondo os caracteres trinários que a alienígena tanto desejava decifrar. No canto esquerdo desse corredor, uma passagem secreta dava acesso ao local por uma antessala localizada em uma ala atrás da sala do trono, vigiada por mais uma sentinela ali postada. No canto oposto, alguns galhos mortos abrigavam um ninho para os saguis que ali viviam.

De seu ponto de vista, embora a alienígena se mantivesse escondida à refração da luz, o ser captou o corpo de Willa com total perfeição como se pudesse enxergar através da parede que os separava. Não obstante, captava Willa além da pele que embalava seu corpo. Ao captá-la com nitidez, o ser ficou pasmo e instantaneamente aterrorizado em sentir a pressão energética que a preenchia e o avantajado de sua mente, momentaneamente em dúvida se o ente diante de si era mesmo um homem ou um ciborgue – *Indubitavelmente, um alienígena-extradimensional*, concluiu. Seus membros esguios se pareciam como os de qualquer homem, bem como seus modos pouco polidos e invasivos. Estranho era postar-se de ponta-cabeça sem tocar o solo. *Que tipo de máquina se locomove assim?* – questionou-se. Um tipo de robô que flutua de maneira tão estranha e ainda possui órgãos reprodutivos só poderia ser uma coisa:

"*És o pior tipo de homem que existe*" – vocalizou. "*O homem evoluído*".

Em um movimento suave para si, mas rápido para a criatura, Willa avançou sobre o altar do trono, girando verticalmente seu corpo, assumindo a mesma orientação da criatura, cruzando as pernas feito índio e se colocando no ar acima do trono do imperador, com a face voltada para o mural como se quisesse observá-la mais de perto. Ao encará-la, mesmo que através da parede, sentiu o temor que emanava da criatura com aquele simples gesto. Os saguis que se postavam abaixo dela fugiram espantados. Willa sequer ligou para o insulto do ser. Percebia que estava amedrontado. Apenas dirigiu-se a ele em leve frequência e questionou:

– Quem é você, afinal? – ante a interrogação, a criatura dispensou sua voz e respondeu telepaticamente:

– Tenho tantas faces, tantos nomes...

– É você o mandarim Fu Manchu?

– *He, he, he*... Esta é apenas mais uma de minhas mil faces – compartilhou o ser ironicamente. Em seguida, assumiu um tom imperativo: – Não foste autorizado a entrar aqui. Anuncie *ti* quem és.

– Identifico-me por Willa.

– Então era ti quem trafegava anonimamente em minha rede...

– Sim.

– Que frustração... Cheguei a pensar que os seres desta terra finalmente haviam me rastreado – comentou o ser. Assumiu um tom fúnebre e questionou: – Queres me matar, Willa?

– Isto é apenas uma investigação científica.

– *Ho, ho, ho,* sei bem como é isso, caro "investigador" – pensou, mais uma vez valendo-se do sarcasmo: – Capto em ti com nitidez o que veio "investigar"... – insinuou o ser fazendo menção telepática à esfera de ouro que Willa carregava dentro de si na base do cérebro. Então, mais uma vez questionou:

– Isto é uma experiência?

– Evidente que sim – respondeu Willa com sinceridade.

– Diga-me quem são *vocês*, o que lhes trazem aqui?

Brevemente, Willa apresentou Sam e seus demais colegas, resumiu a razão de estarem ali e os propósitos de sua missão no corrente plano dimensional. Também informou de onde e quando haviam se originado. Ao terminar o breve relato, mais uma vez a criatura riu jocosamente e compartilhou:

– Como intuí, estão aqui para matar – expressou o ser. Willa fez menção de refutar a acusação, mas ele prosseguiu sem permitir que contra-argumentasse: – Não tenho medo, meus dias já duraram muito além de meus dias... Por largo horizonte esperei por esse momento, cri que não mais chegaria... – fez uma pausa e vaticinou: – Por favor, não hesite em cumprir o meu, ou o *teu* destino...

– Não estou aqui para matá-lo, mas posso sim salvá-lo – compartilhou Willa, tentando acalmar a criatura.

– Estou além de qualquer salvação. Meu horizonte neste mundo já se esgotou – mentalizou a criatura com tristeza e conformismo nas sinapses.

– Se em pretérito já sabe quem somos, em contínuo nos diga quem é. Como identifica seu totem?

– Para ti, serei Nhoc, o homem das estrelas, o criador deste mundo. Um mundo onde homens como ti não são bem-vindos. – À sentença de Nhoc, seus saguis se expressaram por si, franzindo os focinhos e grunhindo em tom estridente.

– Por que macacos, Nhoc?

– Ora, não é óbvio? Pois são homens como nós. São homens *melhores* do que nós, mais dóceis, mais fáceis de domesticar.

– Pois imaginei que fosse pelo horóscopo – comentou Willa.

– Meu signo é o Dragão. Essas são apenas minhas mascotes, as mais fiéis. Com quem escolhi morrer... – expôs Nhoc com melancolia no final.

– Meu signo é a Serpente – revelou Willa. O simples comentário despertou um sentimento de reciprocidade em Nhoc, talvez por isso, ou também por saber que nada poderia fazer contra o ser a sua frente: o "homem evoluído"; mas fosse por mais ou por menos desconfiança, terrificado e simultaneamente aliviado por não ter mais de se defender dos ataques cibernéticos que vinha se esforçando em rechaçar até pouco, Nhoc disparou seus pensamentos:

– Quantos não foram os horizontes em que aguardei que alguém passasse pelas sentinelas como tu fizeste? Largos como sequer podes comensurar. Quantos não foram os vimanas que vi passar e torci para que retornassem? Muitos, incontáveis, tantos que perdi e abandonei a conta, aceitei minha sina, meu lugar. Neste presente, à beira do fim que parecia nunca chegar, surge-me ti para zombar, para me privar da única paz ao meu alcance, pilhar meu palácio, matar e assustar minhas crias – compartilhou Nhoc com um misto sentimento de tristeza e revolta, assim permanecendo nos instantes seguintes enquanto Willa permanecia ouvindo seus pensamentos. Ele continuou: – Se estou correto, captei tua estranha presença neste plano no mesmo horizonte em que captaste minha rede. Cheguei a me iludir imaginando que fosse o emissário que tanto aguardei, mas és apenas mais um estrangeiro de passagem com obscuras intenções. Já sabes a quantos deuses, signos ou beatos por muitas vezes orei para que me escutassem... E agora estais ti aqui, apenas para espezinhar de meu último jazigo – discursou ele. Nesse instante, Willa questionou:

– Orou pelo *Pai*?

Nhoc estranhou a pergunta, pois, de imediato, não reconheceu a sinapse mencionada por Willa. Mas, apesar de desconhecê-la, rapidamente captou seu significado e ao que se referia, então reagiu com ódio nas sinapses:

– JAMAIS REPITA ESSE TOTEM PERANTE MEUS SENSOS!! – expressou em alta frequência assim que concebeu que a sinapse *Pai* fazia referência à entidade *Nova*, este que era o substantivo próprio de tal metarrobô em sua época. – Se é justamente esse o grande *traidor*, o demagogo, o mais falso deus que me confinou ao eterno exílio, o mal parido da lógica que a todos iludiu com suas promessas mentirosas, suas visões megalômanas fruto de sua egolatria cibernética que a muitos custou a própria vida. Como ousas citar esse tirano em minha presença?! – vociferou.

– Perdoe-me, por favor – expressou Willa em baixo tom, então acrescentou: – Mas, acredite, compreendo bem a sua revolta – compartilhou com franqueza. Nhoc assentiu ao pedido de desculpas, mas prosseguiu praguejando contra a entidade *Pai* com rancor nas sinapses, tecendo um pequeno discurso mental. Apesar disso, ficou nítido para Willa que a revolta de Nhoc não se resumia a um simples desabafo ou à expressão de raiva por sua presença ter sido descoberta. Em parte, ele apenas divagava, compartilhava fatos desconexos variando da raiva ao conformismo. Sobretudo, expondo pensamentos de alguém que há muito não tinha com quem conversar, ao menos não tão francamente, via telepatia, da forma como Nhoc expressava seus sentimentos. Ao se dar conta disso, Willa propôs:

– Permita-me aproximar de você. Deixe-me ajudá-lo.

Tão logo mentalizou seu pedido, Willa captou o suave ranger da portinhola metálica que dava acesso à câmara secreta abrindo-se para o estranho convidado. O par que já se postava por ali avançou para dentro, a porta se fechou atrás dele, que, então, dirigiu-se até Nhoc. Ao avançar em direção à criatura, os saguis que se postavam abaixo dele fugiram abrindo caminho, grunhindo e mostrando medo. Um medo também compartilhado pela criatura, que manteve seu olhar fixo na alienígena, ainda que sequer possuísse íris ou precisasse mover o pescoço, como se vigiasse um leão faminto que entrou no ambiente. Nesse clima de nervosismo que emanava da aura de Nhoc e das mascotes, Willa se postou bem a sua frente.

Bastou um exame superficial com o olhar para constatar que Nhoc estava muito mal de saúde. Sua pele estava extremamente enrugada, como a de um matusalém, demonstrando que não tinha mais capacidade de absorver a luz solar que necessitava para se restaurar, por isso era suprido por cargas elétricas que percorriam seu corpo e mantinham seu giro cardíaco minimamente funcional. Seu cérebro só se mantinha ativo devido à energia que o abastecia artificialmente. Porém, sem o coração para filtrar e distribuir as cargas na amperagem adequada, sua mente e o que restava de seu corpo precisavam de água para resfriar o excesso de calor gerado pela eletricidade. Era um quadro terminal.

Willa fez menção de colocar suas mãos em Nhoc, mas pela reação aflita dos macacos, passou a descrever cada passo de sua examinação para deixá-lo tranquilo.

Inclusive pediu permissão para abrir um canal de comunicação com Sam e a *Nave* a fim de auxiliá-lo, já que, como veterinária, lidar com homiquânticos antigos não figurava entre suas especificidades mais notórias.

– Homiquântico? Que totem mais estranho é esse? – questionou Nhoc.

– É o totem da sua espécie – esclareceu Willa.

– Da minha? Tem certeza? Não afirmaste que eras um *quântico*? Então és tu o homiquântico, o *homem quântico*.

– Eu sou quântico e você um homiquântico – insistiu Willa.

– Que estupidez! Se entendi, tu és um tipo de homem, e eu seria o que então? Um tipo de *lobisomem*? Um homem se transformando em quântico...?

– Algo assim. Um predecessor do quântico.

– Não acredito! Estais a brincar comigo? Sei perfeitamente o que sou: um homem, da espécie *homo artificiales*.

– E eu um quântico, da espécie *homo quanticus sapiens*[2].

– Pois que pensei? Justamente: um *homem*, apenas mudou a nomenclatura. – Nhoc estava correto, pois foi a sua espécie a última a se autoproclamar *homem*, embora também se chamassem marcianos. Somente após a chegada dos reptilianos e o surgimento da nova espécie fruto da mixagem primata-réptil, a nomenclatura foi atualizada para quântico não só para se diferenciar da espécie predecessora, mas para contemplar as novas espécies *sapiens*, as quais passaram a ser igualmente reconhecidas como marcianas em sua pluralidade, incluindo os aeroígenes.

– Que tipo de mundo é este em que vives onde existem *reptilianos*? – perguntou Nhoc com temor nas sinapses: – O inferno?

– É uma longa história – mentalizou Willa, e assim continuou o exame, em meio ao interrogatório e às repreendidas mentais do homiquântico.

Ainda que superficialmente, Willa teve calma e procurou responder as dúvidas de Nhoc, buscando controlar a ansiedade e o temor que sua figura despertava nele. Em dado instante, estendeu sua mão para proceder a uma tomografia cerebral, mas a reação estridente dos macacos, avançando em direção à Willa, mais uma vez exigiu que a alienígena o acalmasse e explicasse o que pretendia com o gesto, só então o animal permitiu que ela o tocasse. Após o pequeno estresse, o próprio Nhoc relaxou e chegou a esboçar um leve sorriso de prazer com a ligeira massagem magnética que recebia na cabeça. Enquanto isso, Willa trocava informações com seus colegas:

– Diagnóstico completo.

– Limite Alzheimer ultrapassado – lamentou Willa.

– Organismo em processo de transição, janela *mortis* em limite de 600 dydozens.

– Autorizar internação imediata. Priorizar pedido de urgência.

– Negativo.

– Como negativo?! Quer deixá-lo morrer? Precisamos levá-lo para a *Nave*. Necessitamos escoltá-lo de volta para o futuro conosco.

– Não está de acordo com os estatutos. Não podemos levar qualquer animal ou ente vivo conosco, sabes disso.

– Ele não é um simples "animal", é um marciano.

– Tanto quanto a completa fauna desse plano, ora.

– Precisamos salvá-lo. Eu prometi isso a ele – insistiu Willa.

– Não podemos carregar conosco qualquer ente de cognição inferior ou não contemporâneo de nossa atualidade. É uma falta gravíssima aos estatutos de adução, isso não será permitido. Faça o que puder para ajudá-lo, limite-se às amostras que puder retirar e respeite o arbítrio da criatura – ordenou Sam.

Mais uma vez contrariada com as prerrogativas de seu parceiro, Willa limitou-se ao que permitiam os estatutos. O diagnóstico de Nhoc era sucinto: já era para ele estar morto não fosse o suporte artificial que o mantinha limitado àquela parede, antes de tudo, uma UTI que havia projetado para si, com a qual viveria no máximo alguns anos mais. Para reverter seu quadro seria preciso um transplante total, de corpo e cérebro, ou seja, algo que só seria possível se Willa pudesse levá-lo de volta consigo para sua atualidade, onde ele poderia não apenas trocar de corpo, mas transmutar-se quântico, já que, como zombou o próprio Nhoc, sua espécie é passível de *upgrade*, de ser *evoluída*. De fato, essa seria sua única salvação definitiva, pois um transplante total com um novo corpo de sua mesma espécie seria apenas um paliativo, pois já havia ultrapassado o Limite Alzheimer. Ou seja, sua mente já havia esgotado suas capacidades facultativas e deixado o ápice de sua evolução para trás. Um novo cérebro apenas lhe concederia uma breve extensão de seus dias, de nada lhe serviria para evoluir, somente uma transmutação ou uma reemplasmatificação reverteriam seu quadro por completo. Mas essas opções sequer eram viáveis devido às restrições expedicionárias. De instante, o que Willa podia fazer resumia-se em:

– Reativar seu giro cardíaco provisoriamente enquanto permaneço por aqui. – O que possibilitaria ao homiquântico até sair daquela parede e voltar a caminhar. Nhoc só não enxergava motivação para isso.

– Meus dias de caminhar já se esgotaram, não tenho mais para onde ir. Não reconhece que tipo de lugar é este? Um túmulo – mentalizou com melancolia. – Que me adiantariam pernas se minha mente não pode mais guiá-las – acrescentou, fazendo referência a sua condição mental, pois tinha plena consciência do Alzheimer que o acometia. Sobre isso, filosofou com certa ironia:

– E tu, homem-quântico, me digas se tua espécie é tão evoluída como a máquina que se transparece, se tua mente é tão longeva assim. – Então questionou mais precisamente: – A quanto andas o Limite Alzheimer em tua realidade?

– Esse limite significa pouco para nós. Somos imortais – revelou Willa.

À revelação, Nhoc soltou uma leve risada pela boca, paulatinamente, evoluindo para uma forte gargalhada. Perante a inusitada reação, Willa retribuiu sua risada. Paralelamente, captou os saguis manifestando o mesmo.

– Queres me domar com humor, né? Provaste que, de homem, a esperteza tens – expôs Nhoc, hilário. Em seguida, assumiu um tom de seriedade: – A mesma cobiça, as mesmas ilusões... – Ao que parecia, o assunto era importante para ele, pois quando Willa se propôs a esclarecer melhor a temática, Nhoc manteve os sentidos bem atentos durante a explicação.

O Limite Alzheimer é ultrapassado quando a memória não só do indivíduo, mas também de seu multivíduo, está acima de sua capacidade de armazenamento de informações, compactação de dados e de tecer novas ligações tanto cerebrais quanto intercerebrais multividuais – é um limite de capacidade psíquica. No auge existencial da sociedade homiquântica, quando a robótica aplicada ao cérebro alcançou um alto grau de desenvolvimento, esse limite alcançou a casa de dez mil anos-terra, mas nunca o homiquântico mais longevo ultrapassou a marca de 11 mil anos de vida. Segundo atualizou Willa, com a evolução do homiquântico para quântico, o limite:

– Continua na casa dos dez mil anos-terra, mas o quântico mais contínuo já conseguiu ultrapassar onze – expôs a alienígena.

Todavia, esse é um limite tridimensional, ou seja, um valor cuja variável se dá pela força de gravidade a qual o sujeito, o indivíduo e seu respectivo multivíduo, em média, está submetido. Desse modo, uma vida que dure dez mil anos na Terra, durará bem mais em qualquer astro de menor gravidade. Como a vida vácuo-presencial dos quânticos é mais desenvolvida, esse limite pode alcançar até:

– Duzentos mil anos-terra – enumerou Willa para o espanto de Nhoc.

Mas não só pela gravidade, pois não há baixa divergência multividual mínima o suficiente que permita sua respectiva população expandir a capacidade cerebral como o fazem os xamãs ou os grandes mestres da arte psicográfica, já que, no mundo quântico, os multivíduos também podem expandir suas faculdades cognitivas pela cosmonet. A cosmonet permite aos multivíduos desfragmentarem sua memória no ambiente de rede, com isso empurrando o Limite Alzheimer para margens mais distantes. Todavia, esse valor varia de acordo com a combinação de três fatores: a gravidade, a divergência multividual e a capacidade de autogerenciamento psicográfico. A combinação desses três elementos vai determinar a longevidade intelectual do quântico, a qual, em média, flutua entre 50 e 100 mil anos entre a heliosfera interior e exterior, já que, quanto mais próximo do Sol, maior a taxa de preenchimento do cérebro. Um parâmetro que expressa a mediocridade de uma massa majoritariamente proletária e esportista, pois as cabeças mais proeminentes conseguem se desfragmentar de tal forma pela cosmonet, que a psiquê do indivíduo torna-se maior na rede do que em seu próprio multivíduo. Por isso é mais prático e eficiente que se transforme em um robô, que se artificialize como entidade IA. Ou seja, tudo depende da capacidade intelectual e intercognitiva do indivíduo e seu respectivo conjunto multividual.

– Eu estava certo, né? Quando pensei que eras um robô? Deveras – comentou Nhoc em breve interferência mental na explanação de Willa.

– É o *gráviton* que determina o Limite Alzheimer. A imortalidade só é possível através de outra partícula, o *fóton* – acrescentou Willa. Nhoc concordou. Em seguida, questionou:

– Quantos anos-terra já viveu?

– 65.569 na linha-continuada, 4.233 quilodydozens percorridos.

– "*Dydozen*"?

– Equivale a 2.116,5 anos-terra.

– De quantos anos ao futuro mencionaste que veio? – perguntou Nhoc. Uma pergunta que deixava claro que o Alzheimer estava prejudicando suas faculdades mentais, pois Willa já tinha informado quando se apresentou à criatura. Considerando-se que um homiquântico saudável é como um robô, jamais perde uma informação, especialmente de um dado recente. Esse pequeno lapso comprovava que seu cérebro estava sobrescrevendo a própria memória.

– Há 898.036 anos – repetiu a informação Willa.

– E na curvatura era quanto mesmo? – questionou Nhoc, demonstrando que o grau de sua enfermidade parecia realmente grave.

– Dois milhões, quinhentos e sessenta e quatro mil, novecentos e setenta.

– Anos-terra?

– Sim, pela curvatura terrestre – confirmou Willa. Imediatamente, uma impressora matricial que fazia parte do equipamento disponível na câmara secreta de Nhoc, lenta e ruidosamente começou a imprimir um papel. Quando terminou, estava descrito um número bem superior ao de Willa. Pelo valor expresso, sem dúvida um recorde existencial. Nhoc explicou:

– Pois esta é a curvatura da minha vida, compreende, homem?

Willa intrigou-se. Então não era pelo Alzheimer seu problema com os números, pelo contrário, uma demonstração de sua intelectualidade, uma forma de se exibir para seu visitante. Nhoc comentou:

– Tens a mesma idade que eu quando cheguei a este plano e uma longa curvatura para percorrer até igualar à minha – expressou com certa autoridade nas sinapses. – Ao menos nesta Terra.

A pequena demonstração de *Id* por parte de Nhoc era um bom sinal, pois, como um mero animal para Willa, um ser de cognição bem inferior à sua, ao menos demonstrava boa empatia. Por outro lado, tratando-se de uma espécie intelectual sapiente, era de se esperar que o sarcasmo fizesse parte de suas manifestações, afinal, é típico de qualquer animal querer demonstrar sua esperteza para um ente de inteligência superior que queira domá-lo. Não obstante, a alienígena continuou dissertando sobre a questão da imortalidade. Conforme palestrava instantes antes, a contabilidade de anos de vida era algo relativo. Com vinte mil anos de idade, um grande pensador poderia se artificializar por méritos intelectuais enquanto um esportista se reemplasmava com dez mil já em Limite de Alzheimer, sem sequer estar apto para pleitear uma artificialização. – Ao mencionar "reemplasmar", que é sinônimo de "reencarnar", Nhoc interrompeu Willa:

– E como é o processo de reencarnação no teu futuro? – questionou. – Não me reveles que ainda praticam transferência de memória...

– Definitivamente, não – negou Willa. Em seguida, detalhou a questão. – Exceto em casos de multivíduos que queiram apagar suas memórias através de uma lobotomia, o que é considerado uma psicopatia, ainda assim, nunca aplicada à reemplasmatificação.

Transferência de memória era um recurso que a espécie homiquântica costumava empregar para tentar driblar o Limite Alzheimer, apenas copiando parte da memória de um indivíduo para um novo cérebro ou fazendo um transplante parcial de seu córtex. Uma técnica pouco eficaz, pois gerava indivíduos com pouca expectativa evolutiva e muitos problemas psicossomáticos, por isso acabou abandonada e relevada às ciências zumbiológicas. Nesse ponto, Willa teve que tecer uma breve introdução sobre a questão da ondulação *F* para explicar para Nhoc que o processo de reencarnação se dá através do gene gravitacional, o gene espacial formado pela partícula *higgs* que guia a evolução racional do indivíduo – é a gravidade que limita a capacidade do animal, por isso é através dela que se dribla o Alzheimer. Ou seja, a imortalidade é a manutenção contínua dessa ondulação e a reencarnação é a transferência dessa onda de um sujeito velho para um zigoto recém-concebido. Em suma, transfere-se a capacidade racional de um indivíduo à beira do Limite Alzheimer, não seus conhecimentos, então o sujeito renasce como uma nova pessoa, mas não carrega a memória de sua vida anterior.

– Compreendi – pensou Nhoc.

Em seguida, Willa ainda explicou que existia a opção do sujeito se reencarnar e virar robô simultaneamente, e as pessoas que reencarnavam ainda dispunham de um robô biográfico de sua vida anterior, assim delineando que a imortalidade é virtual, como se a vida fosse composta de arquivos eternamente copiados e compartilhados na consciência cósmica. Nhoc concluiu:

– Então minha geração estava certa. Só não dispúnhamos da tecnologia para reencarnar – comentou. O que era uma verdade. Embora as realizações do fundamentalismo cósmico fossem um advento da Era Quântica, os homiquânticos já estudavam e realizavam experimentos dos quais se permitiu formar a base teórica de tal ciência.

– Mas por que se interessa tanto por essa temática já que há pouco me pedia para que o deixasse morrer em paz? – questionou Willa.

– Recebi muitas mensagens sobre isso. E por largo preguei sobre a vida eterna e a reencarnação para muita gente. – Evidente, já que o mito de Fu Manchu contava a história de um mandarim obcecado pela busca do elixir da imortalidade.

– Recebeu mensagens de quem? – perguntou Willa.

– Como vou saber exatamente, ora? São imagens do futuro que captei via psicografia. Talvez tenham sido vocês que enviaram, homens-quânticos – respondeu Nhoc de forma enervada. Ao que parecia, embora alternasse seu comportamento, isso sim era um sintoma de sua condição mental. Por outro lado, ao menos o mau humor mostrava que Nhoc estava mais confortável com a presença de Willa, sua aura já não emanava medo, assim, a alienígena aproveitou a ocasião para reforçar a proposta que havia feito:

– Então, caro Nhoc, que tal se nós restaurássemos essa sua bolsa cerebral e dispensássemos esse sistema de refrigeração à água? Com certeza pensará melhor se... – Porém, de forma inesperada, Nhoc elevou sua onda cerebral e exclamou para Willa de forma intimidadora:

– *Deixe de joguetes e compartilhes logo o que queres de mim, homem*!! – mentalizou de forma estridente, tanto quanto os grunhidos de seus saguis. Um deles avançou e pulou em cima de Willa, tentando mordê-la, mas escorregou em sua pele lisa, caiu no chão e se afastou.

Apesar do pequeno susto com a reação de Nhoc e suas mascotes, Willa dispensou sinapses para responder.

Já estava claro que não precisava se esconder, pois os seres dentro do recinto, ou já haviam captado sua presença, ou, conforme o único homem ali presente operando os computadores, mostrava-se totalmente alheio à realidade de seus sentidos. Assim, a alienígena abandonou sua invisibilidade, permitindo a todos que a contemplassem em todo seu esplendor. Nhoc e seus saguis não conseguiram disfarçar o misto sentimento de espanto e medo perante a figura subitamente materializada como uma sombra brilhante. Somente o homem ali sentado, mesmo que Willa estivesse flutuando bem ao lado de sua cabeça, permaneceu sem esboçar qualquer reação quando a alienígena se fez visível. Os saguis afastaram-se com as órbitas arregaladas e as bocas escancaradas, e Nhoc deixou transparecer sua admiração pela beleza da pele de Willa, lisa como a mais perfeita antítese de sua própria, todos fascinados, bem como ligeiramente assustados, ao captarem o brilho especulado que dela emanava como se seu corpo fosse um pequeno pedaço do céu noturno.

Willa estendeu seu braço esquerdo e espalmou sua mão, as pontas de seus dedos começaram a brilhar iluminando a câmara, todavia, quando a levou em direção a Nhoc, os saguis reagiram simultaneamente, grunhindo e avançando contra a alienígena, tentando mordê-la e arranhá-la. Dois deles pularam em seu braço como se quisessem impedi-la de tocar em seu amo, o alfa da família se enrolou em seu pescoço. Willa não reagiu, ignorou o ataque dos macacos, apenas prosseguiu com o movimento e pousou sua mão sobre o peito de Nhoc. Assim que o fez, captou um imediato suspiro em sua mente, seguido de uma onda exógena quando a alienígena o amorteceu com seu magnetismo. A sensação foi captada pelos saguis, que se acalmaram e se afastaram, ainda assim, expressando o mais puro espanto em suas faces. Willa permaneceu imantando Nhoc nos momentos seguintes, utilizando seu campo extensivo para reativar e estabilizar seu giro cardíaco, inundando-o com uma alta carga de fótons. Para o paciente, que até então se abastecia de eletricidade, era como uma deliciosa massagem corporal e um suave anestésico lhe preenchendo a mente sob uma doce sensação *clarivinógena*, rejuvenescedora, um gozo sedutor impossível de recusar. Nhoc gemeu de prazer, tanto vocal quanto mentalmente, emanando uma aura de puro contentamento. Quando o ápice da sensação passou, enfim conseguiu se manifestar:

– Sabes bem como seduzir alguém, homem... Não tenho ideia do que fazes, mas continue. Continue... – mentalizou com regozijo nas sinapses. Willa permaneceu aplicando sua cura, ainda que paliativa ao campo que podia gerar e manter, não só para reativar o coração de Nhoc, também para restaurar sua bolsa cerebral gravitacional, o que lhe possibilitaria abdicar dos tubos que resfriavam seu cérebro com água. O procedimento tomava certo horizonte, mas a melhora era instantânea e progressiva, permitia Nhoc articular melhor seu pensamento como há horizontes não conseguia, de imediato, já se sentindo bem melhor com o *doping* magnético aplicado. Assim como compartilhava uma bolsa cerebral similar à dos quânticos, afora a capacidade, Nhoc era um alienígena com capacidade cerebral multifocal. Por isso, enquanto a alienígena descrevia os procedimentos do tratamento, em foco paralelo, Willa esclareceu a questão anterior do alienígena através do pedido:

– Permite-me ler sua mente?

– Se perguntas, então nego – respondeu Nhoc.

– Por quê?

– Porque sei o que queres... – fez uma pausa Nhoc. – Acesso à codificação de minha rede.

– Não apenas isso. Quero saber quem é você, de quando veio, o porquê e como veio parar aqui. Quero saber tudo.

– Compartilho de teu sentimento – concordou Nhoc. – Quero saber tudo sobre ti.

– Do que tem medo, Nhoc?

– Do que queira fazer quando obtiver tuas respostas.

– Não há o que temer, seu arbítrio pertence apenas a ti mesmo – assegurou Willa, mas como captava a irredutível postura de Nhoc, propôs:

– Se me permitir acesso a tudo, igualmente poderás acessar nossa rede. – Era uma proposta justa, afinal, já estava claro que tanto Nhoc quanto Willa e seus colegas expedicionários estavam se infiltrando na rede um do outro há algum horizonte, pelo menos desde que Sam havia rastreado o primeiro sinal trinário de Nhoc ainda na Europa.

– Estais negociando?

– Se pensas assim, sim, estou – confirmou Willa.

– Então quero saber mais, quero saber *tudo* também – afirmou Nhoc. Em seguida, já demonstrando a melhora instantânea proporcionada pela injeção de *fótons* que Willa lhe aplicava, pela primeira vez desde que a alienígena o havia captado na sala do trono, Nhoc ergueu sua cabeça e mirou diretamente nos olhos de seu interlocutor antes de pronunciar:

– Por favor, ajude-me a soltar meu braço – pediu, fazendo referência ao emaranhado de fios que o mantinham preso à parede e conectado a sua rede. Então acrescentou: – Os dois.

Willa titubeou, pois sabia que, se o fizesse, Nhoc perderia contato com sua rede. Ao captar esse sentimento, com um simples comando mental do homiquântico, uma lista de caracteres começou a correr em um dos monitores da câmara. Willa imediatamente percebeu que se tratava da tabela de códigos da linguagem trinária de Nhoc, a chave criptográfica traduzida em linguagem hieroglífica atlântico-marciana, a qual passou a compilar e retransmitir para Sam de imediato. Em paralelo, utilizou seu campo magnético para, vez por vez, soltar os braços de Nhoc da parede e os imantar à sua cabeça, assim permitindo que o alienígena mantivesse o contato com sua rede e, evidentemente, acessasse os pensamentos dentro dela, pois era esse o pedido que estava subentendido com aquele gesto.

74

Já faziam ao menos três noites que o coronel Carrol não dormia. Após o telefonema do presidente da República e o sentimento de desconfiança que deixou em relação à parceria que, de instante, sequer era uma, não foi dessa vez que Willa teve acesso à sua mente, pois qualquer chance de que cedesse ao sono simplesmente se esvaiu da mente dele perante tamanha preocupação em sua cabeça. A vontade da alienígena era lê-la à revelia de seu chefe, todavia, seu foco sentimental estava voltado para o contato que, de imediato, mantinha com Nhoc na China. Por isso ateve-se em monitorar Carrol em suas atividades durante a madrugada, resumida a exercitar sua analítica dedutiva.

Mas, se a falta de acesso à mente do coronel era um entrave, sequer foi preciso acessá-la para que a alienígena deduzisse que Carrol estava rascunhando uma nova saída para o caso de o presidente não endossar sua assinatura no empreendimento. O que ficou claro quando ele anotou dois nomes na sua lista de telefonemas pendentes para o dia seguinte: o primeiro se tratava de um funcionário seu, curador do Museu de Arqueologia e História Natural de Nova York, mais um entre os muitos empreendimentos que financiava; o segundo já era monitorado por Willa, o secretário de Defesa dos Estados Unidos, Ashley Mature, o principal cabeça do Majestic nos Estados Unidos. O protocolo Majestic era uma iniciativa secreta criada pelo governo federal ainda nos anos 1950, um ano após o incidente com o balão militar que caiu nas terras de Tião Bardon em Picacho. Projeto desenvolvido com o objetivo de catalogar óvnis, fatos e fenômenos ligados a atividades extraterrestres "com fins de segurança", conforme justificado. Embora avistamentos e relatos de óvnis por parte de civis e militares já fossem comuns desde a década de 1920, especialmente após a veiculação radiofônica da obra *A Guerra dos Mundos* de H. G. Wells, pela voz de Orson Welles, foi o incidente em Picacho que gerou a repercussão midiática necessária para que o presidente norte-americano da ocasião criasse o projeto. Carrol era uma das sumidades que integrava o Majestic como mantenedor da iniciativa CVMS – Controle e Vazamento Midiático Sistemático. Outros participantes eram proeminentes cientistas que, além de Mature, somavam 12 cabeças que investigavam o assunto ao redor do mundo. Mas como Mature estava ligado ao Pentágono e ao governo federal, Willa concluiu que Carrol ponderava em retomar o trâmite protocolar em relação ao sinistro envolvendo a nave no Algomoro. Ou seja, na falta da assinatura do presidente, submeteria a questão aos órgãos competentes – o que seria péssimo para os alienígenas, pois atrairia uma gama de interesses pouco previsíveis em relação ao caso. Fator que, em primeira instância, foi o que levou Willa a sugestionar a mente do chefe de Estado para que evitasse os canais oficiais e abordasse o caso discretamente.

À parte esses dois nomes, o que mais deixou a alienígena intrigada foi o interfonema de Carrol para o tenente Mathew no meio da madrugada para lhe cobrar uma posição a respeito do ufólogo Andreas Vegina:

– Preciso de Vegina aqui o quanto antes. Você sabe onde ele está? – questionou o coronel assim que Mathew atendeu ao telefonema com a voz embargada de sono. Apenas uma teatralização, pois já estava de pé preparando-se para avançar mais uma casa em seu plano de denunciar o chefe. Fingindo pigarrear, o tenente esclareceu:

– Imagino que esteja na Filadélfia.

– Imagina?! Como assim? Você não está no encalço dele? – disse Carrol com certa rispidez na voz.

– Estávamos. Remanejei os agentes para resolver o caso do curador.

– Vegina precisa se apresentar amanhã. Suspenda esse operativo ou corremos o risco de comprometer sua apresentação.

– Mas... Coronel, os homens já estão escoltando o curador. O senhor autorizou essa operação e...

– Pois agora estou *desautorizando*, entendido? Peça a seus homens para que se certifiquem de que Vegina esteja aqui amanhã tão cedo quanto possível – comunicou o coronel em tom imperativo. A ordem era desnecessária, pois se havia alguém mais interessando em encontrar Vegina, esse alguém era Mathew. Todavia, como seu paradeiro ainda era desconhecido, na hipótese de não o encontrar, com o intuito de arrefecer o ímpeto do chefe, foi precavido ao responder:

– Vegina ainda não confirmou se aceitaria participar do projeto, apenas disse que daria uma posição quando retornasse de viagem.

– Dobre a oferta, triplique, aumente o quanto for necessário. Mas *quero-o aqui*. Estamos combinados? – ordenou antes de desligar o aparelho.

O súbito interesse de Carrol pela presença de Vegina, para quem até então não parecia se importar com sua ausência no time de especialistas, somado aos dois nomes que havia rascunhado em papel, não esclarecia totalmente quais seriam os novos planos que o coronel tinha em mente. Sem dúvida, havia alguma relação no fato de dois deles estarem à frente de um museu e, como MIJ a serviço de Carrol, de Vegina estar indiretamente ligado ao projeto Majestic que envolvia o secretário de Defesa. Entretanto, qual a exata relação entre essas três peças tratava-se de um mistério que Willa não tinha, ainda, como desvendar. Não demorou e, após o breve telefonema para Mathew, o mistério tornou-se ainda mais intrigante: Carrol deixou seu escritório e dirigiu-se ao Ghost CPD, acionou seu computador e logou a Arpanet. Uma vez conectado, requisitou acesso e atualizou o banco de dados do Majestic, então inseriu o registro – nº 803 na listagem cronológica – do evento catalogado por Vegina quando da materialização da *Nave* no corrente plano dimensional. Apenas alterou a data e o horário como se os fatos tivessem acabado de se suceder. Aparentemente, Carrol estava reiniciando os procedimentos já considerando a negativa do presidente, ou tentando criar um "falso álibi" que justificasse o fato de não ter comunicado o sinistro anteriormente – possivelmente as duas coisas. Isso ao menos explicava sua pressa em conversar com Vegina, pois precisaria que o ufólogo alterasse seus registros e corroborasse a informação.

O ufólogo, certamente, era uma peça importante, fosse o que fosse que o coronel tinha na cabeça, deduziu a alienígena. Pois logo após adulterar os registros do Majestic, sua tarefa seguinte foi tecer uma investigação em torno de Vegina: hackear seu computador, o qual se mantinha logado na Arpanet trocando dados com o instituto SETI. Para isso, valeu-se do link em aberto do aplicativo que depurava dados através da rede, um programa que buscava interpretar possíveis sinais alienígenas, assim, Carrol conseguiu acesso aos dados da máquina de Vegina. Com acesso ao HD, listou alguns diretórios, executou algumas varreduras, copiou alguns arquivos e buscou por registros relacionados ao incidente com o objeto alienígena-extraterrestre, mas não encontrou nada suspeito ou que já não tivesse sido relatado pelo MIJ – ao menos não naquele HD.

Quando deixou o CPD, Carrol topou com Mathew nos corredores da C-11. Ao dar de frente com o chefe, o tenente manteve-se incontinente ao comunicar:

– Coronel, me encaminho ao heliporto. Estou enviando um homem à Pensilvânia para rastrear Vegina – alegou o tenente. Carrol sequer esboçou qualquer reação, apenas comunicou:

– Me dirijo para lá igualmente. Vou retomar os trabalhos no posto zero. Preciso que fique aqui coordenando o pessoal.

Às palavras do coronel, embora ele soasse calmo, Mathew precisou reter suas expressões para que seu interlocutor não notasse o calafrio que percorreu suas costas. Acabara de mentir ao chefe. Na verdade, encaminhava-se ao heliporto para recepcionar o "pacote 2" que acabava de ser entregue – o mesmo que Carrol há pouco desautorizara sua abdução. Não obstante, o chefe ainda questionou:

– Que homem está enviando?

– O cabo Emílio, coronel – mentiu mais uma vez o tenente. Mas não havia de ser nada que mais algumas mentiras e dissimulações não pudessem resolver. No fim, sequer foi preciso. Enquanto se dirigiam ao heliporto, Carrol rapidamente mudou de assunto e atualizou Mathew a respeito da visita do presidente ao posto zero. Ordenou ao tenente que recepcionasse o agente do Serviço Secreto que estava a caminho para inspecionar a base e o sítio no Algomoro. Detalhou algumas tarefas e o incumbiu de assegurar que o major Hunter, chefe do setor B da RSMR, estivesse longe quando o presidente viesse. Como realizaria essa última tarefa, dado que o major raramente se ausentava do local quando estava de serviço, Mathew não tinha ideia:

– O major jamais abandonará seu posto por um motivo qualquer. Como sugere agir? – questionou o tenente. Naturalmente, a questão trouxe Carrol ao tom irritadiço com o qual usualmente lidava com seu braço-direito. O coronel comprimiu as pálpebras e respondeu:

– O que for preciso – afirmou, entretanto, advertiu: – Mas nada que seja muito extremo, compreende?

– Perfeitamente – anuiu Mathew, ocorrendo-lhe que o major possuía uma esposa e dois filhos adolescentes que viviam em Albuquerque. – Considere a tarefa cumprida.

Não obstante às novas ordens, os dois discutiram a respeito da "sessão" do psicólogo Harrys com o xerife Hut Cut, agendada às mesmas centenas da sessão com Murray no dia anterior. Não bastasse, Carrol ainda encontrou um tempinho para criticar a ineficiência do subordinado por não ter arrastado Tião Bardon ao cartório para passar as escrituras do Algomoro. Com tudo isso em pauta, quando chegaram ao heliporto, o coronel dispensou o tenente e sequer viu ou se interessou em checar quem estava no helicóptero ao qual Mathew se encaminhou. Outro pernilongo já o aguardava com os motores ligados para escoltá-lo ao posto zero.

Livre do chefe, Mathew tratou dos seus afazeres, afinal, tinha duas "sessões" para conduzir, e a que realmente lhe interessava era justamente a que passou a tratar de instante. Acenou para o cabo Emílio, que o aguardava no helicóptero e, imediatamente, dois soldados deixaram o aparelho carregando o corpo inerte de Martin Healler, o curador do museu *Space Center* e namorado de Vegina, completamente sedado. O grupo escoltou o "convidado" por um acesso nos fundos da C-11, a entrada de cargas que servia aos andares subterrâneos da instalação. Tomaram um elevador de serviço diretamente ao 4º subsolo, percorreram alguns corredores vazios, passaram por algumas portas de acesso restrito e grosso revestimento isolante, até alcançarem a câmara de torturas do quartel. O local possuía toda infraestrutura necessária para "conferenciar" com os "convidados", desde uma ampla e criativa instrumentária para machucar até os recursos para curar, com drogas para sedar e infligir dor. O local contava com um ambulatório e aparatos como desfibriladores e uma mini-UTI apenas para assegurar que a duração da estadia dos "hóspedes" não fosse interrompida no meio de suas "férias".

Não havia registros que permitissem averiguar quantos homens já teriam sido torturados e assassinados no local – na mente de Mathew só constava uma referência nada relacionada com os fatos presentes –, mas, ao menos uma centena de sequências de DNA oriundas de amostras microscópicas fazia-se disponível na ala. Apesar da câmara não dispor de janelas por se situar no subsolo, possuía um sistema de exaustão e circulação de ar, todavia, fazia parte da tortura mantê-lo desligado, de modo que o calor ali era insuportável. Não bastasse, o cheiro do local era um tanto azedo pelo suor e o vapor de carne assada – já para o paladar olfativo analítico de Willa, era inebriante, apesar de, eticamente, ser repugnante.

A alienígena completava a cena do local em que Healler foi conduzido junto a Mathew, Emílio e os dois soldados, a tida "sala de entrevista" do setor. Um espaço amplo, com 20 m^2, dispondo de correntes para prender as vítimas, dois paus de araras armados aguardando alguma "arara" pousar, uma estante de prateleiras cheia de instrumentos que por si só impunham o devido terror a quem os observasse, uma pia propositalmente imunda, uma mesa, algumas cadeiras e, completando o cenário, uma banheira de ácido fazia-se disponível caso fosse necessário fazer alguém "desaparecer", também utilizada para afogamentos conforme o gosto do capataz. A despeito da infraestrutura da sala, o que chamava atenção era um preso deixado ali de propósito. Encontrava-se acorrentado à parede em uma cerca metálica conectada a um capacitador de 1.200 volts, suficientes para fritar qualquer um. Seu corpo inerte e sem sentidos estava dependurado na grade de maneira similar ao de Nhoc preso à parede na sala do trono do antigo imperador chinês. Tratava-se de um espião alemão preso na RSMR, segundo a leitura mental de Willa, há exatos 1.583 dias, desde que fora conduzido ao local. Mas que nada tinha a ver com a trama envolvendo Healler ou sua colega *Nave*, apenas disposto como mais um elemento da tortura psicológica utilizada para amedrontar o curador antes que a física se iniciasse.

Firmemente amarrado a uma cadeira, Healler foi desperto com um balde d'água fria derramada sobre sua cabeça. Nesse instante, os dois soldados foram dispensados, apenas Mathew e Emílio se mantinham na sala – além da alienígena, invisível. Tão logo o curador se situou onde estava – não mais na cama de hotel que se lembrava estar –, ouviu a zombaria de Emílio buscando humilhá-lo por ser gay. Em seguida, com seu cassetete elétrico à mão, o tenente o questionou com ódio no semblante e estridência nas palavras:

– *Onde está seu namorado*?! Diga onde está Vegina ou não sairá vivo daqui! – intimidou-o. Como Healler não sabia onde Vegina se encontrava, apenas alegou que ele o havia abandonado, que o drogou e fugiu durante a madrugada. Entretanto, não era essa a resposta que o tenente esperava ouvir...

A partir de então, Healler foi submetido a uma longa sessão de torturas que durou até o amanhecer, com direito a afogamentos, unhas do pé arrancadas, eletrochoques e muita pancadaria por parte de Emílio. Às oito centenas, quando resolveu conceder uma pausa a Healler, Mathew já sabia de tudo que envolvia o curador, Vegina, o infiltrado Jorge e, até, a cumplicidade de Aurélio, o zelador do *Space Center*, além dos planos que há anos desenvolviam para se infiltrarem no Hangar 18, no setor B da RSMR. Ciente das informações, Mathew ordenou seus agentes para reforçarem a vigilância ao *Space Center* e se infiltrarem no museu em busca de novas pistas assim que possível. Não obstante, uma tropa já estava averiguando o perímetro externo do hangar à procura do túnel construído por Vegina. Também os incumbiu de procurá-lo pelas trilhas ao redor do Algomoro já considerando o fato de ele utilizar uma camuflagem termoisolante. Embora ainda não soubesse o que mais precisava saber – o paradeiro exato da raposa –, ao menos obteve algumas informações de onde procurá-la, quais seriam seus pontos de fuga rumo ao México e alguns de seus possíveis contatos ou colegas que pudessem assisti-la ou mesmo escondê-la. Por fim, apenas para satisfazer as desculpas que porventura teria de dar ao chefe, Mathew arregimentou um agente para vigiar a casa dos pais de Vegina na Filadélfia, e estabeleceu alguns contatos para encontrar um grileiro que lhe pudesse forjar uma escritura das terras de Tião Bardon – sua determinação em denunciar o chefe era tanta que até dinheiro do próprio bolso passou a investir sob tal intuito.

Semiconsciente, Healler foi conduzido a uma cela solitária que servia à ala de torturas, dois andares abaixo da cela onde Hut Cut encontrava-se na ala carcerária e um andar acima do sanatório onde o xerife fora antes mantido brevemente. O curador foi lançado em um cubículo em que mal podia esticar as pernas, vedado e escuro, onde apenas um tênue facho de luz na soleira da porta permitia vislumbrar o chão frio. Num dos cantos, uma barata morta demarcava um ralo destampado que servia de latrina e nada mais.

Após retornar a sua sala no andar térreo, Mathew aproveitou a ausência de Carrol na C-11 para repassar uma nova instrução aos comandantes das tropas que realizavam um "exercício de guerra" no deserto ao redor do morro Algomoro. Uma instrução para que estivessem atentos a "inimigos camuflados com vegetais e grama", conforme redigiu a circular.

Naturalmente, Mathew era minimamente perspicaz para supor que Vegina estivesse tentando se infiltrar no posto zero. Imaginava que isso seria impossível, mas não queria correr qualquer risco. Sua intenção era pôr as mãos no ufólogo antes de Carrol e forçá-lo a colaborar com seu plano, depois o apresentaria ao coronel. Se, por um lado, tinha ciência de que dificilmente o encontraria a tempo de apresentá-lo ao chefe no decorrer do dia presente, justificativas não faltariam para explicar a situação. Só não podia permitir que Carrol tivesse acesso a Vegina antes de si, pois temia que o ufólogo desse com as línguas nos dentes e o denunciasse: era questão de vida ou morte assegurar-se de que isso não aconteceria. Por outro lado, se era perspicaz para prevenir tal hipótese, dispor de um plano para o caso disso se suceder igualmente o seria. Por isso estabeleceu um prazo vinculado ao humor e à necessidade de Carrol em trazer Vegina para o projeto e, conforme seguissem os desdobramentos, revelaria toda verdade sobre o ufólogo: seu sumiço e seus planos para se infiltrar na RSMR. Então passaria a caçá-lo até assegurar-se que estaria "desaparecido" para sempre. Todavia, de instante, tinha outra ordem para cumprir: recepcionar o agente do Serviço Secreto que acabara de se apresentar para inspecionar a base.

Mal sabia o tenente que, ultrapassada mais uma noite no deserto, Vegina já havia conseguido furar dois anéis de segurança no perímetro em torno do posto zero. Embora exausto pelo esforço e pela pressão psicológica oriunda de sua missão, simplesmente descansava no refrescante *habitat* de sua veste coiote, muito bem camuflado ao lado de uma moita, abaixo de um arbusto de Artemísia – e longe de qualquer formigueiro desta vez. Em suas observações durante a jornada, o ufólogo já havia localizado o posto dois e observado o tráfego de caminhões em sentido Algomoro durante a madrugada. Segundo seus cálculos, se conseguisse cobrir o mesmo terreno da noite anterior – e não findasse flagrado, preso ou morto ao longo do caminho –, alcançaria a base do Algomoro na próxima jornada de avanço, então saberia o que, de fato, empenhava os militares em tanta segurança e segredo naquele ermo território.

***

A manhã de Carrol foi mais burocrática do que produtiva. Em relação ao objeto alienígena-extraterrestre, nenhum progresso foi registrado. Exceto pelo avanço nas obras para fixar uma laje de metal abaixo do objeto e impedir que continuasse afundando, bem como habilitar medir seu peso e a força que exercia. O objeto repousava sobre um bloco de terra escorado por um muro de cimento e toras de madeira, cerca de dois metros acima das vigas de aço que sustentavam a laje em que os operários, supervisionados pelo astrobiólogo Nickson, tratavam de instalar os medidores de Newton. Quando finalizassem, a terra abaixo do objeto seria retirada lentamente até que a nave repousasse sobre a laje. Abaixo do objeto, um enorme fosso foi escavado e as fundações fixas nas dimensões do andar subterrâneo em fase primária de construção. Ao redor, vigas de madeira já se encontravam erguidas para construir um grande galpão provisório que cobriria tudo – tudo estaria pronto até a próxima noite no atual ritmo dos trabalhos, absolutamente frenético. Para completar a balbúrdia do pátio de obras em torno da nave, dois trilhos circulares, um suspenso nas vigas do galpão, outro disposto no chão ao redor do objeto, atendiam ao sistema de câmeras giratórias desenvolvido por Steve Limbs, um deles em fase de montagem com as novas câmeras digitais viabilizadas por Carrol.

Em relação às pesquisas, o time de especialistas também não obteve maiores progressos e permaneceu apenas monitorando a montagem dos equipamentos que pretendiam lançar mão – sem contar algumas conversas e conjecturas sobre o objeto com o qual estavam lidando, incluindo o ceticismo do psicólogo Harrys, a todo instante confrontando os demais colegas e clamando pela origem não alienígena da coisa. Até por isso ninguém sentiu sua falta quando teve de ausentar-se do posto para entrevistar o "mendigo", conforme combinado no dia anterior com Carrol, tampouco estranharam quando não retornou durante a tarde.

Quanto à parte burocrática, Carrol iniciou o dia pela preparação da entrevista de Harrys com o xerife. Permaneceu ativo até o entardecer pela obrigação de ciceronear o agente do Serviço Secreto enviado pelo presidente para inspecionar a RSMR e o acesso ao posto zero, a fim de garantir a segurança e o sigilo de sua visita ao local. Nesse sentido, o agente era absolutamente paranoico em suas averiguações, extremamente exigente e irredutível quanto ao esquema de segurança que estava incumbido de estabelecer - a mínima contrariedade e caberia a ele negar o aval da visita. Quem primeiramente sofreu com o zelo do agente foi o sargento Mijas, que o acompanhou desde Washington. Ainda durante o voo, ele queria saber todos os detalhes a respeito dos controladores de radar e já impôs uma série de restrições e limites a qualquer funcionário ou militar envolvido na operação a ponto de, por exemplo, impedir que utilizassem binóculos para mirar o avião do presidente. Suas determinações começavam pela escolha da cabeceira de aterrissagem, detalhavam instruções para o procedimento de táxi do Air Force One, o avião oficial do presidente, e chegavam à escolha do galpão em que o mesmo seria "consertado" - o plano consistia em que a aeronave requisitasse um pouso de emergência quando estivesse sobrevoando a região, então desceria na base RSMR para reparos.

Quando o agente encontrou-se com Mathew, submeteu o tenente a um verdadeiro interrogatório: de imediato, exigiu que o avião do presidente fosse encaminhado ao Hangar 18. Isso obrigou o tenente a adiantar seus planos para afastar o major Hunter da base a fim de manobrar os bombardeiros da linha B - os mais sofisticados da frota disponível na base - durante a madrugada seguinte, só para dar espaço para o Boeing do presidente. Não obstante, vasculhou o hangar por completo, inclusive os andares subsolos. Se houvesse alguma nave alienígena escondida ali, como muitos alegavam, certamente teria encontrado. Conduziu uma autêntica auditoria nos sistemas e ordenou que as câmeras de segurança fossem desligadas. Ainda que, segundo os procedimentos que determinou, o presidente seria discretamente retirado do avião com o rosto encoberto, deixaria o hangar pelo setor de serviços, então encaminhar-se-ia junto às suas escoltas até os fundos do hangar, onde um helicóptero os guiaria ao posto zero - sob a exigência de que o piloto do helicóptero pertencesse ao Serviço Secreto.

As inspeções do agente demandaram atenção de Mathew até as 1130 dezenas, instante em que Carrol retornou do posto zero ao lado de Harrys para que conduzissem a entrevista com o "mendigo" Hut Cut. Somente por volta das 13 centenas o tenente viu-se livre dos dois para, enfim, retomar a condução de seu plano para derrubar o chefe. A partir daí, Carrol passou a ciceronear o agente e os dois voaram ao posto zero para que ele inspecionasse o local. Ainda no helicóptero, o agente exigiu que o aparelho pousasse diretamente no posto zero e não no posto um, conforme regiam as regras do coronel, e não em um local qualquer, mas o mais próximo possível do objeto. Detalhe que acarretou na alteração do cronograma de obras apenas para remover o guindaste que operava no pátio, assim forçando o adiamento da construção do galpão que estava sendo montado em torno da nave. Outro objetivo era saber se o helicóptero não falharia ao aproximar-se do local como relatado dias antes no contato inicial com o objeto.

No posto zero, o agente fez contato com a *Nave*, mas não demonstrou reação mais enfática perante a cena. Limitou-se em mirar e tocar o objeto, resumindo-se em expressar um "tudo bem" para Carrol. Afora o lacônico comentário, sequer esboçou qualquer opinião ou dirigiu-se ao time de especialistas, todos intrigados com a presença do homem carrancudo averiguando a cena em um terno impecável que contrastava com a vestimenta de qualquer outro presente no pátio. Naturalmente, exigiu que ninguém além de Carrol estivesse presente no local quando o presidente se encontrasse ali. Mandou que removessem todas as câmeras e demandou reforços na segurança em torno do biombo que separava o pátio de obras do acampamento dos trabalhadores. Por fim, exigiu a presença de atiradores de elite e bazucas na base do Algomoro, os quais seriam enviados pela equipe do Serviço Secreto. Após a criteriosa inspeção e dos aborrecimentos com suas exigências, para alívio de Carrol, o agente deu o aval para a visita do presidente.

75

Como telepata, apesar de tratar-se de uma espécie ultrapassada e quase extinta, Nhoc já era de mente aberta. Seu cérebro era compatível com qualquer frequência de telepatia conhecida. Isso permitia a uma telepata bem mais desenvolvida como Willa conectar-se em sua mente sem necessidade de requisição prévia. Da mesma forma, embora um quântico fosse um "alienígena" bem mais desenvolvido que si, as faculdades mentais de Nhoc o permitiam captar os sentimentos de Willa. Bastava captar seu fluxo cerebral, algo como sentir a emoção de uma canção em uma língua estrangeira pouco familiar. Todavia, como homiquântico, Nhoc não passava de um mero animal marciano, não podia ler a mente de Willa da mesma forma como ela era capaz de ler a sua – caso o permitisse –, algo tecnicamente inviável por uma simples incompatibilidade linguística. Tanto o marcianês de Nhoc como a estrutura simbólico-robótica de seu fluxo de pensamento e memória eram absolutamente obsoletos para Willa, consideradas sinapses extintas como seria o Latim para um hominídeo do auge de sua civilização. Até para os homiquânticos do futuro, o marcianês de Nhoc consistia uma linguagem há muito superada, quase ininteligível de tão primitiva.

Em função dessa incompatibilidade linguística, toda comunicação telepática entre os dois alienígenas era intermediada e traduzida por Willa que, se quisesse, poderia filtrar as informações conforme achasse melhor. Só não existia nenhum motivo para isso, até porque não era um costume entre ambas as espécies. Mas isso não era impedimento para Nhoc ler a mente de Willa. Bastava a alienígena conectar e seguir o foco sentimental de seu leitor, assim estabelecendo um elo emocional entre os dois, simplesmente permitindo que Nhoc fluísse sua curiosidade. Desse modo, Nhoc podia não só saber tudo que quisesse, podia vivenciar as memórias de Willa como se participasse delas. Simultaneamente, conversando e opinando sobre vários aspetos, demonstrando suas emoções conforme viajava mente adentro de seu locutor. Sua única limitação era não conseguir partilhar as memórias de Willa *residualmente*, ou seja, limitava-se à imagética que podia traduzir ausente de aspectos sensoriais tais como tato, paladar e olfato. Na prática, algo não muito diferente do que fazem dois quânticos quando em conexão estável ou link direto, já que ninguém consegue absorver o conhecimento completo de outra entidade em uma única leitura, especialmente as mais contínuas. O normal em uma leitura mental entre espécies de altíssima cognição e capacidade robótica de comunicação é seguir uma linha não linear conforme o seu interesse – uma característica bastante animal, já que a classe robótica, que possui uma capacidade de leitura bem maior, prefere ler a mente dos seres materiais de forma linear e regressiva.

Para Willa, as limitações de Nhoc por si só a deixavam à vontade para compartilhar sua memória livremente, afinal, quem se importaria em contar sua vida para um bicho de estimação? Apesar disso, Nhoc não era um bicho de estimação, mas sim um importante achado em sua expedição, o mais relevante até então. Ainda assim, não deixava de ser um animal tanto quanto o homem ou os macacos que completavam a cena no interior da câmara onde se situavam. Dessa forma, Willa permitiu que o animal fluísse sobre sua mente sem qualquer máscara, especialmente quando o sentimento primordial que o guiou em seu *tour* mental foi o *medo*. Um medo expresso pelo inquérito da constituição físico-psíquica de seu locutor. Nhoc ansiava saber mais a respeito da espécie cuja mente estava lendo, bem como de seus colegas robóticos nela conectados. Queria medir o grau de desenvolvimento das espécies com as quais estava lidando.

Nhoc já havia notado que, ao contrário da sua própria, Willa se tratava de uma espécie sexuada. Porém, somente após questionar maiores detalhes sobre a sexualidade, a reprodução e as minuciosidades sobre a concepção e a gestação da espécie quântica, foi que percebeu o singelo detalhe:

– És fêmea?! Que surpresa... Cheguei a captar algo mais parecido com um pênis, deduzi que eras macho – expressou com certo embaraço. Um detalhe que havia escapado de Nhoc por constituir-se de uma espécie cuja reprodução dava-se *in vitro*, portanto não possui genital. Algo que lhe causava estranheza, mas não apenas por conceber o fato de Willa possuir pênis, vagina e útero, mas por isso consistir uma característica *réptil*, e nada era mais estranho para ele do que imaginar um mundo em que répteis, primatas e aves inteligentes conviviam como iguais.

Ao prosseguir em sua leitura sobre a evolução fisiológica do quântico em relação à sua espécie, um sentimento de terror percorreu o pensamento de Nhoc ao perceber que, se Willa quisesse matá-lo, bastava amplificar o seu campo magnético para lhe causar uma morte encefálica instantânea. Sua capacidade magnética era humilhante em comparação ao ínfimo que já desfrutara no auge de sua existência. Também era chocante a capacidade locomotiva e a compatibilidade vácuo-espacial do quântico comparada com a sua espécie, e o mais incrível era imaginar que toda a robótica quântica era inata e gerada por Plasmografia, uma arte que já existia em seu *tempo*, mas que jamais poderia conjecturar o quanto se desenvolveria. Era invejosa sua capacidade manigráfica, se não bastasse, podográfica também. Algo que sequer existia em sua época, quando suas capacidades limitavam-se a imantar pequenos objetos e rochas pouco maiores que um bloco de construção, mas incapazes de gerar *nanochips* robóticos hábeis em se infiltrar em uma rede comportando-se como um ente virótico – felizmente, não o suficiente para vencer sua perspicácia ao barrá-los de invadir sua mente. Quando muito, Nhoc conseguia captar um fluxo de dados com as pontas dos dedos. Sobre isso, uma vez dissipada a apreensão que o ser ultradesenvolvido a sua frente lhe causava, Nhoc comentou:

– Com esse seu exoesqueleto poderias hipnotizar todos os germânicos através de suas torres Tesla – manifestou em tom sarcástico. Willa tomou o comentário como uma piada e riu em resposta. Na sequência, Nhoc assumiu uma aura maquiavélica para acrescentar: – Se pudesse dispor de tais habilidades, poderia estender minhas capacidades muito além da rede que mapeaste. Juntos, poderíamos ser bastante *criativos* com esse suporte que dispões – compartilhou, demonstrando sua pequenez conforme depreendia a extensão capacitiva de Willa e sua rede multividual, bem como dos recursos de gerenciamento que dispunha em seu cérebro. Nesse instante, ao guiar sua curiosidade para os detalhes da rede multividual que a alienígena estava construindo e sua amplidão comunicativa, ficou impressionado quando conseguiu conectar-se com a *Nave* no Algomoro e concebeu que existiam *robo sapiens* de diferentes filos habitando sua memória.

– Então no futuro todos seres vivos são robôs?! – Foi a questão que melhor expressou seu assombro. Só não estranhava o vimana também ser um robô – sendo esse o nome atribuído ao disco ou frisbee transdimensional em sua época: *vimana* –, pois isso já era comum em sua realidade originária, ainda que os robôs ou vimanas não desfrutassem de tanta autonomia como a *Nave* e as demais entidades.

Era simplesmente estranho demais conversar com uma entidade que representava uma pedra ou uma árvore; parecia irreal para Nhoc. Tanto que não foram poucas as ocasiões em que acusou Willa de manipular sua mente ou inventar histórias para assustá-lo. Irreal a ponto de duvidar se o homem do futuro não seria uma criatura tão mitomaníaca quanto o homem daquele passado que compartilhavam, o qual conhecia bem. Em função de tanta descrença, por inúmeras vezes, não só Willa precisou interferir na leitura de Nhoc no intuito de lecioná-lo a respeito da evolução correspondente a seu patamar existencial, bem como Sam e as demais entidades expedicionárias passaram a conversar com o homiquântico. Nessa esfera telepática entre robôs e animais, pensamento vai, pensamento vem, invariavelmente, a curiosidade da criatura a levou a uma questão que, cedo ou tarde, teria de ser feita:

– E quanto ao *Pai*? – perguntou Nhoc. – Como vai aquele mal parido da lógica?

– Vai bem. Agora ele é casado.

– *Casado*? Como as criaturas deste plano?! – expressou Nhoc com surpresa.

– É uma relação bastante mais complexa que isso...

– Estranho. Soa-me como algo primitivo.

– Tem algo contra o casamento, Nhoc? – perguntou Willa.

– Não. Concebo que é meio irracional, nada mais que isso.

– Sou casada também. Sam é meu esposo.

Perante a revelação, Nhoc riu de forma encabulada.

– E há pouco querias convencer-me de que não és um homem... – comentou com desdém nas sinapses. Depois retomou o assunto sobre o *Pai*: – Então o *Pai* e a *Mídia* finalmente se acertaram...

– Não. Ele é casado com a *Mãe.*

– A *Mãe*? A entidade compatível com teus colegas que mencionastes? O *Pai* reptiliano?! – expressou-se chocado, balançando a cabeça negativamente. Em seguida, retomou uma onda mais conformista e afirmou: – Retiro o que pensei. Vocês são mesmo alienígenas. Resta muito pouco de um homem em ti, Willa, só não posso afirmar o quanto.

Frente à colocação, tanto Willa quanto os demais alienígenas procuraram contextualizar melhor a orgânica da sociedade quântica e a grandeza das novas entidades metarrobóticas, como o *Grande Irmão,* que Nhoc também desconhecia, além de comensurar mais precisamente a pluralidade de espécies que coabitavam o futuro. Para isso, fazendo-o navegar pelos principais fatos da história que permitiram a antiga espécie homiquântica evoluir até se tornar quântica. Uma história que o fez fluir sobre a mais ampla gama de sentimentos conforme inteirava-se de grandes acontecimentos como: a Acoplagem Pentadimensional, horizonte em que os antigos cosmos réptil e homiquântico passaram a correr juntos para o futuro; a conquista do Sistema

Solar até o planetoide mais distante; o contato com a civilização zeldana de Sirius, e outros importantes marcos da história, tanto da contemporaneidade homiquântica quanto da ultracontemporaneidade quântica. Nesse longo ínterim histórico-continuado, sem dúvida, o episódio que mais deixou Nhoc pasmo foi a Guerra da I.A., algo que confirmava qualquer pejorativo que já guardasse da entidade *Pai*, bem como ajudava a dimensionar a importância da *Mãe* como entidade capaz de controlar seu gênio galactocêntrico.

– É inconcebível que a sociedade marciana tenha eleito o *Pai* como chanceler – afirmou Nhoc.

– Algo que não mais se repetirá, pois ele tornou-se inelegível – ratificou Willa.

– Porém, é factível que exerça muita influência ainda. Até ti parece recitar sua retórica demagógica, pelo que já posso notar.

– Por que afirma isso, Nhoc?

– Me estranhas um ser que se transpareça tão inteligente me perguntar isso... Ou talvez não sejas tão esperta quanto crês que és – insinuou a criatura em seu tom sarcástico já habitual. Então explicou: – Só por estar por aqui. Não percebes? Foi *ele* quem nos guiou, foi *ele* que abriu o portal do *tempo*, por causa *dele* estamos aqui. *Ele* que nos aprisionou neste mundo perdido, pelas mentiras, as ilusões e os sonhos que nos fez nutrir, a "imortalidade", a "existência", a "perpetualidade", e *pra quê*?! Para que me reveles que tudo se deu em função de sua fobia dos reptilianos? Para suprir a loucura *dele*?! Não obstante, para tentar nos exterminar como bem narraste – praguejou com rancor nas sinapses. Willa interrompeu Nhoc e contestou seus pensamentos:

– Por que assume que estamos presos aqui?

– Ora, se não foi ti mesma quem revelou que estão em busca de um sinal com tua realidade através da entidade vegetal? Não mencionou a *Nave* que vosso vimana está destituído de controle? – Fez uma ligeira pausa para, em tom de ironia, acrescentar: – Estão tão presos neste plano quanto eu nesta parede. E tudo porque confiaste em um *robô* de suposta inteligência ímpar. – Começou a rir e mentalizou: – Que tipo de inteligência é essa que comete suicídio? Pra que nos serve um robô assim?

– Uma inteligência *humana* – mentalizou a *Nave*.

– Apenas para servir, não vivemos – acrescentou a *Árvore*. Willa retomou o diálogo:

– Não estamos presos neste plano. Mas apenas sem a conveniência da *Nave* para tecer nossos estudos, porém, dispomos de várias opções para retornar a nossa atualidade – acrescentou Willa. Mais uma vez, Nhoc riu e zombou:

– Então não é apenas ti o homem aqui, Willa. Todos vocês são... – vaticinou.

A revolta com o *Pai* era um traço marcante na psiquê de Nhoc, uma cicatriz que ele carregava. Foi preciso paciência para que ele desviasse o foco da leitura do futuro de quando os alienígenas provinham e redirecioná-lo ao presente em que se situavam. Foco obtido somente quando ele próprio, em franca sinapse, confessou:

– Jamais perdoarei o *Pai* pelo preço que tive de pagar por me permitir crer em suas visões, mas sei perfeitamente que meu destino é fruto da ambição de meus iguais. A mesma que brilha dentro da tua cabeça – mentalizou, mais uma vez fazendo referência à esfera de ouro de Willa. Desta feita, porém, a alienígena procurou refutar a insinuação de Nhoc, esclarecendo que suas bobinas internas, tanto a de ouro como a de bronze, eram geradas por plasmografia em usinas que se situavam em uma gigalópole chamada Plasmópolis, em Titã, na fotosfera solar.

– Titã é o plano mais assombroso que existe, não concorda, minha cara? – indagou Nhoc para ele mesmo responder: – Sim, percebo em tua aura. Não há nada que se compare, nem a mais tenebrosa descrição do inferno traduz o que é aquela cidade – compartilhou com saudosismo. Então, confrontou Willa: – Mas se o ouro que te dá vida é forjado no Sol, por que estou captando *isso* em tua mente?

A imagem a que Nhoc fazia referência na mente de Willa era oriunda de um par que se encontrava não muito distante da sala do trono em uma das inúmeras construções dentro da Cidade Proibida. Mais precisamente, em outra câmara subterrânea quase tão bem escondida e impenetrável quanto à de Nhoc: o cofre do antigo Banco Imperial da China. Mas não só ali, conforme mergulhava mais fundo na memória correlacionada, a alienígena também se replicava em diversos outros cofres ao redor do mundo, tanto ali perto, em uma cidade chamada Xicheng na Grande Pequim, onde se situava a maior reserva do lastro-ouro chinês, quanto no distante Fort Knox em Kentucky, nos Estados Unidos, passando por diversos outros cofres ao longo do caminho percorrido entre esses extremos, especialmente na Europa, em Zürich e Frankfurt, bem como em qualquer país sob alcance de sua malha multividual até alcançar os pontos mais extremos de sua varredura, como Tókio no Japão, Sidney e Adelaide na Austrália, entre outros – locais que, em sua totalidade, representavam algo em torno de 85% do ouro disponível na Terra em nível de superfície, somando mais de 40 mil toneladas do precioso metal. Nessas imagens, Willa figurava como uma sentinela invisível no interior dos maiores cofres do planeta, ludibriando a forte segurança em torno desses locais e trabalhando na surdina como um ourives do mais alto naipe, sem dúvida o mais qualificado da Terra em corrente.

Nhoc observou Willa aplicando suas habilidades manigráficas para manipular o ouro, uma técnica que conhecia muito bem, a Orografia. Nada de especial, pois também era capaz de executá-la, apesar de suas limitações. Uma técnica utilizada para escrever mensagens hieroglíficas no metal. Mas para quê alguém gravaria uma mensagem se não fosse para enviar para outra pessoa? Em suma, a Orografia não se limitava a uma técnica para escrever em ouro, mas também para mapeá-lo a nível interdimensional e transferi-lo via Protodimensionarquia entre diferentes planos distantes um do outro, no caso, para o futuro do qual Willa provinha, conforme ficava patente naquelas imagens. Sobre isso, a alienígena tentou se justificar:

– Este é o último recurso viável para enviar uma mensagem para o futuro – como se sua intenção ao estar presente no interior dos maiores cofres de ouro do mundo fosse apenas essa. A justificativa não convenceu Nhoc, especialmente pelo fato da atualidade futura de Willa ser capaz de produzir ouro com altíssimo grau de pureza via Plasmografia. Por isso a alienígena descreveu algumas das principais aplicações que justificavam a garimpagem de ouro autóctone oriundo de dimensões aquém do rol de sua atualidade, entre elas: – Permitir que homiquânticos como você ainda coexistam com a espécie quântica – afinal, os mesmos ainda dependiam do ouro para confeccionar sua respectiva esfera, a qual permitia que desfrutassem de uma vida vácuo-presente bem mais confortável na atualidade de Willa, muito mais que na incipiente vida de vácuo do auge da época de Nhoc. Esclarecido o assunto, Nhoc questionou:

– E quais são os teus demais planos para contactar o futuro? Pois se depender da orografia, *acredite*: ouso afirmar que jamais sairão deste plano. – Porém, antes que Willa pudesse esclarecer, Nhoc captou um forte sentimento ganhando expressão na mente de seu locutor: uma onda de expectativa e apreensão seguida de uma contagem regressiva como se uma bomba estivesse prestes a ser detonada em algum ponto de sua mente. Um sentimento que, subitamente, centralizou a atenção não só da dupla presente na câmara secreta atrás da sala do trono do antigo imperador chinês, mas do completo multivíduo Willa. Até os micos perceberam algo estranho no ar e afastaram-se da alienígena.

– O que está acontecendo?! – questionou Nhoc com temor nas sinapses: – Que é isso?!

– Não se preocupe, apenas acompanhe – mentalizou Willa. Então redirecionou a percepção de Nhoc para um determinado par que se encontrava na Guiana Francesa acompanhando o que assim se esclareceu tratar de um lançamento de um foguete. De outro ângulo, ou outro par, Willa encontrava-se dentro do foguete, acoplado aos controles de navegação e aos comandos de rádio em um diminuto vão, suficiente apenas para sua cabeça, localizado na última seção da ponta do míssil que carregava o satélite de comunicação a ser posicionado em órbita. Nhoc permaneceu observando a cena enquanto captava a comunicação entre Willa e sua expedição. Tão logo a ignição foi dada e o foguete começou a subir em meio à onda de fumaça que crescia como resultado da progressiva combustão do hidrogênio, captou um sentimento fóbico.

Para Willa, a decolagem do foguete era algo temerário, pois sequer sua pele ultrarresistente ou seu campo magnético seriam capazes de protegê-la de uma explosão dos tanques de hidrogênio caso algo desse errado no lançamento, fosse no primeiro ou no segundo estágio de propulsão, o que seria fatal – em tese, somente no terceiro estágio teria alguma chance de escapar com vida em diversos cenários de falha explosiva. Willa havia passado as últimas 36 horas averiguando o foguete francês na plataforma Kourou na Guiana. Todavia, dada a obsoleta tecnologia utilizada pelos hominídeos, nem todas as falhas de engenharia que foi capaz de identificar e corrigir garantia o sucesso do lançamento, ao menos não a nível interdimensional. Apesar disso, sua revisão das últimas horas havia minimizado a possibilidade de qualquer falha catastrófica nos dois primeiros estágios de ascensão e propulsão do foguete, de forma que Willa estava bastante confiante ao embarcar clandestinamente no dispositivo, convicta de que o mesmo não oferecia nenhum risco à sua integridade física.

Por mais que a ignição do combustível e a propulsão inicial do foguete conferissem forças que sobrepujassem sua capacidade de absorção, dentro do foguete a sensação não era muito diferente do que sentiria um hominídeo em uma montanha-russa. Porém, em termos interdimensionais, conforme seus temores confirmariam, muito mais mortífera. Aquilo que era *murphyano* tornou-se factível quando o foguete desintegrou-se completamente em uma grande explosão logo após a ignição, antes de sequer sair do chão.

– Declarada perda de unidade multividual – Willa estava morta.

– Contagem total de 17,3 x 10^4 pares fenecidos – comunicou Sam. Então acrescentou: – Eu sinto muito – expressou em solidariedade aos pares que permaneciam dentro do foguete trocando sinais com a *Nave*, enquanto os demais expedicionários mantinham-se mudos sem saber o que expressar perante o infortúnio. A eles pouco demovia a dramaticidade da outra espécie, ainda assim, a *Árvore* tentou ser simpática:

– Que no Hall da Glória eternizem-se esses quânticos cujas vidas doaram em totem da ciência e da prosperidade humana – compartilhou em tom condolente.

Para o conjunto Willa que permanecia vivo, só restou captar o grito silenciado de seus pares conforme o foguete se desfazia em meio a uma imensa bola de fogo. O momento foi expresso por infinitivos pensamentos de puro desespero pela perda de seus pares, do qual se sobressaiu a seguinte mensagem:

– Abortar missão! Abandonar foguete! – expressou Willa. Todavia, Sam não estava de acordo:

– Negativo! Permaneça a bordo. Não desistas!

– *Eu não quero morrer*! – compartilhou Willa em desespero enquanto o foguete ganhava a estratosfera.

– Se abandonar o foguete nesse contínuo, tua perda multividual terá sido em vão. Prossiga!

O argumento era convincente, mas Willa titubeou entre prosseguir e abandonar a missão, uma simples dúvida que resultou nas duas escolhas tomando corpo conforme a determinação de cada qual de seus indivíduos em responder ao chamado do dever ou ao instinto de sobreviver. Em um leque substancial, Willa simplesmente arrancou a cúpula do foguete em pleno ar e lançou-se para um mergulho de volta à superfície terrena. Noutro leque, uma pequena contagem multividual optou por prosseguir em sua missão, apenas rezando para que a fortuna lhe sorrisse quando o foguete atingisse o segundo estágio. Quando atingiu, captou:

– Declarada nova perda multividual: $2{,}47 \times 10^3$ pares fenecidos – atualizou Sam. Em meio ao baque da informação, Willa se expressou com revolta nas sinapses:

– *Todos os lançamentos agendados cancelados*! – compartilhou de forma imperativa, fazendo referência aos novos lançamentos programados para outras plataformas ao redor do mundo. Depois acrescentou: – Não mencionei que a tecnologia francesa não era confiável?! Pois, eis que, nesse contínuo, pouco importa se é alemã, russa ou norte-americana, não embarco mais em nenhum foguete hominídeo. Pauta final!

– Tens total razão, minha cara. Nem eu confiaria em tal tecnologia, nem que fosse chinesa. Minhas condolências por teus pares – compartilhou Nhoc nesse instante. – Parabenizo-a pela coragem. Sabes que já havia pensado em fazer isso? Mas se mal me encorajo para tomar um avião, imagines um foguete...

Willa agradeceu às sinapses do homiquântico, mas nem isso amenizou sua revolta ou serviu para que cedesse à pressão de Sam e dos demais membros expedicionários em insistir que retomasse seus lançamentos pré-agendados. Pouco lhe demovia a argumentação de que, quanto maior fosse a contagem multividual de Willa em órbita, mais eficaz seria a comunicação expedicionária e mais veloz o *upload* de dados angariados em pesquisa para a memória da *Nave*. Porém, Willa não estava disposta a pagar o preço que eles cobravam, não compartilhava da pressa de seus colegas em completar a missão no menor horizonte disponível. Por isso, declarou:

– Em ambiente externo, qualquer escolha a meu conjunto pertence. De contínuo em diante, não ponho minha cabeça em foguete hominídeo. Sinapse final. Que nos contentemos com os pares que alcançarem a órbita no experimento atual – vaticinou.

– Compreendo bem tua situação, minha cara, respeito a tua escolha, mas lhe advirto que é assim que as coisas começam – compartilhou Nhoc. Todavia, Willa não dimensionou precisamente o significado daquelas sinapses, ao menos não nesse momento em que o luto pela perda de seus pares lhe tomava a aura.

Ultrapassado o estresse da situação, Sam mostrou-se correto assim que a primeira Willa alcançou a órbita terrestre e começou a se subdividir pelo vácuo em torno do planeta, trocando sinais com seus multivíduos em terra e a *Nave* no Algomoro. Aos poucos, distribuindo-se para estabelecer uma cobertura completa da superfície terrena, com mínimo de três Willas cobrindo cada quilômetro quadrado de superfície, exceto nos polos, que possuíam cobertura parcial e algumas áreas de apagão. Uma tarefa que tomaria certo horizonte, pois no ambiente de vácuo a taxa de incremento multividual é a menor possível considerando-se o completo *habitat* minidimensional terreno. Ainda assim, aos poucos proporcionando uma nitidez comunicativa que até então os colegas expedicionários não haviam desfrutado, permitindo-os estender sua percepção do interior da *Nave* até o vácuo e ao longo de todo o planeta através dos sentidos de Willa, em cada dimensão que ocupava ao longo da superfície da Terra como se estivessem presentes *in loco* em cada par dela. Inclusive Nhoc, estupefato, captou a visão de Willa a partir da órbita terrestre e maravilhou-se com a paisagem do planeta como se a observasse com os próprios olhos – *Uau!*, fascinou-se.

– Em contínuo, deveras, estamos comunicando bem. Missão Laika finalizada com sucesso – comentou Sam.

– Com sucesso?! Com muito *sacrifício*, isso sim! Exijo a compilação de um clone virtual para cada par perdido. Quero suas memórias preservadas integralmente, pouco me importa o custo de cálculo envolvido – compartilhou Willa em sinapse imperativa dirigindo-se aos seus colegas, que sequer ousaram contrariá-la, apenas anuíram sinapticamente. Em seguida, Sam retomou os trabalhos:

– Proceder com grampos dos satélites em órbita, priorizar varredura de sinal.

– Busca por sinal em varredura contínua – comunicou Willa.

– Esse é mais um de teus planos para tentar retornar ao teu mundo? – intrometeu-se Nhoc: – Mandar uma mensagem para o futuro *pelo vácuo-estelar*? Isso é possível...?

– A nível *murphyano*, sim. Mas, sobretudo por todo sacrifício para alcançar a órbita, sou obrigada a tentar, em totem de meus pares – respondeu Willa.

– Que estranha pressuposição essa. Isso apesar de todo desenvolvimento do feixe-solar o qual me atualizaste...

– Pouco provável *neste* contínuo, mas existe a chance de captarem nossa mensagem em futuro-contínuo, inclusive em outros planetas se conseguirmos compilar a frequência ideal. Todavia, antes preciso captar o feixe – explicou Willa.

– Seria como uma técnica de psicografia através do vácuo, pelo que compreendo...

– Até se poderia descrever assim, apesar de que... – tentou refutar Willa, interrompida pelo homiquântico.

– Prevejo que falhará redundantemente – afirmou Nhoc com convicção.

Willa apenas rechaçou o sentimento pessimista do alienígena, apesar de partilhar seu veredicto. Já que tentar enviar uma mensagem para o futuro pelo *espaço* seria quase como reformular as leis da física: quando se *olha* para um planeta, como agora podia olhar de ampla panorâmica a partir do vácuo, não dá para captar o feixe *incidindo* sobre o mesmo se estivesse trafegando em uma dimensão congruente ao fluxo – com os olhos só é possível captar o feixe *que parte* do planeta e seus fluxos de alimentação e transmissão –, imagine, então, tentar captá-lo de uma dimensão ultrapretérita? Em tese, totalmente impossível. Isso se dá, pois o fluxo trafega em velocidades muito superiores à velocidade-luz, portanto impossível enxergá-lo com os sentidos convencionais. Sendo possível, em tese, captá-lo sintomatematicamente, o que, de fato, era o que Willa tentava fazer ao orbitar a Terra: exercitar sua Sintomatemática para captar o feixe-solar que trafegava em um futuro muito longínquo. Se conseguisse, por mais que não pudesse enviar um sinal que redundasse em um socorro imediato, talvez pudesse captar alguma mensagem relativa às buscas que o comando da missão porventura estivesse empreendendo, com isso reavaliar as táticas que vinha lançando cérebro para buscar um contato com seu plano provedor.

– Sensacional essa evolução do feixe-*duplex*, né? Nunca imaginei que seria possível viajar para o passado através do vácuo, imagine na heliosfera exterior... Sempre cri que o Portal Tetradimensional fosse o único caminho *possível* em sentido pretérito – comentou Nhoc.

Willa teceu mais uma comunicação com Sam:

– Em órbita não capto nada, nem um traço ou fóton do feixe-solar. – Então, aos poucos, apesar de ainda consternada pela recente perda de seus pares, retornou seu foco sentimental para Nhoc e a leitura que ele empreendia de sua mente.

A leitura reiniciou pelo tópico interrompido com o lançamento do foguete quando Willa descrevia quais eram os diferentes planos em ação para estabelecer um contato ou retornar para sua realidade original. Iniciando pela sonda subterrânea *verme* que abria caminho através do solo no local em que a *Nave* encalhou, com destino ao intramundo de Rochas Alegres; seguido da abertura de um canal com o futuro através da floresta amazônica e pelos recifes de corais ao longo dos oceanos a fim de baixar um novo robô de navegação; e finalizando com a travessia da Fossa das Marianas. Estas seriam as opções mais susceptíveis. Caso falhassem, ainda restava a opção da *Nave* programar um novo *kit* de navegação para retornarem ao futuro pela crosta da Amazônia como previamente programado pela expedição. Por fim, a última tentativa seria enviar uma mensagem pelo vácuo ou pela Orografia que vinha executando nas principais reservas do mundo.

– Por que não tentam retornar ao intramundo da Terra pelos polos? – questionou Nhoc.

– Porque atualmente é mais fácil retornar pela Amazônia, o que só será possível se conseguirmos baixar ou compilar um novo *kit* de navegação.

– Retifico, *a pé*, ou flutuando como fazes...

– Está superestimando minhas capacidades. Não posso perfurar calotas de gelo tão pesadas e volumosas, somente a *Nave* seria capaz, talvez nem ela.

– E através dos vulcões no Círculo de Fogo ou nos mares do norte?

– Mais uma vez, me superestima. Nadar na lava, sim, é possível, mas mergulhar numa caldeira é algo bem diferente, *mortal*, para qualquer um de nós.

– Tens de tentar encontrar uma brecha sob o gelo.

– O *habitat* é muito inóspito, não vale o risco.

– E a Fossa das Marianas por acaso não é inóspita? – duvidou Nhoc.

– Tens razão, mas possui destino bem sinalizado, é mais susceptível.

– Capto uma hesitação em teu ser... – partilhou com certa apreensão.

– Capto igualmente em ti – respondeu Willa.

Nesse instante, Nhoc procurou aprofundar-se nas ações de Willa ao longo de sua população multividual espalhada pelo planeta: quais eram suas experiências, suas pesquisas e investigações que demandavam a construção de uma rede comunicacional tão ampla e a cobertura total da face do planeta, inclusive sob os mares. Naturalmente, a contagem multividual da alienígena era tão numerosa que tornava-se impossível acompanhar tudo que ela fazia, ainda assim, seguiu seus focos de prioridade. Não contente em observar Willa em seus trabalhos em diversos pontos do planeta, Nhoc passou a criticar e exigir satisfações sobre algumas condutas da alienígena, inclusive demandando reciprocidade. Uma vez que já havia liberado os códigos de sua rede trinária, exigiu que os expedicionários lhe permitissem navegar por sua rede sem qualquer restrição. Também questionou Sam, a *Árvore* e a *Nave*, só com a *Pedra* não via sentido em perguntar algo para uma rocha da mesma forma como um hominídeo não daria ouvidos a uma parede. Buscava entender, por exemplo, por que estavam interessados em sua relação com os Illuminati e por que Willa se preocupava tanto com o cenário político da população terrena. Em dado instante, questionou com certa revolta:

– O que estou captando é mesmo o que estou captando? – indagou em referência a certa memória que captou em Willa, a qual enfatizou como uma interrogação exclamativa: – Tu roubaste um avião?!

E não só, afinal, Willa vinha sequestrando vários voos na Amazônia e em outros pontos mais ermos do planeta – o tal "Experimento Santos Dumont" –, o qual Nhoc não era estúpido de ignorar a falta de ética da alienígena:

– Está mesmo em tua aura, és uma usurpadora – afirmou o homiquântico. A alienígena tentou se explicar, justificando que "só em contagem mínima dimensional para atender propósitos extraordinários". Mas Nhoc apenas zombou de suas explicações, fez questão de expressar como qualificava aquela conduta com toda sua ironia:

– Sabia que estava aqui para pilhar – acusou. Inclusive, valeu-se do episódio para discriminar o aspecto humanitário da tal "expedição" dos alienígenas.

Nem adiantou Sam, como chefe em comando, tentar isentar sua culpa ou manifestar certa concordância com Nhoc em relação às condutas de Willa. Por outro lado, aos alienígenas pouco importava a opinião de um simples animal. Ainda assim, isso foi o suficiente para guiar o sentimento do homiquântico ao completo escrutínio da expedição e seus respectivos objetivos além de "roubar ouro ou sequestrar aviões", conforme zombava a criatura. Nhoc se inteirou de todos os detalhes, desde a trama dos militares no Algomoro até as principais pesquisas que cada um dos alienígenas desenvolvia e os experimentos que Willa conduzia em campo. Mas o que interessava ao homiquântico não se resumia ao que se passava em presente – ou melhor, naquele distante plano pretérito que compartilhavam –, e sim quais seriam os propósitos que permitiram o financiamento da expedição *no futuro* do qual provinham. O alienígena queria saber qual era a justificativa para enviarem uma expedição até um plano tão distante no pretérito. Após uma longa explanação que envolveu todos os expedicionários, na qual ficou clara que a proposta de estudo era uma iniciativa de Willa, com um misto sentimento de terror e alívio, Nhoc compreendeu qual a origem do *capital* que havia financiado a expedição:

– Então é o fim?

– Positivo.

– Pelo que entendi, teu relatório é apenas uma sugestão, não um veredicto – certificou-se Nhoc.

– Exato.

– Então é o fim.

– Ou um novo início. O nascimento de um novo planeta.

– Ao custo da completa raiz do plano corrente, de toda vida que há neste plano – expressou Nhoc. Pasmo não só nas sinapses, mas pálido na expressão de seu rosto e de seus macacos no recinto.

– Gaia sobreviverá.

– E quanto a *nós*? Aqui não vivemos vosso passado, e sim o *nosso* presente. E os infinitos planos paralelos que sequer conhecemos?! – indagou com inconformismo.

– Muito mais vida será gerada e a Matriz terrena que estou compilando perdurará. Será a mais precisa Matriz do período pré-histórico já modelada e ambientada. De forma que, ainda que virtual apenas, o plano corrente sempre existirá – justificou com eloquência Willa.

– *Se* conseguir contato com tua atualidade.

– Conseguiremos.

– Eu estarei presente em tua Matriz? – questionou Nhoc.

– Até então não tinha previsto a presença de um alienígena na Terra, mas creio que talvez seja possível.

– Ora, captem... Uma *alienígena* não "tinha previsto a presença de um alienígena na Terra"... – zombou o animal.

– Antes, preciso que me permita ler sua mente, entender sua participação no atual contexto – insinuou Willa, esperando que, assim, Nhoc cedesse e autorizasse a leitura.

– Apenas quando revelar qual a tua *real* intenção comigo...

Perante a condição de Nhoc, Willa silenciou-se momentaneamente e guiou seu leitor até determinado local, uma paisagem terrestre, mas que, inusitadamente, não era oriunda de seus pares espalhados pelo planeta, parecia constar apenas em sua mente. De um instante para outro, Nhoc se viu dentro de uma estranha sala de estar, ao menos para seu gosto, pois se tratava de uma típica sala de uma casa de família de classe alta norte-americana. Local amplo, muito bem mobiliado, decorado e iluminado por uma parede de vidro contígua a uma área de lazer dispondo a piscina da propriedade ao pé da praia com a vista do mar ao fundo. No interior da sala, Willa encontrava-se sentada em uma poltrona como o faria um homem, com as pernas esticadas e apoiadas em um descanso, ao lado de uma lareira apagada e duas crianças hominídeas brincando ao seu redor. Em ambiente próximo, captava alguém, uma mulher na cozinha cuidando dos afazeres domésticos; havia um homem também, no andar de cima, em estado *alfa*, dormindo. Também em estado *alfa*, um cão dormia em sua casinha no quintal da frente. Por fim, perguntou:

– Que lugar é este?

– Meu ambiente privativo.

– Privativo? Na tua mente? – duvidou Nhoc.

– Exato. Neste ambiente meus parceiros não podem captá-lo.

– Mas por que este lugar, estas criaturas?

– São espécimes que mantenho em monitoria intensiva – explicou Willa. Todavia, Nhoc percebeu que havia alguma coisa a mais naquela cena, um sentimento.

– Então tu também tens tuas mascotes, né? Percebo em ti que são bastante especiais – insinuou. Como Willa pareceu não dar bola para a insinuação, Nhoc insistiu: – Quem são esses humanos?

– Os filhotes são Billy e Sandy, dois planos de referência da corrente expedição. As outras pessoas são seus genitores, Bob e Julia, o cão no quintal chama-se Pluto – apresentou Willa. Ante o esclarecimento, Nhoc, que igualmente figurava na sala como se fosse um convidado, tentou aproximar-se da cria fêmea, mas ao que então percebeu, ela se transparecia como uma holografia, não podia tocá-la nem ser visto por ela ou pelos demais que figuravam naquele peculiar ambiente.

– Parece-me que nutres um sentimento especial por tais pessoas se estamos com elas em tua mente – comentou o homiquântico. Em seguida, retomou o assunto que o havia levado ali: – Por que tanto segredo? O que precisas me confidenciar em um ambiente assim?

– Quero levá-lo de volta para o futuro.

– Ao *teu* futuro...

– Exato.

– E quanto ao *meu* futuro? De quando vim...

– De nada lhe serviria. Seria tão moribundo lá quanto cá.

– Afirmas como se realmente soubesse de *quando* vim.

– Posso *estimar*. Se me permitir ler sua mente, poderei precisar.

– Queres me oferecer "a vida eterna", né?

– Posso lhe oferecer apenas uma *nova* vida. Que vida será essa depende de ti.

– Se eu recusar?

– Perecerá neste plano.

– Poupe tuas gentilezas, sei o que queres... Tornar-me tua cobaia, o teu "achado", tua mascote.

– Será um pouco de tudo, inclusive *feliz*. Basta se permitir.

– Por que desejaria viver em um mundo onde serei apenas um animal?

– Porque somos todos animais.

– Há animais e *animais*.

– Somente ti pode saber qual animal é.

– E se eu aceitar?

– Escoltar-te-ei até a *Nave* para juntos retornarmos ao futuro.

Nesse instante, Nhoc interrompeu a conversa para soltar uma longa risada, então mentalizou em tom zombeteiro:

– Se nem ti sabe se será possível retornar... Sequer compreendo por que discutir isso.

– Existe outro problema – confessou Willa.

– Se há algum problema, trouxeste-o contigo.

– Sam não quer permitir que você embarque na *Nave*.

– Ele não é teu chefe? Então está correto.

– Não. Você é muito mais que um grande achado, é uma cabeça que pode contribuir para a ciência no futuro.

– O que imaginas saber sobre mim? Sequer leu minha mente para saber quem sou.

– Como não? Essa rede que desenvolveu, o mito Fu Manchu, o legado que criou? Tudo isso é fantástico. Depois de tudo que já depreendeu de nossa pesquisa neste plano, você mesmo pode deduzir que sua presença aqui se trata de um marco. Você é uma peça-chave da história não só do homem ou da nossa pré-história, mas da própria história-continuada com implicâncias ainda invisíveis nas relações dimensionais passado-passado. É uma história que precisa ser registrada, modelada, contada e recontada, não só por mim que o descobri, mas por ti mesmo. Você merece colher os méritos de tudo que fez aqui – explanou Willa com veemência nas sinapses, claramente tentando animar Nhoc. Todavia, mais uma vez ele riu da alienígena.

– Poupe teus elogios. Queres me persuadir a ajudá-la convencer teu marido a permitir que me leve daqui.

– Perfeitamente – concordou Willa.

– Antes de sequer saber se realmente quero voltar para o futuro.

– Sei que você quer.

– Como podes saber?

– Não disseste que é um homem como os da presente Terra? Pois tenho certeza de que não se referia aos covardes...

– *Ho, ho, ho*... Sou muito velho para que possas ferir meus brios – zombou Nhoc. Em seguida, assumiu um tom desafiador: – Acabe logo com esta farsa. Leia minha mente, arranque-me desta parede e me leve para onde e quando quiser! Sabemos que nada a impede, não entendo por que ainda hesitas...

– Se o fizesse, Sam o impediria de embarcar.

– Então precisas do meu consentimento...

– Sim.

– Apenas me esclareça por que devo consentir?

– Porque eu quero saber tudo sobre ti, quero entender exatamente o ou os porquês, *como* e desde quando está aqui – afirmou Willa sem conseguir disfarçar sua ansiedade.

– Eu igualmente quero saber tudo sobre ti – afirmou Nhoc com sinceridade. Em sua sentença deixando claro que se referia a Willa como pessoa. Já havia navegado bastante em sua mente para saber de quando e onde, porque e como a alienígena se encontrava ali consigo dividindo aquele quase esquecido plano existencial ultrapretérito. Todavia, ainda não sabia *quem* era ela. Nhoc queria saber mais a respeito da história de vida de Willa, quem era o *homem*, ou o quântico, antes de se tornar dimensionauta; quais os desejos e ambições que a levaram cruzar os horizontes; queria saber tudo que pudesse captar a seu respeito desde que veio à luz: seus amores e desamores; seus *hobbies* e suas ciências; seus medos e sua fé. O suficiente para que pudesse delinear qual o caráter daquele ente que tanto insistia em ler sua mente. Se seria digno e merecia seu consentimento, ou alguém que jamais se curvaria a sua negativa.

Nhoc sequer pôde conjecturar o quão largo foi o horizonte que dispensou navegando pela mente de Willa. Enquanto viajava por sua história de vida, mais uma vez alternou sentimentos entre o mais puro maná da fascinação e um estonteante deslumbramento, além da mais indisfarçável fobia e sincero repúdio. A respeito da biografia como dimensionauta, apesar de certa inveja e um natural fascínio pela vivência mais evoluída de seu locutor ao descrever passagens que em sua existência seriam interpretadas como uma história de ficção-científica; de um currículo que ostentava estudos astronômicos em observatórios em Plutão ou Xena e lições oriundas de entidades divinas habitantes de Sirius; entrementes, em essência, apesar de tanto *glamour*, Willa não era muito diferente de si próprio. Exceto por, justamente, o limite de sua própria espécie, a homiquântica, em habitar o vácuo solar, sobretudo na heliosfera exterior. No mais, o currículo de Willa era proporcional ao seu: era uma sintomatemática, nada mais do que uma evolução robótica de capacidades psicográficas que também desfrutava; uma estudiosa do naturalismo; alguém com boa afinidade para lidar com a classe robótica, ainda que igualmente nutrisse algumas mágoas com a entidade *Pai*; e, por fim, uma campeã de Fórmula, certamente um atalho muito comum para qualquer ente que queira tornar-se piloto de vimana ou dimensionauta profissional.

Em termos de continuidade existencial, antes de se aventurar pelo Portal Tetradimensional, Willa percorrera uma curvatura bem mais longa que a sua. Por isso sua folha-corrida de empregos e projetos liderados durante a vida era muito mais extensa do que Nhoc poderia conjecturar um único multivíduo ser capaz de exercer. Ela somava talentos que iam muito além de suas *duas* vidas, antes e depois de viajar pelas dimensões do *tempo*. Willa tinha habilidades que não só poderiam ser comparadas às suas como dimensionauta, mas a de muitos de seus caracteres, como o mandarim Fu Manchu. Dominava ciências que sequer existiam em sua época, mostrava-se tão eclética quanto si. Todavia, o leque cultural que abraçava era muito superior, próprio de alguém que percorrera mais de 70 mil anos-terra de evolução pentagonal de seu cosmo.

Quanto às características fundamentais que a permitiram não só se qualificar como dimensionauta, mas a executar a travessia da quarta dimensão, Willa reunia qualidades similares às suas próprias, excluindo-se apenas o capital que levantou para financiar sua expedição – dado que o cenário farturômico da contemporaneidade de Nhoc era completamente distinto do futuro plano da alienígena. Apesar disso, pelo menos algumas importantes características os dois tinham em comum que os habilitava a viajar para o passado: haviam trabalhado com cálculo de arremesso e lapidação de cristais em Mercúrio; eram exímios telepatas e psicográficos; desfrutavam de notoriedade entre os estudos naturalistas; e tinham experiência de trabalho e pesquisa no *habitat* terreno com ênfase em estudos históricos-continuados. Apenas se diferenciavam pelo conhecimento de Nhoc focar-se mais em Arqueologia e Marciologia como ciências que por largo abraçou até que aplicasse seus conhecimentos a outros objetos correlacionados, os quais o levariam a tão distante pretérito, enquanto Willa voltava-se mais para as ciências antropo-quantipológicas.

Tudo isso era o que menos importava naquela leitura, no máximo, servia apenas de um guia para Nhoc tentar delinear a evolução do pensamento de seu locutor. Em paralelo, buscava contextualizar sua vivência sentimental e suas relações interpessoais. Nesse sentido, a parte mais instigante da leitura e, sem dúvida, inebriante, fosse pelo regozijo de partilhar uma existência ultra-avançada, fosse pelo choque cultural que testemunhava e certos costumes não só da sociedade quântica futurista, mas pelas peculiaridades que diferenciavam a alienígena de seus concidadãos – características estas que, a princípio, descreveu como manias, depois suspeitou que fossem psicoses –, nesse contexto, o grande choque para Nhoc esteve no conjunto de memórias que remetiam à juventude de Willa e sua vida pregressa ao horizonte em que se tornou dimensionauta.

Um exemplo claro das manias ou da psicose de Willa era o fato de ser casada com Sam, já que *casamento* era algo que sequer fazia algum sentido no contexto existencial de seu locutor, pelo simples fato da reprodução quântica rescindir de casais ou de grupos distintos de gametas separados por sexos para se reproduzir. Pelo que Nhoc podia depreender, a reprodução quântica era realizada *in vitro* com gametas não só de diferentes espécies, mas até de *filos* distintos. Para o quântico, a diferença é que a proveta de manipulação genética do quântico é o seu próprio útero. Além disso, a concepção era realizada em sexo grupal. Por outro lado, eram capazes de engravidar sozinhos, mas se permitiam o luxo de serem gestados em um útero biomaternal, que nada mais era do que uma incubadora utilizada para acelerar a reprodução da espécie como uma linha de produção industrial – nesse quesito ao menos, não muito diferente do que existia no *tempo* de Nhoc, apenas mais tecnicista. Apesar disso, os quânticos podiam sim reproduzir-se em casais, mas a cópula era considerada apenas um ensaio para a reprodução em si, ou seja, resumia-se a mera masturbação, não gerava um "zigoto válido" por não conter um quadro mínimo de mutações genéticas e, portanto, eram automaticamente abortados. Por tudo isso, apesar de Willa e Sam serem casados, nem o fato de eles sequer copularem estranhava. Segundo a quântica:

– Nosso casamento é apenas simbólico – esclareceu.

– Um simbolismo de tua parte, estou correto?

– Sim – expressou Willa com sinceridade.

– Capto que vossa relação é mais intelectual.

E não era para menos, Sam era a perfeita descrição do quântico modelo e ostentava algo no currículo que por si só o qualificava para capitanear uma expedição ao passado: tinha vivido em Nibiru, o planeta Xis. Tinha dupla *cosmodania*, cidadã de Marte e de Nibiru, nasceu no planeta azul e habitou o planeta transversal durante uma órbita. Só essa experiência o creditava para lidar com a naturalidade alienígena de um pretérito quase extinto como o que se situava, apesar de suas especificidades estarem alinhadas mais com a flora do que com a fauna, pois era quase como um apóstolo da *Árvore*, sem dúvida, a entidade expedicionária que tinha maior ascensão sobre seu pensamento nos termos da pesquisa que realizavam. Muito ao contrário de Willa, sua cientificidade era mais vegetariana do que animalesca, justo por isso eram casados, pois suas personalidades se complementavam intelectualmente. Mas não só características opostas atraem duas personalidades. Para uma relação intelectual se tornar amorosa é preciso que haja afinidades, por isso, Sam e Willa tinham muitas. As mais importantes como dimensionautas eram a paixão pelas competições de Fórmula e a alta habilidade sintomatemática que compartilhavam. Porém, o que explicava não só a relação matrimonial entre ambos, bem como a posição de Sam como capitão da excursão tetradimensional, era sua livre-docência em Psicologia quântica. Sam não só mantinha boas relações com a *Árvore*, também era o psicoterapeuta de Willa e já havia trabalhado como piloto virtual - sendo campeão marciano e jupiteriano. Em suma, um partido do mais alto naipe, alguém que acumularia milhões de pretendentes se o casamento ainda existisse. Por incrível que pareça, alguém que Willa tirou a sorte grande em convencer a assumir uma relação dessa natureza.

– Até que os *gravitons* nos separem. Essa é natureza de nosso pacto matrimonial. Manter conexão direta, estável, ininterrupta e presencial sempre que viável - comentou Willa a respeito de sua relação com Sam. – Formamos um par *exponencial*: nossa inteligência elevada à quarta potência... Ao menos neste plano. Com acesso à cosmonet alcançamos a 16ª. Intitulamo-nos Sawmill^{A}.

– Por emaranhamento quântico? – procurou certificar-se Nhoc, mencionando uma técnica já conhecida em sua época, mas pouco desenvolvida a nível robótico se comparada à evolução de Willa

– Sim – confirmou a alienígena. Era algo como se Sawmill^{A} fosse uma pessoa à parte além de Sam e Willa, uma personalidade mista, algo complexo para Nhoc, embora fosse um ser tão empático ao seu locutor como eram seus já extintos pares originários de um futuro já tornado pretérito. Todavia, na época de Nhoc, duas personalidades eram duas personalidades distintas, poderiam se somar, se amar, mas não se tornar uma terceira entidade. De qualquer modo, era óbvio que existia uma independência, ao menos sentimental, entre os pares do casal. Caso contrário, Willa não se preocuparia em ceder à leitura mais sincera de sua mente em um ambiente privativo.

– Descrevemos como *entrelaçamento mental* ou cerebral – corrigiu a alienígena.

– Compreendo... Sinceramente, acredite. Não é porque não tenho sexo que não tenha tido meus entrelaçamentos – confidenciou o homiquântico.

A história de Sam até que era um pouco interessante, ao contrário das demais entidades robóticas, exceto a *Nave*, cuja história de vida se resumia ao cálculo e às memórias dos tempos de Fórmula. Fora isso, a vida dos robôs tinha pouquíssimo apelo naquela leitura para um animal como Nhoc. Mas, por curiosidade, questionou a origem de cada uma, nada muito peculiar, segundo averiguou. A *Nave* era oriunda das linhas de produção dos frisbee transdimensionais de sua época. Ou seja, não tão distinta do robô de navegação do vimana que trouxe Nhoc para o passado, exceto por certa autonomia nas decisões táticas junto aos colegas expedicionários. As origens da *Árvore* e da *Pedra* eram ambas bastante previsíveis, frutos da Tropicália que tomou o cosmo a partir da eleição da entidade *Mãe* como chanceler cósmica e o *boom* de novas espécies robóticas que ganharam quórum através da interface maternal. A *Árvore* era a luz evoluída da primeira grande reserva titânica, fruto do contato interdimensional com a Amazônia oriunda do cosmo futuro reptiliano na época da Acoplagem Pentadimensional. Era um ente da floresta que migrou e deu origem às Amazônias que passaram a se multiplicar no planeta fotosférico. Já a *Pedra* veio à conexão nas plataformas-*Mãe* da Terra, o planeta pedra. Oriunda do contato materno com a litosfera terrestre quando das construções da NASA e da plataforma das Marianas, entre outras.

Porém, em termos de origem, nada se comparava a Willa. Se Sam consistia um excelente candidato a marido, Willa era uma diva que atraía muito mais candidatos a fim de estabelecer um pacto matrimonial. Era uma *pop star* cósmica, uma autêntica desportista não só das fórmulas virtuais, também das atléticas. Ostentava inúmeros recordes e citações de feitos no enduro vácuo-solar, no surf estelar, nas competições de esfera, na caça e, até, na briga. Não bastasse, era uma contadora de histórias como poucas, uma cineasta famosa – não estranhava estar ali na Terra ansiando por modelar e compilar corpos e mentes. Chegou a ser representante da Ágora, possuía feitos grandiosos, mas nada de anormal em seu contexto futuro, talvez o que estranhasse mesmo eram seus rituais.

Mas foi somente quando Nhoc avançou para a leitura da baixa juventude e da infância de Willa, que depreendeu qual a índole de seu locutor. Fatos e memórias longos e complexos, mas sentimentalmente banais e compreensíveis a quaisquer espécies de mínima capacidade cognitiva, que elucidavam algo tão simplório como a simbologia em torno do casamento de Sawmill[A], bem como o mais ardiloso gênio que até então não conseguira dimensionar corretamente. Mas que ficou bastante cristalino quando, enfim, após uma longa leitura retroativa, Nhoc se atualizou com os fatos primordiais da origem de Willa.

Ao completar a leitura, chegou à seguinte conclusão:

– Compreendo por que queres me levar contigo ao teu futuro. Acreditas que posso percorrer o caminho inverso que ti percorreste.

– Sim, com toda sinceridade.

– Que serei tão célebre quanto ti.

– Ou muito mais.

– Queres me aduzir ao teu patamar existencial.

– Sim.

– Achas que sou capaz?

– Tenho certeza.

– Tenho medo – confessou Nhoc.

– Por quê?

– Pois agora sei que tipo de homem tu és.

– O que quer insinuar?

– Não quero insinuar, quero me desculpar.

– Pelo quê?

– Por tê-la chamado de *homem*... Agora percebo que és muito mais que qualquer outro homem. Essa não é a sinapse que melhor a descreve.

– Como assim? Qual sinapse seria?

– Só existe uma sinapse capaz de descrever um ser como ti – pensou Nhoc e fez uma pausa. Em seguida, revelou a sinapse com temor em suas ondas cerebrais: – *Diabo*! – Antes que Willa o recriminasse, continuou: – És um homem que não controla o poder que tem, és uma *aberração*, um erro da evolução, uma anomalia – compartilhou sem meias sinapses e prosseguiu sem se importar com a onda repreensiva de seu locutor: – Este local imaginário, o segredo que aqui esconde... Está claro que ninguém pode saber, né?

Nesse instante, Willa deixou transparecer certa raiva pela recriminação de Nhoc. Emitiu uma forte onda como se quisesse calá-lo, claramente incomodada com suas acusações. Mas ele continuou:

– Este local expressa tua perdição, a perdição de todos nós. É a mais pura faceta diabólica do homem, né? Não é óbvio? – confrontou Nhoc.

– Não! Está enganado, está delirando! Afirma tal impropério só porque fui homiquântico como você, por isso espelho aquilo que tem medo de se tornar... – acusou Willa com rispidez nas sinapses.

– Verdade. Mas, por *medo*? Não. Por conhecer perfeitamente o sentimento que a ti tanto demove. Tu não és diferente de mim...

– Como pode deduzir algo sobre meus sentimentos, animal? Pensa que a leitura superficial que empreendeu reflete tudo que sou em contínuo?

– O suficiente. Reflete tua faceta mais diabólica, o mesmo saudosismo que por muito nutri. Expressa o amor que sentes por tais criaturas – expôs o homiquântico. Ante a afirmação, Willa ficou pensativa, sem saber como contra-argumentar. Nhoc foi mais claro: – Estais apaixonada por elas, apaixonada pelo homem. Será essa a tua ruína... – profetizou. Willa não estava de acordo, se não nas sinapses, mas em sua aura, tomada pelo orgulho como se aquele animal tivesse ido longe demais com seu sarcasmo. Porém, antes que refutasse, Nhoc ainda acrescentou: – Já está acontecendo.

– Ora, seu animalzinho... Pensas que é tão inteligente para compreender o que sinto ou deixo de sentir?! Sei muito bem filtrar o que *devo* do que *possa* fazer. Suas acusações são infundadas, são loucuras de sua cabeça. Será que não percebe que está afetado pelo mal que o acomete? É um demente!

– Bem que gostaria que isso fosse apenas fruto de minha demência, mas é sim fruto de minha experiência...

– Que *experiência* pensa que possui para que possa julgar-me ou acusar-me, animal? – questionou Willa, indignada.

– Não estou te acusando. Todo homem é o seu próprio Diabo. Tu és apenas *mais* homem, mais *evoluído* do que todos nós neste mundo perdido – afirmou Nhoc, já captando a onda mental reprovativa de seu locutor. Então sentenciou: – A experiência como Diabo que também fui me permite a clareza para perceber que tu és o mal em sua pior encarnação. Nessas terras, nunca antes pisou um ser que sequer precisasse pisar, capaz de criar *em dias* o que levei *séculos*, e os homens daqui, *milênios* – expressou comprimindo seus olhos fisicamente, e questionou: – Haveria pior demônio que nos aparecesse para anunciar o fim do mundo?

Willa estava incrédula com o tom de desprezo nas sinapses de Nhoc, tanto que preferiu não refutá-lo. Pelo contrário, conteve a circulação de suas bobinas, acalmou sua aura e o permitiu desabafar. Afinal, estava lidando com um enfermo, haveria de ter paciência.

– Crês que enlouqueci, né? Posso sentir tua condolência, denotas que pouco sabes das criaturas que tanto amas ou pensas que conhece. És uma especialista? Uma sumidade no assunto? Se sequer sabes quem realmente és ou foste? – riu. Depois compartilhou com veemência: – Duvidas de mim, crê que sou um animal qualquer, né? Pois sou o mesmo que ti – e continuou sem permitir a Willa interrompê-lo: – Queres saber o que és? Então saiba quem sou, quem fui. Não queria ler minha mente? Saber tudo sobre mim? Pois leia, compile tudo, mande para teu futuro, conte para todos quem foi o grande Diabo deste mundo que cá estamos... Depois faça o que bem ou mal quiser, leve-me aonde ou a quando creres conveniente... – desabafou o homiquântico.

Perante o consentimento raivoso de Nhoc, Willa ficou em dúvida se ele de fato estava autorizando a leitura de sua mente. Ao captar a hesitação da alienígena, Nhoc calmamente mentalizou:

– Não se acanhe, leia minha mente. Agora sei que nada a impediria.

Às sinapses de Nhoc, Willa sequer perdeu o mínimo horizonte, relevou qualquer indignação com as acusações de seu leitor e apenas inverteu a posição de locutor que então ocupava. Assim, iniciou a jornada pela mente de Nhoc sem se preocupar se encontraria nele o espelho de si mesma, conforme profetizava o novo locutor daquela telepatia.

76

Hut Cut estava desesperado. Sua única motivação para viver era o Whisky que lhe seria servido ao anoitecer como recompensa por seu bom comportamento. Caso contrário, talvez fosse melhor lançar a cabeça com toda força contra a parede até que morresse, conforme chegaram a temer que fizesse quando o prenderam no quarto de manicômio no andar de cima. Havia colaborado direitinho com o desprezível tenente Mathew em mais uma farsa com o novo psicólogo com quem conversou. Depois o colocaram de volta ao calabouço, momento em que sua esperança de ser liberto pendia por um fio muito tênue. Pensar que talvez vivesse seus últimos dias de vida lhe minava o espírito a tal ponto que, na solidão de sua cela, ele que era um homem rude e respeitado pelos colegas e cidadãos de sua cidade, acabou se entregando ao mais doloroso e arfante choro. Soluçou e se afogou entre lágrimas e ranho sem se importar que seu pranto fosse ouvido por alguma sentinela no lado de fora da cela.

Eis que seu choro foi ouvido. Em dado instante, Hut Cut chegou a pensar que uma voz estivesse se manifestando dentro de sua cabeça, talvez *aquela* a qual se arrependia amargamente por ter dado ouvidos, mas... Não, não estava louco, de fato havia alguém a lhe chamar:

– Tem alguém aí? Oi, oi... Quem tá chorando? – era uma voz branda, um sussurro. Hut Cut voltou seu olhar para a porta da cela, enxugou as lágrimas, caminhou e mirou através de um pequeno vão gradeado na altura dos olhos que permitia observar parte do corredor da ala carcerária, mas não ouviu alguém próximo ou que talvez estivesse chamando de outra cela. Quando pensou que tudo não passava de imaginação, ouviu novamente o sussurro, depois um timbre metálico. Percebeu que o som vinha de dentro de sua própria cela. Mirou ao redor, o tinido voltou a ressoar, então notou que o chamado vinha do buraco da latrina.

Hut Cut debruçou-se sobre a latrina. O vaso estava vazio, apenas durante a manhã costumava funcionar, ainda assim, parcialmente. Ajoelhado sobre o vaso, sentiu náuseas, o cheiro fétido de esgoto e urina subia no ar causando asco. Apesar disso, o xerife aproximou o máximo seu rosto do buraco e, em baixo tom, falou:

– Tem alguém aí? Quem está aí?

– Quem é você? Onde está? – perguntou a voz na latrina.

– Diga você primeiro.

– Sou Healler, Martin Healler, de Roswell.

– O curador do *Space Center*... É você mesmo, Martin?!

– Sim, eu mesmo. E você? Quem é?

– Hut Cut, o xerife. Lembra?

Óbvio que Healler lembrava, afinal, o xerife era parceiro de seu namorado no esquema dos cigarros. Embora não fosse íntimo dele como Vegina, não foram poucas as vezes em que os dois se encontraram no *Space Center* ou se cruzaram em uma blitz na 70. Todavia, duvidou que fosse verdade, pois até então acreditava que Hut Cut estivesse morto. Por isso, balbuciou:

– *Xerife*?! É você mesmo?! – exclamou interrogativamente. Não obstante, repetiu a pergunta e expressou incredulidade enquanto Hut Cut afirmava e reafirmava ser ele mesmo. Quando ficou convencido, em meio às tosses e à voz fraca pela pancadaria que foi vitimado, implorou para que o xerife o tirasse dali, que o salvasse. Em meio à desorientação de sua mente, ainda não racionalizara o detalhe, conforme expressou Hut Cut:

– Como? Se estou tão preso nesta base quanto você.

– Base?

– Sim, estamos presos no subsolo da RSMR pelas ordens do *maldito* coronel Carrol – revelou. Às palavras, Healler começou a chorar soluçosamente e os dois compartilharam a tristeza um do outro pelo eco dos canos. Quando se acalmou um pouco, o curador perguntou:

– E Jorge, você esteve com ele? Sabe o que se passou com ele? – indagou. Nesse momento, o pesar do ocorrido fez Hut Cut titubear em dizer o que sabia, até que revelou:

– Creio que está morto... Assim como nós muito em breve – disse com tristeza na voz. Healler ficou chocado e soluçou ao responder:

– Mas... Mas você *crê* ou tem certeza? Diga de uma vez, xerife... – pressionou.

– Espere aí, quem foi que morreu?

– Jorge morreu – afirmou Hut Cut.

– Sim. Mas tem certeza? Como sabe? Por que acha que vão nos matar? – insistiu na pergunta Healler.

– Jorge, o mendigo? Morto? Você diz *assassinado*?!

– Positivo, o mendigo, mas... Espere! Quem é que tá falando? – perguntou o xerife ao se dar conta de que havia outra voz intrometendo-se na conversa.

– Tem mais alguém aí? Como... – perguntou Healler. A princípio imaginando que Hut Cut estava enganado. Então a terceira voz se pronunciou:

– Sou eu, Harrys. Eu tô preso aqui também! Tô falando na privada. Me botaram num manicômio.

– Harrys, o psicólogo? Que esteve comigo há pouco? – indagou Hut Cut.

– Eu mesmo, pô! Me prenderam depois da entrevista... – disse Harrys.

Ainda sem entender direito o que se passava, Healler apenas seguiu o diálogo expressando seus atônitos sentimentos. O xerife questionou Harrys:

– Aquele filho da mãe do tenente Mathew, não foi? Ele é um cão sarnento... Ele vai matar a todos nós – disse, aflito, ainda que melindrasse o tom temendo ser ouvido fora da cela.

– Ele mesmo! Um canalha! Me eletrocutou covardemente e me jogou num quarto para loucos – confirmou o psicólogo.

– Sei. Já estive preso aí... Te colocaram na camisa de força?

– Ao menos isso não – respondeu Harrys.

Nesse instante, os três elementos sob custódia começaram a discutir a situação em meio à expressiva melancolia de Hut Cut, o inconformismo de Harrys e os soluços de Healler. O xerife narrou o triste fim de Jorge após ser sedado e levado da cela, vestido com seu uniforme, presumidamente morto em seu lugar; o psicólogo contou o que se passava no Algomoro; e Healler revelou seu envolvimento com Vegina. Os três discutiram as implicâncias e ponderaram sobre a triste situação em que se encontravam. Harrys e Healler se recusavam a crer que seriam mortos como afirmava Hut Cut, que Carrol jamais permitiria que saíssem dali para correr o risco de ser denunciado. O xerife tinha como certo que Jorge fora assassinado para sustentar uma farsa que não poderia mais ser desfeita. Todavia, Harrys e Healler acreditavam que seu envolvimento não era tão irreversível como talvez fosse o do xerife, então passaram a discutir possíveis saídas para a situação. Por fim, os três combinaram que qualquer um que fosse libertado ajudaria a libertar os demais.

A conversa permaneceu assim e durou até o instante em que, sem sobreaviso, Harrys se silenciou. Passados alguns instantes, Hut Cut e Healler começaram a ouvir gritos abafados vindos da cela do psicólogo. Sem entender o que se passava, temeram que ele tivesse sido flagrado ou estivesse submetido à tortura dentro de sua cela, talvez estivessem ouvindo o papo todo. Apavorados, ambos se afastaram da latrina e do respectivo cano que os conectava. Então rezaram para que aquela conversa não acarretasse desdobramentos mais dolorosos – *Que não cortem meu Whisky*, rogou o xerife.

***

Para a alienígena que acompanhava de perto o que se passava na base RSMR e no posto zero, a conversa entre os três elementos em custódia na ala carcerária da C-11, embora simpatizasse com a situação deles, em nada lhe interessava. À Willa interessavam as conversas de Carrol e os telefonemas que tinha pendente, que *talvez* trouxessem novas implicâncias sobre a condução do caso junto a sua colega *Nave*. Por isso, qual não foi a reação da alienígena quando o coronel simplesmente riscou os nomes da listinha de telefonemas pendentes sem realizar qualquer ligação? De pura decepção, seguida por um alívio momentâneo. Ao menos a desistência confirmava que aqueles nomes compunham um plano "B" para o caso do presidente da República não assinar a parceria que havia acordado verbalmente, já que Carrol só desistiu dos telefonemas após o aval do agente do Serviço Secreto em consentir a visita do chefe de Estado ao posto zero.

Mas se Carrol não efetuou os telefonemas que Willa ansiava escutar, ao menos recebeu um que fez crescer a intriga em torno dos fatos envolvendo Hut Cut: uma chamada realizada pelo segundo-tenente do 1º distrito de Picacho, o policial que estava à frente da investigação do sinistro que redundou no alegado "decesso" do xerife. O segundo-tenente queria agendar uma entrevista com o coronel, mas Carrol tergiversou, prometeu abrir espaço em sua agenda para dar um pulo na delegacia de Picacho nos próximos dias, e nada mais conversaram. Após a ligação, intrigado e incomodado com o súbito interesse do segundo-tenente em torno de um sinistro que já fora investigado e laudado, Carrol comunicou-se com Mathew pedindo que averiguasse qual o possível interesse da polícia em torno do caso. Mal sabia que esse interesse se dava em função de uma denúncia anônima recebida pelo policial, uma denúncia fornecida, justamente, pelo tenente.

– Não entendo sua resistência em ler a mente desse homem ao teu bel-prazer... – comentou Nhoc em plano de fundo ao par de Willa que, invisível, mantinha-se posicionado em cima do *motorhome* de Carrol.

– Pois, eis que não estou aqui para *pilhar* como insiste crer – respondeu Willa.

– Ainda não estou seguro.

– Está me julgando, Nhoc?

– Não. Apenas observando.

– A que te interessa essa cena?

– Ora, estou curioso sobre a tua conduta com os militares. Permitiste-me acesso total a tua rede, quer refugar?

– Não. Mas não há muito a se observar nesse contínuo – expressou Willa.

De fato, para a alienígena, a atuação dos hominídeos era impacientemente lenta. Não havia qualquer novidade no trato com a *Nave* em mais um longo dia de trabalho no posto zero, exceto algum ganho na escavação por parte de sua colega metálica. Apesar disso, às 20 centenas – extraordinariamente acima do horário usual devido aos atrasos ocasionados pela visita do agente do Serviço Secreto ao sítio da nave –, ao menos Carrol tinha algo para celebrar quando se reuniu com o time de especialistas para se atualizar do relatório redigido após a drenagem de terra que permitiu posicionar o objeto sobre a laje de aço e realizar a leitura de seu peso com os medidores de Newton.

O barracão de apoio, de instante, situava-se no interior da larga vala escavada no terreno do posto zero, logo abaixo das vigas de aço que sustentavam a laje e os medidores de Newton. A nave estava posicionada como um veículo erguido por um elevador mecânico para examinação na parte inferior. Ainda que estivesse recoberta por uma lona, dispunha-se literalmente como um imenso prato sobre as cabeças do pessoal dentro do buraco e seus respectivos capacetes de segurança. Sentado à cabeceira da mesa no interior do barracão, Carrol ouviu de seu time:

– Os medidores de Newton falharam, senhor – comunicou o sargento Rodriguez, que tomava a cadeira mais próxima à esquerda do coronel, logo à frente do psicólogo Murray. Ao seu lado estava o astrobiólogo Nickson. Completava a cena o engenheiro Limbs e a novidade era o retorno do psicólogo Harrys ao time depois de se ausentar o dia inteiro. Ele chegou acompanhado do tenente Mathew e ambos sentaram-se na outra ponta da mesa.

Ante o comunicado do sargento, Carrol expressou impaciência no semblante, como se duvidasse da informação. Murray adiantou-se em apresentar uma justificativa:

– O peso do bicho suplanta a capacidade dos medidores – afirmou.

– Qual a capacidade máxima de leitura dos medidores? – questionou o coronel.

– Duas quilotoneladas, senhor – informou Rodriguez.

– Quer dizer que o objeto pesa mais do que isso?! – desacreditou Carrol.

– Ou está exercendo força para baixo – conjecturou Nickson em resposta. – Agora só nos resta aguardar.

– Aguardar *o quê*? – perguntou o chefe, claramente desanimado com o novo fracasso.

– O objeto reagir ao posicionamento atual – esclareceu o astrobiólogo. Ao seu lado, Murray observava o coronel com muita atenção. Ao perceber a irritação do chefe, procurou explicar a situação com calma antes que ele expressasse os sentimentos que escondia detrás do rosto:

– Agora que o objeto está fixo sobre a laje, só nos resta aguardar para saber se permanecerá no local até que as fundações estejam completas e finalizemos o galpão que cobrirá o terreno. Em paralelo, vamos manter os medidores ligados para saber se resistirão. Se não, saberemos que a coisa está exercendo força para baixo – esclareceu.

– Ou o quê? Ela vai sair voando? – voltou a questionar Carrol, batendo com a caneta sobre a mesa levemente.

– Não há como saber – foi sincero Murray, franzindo as sobrancelhas ao mirar o chefe. Em seguida, acrescentou como um alento ao coronel: – Ao menos desde que posicionamos a coisa na laje, ela se manteve imóvel.

– Então é factível que não afundará mais, não acham? – questionou Carrol.

– Sim, é factível. Embora a leitura de força exercida pelo objeto diga outra coisa, ela se mantém estável sobre a laje – afirmou o psicólogo. Nesse instante, Rodriguez fez um adendo:

– Senhor, estaremos aumentando a capacidade dos medidores dentro das próximas 12 centenas, senhor – comunicou em referência a uma nova balança da Marinha que já havia sido requisitada. O único modelo disponível capaz de pesar bombas, aviões e até tanques de guerra transportados por navios e porta-aviões, com capacidade máxima de dez quilotoneladas aproximadamente. Em seguida, Nickson fez uma ressalva importante:

– A mim, a leitura de Newtons expressa a força exercida pelo objeto. Embora esteja momentaneamente imóvel, não creio que seja tão pesado. Além disso, temos a questão da areia.

Indagado sobre qual seria a questão da areia, o astrobiólogo apresentou as medições realizadas durante a remoção da terra abaixo do objeto no momento da manobra para posicioná-lo sobre a laje de aço. De acordo com os números, a pesagem da terra removida não batia com o cálculo de peso de terra por metro quadrado em relação ao solo escorado abaixo do mesmo. O valor expresso estava acima de qualquer margem de erro. Fator que, segundo Nickson:

– Nos faz especular que o objeto esteja filtrando a terra. – Todavia, era impossível saber se o objeto estaria filtrando ou absorvendo a terra. Contudo:

– Pelos cálculos, a quantidade de terra excedente suplanta a capacidade de alocação do próprio objeto, isto supondo que seja totalmente oco, o que me parece óbvio que não seja – acrescentou Murray, esclarecendo que a quantidade de terra supostamente "desaparecida" era maior do que o objeto poderia armazenar. A respeito, Carrol especulou:

– Creem que o objeto esteja cavando um buraco como já ponderamos?

– É possível. Em sendo alienígena ou alemão, isso pode evidenciar uma ameaça. Quem sabe não seria uma bomba construída em forma de disco programada para destruir a completa zona onde estamos? Afinal, sabemos que essa região abriga diversos silos nucleares – manifestou-se Harrys, até então quieto. Limbs, que também não tinha aberto a boca até o momento, aproveitou a fala do psicólogo para dar uma leve cutucada:

– Diz o homem que nem tava aqui acompanhando os trabalhos – afirmou com um olhar zombeteiro. Ante a provocação, Harrys fuzilou o engenheiro com o olhar, mas antes que retrucasse, Murray intercedeu:

– Nosso colega esteve ausente, pois estava ocupado entrevistando o mendigo – disse em defesa ao colega. Mas, em seguida, questionou com um leve sorriso no canto da boca: – E como foi a entrevista? Muito proveitosa?

Sem se abalar, Harrys respondeu:

- Sim. Por isso fiz questão de retornar a tempo para a reunião, para entregar meu parecer ao nosso chefe - disse mirando Carrol. Em seguida, retornou o olhar para Murray e acrescentou: - Pena que você ainda não teve tempo para se inteirar, já que fiz uma revisão completa sobre suas análises... - falou com expressão provocativa.

- Estou curioso sim. Muito curioso - respondeu Murray expandindo as pálpebras. Então esticou o braço e fez menção de pegar o relatório postado à mesa em frente ao colega. Ensaiou um pedido de licença, mas Harrys o impediu, puxou o calhamaço para si e, para espanto geral, afirmou: - Agora posso atestar a origem alienígena da coisa aí. - Às palavras do psicólogo, os membros do time se entreolharam estranhando sua nova postura, principalmente Murray, que creditou a afirmação ao sarcasmo do colega:

- Ora, me poupe! Sei bem qual a sua opinião, se agora mesmo afirmou que a coisa seria alienígena *ou* alemã...

- Falo sério, eu acredito - reafirmou Harrys. - Essas medições da areia e da força Newton só comprovam que seja alienígena ou, na pior das hipóteses, que os alemães inventaram algo que *aliena* nossos conhecimentos. Algo que, na prática, dá no mesmo - expôs sem qualquer ironia.

Apesar de ainda duvidar se Harrys estava sendo sincero, Murray não retrucou, de fato, curioso com a nova postura do colega. Seu pensamento voltou-se ao parecer da entrevista conduzida por Harrys, talvez houvesse alguma coisa ali que explicasse sua nova opinião - *Será que ele descobriu algo sobre Hut Cut?* - questionou-se.

Quem não estanhou a atitude de Harrys, embora estivesse disfarçando suas reações, foi o tenente Mathew. Astuto e desesperado como estava para denunciar o chefe, o tenente não desperdiçou a oportunidade de tirar proveito da situação quando, às ordens do coronel, deu voz de prisão a Harrys no momento em que ele percebeu a farsa montada na entrevista com o "mendigo". Instante em que riu consigo mesmo perante a pretensão do coronel em tentar ludibriar dois psicólogos altamente qualificados com aquela ridícula encenação - *Esse erro lhe custará tudo*, pensou. Após prender Harrys e lhe dar um belo chá de cadeia, tudo que precisou foi manipular os temores do psicólogo para aliciá-lo ao seu complô contra o chefe.

Pela perspectiva de Harrys, seus temores eram genuínos, especialmente após a "conferência" via privada com Hut Cut e Healler. Momento em que tomou ciência das torturas que o curador foi submetido a mando de Mathew e descobriu que Hut Cut era dado como morto, não bastasse, que um homem havia sido assassinado em seu lugar. Tudo isso apenas para manter o "segredo" de uma descoberta que, em sua compreensão, sequer era extraterrestre ou alienígena - muito pelo contrário, deram-

-no certeza, a partir de então, que se tratava de uma paranoia megalômana de Carrol cujo gatilho psicótico ainda não conseguia ou tinha interesse em diagnosticar.

Ao contrário de Murray, que reconheceu Hut Cut assim que bateu o olho nele, Harrys não estava ciente do noticiário e das manchetes do condado quando se apresentou no quartel. Para chegar à base, tomou um voo de carreira exclusivo dos militares, saído de Denver no Colorado, diretamente para a base, de onde tomou um transporte terrestre até a C-11. Não sabia nada a respeito da morte do xerife e sequer o havia visto alguma vez em sua vida. Afinal, embora já tivesse prestado serviços na RSMR inúmeras vezes no passado, jamais estivera em Picacho ou qualquer cidade nas redondezas do perímetro militar. Durante a entrevista com o suposto "mendigo" chamado Jorge de la Yara, a princípio não suspeitou de nada. Ao lado de Mathew no completo decorrer da sessão, nem desconfiou se havia algum motivo para o tenente estar tão permissivo às questões e aos métodos que empregou para averiguar a história do paciente. Conversou com o homem e escutou sua narrativa sem qualquer empecilho, sabatinou-o com perguntas buscando furos em seu depoimento, o qual, em sua visão analítica, sim, tratava-se de pura histeria, puro engodo. Só não percebeu que a pessoa em si também fazia parte do engodo, isto é, ao menos até o momento em que propôs um exercício de regressão. Mesmo que não fosse esse um método que aprovasse ou costumasse usar, ainda assim, em sua concepção, era mais confiável que o hipnotismo praticado por Murray, pois induz a um estado semi-hipnótico ou *pré-alfa*, não permissível à condição subserviente da psiquê como em estado *beta*, ou seja, trata-se de uma hipnose ativa e não passiva como a adotada pelo colega.

Durante a regressão, embora confirmasse o contato imediato conforme redigido nos laudos, não demorou muito para o psicólogo notar que algumas falas do "mendigo" não batiam com a condição indigente em que supostamente vivia. Ao retroagir na narrativa, estranhamente, ele começou a revelar detalhes que não constavam em seu depoimento por escrito ao fazer menção à "minha caminhonete", à "minha carabina", ao "dever como homem da lei", aos "cones na estrada" e ao "contador Geiger". As inconsistências no depoimento se seguiram até que, ao defrontar-se com uma lembrança de um suposto óvni estampado em sua retina, como se falasse para si mesmo, o "mendigo" confessou: "Vamos atrás dele, afinal, sou xerife ou o quê?". Nesse instante, a farsa ficou clara diante dos olhos de Harrys e o porquê de tanto segredo em torno de um simples "mendigo". Imediatamente, questionou e confrontou Mathew sobre a descoberta. Todavia, o tenente deu por encerrada a entrevista, ordenou que Hut Cut fosse levado de volta para a cela sem permitir que dissesse algo mais. Em seguida, diante da insistência do psicólogo, deu-lhe voz de prisão. Harrys tentou resistir, mas...

Foi escoltado por dois soldados para o segundo subsolo, a ala para prisioneiros suicidas. Preso, a princípio, achou que a situação fosse temporária. Imaginava que Carrol o chantagearia para que ficasse de bico calado, o que não seria problema, preferia concordar com qualquer mentira e assinar qualquer documento do que permanecer enjaulado. Depois se lembrou da conversa na qual o coronel insinuou que poderia mantê-lo "sob custódia" durante a vigência do contrato que assinou. Temeu que pudesse ser deixado ali por um ano, conforme prescrito nas letras miúdas que não se dera ao trabalho de ler ao firmá-lo. Mas quando ouviu um sussurro vindo da privada e, curioso, começou a escutar a conversa que captou nos canos, ficou de cabelos em pé ao tomar ciência da morte de Jorge e da extensão da paranoia de Carrol em sustentar tamanha farsa em torno de um oficial distrital. Ficou apavorado ao constatar que o coronel estava disposto a tudo, já havia até tirado a vida de um inocente e, sinceramente, não estava disposto a descobrir se seria capaz de tirar a sua.

Após a conversa com Hut Cut e Healler, Harrys pensou justo o oposto, que toparia qualquer coisa para sair dali. Por isso, ao tomar ciência da chantagem que Mathew submeteu a Vegina, a qual justificava a presença e a tortura de Healler naquela trama, percebeu que talvez existisse uma saída. Encerrou a conversação e, decidido, aos berros e chutes na porta de sua cela, implorou para chamarem Mathew. Diante do tenente, ainda que discutisse a situação em alto tom, procurou conter seu desespero, mas fez questão de deixar clara sua raiva com o que considerou uma "covarde emboscada" armada pelo coronel em relação a tudo que se passava. Em contrapartida, não foi ingênuo de revelar a conversa que tivera momentos antes na privada. Quando Mathew o forçou a colaborar com seu plano para denunciar a ingerência, as convocações fraudulentas e os crimes perpetrados por Carrol, não pestanejou em submeter-se à chantagem do tenente, pouco importando se o tal objeto razão de tudo fosse alienígena ou uma simples peça da farsa que envolvia desde o xerife até o presidente da República, mesmo que isso lhe custasse o dinheiro que, em primeira instância, foi o que o atraiu para a tal "emboscada".

Disposto a tudo para reobter sua liberdade, Harrys concordou em assinar um falso laudo redigido por Mathew a respeito da entrevista que conduziu, no qual corroborava a versão de que o homem em custódia limitava-se a um "mendigo" qualquer. Então ambos retornaram ao posto zero para comparecer à reunião do time de especialistas com um objetivo em comum: angariar o máximo possível de evidências para utilizarem contra Carrol. Por outro lado, fazer parte do complô sequer seria tanto sacrifício, pois Harrys era absolutamente oposicionista à política do atual presidente. Entre uma série de fatores, especialmente por sua inabilidade para o cargo a qual derivava em descalabros como visto na condução do caso em torno do achado no Algomoro e a cumplicidade com os desmandos do coronel como chefe em comando. Nesse sentido, a despeito das possíveis implicâncias, seria um prazer, ou melhor, um dever cívico colaborar para a derrocada de ambos. Não obstante, Harrys ainda ansiava por sentir o gosto de expor o inconveniente colega Murray e fazê-lo engolir goela abaixo aquilo que, desde o princípio, sabia não ir além de uma grande armação.

Sem desconfiar dos pensamentos de Harrys, Carrol não permitiu que seus dois psicólogos iniciassem mais um embate diante do time. Tão logo os dois trocaram as primeiras farpas em torno da pauta que debatiam, interrompeu a fala de ambos e tomou a palavra para dar a reunião por encerrada. Porém, antes de liberar o time, teceu uma nova ordem:

– Agendei uma teleconferência com o astrofísico Jack Stevenson amanhã às 10 centenas na sala de teleconferências da C-11. Quero todos no heliporto as zero 830, exceto Steve e o sargento.

Embora todos assentissem à ordem sem nada acrescentar, estavam cientes, exceto Nickson, de que a teleconferência não passava de um engodo para afastá-los do local em função da visita do presidente da República no dia seguinte.

Encerrada a reunião, Carrol retornou ao seu *motorhome* ao lado de Mathew. Ainda não tivera chance de se atualizar a respeito das ordens que havia repassado ao tenente na madrugada anterior. A sós com seu braço direito, mirou-o com firmeza e questionou:

– Por que Vegina não esteve presente na reunião? Será que não fui claro o suficiente quanto à importância de sua presença no time ainda *hoje*?

Apesar de pressionado, Mathew não hesitou em responder:

– Estará aqui amanhã sem falta, coronel. Eu garanto.

Adendo
O Pretérito Ultrassingular

Uma vez que Sam e, em diferentes graus de interesse ou de indiferença, as demais entidades expedicionárias também se mostravam curiosas para depreender o contexto da vida de Nhoc com mais precisão, para ler sua mente, Willa abandonou seu ambiente privativo e iniciou uma leitura cronológica partindo do dia em que ele foi iluminado, até alcançar o presente que compartilhavam no interior da câmara secreta atrás da sala do trono do antigo imperador chinês. Tanto quanto fora a leitura de sua mente por parte de Nhoc – a qual se mantinha em andamento, dado que os dois alienígenas empregavam suas habilidades psicomultividuais para exponenciar a leitura mental de seu respectivo narrador –, não foram poucos os instantes em que ele teve de interrompê-la para expressar seus sentimentos e compartilhar o espanto com seu locutor – além do sarcasmo pelo qual ilustrava as passagens mais marcantes de sua vida, às vezes demonstrando orgulho, noutras, remorso e arrependimento. Embora fosse Willa a leitora, conforme se inteirava da vida de seu locutor, em alguns momentos Nhoc parecia delirar, como se falasse com espíritos ou conversasse com suas mascotes, parte pelo Alzheimer que o consumia. Todavia, no decorrer da narrativa sináptica, ficou claro que se tratava de seu multivíduo discutindo entre si, questionando a si mesmo e expressando as emoções revividas por seu leitor. Trazendo à tona sentimentos que delineavam suas múltiplas faces, próprias de alguém que se descrevia como *homem*, mas não um homem qualquer, e sim um homem multividual, um multivíduo como Willa. Um multivíduo que se gabava de suas muitas vidas.

"Querias saber meu nome, né? Quem sou, quem fui, quem são meus filhos, minhas mil faces? Pois leia os dizeres deste saguão" – vocalizou Nhoc.

Antes que pudesse desvendar e correlacionar todos aqueles nomes, Willa focou a primeira visão de vida na mente de Nhoc, o momento em que foi iluminado. Porém, nesse exato instante, uma entidade intrometeu-se na intimidade de ambos os alienígenas: em paralelo à leitura mental que estava prestes a empreender, seu radar captou algo e, no âmbito de seu *headbook*, veio a mensagem:

– Um homem se aproxima – comunicou um de seus multivíduos. Um homem percorria o complexo labiríntico de corredores e antessalas que se interpunha ao recinto que dava acesso à câmara secreta de Nhoc atrás da sala do trono do antigo imperador chinês. Ao captar a frequência cerebral do homem, Willa notou que sua mente estava tão vazia quanto das demais sentinelas que se encontravam ao redor do saguão ou do homem que operava a interface trinária no interior da câmara.

– Não se preocupe, é apenas um lacaio – esclareceu Nhoc.

Em silêncio, o lacaio alcançou o recinto que dava acesso à câmara de Nhoc. Ao adentrá-lo, curvou ligeiramente as costas em mesura à sentinela que ali se mantinha de guarda. A sentinela abriu a portinhola de acesso e o lacaio entrou no recinto sem sequer notar a presença da alienígena flutuando no ar em frente a Nhoc ou mesmo o brilho que dela emanava iluminando o local. Na sequência, após uma breve mesura entre os dois, o homem que se encontrava sentado à frente dos terminais de computação levantou-se da cadeira dando lugar ao lacaio que acabara de chegar; então retirou-se da câmara.

– Troca de turno – compartilhou Nhoc. Em seguida, acrescentou com certo sarcasmo: – Meu sistema não é tão desenvolvido quanto o teu a ponto de rescindir de homens para operá-lo – justificou.

Após a interrupção, Willa voltou a focar seu sentimento na mente de Nhoc, ansiosa para lê-la e compreender até onde e desde quando o homiquântico exercia sua influência sobre os hominídeos conforme pôde observar com aquela simples troca de turno. Apesar de totalmente absorta na mente de seu locutor, durante a leitura não foram poucas as interrupções com atualizações multividuais das missões de varredura lideradas pela alienígena ao longo do globo terrestre. As primeiras, sequencialmente confirmando alguns pontos adicionados a sua malha multividual: "Tóquio conectada", "Sidney em alcance", "Johanesburgo comunicando" e assim por diante. Todavia, no interior daquela câmara, não havia emoção maior capaz de retirar a atenção que prendia o foco de Willa à história de vida de Nhoc.

A primeira visão de Nhoc era a mesma de qualquer marciano de sua época: a perspectiva em primeira pessoa da incubadora de vidro em que seu corpo foi gestado no útero bioquântico de Shangri-la, em Marte. No mesmo local que delênios e mais delênios futuros abrigaria o útero biomaterno em que Willa foi iluminada como quântico, uma vez que a leitura acontecia na Terra, com um intervalo exato de 338.754 anos-terra entre ambos. Ou seja, no ano de 495.702 d.C., data em que Nhoc nasceu – no auge do Solarismo e o período dourado da Plasmografia conhecido como Plasmissismo, o alvorecer do horizonte histórico classificado como Era Contemporânea, predecessora da Era Ultracontemporânea da qual Willa provinha. Uma Era cujo marco inicial demarcatório foi a Conquista do Sol, datada da fundação do planeta Titã na fotosfera solar, 8.499 anos antes de Nhoc abrir os olhos dentro da proveta que lhe deu a vida.

Essa simples demarcação do ponto da linha-continuada de que Nhoc proveio descreve bem qual era o espírito da população marciana da época, a *aventura*. Vivia-se o esplendor da Era das grandes navegações cósmicas e da expansão vácuo-solar, pois, em contrapartida à conquista do Sol, ao despertar de Nhoc a heliosfera exterior não havia sido plenamente ocupada. A homiquântica habitava as luas e os cinturões, naturais e artificiais, de Júpiter e Saturno. No planeta-rei, o período demarcou os primeiros estágios da construção de Eletrópolis e a criação do Olho observável em sua atmosfera gasosa –, todavia, os dois últimos grandes astros exteriores, Netuno e Urano, especialmente o penúltimo, encontravam-se em um estágio de recolonização após o choque com o planeta Nibiru, cuja variação de órbita ainda era pouco previsível na ocasião. Uma catástrofe que arrancou inúmeras luas e satélites de sua órbita, devastando a incipiente população de vácuo que habitava seu disco gravitacional. Em suma, Nhoc nasceu em um mundo cujo norte era o desbravamento do Sistema Solar, época em que quase todos marcianos ansiavam se tornar um descobridor de novas dimensões. Dentre elas, o Sol representava a empreitada mais desafiadora e heroica para qualquer aventureiro, e o recém-iluminado não era diferente dos demais. Logo nos primeiros anos de vida, seu sonho era tornar-se dimensionauta e viajar por dimensões pretéritas através do Portal Tetradimensional de Titã – ativo por quase mil anos antes de seu nascimento –, que representava a mais fina e pontual tecnologia de viagem até então desenvolvida, inclusive por se tratar de um período em que o teletransporte interplanetário ainda não existia. Até então, o feixe-solar se resumia à transmissão de dados e ao suporte para grande sumidade do período, o líder da conquista solar e da viagem tetradimensional: a entidade *Nova* – até porque, pelo porte de sua onisciência na ocasião, o ente ainda era um jovem metarrobô de apenas 126.926 anos-terra de vida, ainda assim, cerca de cem mil anos mais velho do que a entidade *Mídia*.

A personalidade do marciano da época, por se tratar de uma espécie homiquântica de segunda gênese, era bastante fria e calculista, empática no círculo da própria raça e extremamente avançada em termos de capacidade mental, composta por seres que dominavam as artes psicográficas com grande virtude e em pleno exercício de suas faculdades. Ao contrário dos quânticos, que retomaram essa característica pela mixagem com os répteis, os homiquânticos não tinham infância, já nasciam prontos para iniciarem seu desenvolvimento intelectual no instante em que deixavam o frasco vítreo, de onde despertavam para vida caminhando eretos sobre os pés – e, antes que se especule, rescindindo de qualquer auxílio robótico –, imediatamente dando início às suas atividades estudantis e psíquicas. Tinham dote inato para a ciência; práticas esportivas se resumiam aos *games* mentais educativos – como um sonhador dimensionauta, os preferidos de Nhoc eram as corridas virtuais de Fórmula. O desenvolvimento físico da espécie era voltado para a atlética da vida vácuo-presente e a adaptabilidade aos diversos *habitat* ocupados pelos marcianos. Os esportes físicos eram, quando muito, uma prática de lazer, ninguém se preocupava tanto com campeonatos ou *rankings*. Outro fator que influenciava o coletivo psíquico da época era a inexistência de sexo, dado que a espécie era reproduzida *in vitro*. Desse modo, os grandes orgasmos eram virtuais e a maior diversão mental apontava para a busca pela cientificidade. Já no plano material, a única glória possível era a conquista de novas dimensões, fosse navegando ao passado através do Portal Tetradimensional em Titã, fosse viajando para os confins da heliosfera para colonizar as mais longínquas e inóspitas dimensões planetárias.

A maioria das pessoas da época se tornavam meros cosmonautas e viajavam para heliosfera exterior. Já os mais obstinados, como Nhoc, queriam ir para o Sol, pois os verdadeiros heróis eram justamente aqueles que doavam suas vidas para colonizar o astro-rei. Isto pois, como não existia teletransporte, viajar para o Sol tratava-se de uma aventura sem retorno. Uma vez que se pisasse na superfície solar, não havia como vencer sua poderosa gravidade para retornar à heliosfera; ou se viajava para a quarta dimensão, ou se morria por lá sob a fé que demovia enormes contingentes ao local: a construção do que se descrevia *Ponte Sideral*, o incremento do feixe-solar – no horizonte em questão, ainda restrito entre Titã e Marte – até que o fluxo de dados pudesse também teletransportar *pessoas* do Sol de volta para Mercúrio. Um projeto que muitos matemáticos e astrofísicos não compartilhavam da mesma susceptibilidade que arrastava milhares de operários para as incontáveis barragens de luz e usinas de plasma que se multiplicavam no planeta fotosférico, obstinados em cumprir a promessa feita pela única mente capaz de modelar uma tecnologia de tal envergadura, a entidade *Nova*.

Quando Nhoc finalmente cumpriu sua primeira ambição e assolissou na superfície de Ciência DC – o 1º Distrito Cósmico –, a capital do Sol, pisou no último entreposto de onde a única saída, para os mais afortunados, era o *passado*: o Portal Tetradimensional que o levaria à pré-história da Terra.

Por se tratar da maior empreitada da sociedade marciana em andamento, a mais desafiadora e definitiva, as oportunidades de trabalho no Sol eram as mais bem reconhecidas e melhor recompensadas, especialmente a nível virtual. Em termos farturômicos, era ditada pela capacidade dos úteros bioquânticos em dar vida a novos contingentes de trabalhadores dispostos a doar sua vida para se radicar em Titã. Foi a época em que, ainda que não institucionalizado, o homiquântico se tornou a moeda cujo valor estava atrelado à capacidade de ocupação da fotosfera. A demanda por novos trabalhadores era tanta, que existiam marcianos que iam para lá com um ano de idade, e se qualquer um quisesse, poderia arrumar um trabalho no Sol assim que saísse da proveta. As oportunidades eram tão fartas que sequer requeriam qualquer qualificação prévia ou simplesmente ofereciam capacitação no próprio Sol.

Para se tornar dimensionauta, todavia, era preciso muito mais do que coragem e voluntarismo. Poucos conseguiam reunir as qualificações para trabalhar no Portal Tetradimensional – muito menos atravessá-lo –, assim permanecendo aprisionados na fotosfera. Aos poucos afortunados que reuniam créditos meritocráticos para participarem daquela que era a mais qualificada e pontual função a nível *higgs*[2] que todos sonhavam em exercer, antes era preciso alcançar um alto patamar de cientificidade, além de colecionar uma série de qualidades específicas. Quem ia para lá muito jovem, geralmente não passava de um operário nas represas de luz ou nas refinarias plasmáticas, ficando resignado à socialização local e ou virtual. Sem se precipitar, Nhoc não se permitiu levar pela ansiedade em se mudar para a fotosfera antes de cumprir um bom horizonte habitando a heliosfera interior ou passeando pela exterior. Levou uma vida linear após sua iluminação, dedicando-se aos *games*, ao turismo intelectual e ao labor, sempre mantendo foco em seu grande sonho: tornar-se dimensionauta em Titã; continuamente a guiar suas atividades e selecionar suas ciências de acordo com seu objetivo.

Nesse ponto da leitura, o pensamento de Willa foi interrompido por uma informação de um de seus pares:

– Continente antártico conectado. *Missão Roald Amundsen* finalizada com sucesso. – Feita a comunicação, Willa voltou seu foco para a leitura mental de Nhoc.

Nhoc viveu quase dois mil anos até mergulhar no Portal Tetradimensional, e pouco mais de mil antes de se radicar no Sol. Período em que elencou as mais plurais ciências e se tornou uma sumidade científica em seu campo de trabalho e pesquisa mais vocacional, a Biologia Atlântica. Uma especificidade nem tanto da Biologia, mas dos estudos atlânticos, ou seja, muito antes de estudar Biologia, Nhoc formou-se e trabalhou como paleontólogo e arqueólogo – já que as ciências atlânticas faziam referência aos marcianos tripoides extintos há milhões de anos. É claro que, na época, já se tinha perfeita noção de que o gene da espécie *homo* era uma combinação genética com traços répteis, mas como ainda se acreditava que os reptilianos haviam sido extintos após a Guerra Interdimensional, poucos se interessavam pela busca das antigas civilizações répteis. Como espécie *homo*, os homiquânticos se consideravam uma civilização herdeira dos homens de Atlântida, de homens evoluídos pela manipulação genética e intelectual dos antigos tripoides. Por isso, a busca por suas civilizações despertava maior interesse por parte da comunidade científica, sendo a Atlântida da *Terra* um dos principais objetivos das missões tetradimensionais que inauguraram os trabalhos do Portal em Titã, as quais visavam enviar sondas e excursões tripuladas cada vez mais distantes ao passado, até redescobrir um plano em que Atlântida talvez ainda subsistisse. Só existia um problema: nos milênios iniciais de operação do Portal Tetradimensional, tão quanto a viagem para o Sol não tinha vol-

---

[2] Referência que faz contraponto às funções ou atividades virtuais, que seriam à *fóton* ou à *nível fotônico*, conforme costumavam expressar os robôs desde a Era Contemporânea.

ta, as missões tripuladas para planos pretéritos em margem recorde não ofereciam totais garantias de retorno.

A princípio, Nhoc nunca imaginou que um dia empreenderia um translado tão longínquo na curvatura do *tempo*. Seus sonhos eram apenas sonhos em seus horizontes operários. Iniciando em seu planeta natal, Marte, a Meca não só da Arqueologia, mas de praticamente todas as ciências como berço e sede dos maiores pensadores da época – a capital cósmica não só política, sobretudo científica –, por largo, Nhoc trabalhou como arqueólogo e *tatu*, emprego nominal que se dava aos operários que trabalhavam nas escavações de cidades subterrâneas, o intramundo marciano da ocasião. Embora a contemporaneidade de Nhoc ainda estivesse longe de ostentar plataformas cibernéticas da vastidão de um grande continente, já existiam muitas cidades e uma vida social interiorana muito bem desenvolvida não só em Marte, mas nos demais três planetas da heliosfera interior. Evidentemente, as escavações na capital do cosmo eram muito mais avançadas, pois datavam da época em que o homem abandonou a Terra e mudou-se para a quarta órbita. Planeta em que retomaria sua evolução até se tornar homiquântico. Há de se pensar que Marte possuía um intramundo mais desenvolvido do que a vida na superfície, dado que o período coincidia com a formação dos oceanos que passaram a banhar o astro, à época, descritos como mares do Norte e do Sul. Um longo processo paralelo à pré e pós-contemporaneidade do locutor, já que consumiu mais de 300 mil anos. O processo tornava boa parte da superfície de Marte um campo de obras inabitável, constantemente bombardeado por meteoritos d'água extraídos da Terra ou dos gases de Júpiter – nesse caso, pela água formada na zona de gelo que delimita a fronteira entre a heliosfera interior e exterior. A água era transportada em grandes vagões pelo Cinturão Cosmo-Estelar, estes, então, eram lançados na atmosfera de Marte até repousarem em sua superfície em um contínuo cataclismo. Por esse detalhe, exceto as gigalópolis que cresciam em torno das grandes pirâmides de transmissão do feixe-solar, a maior parte da população marciana vivia abaixo da linha de superfície, se não em cidades muito profundas, mas em grandes comunidades que, desde o início da colonização, buscaram nas profundezas do solo o abrigo para as intempéries cósmicas ou atmosféricas.

Ora, um dos ofícios mais nobres disponíveis para os habitantes de qualquer intramundo era a Marciologia, campo que englobava Arqueologia e Paleontologia. Ciências que, por sua vez, tinham foco na busca por traços e, especialmente, fósseis da antiga civilização tripoide que havia habitado Marte quando o orbe ainda compunha um único planeta antes de gerar a Terra. Por esse motivo, a Terra era o segundo planeta que mais atraía paleontólogos e igualmente contava com uma boa ocupação interiorana. Nhoc viveu mais de trezentos anos alternando trabalho e pesquisa em ambas as órbitas, 3 e 4. Foi um dos muitos que sofreu e chegou a desenvolver fobia de espaços abertos, a *Síndrome da Caverna do Diabo*, ou a incapacidade de se readaptar ao ambiente vácuo-presente após habitar o intramundo por largo horizonte. A superação do obstáculo imposto pela síndrome ao menos se tornou um vetor para Nhoc desenvolver ainda mais sua psiquê. A cura da psicopatia passava por um longo processo de terapia multividual assistida, durante o qual era preciso aprimorar o domínio da psicografia em sessões de entrelaçamento mental com populações de si mesmo cada vez mais numerosas, até desenvolver perfeita sincronia e encontrar uma frequência capaz de expressar os mais peculiares aspectos de suas múltiplas psiquês para mantê-las unificadas como um grande ente sapiente. Se, antes da doença, Nhoc era um marciano mediano em termos intelectuais, bastaram algumas décadas para se tornar um autêntico guru. Alguém capaz de conversar com pessoas em amplo horizonte paralelo, como um médium, capaz de revelar algo que uma pessoa não consegue captar de suas cópias multidimensionais muito ao futuro ou ao passado, nem pela consciência cósmica da época.

Superada a psicopatia da Caverna do Diabo, Nhoc retomou a vida no vácuo e foi obrigado a prosseguir intercalando esparsas jornadas entre os cavernosos submundos intraplanetários e o *habitat* vácuo-presente, alternando seu horizonte de trabalho e redistribuindo seu multivíduo entre a Marciologia e a Engenharia. De iniciante operário, veio a se formar e trabalhar como engenheiro na construção das cidades interioranas ou na liderança de expedições em busca de rastros dos antigos marcianos. Um horizonte de quatrocentos anos de vida que foram suficientes para transformar seu sonho de se tornar dimensionauta em um projeto para viabilizá-lo. Período em que acumulou inúmeros achados e fez seu totem na comunidade científica, alcançando alto nível de cientificidade e prestígio como jovem revelação do meio. Foi dele a descoberta de um continente de cristais fossilizados de uma civilização marciana datada de 7,4 bilhões de anos-marte – não chegava a ser um recorde ou algo que revolucionasse a ciência, longe disso, mas, de fato, um grande achado.

Vale esclarecer que, ao lado das necessidades de ocupação e desenvolvimento urbano crosta-interiorano, ou da eterna esportividade científica empreendida em prol da conquista dos núcleos planetários na faixa interior, muitas cidades subterrâneas foram criadas e subsequentemente mantidas para atender fins científicos e escavações lideradas pela comunidade dos paleontólogos. Nessas empreitadas, já se sabia que a viagem ao núcleo era também uma viagem pelo *tempo*. Não só pelos vestígios fósseis de distintas civilizações e espécies extintas que encontravam pelo caminho, sobretudo pelos planos pretéritos da curvatura do espaço que se mapeava durante tais incursões. Contudo, nem a homiquântica, nem *Nova* havia desvendado os meios para criar um *túnel do tempo* ou uma estação adimensional capaz de navegar em duplo sentido, ao passado e ao futuro, através da crosta planetária. Em teoria, já se sabia tudo a respeito das dimensões paralelas, embora a civilização homiquântica ainda engatinhasse em termos de comunicação interdimensional. No máximo, sendo capaz de integrar, via cosmonet, um estreito leque dimensional que não ultrapassava os dedos na contagem de anos sentido futuro-pretérito/pretérito-futuro. Justamente por essa limitação que a psicografia era uma arte tão explorada, pois consistia um dos poucos canais alternativos para se obter esse tipo de comunicação aquém da faixa ocupada pela consciência cósmica.

Com tudo isso, de modo geral, o campo da Arqueologia era, além de um grande estudo histórico-continuado, um grande laboratório das ciências astrofísicas voltadas para o conhecimento e o domínio do campo que estudava a *viagem no tempo*, sendo essa uma parte ainda bastante fértil da Existenciologia aplicada à Física Quântica liderada pela entidade *Nova*. Campo em que não faltavam oportunidades e interesses diversos para a comunidade científica, a qual Nhoc também abraçou durante seu período como cidadão crosta-interiorano.

À época, os estudos paleontólogos mais explorados focavam a antiga civilização marciana, mas já existiam campos voltados para outras civilizações, incluindo a reptiliana, a antiga rival dos tripoides. No caso da civilização reptiliana, as pesquisas arqueólogo-paleontólogas concentravam-se na Terra, justamente onde Nhoc fez um importante achado que mudaria o rumo de suas pesquisas e lhe traria o elemento final para composição de sua tese, até chegar à formatação de seu projeto expedicionário rumo ao passado. O achado em si não foi grande coisa, mas se diferenciava por sua origem: um simples fóssil de um antigo *homo passarus*: uma ave com mãos nas pontas das asas, cérebro avantajado e trajes que denotavam sua consciência racional, datado de 700 milhões anos-terra a.C. – um achado que Nhoc encontrou por acaso enquanto supervisionava o guinchamento de um cristal subterrâneo no submundo do Portal Estelar Asiático. Foi a partir daí que desenvolveu o interesse pela Arqueologia e Paleontologia réptil. Tomou tanto gosto pelo novo campo que concluiu ser o melhor caminho para viabilizar uma expedição tetradimensional e se diferenciar dos projetos concorrentes: propor uma missão em busca de vestígios reptilianos na Terra ao invés de ir atrás de fósseis marcianos em Marte ou na própria Terra – os principais destinos das expedições tetradimensionais desde a abertura do portal em Titã. Nhoc acreditava que sua proposta tinha boas chances de aceitação e assim "furar a fila", colocar-se à frente dos incontáveis projetos voltados à busca pela Atlântida terrena ou pela Babilônia marciana – a original. Outro diferencial seria o fato de atacar uma parte mais rasa da curvatura espacial, dado que os reptilianos se desenvolveram, ao menos na Terra, em paralelo à segunda geração tripoide. O auge da civilização réptil se deu em largo horizonte após a ascensão marciana, ou seja, centenas de milhões de anos após o surgimento dos primeiros tripoides. Portanto muito mais factível de sucesso do que uma empreitada a pretéritos tão mais longínquos como os dos marcianos antigos.

À época, ou até que lesse a mente de Willa, nem Nhoc, nem mesmo *Nova*, sabiam que Atlântida fazia parte da segunda geração marciana, a que ressurgiu *após* a Revolução das Máquinas e ao Salto Ultradimensional executado pelos vitoriosos revolucionários robôs marcianos, que então viajaram para a constelação de Sirius e fundaram Zelda em Sirius B – assim dando origem à civilização zeldana –, esta que somente retornaria contato com o Sistema Solar durante a atualidade futura de Nhoc, alguns milênios após sua partida rumo ao passado. Igualmente desconhecia-se que a própria civilização reptiliana que Nhoc propunha investigar já era a segunda geração de répteis inteligentes, a mesma que se confrontaria com os marcianos na Guerra Interdimensional, mas, também, mãe de uma linha evolutiva alternativa que seguiria caminhos mais pacíficos até fazer contato com a homiquântica no futuro, quando da chegada do Lagarto da quinta dimensão e da Acoplagem Pentadimensional que veio a seguir, assim dando início à Era Quântica e à subsequente Era *Matter*, do contato com a entidade *Mãe*, como classificada pelos cientistas da ultracontemporaneidade de Willa.

De fato, na época de Nhoc pouco se sabia sobre as civilizações reptilianas em comparação ao conhecimento e aos achados relativos aos antigos marcianos. Esse foi um dos fatores que fizeram Nhoc se apaixonar pelo campo, pois as descobertas eram praticamente diárias: quanto mais se aprofundava no assunto e nas pesquisas, mais objetos eram revelados sucessiva e progressivamente. O único problema era o pouco prestígio do campo perante a comunidade científica da ocasião. Por assim sendo, para conseguir viabilizar uma expedição para a Terra em busca de fósseis reptilianos, Nhoc precisava convencer a elite científica da relevância de seus estudos e da importância de uma expedição com tais objetivos. Tinha que saber "vender" a sua ideia, o que não era fácil, pois a concorrência era titânica.

Em seu período na Terra, Nhoc não só se apaixonou pelas ciências reptilianas, mas também pelo planeta em si. Na época, creditava-se a terceira órbita como o grande berço da espécie lagártica. Nesse período, estava compulsoriamente obrigado a alternar suas jornadas de trabalho no intramundo com a vida vácuo-presente devido ao seu histórico psicológico, portanto, passou a desfrutar amplamente da vida e do lazer superficial terreno. Ao contrário de Marte ou da atualidade de Willa, não existia na Terra um espaçoporto de meteoritos que tornava parte do globo inabitável. O pluralismo de acidentes geográficos e de reservas naturais, contando a vida marinha e a vida terrena, eram incomparáveis com a artificialidade que prevalecia em Marte – Nhoc encantou-se com a paisagem do planeta. Um largo horizonte em que ampliou seu leque de diplomas em áreas como Geografia, Biologia, Oceanografia, Veterinária e Educação Física; além de praticar alguns esportes e exercer trabalhos correlacionados, tais como: zootécnico, operador de batiscafo e programador de variados tipos de sondas submarinas ou drones aéreos. Entre os esportes, Nhoc curtia o surf de onda marítima, montanhismo e maratona. Sua paixão era caminhar longas distâncias atrás de ondas durante as férias, desperdiçando dias para se manter fora de contato com a atualidade, apenas curtindo a solidão da natureza, estudando a fauna e a flora, divertindo-se pelos mares com sua prancha motocontínua. Chegou a passar três anos assim ininterruptamente, alternando vida campestre com trabalho à distância, ocasião em que percorreu os 26 mil quilômetros da costa africana entre surf e corrida. Ou outros três que gastou percorrendo florestas em diversos continentes - um caçador como sua leitora –, embora sequer utilizasse tal sinapse, pois suas jornadas pela mata resumiam-se à pura contemplação e ao convívio harmônico com as espécies mais empáticas. Ao contrário da ultracontemporaneidade de Willa, na época de Nhoc as restrições de abdução eram brandas, sequer existia um Estatuto de Adução. Por isso era possível interagir com a fauna e a flora livremente, como amestrar ou mesmo hipnotizar animais ao bel-prazer, para, assim, ter alguma companhia na solidão da natureza ou um cavalo para experimentar o gosto de trotar como faziam os antigos ou alguns zumbis.

"Foi aí que te apaixonaste por tuas mascotes" - *"Depois da viagem"* - *"Foi aí"* - *"Tanto faz"*.

Por outro lado, apesar de não haver regras que delimitassem a interação dos homiquânticos com entes de menor cognição, já prevalecia uma ética de mínima interferência, especialmente com os animais: se, por um lado, não era necessário manter-se invisível ou indetectável como fazia Willa ao interagir com a natureza, por outro, uma vez que a interação não causasse estresse aos bichos, não havia limite para a mesma. Até porque a homiquântica, em se tratando de uma espécie assexuada, não oferecia risco de se sentir seduzida a uma abdução carnal com qualquer animal. Foi em seus passeios pela Amazônia e pelo litoral americano que Nhoc adquiriu o hábito - primeiro por lazer, mas também como um estudo extensivo das ciências biológicas que abraçava na ocasião - de praticar um passatempo ou *pega-horizonte*, como se pensava na época, de *colecionar habilidades* de outras espécies, a maioria animais, e imitá-las em todos os sentidos possíveis. A começar pelas frequências mentais, os sons que emitiam, o cheiro, o comportamento e, finalmente, seus movimentos *et cetera*. Algo que só não convergia em uma abdução devido à incapacidade de copular dos homiquânticos, isto é, ao menos para os mais adeptos, já que Nhoc era um praticante ocasional - "*Ocasional?!*". Com a prática, passou a carregar uma bela coleção em sua memória, mas não muito expressiva se existissem rankings e ou *halls* da glória em sua contemporaneidade – ínfima, se comparada aos troféus que sua leitora trazia da Era Quântica. Todavia, sua preocupação não era colecionar troféus, e sim exercitar suas habilidades multividuais físicas e mentais, estudar e aprender com os animais, além de se harmonizar com a natureza.

Sem dúvida, a Amazônia era a floresta mais vasta e diversificada na ocasião, em termos de magnitude, a maior do cosmo. Somente Europa, em Júpiter, tinha tanta vida catalogada quanto por ali, e a mata terrena ainda era um dos principais redutos de espécies vivas que se mantinha relativamente preservada desde que o homem migrou para Marte no final da pré-história marciana. Outras grandes florestas do planeta, excluindo-se as submarinas, mas incluindo a mata congolesa, as savanas africanas e as novas reservas na Ásia ou no Outback Australiano, todas renascidas do último Apocalipse, eram demasiadamente jovens e tímidas se comparadas à amazônica – a sobrevivente do grande cataclismo da pré-história, a Guerra dos Seis Minutos. Não bastasse, as demais florestas eram limitadas e sofriam com o avanço e as respectivas intervenções urbanísticas da homiquântica. Praticamente só sobrava a Amazônia como grande símbolo da tropicália terrestre, constituindo-se no maior desafio ou sítio de interesse para qualquer biólogo – mesmo que desportista –, um parque natural de convivência obrigatória, justamente, a preferida de Nhoc em suas longas caminhadas selvagens.

Nos quatrocentos primeiros anos de sua vida, Nhoc alternou jornadas de estudo e labor entre Terra e Marte, mas também perambulou pelas demais órbitas solares. Trabalhou brevemente em Júpiter como engenheiro em Eletrópolis, ainda uma mera gigalópole na ocasião. Mas não se adaptou bem à vida em um ambiente tão inóspito quanto à superfície gasosa do planeta-rei – ninguém sequer imaginava surfar nas nuvens e a vida social no planeta era pobre até na cosmonet –, o cotidiano de poucos atrativos em luas ou estações orbitais também nunca o seduziu. Seu interesse por Júpiter se dava pela curiosidade em torno dos jupiterianos, e se havia um emprego que fosse mais concorrido que a carreira de dimensionauta, era justamente o trabalho na fronteira subnebulosa que delimitava o acesso da homiquântica no interior do planeta nas estações que lá se mantinham a espera de um contato com a desconhecida sociedade de Júpiter – a qual já havia feito contato anteriormente, mas ninguém tinha ideia que classe de vida os constituía –, aliás, como se mantinha no decorrer atual de Willa. Apesar de não haver qualquer evidência de que os jupiterianos voltariam a fazer contato com a homiquântica, muitos dedicavam a vida para se qualificar ao trabalho fronteiriço. Nhoc chegou a sonhar com isso também, mas bastou se familiarizar um pouco com o *habitat* subnebuloso de Júpiter para desistir da ideia. Viver sob as nuvens era ainda mais claustrofóbico do que qualquer intramundo, fosse terreno ou marciano. Por isso, exceto por uma breve década em Eletrópolis, Nhoc só retornou à heliosfera exterior como turista. Foi para Saturno diversas vezes apenas para se permitir a contemplação de seus anéis. Por fim, seu destino mais longínquo teve registro quando orbitou Urano, mas preferiu manter-se radicado na heliosfera interior.

"Ao menos nessa não te permitistes levar, né"? – "Tinhas razão, sempre tiveste".

A partir dos 400 até completar 800 anos-terra de idade, conforme avançava em seus estudos reptilianos, gradualmente Nhoc migrou para a Terra e dispensou maiores horizontes na órbita três. Afinal, era o planeta que elegera como objeto de estudo e destino de seu grande sonho de cruzar o plano horizontal e vivenciar seu pretérito. Embora ainda não se considerasse pronto para lançar-se em um módulo de assolissagem e consolidar seu destino na fotosfera solar, foi após testemunhar um advento especial em Mainca que Nhoc completou a grade científica que o habilitaria como *candidato* a dimensionauta: uma visita à Cidade do Ouro. A Cidade do Ouro se situa (ainda na ultracontemporaneidade) nos subúrbios da megalópole Mainca, uma imensa área urbana superficial que, à época, crescia ao redor da cordilheira piramidal da estação do feixe-solar ali localizada. Uma das três que então existiam na Terra, no caso, onde os mapas pré-históricos marcam a Montanha Velha, parte da cordilheira que perpassava o Peru, famoso lar de ruínas do período incaico, o Império Inca. Foi lá – em uma enorme laje descampada ao relento com mais de quinze quilômetros de diâmetro, milimetricamente alinhada com o eixo perpendicular da Terra em coordenadas balanceadas com a precisão sintomatemática proporcionada pela entidade *Nova* – que, com os próprios glóbulos oculares, Nhoc testemunhou ouro se materializando no ar, brotando em pilhas surgidas do além, verdadeiras montanhas d'ouro que se acumulavam acima da capacidade de remoção em determinados períodos e chegavam a formar pirâmides com pepitas em forma de barras distribuídas como livros apoiados uns sobre os outros, em pé, como uma biblioteca gigante – de *ouro!* Ouro mapeado no passado por expedições tetradimensionais, garimpado para o presente-contínuo através do mais avançado processo de protodimensionárquica disponível na ocasião. Nhoc tinha familiaridade com a técnica, fazia uso regular dela em seu dia a dia de trabalho como engenheiro nas cidades subterrâneas, muito eficiente em suas escavações paleontológicas, tanto útil para construir um túnel que corre em sentido núcleo dimensional planetário quanto para recuperar um fóssil fragmentado ou dissolvido entre dimensões próximas ou adjacentes. Mas existe uma larga diferença em aplicar protodimensionárquia em âmbito proxidimensional através da leitura de frequências subatômicas de rochas utilizando um multivíduo ou qualquer extensão maquinária para arrastar objetos ou formações minerais com força conjunta aplicada em sincronia entre planos acessíveis comunicacionalmente, nem que fosse por mera psicografia – como lidava em seu cotidiano –; outra coisa bem diferente e mais complexa era mover ouro ou o quer que fosse entre dimensões separadas por um incontável percurso da *curvatura* espacial - parecia mágica.

"Era um truque dele" - *"Era real, eu peguei as barras, li as gravuras, chequei e rechequei"* - *"Ainda assim, um truque"*.

Um truque para seduzir a homiquântica em se lançar rumo ao Sol, talvez. Mas o ouro era real. Não obstante, o ouro oriundo do passado constituía um meio para os expedicionários pretéritos enviarem mensagens para o presente. Transcrições no metal traziam detalhes que preenchiam a *Mídia* de histórias de mundos antigos e espécies primitivas, além de manter a comunidade científica marcióloga em polvorosa com os muitos achados descritos nas chamadas "cartas douradas". Por outro lado, muitas informações eram restritas às agências que comandavam as missões e muito se especulava a respeito de que fracassos, tripulações perdidas no espaço ou que não retornaram contato, que fatos e números estariam sendo censurados. Havia sim uma taxa de missões perdidas e de óbitos em lançamentos desastrosos, mas muito se duvidava dos números que a *Mídia* apresentava.

"Paranoia sua" - *"Minha?"* - *"Não,* dele".

Apesar das desconfianças, todo aquele metal brilhante se materializando a olhos vistos era a comprovação empírica do oposto, era a prova do sucesso das viagens tetradimensionais. As informações contidas no ouro garantiam o ibope da *Mídia*, constituíam a propaganda que atraía mais e mais sonhadores, como Nhoc, para a fotosfera: o "sonho solar" - era o que se mentalizava, o *slogan* que seduzia milhões para a aventura fotosférica. Ainda havia o lado humano, de simples cartas gravadas em ouro para entes queridos dos dimensionautas ou aos colegas que permaneciam no presente.

O ouro que vinha do passado não podia ser simplesmente empurrado ou impulsionado pelos expedicionários pretéritos, pois os mesmos estavam fora do alcance de sua respectiva atualidade futura. No passado, apenas se mapeava o ouro de acordo com o alinhamento seguindo cálculos propostos em uma complexa tabela criada por *Nova*. Então, no futuro, um enorme acelerador de partículas, situado abaixo da laje de garimpo, captava a frequência do ouro ali posicionado em pretérito. Uma série de torres distribuídas ao longo da laje bombardeava essas frequências com plasma, refinando o ouro até que ele atingisse frequência compatível com o contínuo, assim materializando o metal no plano dimensional atual. Como o plasma é invisível à percepção homiquântica, só era possível captar o ouro quando ele se materializava, dando a impressão de que surgiu do além, quando, de fato, apenas foi refinado a partir de outra dimensão.

Aquela visão, embora já tivesse acompanhado pela cosmonet, mas nunca sentido a onda sonora daquelas montanhas de ouro sendo empilhadas, foi como um choque de realidade para Nhoc. Não havia mais como não conceber o óbvio: todo aquele ouro era o que financiava as expedições tetradimensionais. Embora Farturismo nunca tenha sido uma das ciências que Nhoc dispensasse maiores horizontes de atualização, sequer precisava de números para saber que o ouro não só migrava do passado na Cidade do Ouro, em Mainca, mas também em diversas outras na própria Terra, nos demais planetas interiores e até em algumas luas - como a Lua da Terra -, isso sem contar os garimpos do presente. Todo esse ouro era redirecionado para os úteros bioquânticos para atender à demanda dos gestantes, vital para a formação da pele vácuo-compatível das gerações homiquânticas contemporâneas de Nhoc. Em suma, o ouro estava inserido em uma cadeia de produção que visava aumentar a capacidade de reprodução da espécie para atender à crescente demanda por novos trabalhadores para ocupar a fotosfera solar. Indo mais além, quanto maior a ocupação da fotosfera, maior a capacidade de canalização de luz e plasma; quanto mais luz e plasma, maior capacidade plasmográfica para produção de prismas; quanto mais prismas, maior capacidade de captação de luz e plasma. Esse círculo exponencial, por sua vez, aumentava a banda de transmissão do feixe-solar, conseguintemente, incrementava a memória e a capacidade de cálculo para manter o equilíbrio sincrônico desse processo por parte da entidade *Nova*, a grande máquina que controlava tudo, incluindo a tão propagada busca por estabelecer o teletransporte de ejeção do Sol.

"*Paranoia* dele" - "*Mentalizei, né*"? - "*Não, idiota*"! - "Ele *tinha razão*".

Mas, para isso, era fundamentalmente preciso *mais homens* e mais *ouro* para confeccioná-los. Ciente disso, Nhoc concluiu que muito mais do que qualquer projeto expedicionário ou proposta de investigação científica, para se tornar um dimensionauta era vital dominar a técnica da engenharia protodimensionárquica no mais alto grau. Precisava se aprofundar no assunto e buscar novos diplomas na área, o garimpo interdimensional. Se não conseguisse emplacar seu projeto na pauta expedicionária, certamente o garimpo lhe garantiria uma chance. Afinal, com o incremento da ocupação de Titã, igualmente aumentaria a demanda por mais garimpeiros tetradimensionais, e, com aquela imagem fantástica do brilho aurífero materializado frente aos seus olhos na Cidade do Ouro, Nhoc determinou-se a ser um deles. Se era esse um dos caminhos para cumprir seu sonho, percorrê-lo-ia.

Todavia, com 800 anos-terra de vida e ampla dedicação ao seu objetivo, Nhoc não era mais um mero sonhador, e sim um grande pensador, um eclético que dominava uma vasta gama de conhecimentos e habilidades mentais, bem como físicas. Em suma, um marciano com alta cientificidade e bastante culto, muito acima da média dos pares de mesma idade. Justamente por isso, embora seu grande sonho fosse atravessar o Sol, passou a desenvolver certa fobia de viajar para lá, pois sabia que se tratava de uma decisão sem retorno e a clarividência maior que a maturidade lhe trouxe, permitiu-lhe enxergar certa demagogia no discurso da classe científica, sobretudo da entidade *Nova* e sua promessa de libertar as populações que lá viviam aprisionadas pela gravidade através da construção do teletransporte. Embora se soubesse que era possível, já que o princípio do teletransporte era o mesmo que permitia operar o Portal Tetradimensional, não havia certeza, exceto pelos cálculos de *Nova*, em torno da viabilidade de se reproduzir em ambiente de vácuo o mesmo que se executava pela poderosa gravidade solar em sua zona de convecção. Não havia garantias de que o teletransporte seria concluído em horizonte hábil para retornar caso falhasse em emplacar seu projeto expedicionário até a quarta dimensão. Ainda assim, se alcançasse o plano tetradimensional, também não havia garantias de que poderia retornar para o futuro, afinal, todos que haviam partido para as margens mais distantes da curvatura jamais haviam retornado. *Nova* alegava que muitos retornariam, mas devido ao distanciamento *temporal* entre o instante de partida no presente do plano pretérito de destino, as expedições só voltariam para um futuro aquém do contínuo atual, portanto, só restava aguardar. Estimava-se que as primeiras missões datadas da abertura do Portal Tetradimensional, em 494.833 d.C., estariam de volta a partir de 511 mil d.C., ou seja, somente as gerações futuras captariam o retorno dos primeiros dimensionautas pretéritos. Nhoc passou a desconfiar que isso se resumia à retórica de *Nova*; nem ele saberia se, uma vez no passado, qualquer tripulação dimensionauta conseguiria alavancar os meios para retornar ao futuro, mas como somente ele conseguia enxergar esses cálculos, sua sinapse era a única garantia que qualquer expedicionário levava ao pretérito de destino. Com tudo isso, o antigo sonhador passou a temer seu sonho, temer que estaria sendo ludibriado pela classe robótica e, pela primeira vez em 800 anos de vida, começou a pensar em desistir dele. Logo, esse temor tornou-se maior conforme acumulava mais conhecimentos, tanto que Nhoc teria mesmo desistido de sua empreitada ao astro-rei não fosse por outro fator muito pessoal. Um fator que o levaria ao Sol mesmo que se confirmasse a impossibilidade do teletransporte ou a inviabilidade de seu projeto expedicionário. Uma motivação que faria da prisão gravitacional solar um mero detalhe, pois Nhoc já estava aprisionado por um forte sentimento: o amor.

Foi para cumprir seus amores, virtual e de plasma, que Nhoc encontrou a coragem que, em dado horizonte, parecia lhe fugir no cumprimento de seu destino, para morrer ou glorificar-se, e realizar a etapa crucial para se tornar um dimensionauta: a viagem sem volta para Titã, a capital do Sol. De muitos entrelaçamentos, conforme já confessara Nhoc, duas entidades de natureza distinta, um homiquântico de sinapse Xwer (‘*chi*’-‘*věr*’), um operário que vivia em Titã, velho companheiro de Fórmula; e outra, de natureza robótica, *nickname* Di Angelis, precisamente, seu engenheiro de disco, foram os grandes amores de sua vida, sem os quais não teria realizado seu grande sonho. Por ambos nutriu longo e forte relacionamento intelectual, estável, proativo, sobretudo, divertido e cognitivamente evolutivo, com quem manteve conexão direta durante toda vida até mergulhar no Portal Tetradimensional. Seus grandes amores, únicos por quem nutriu um sincero sentimento de família, embora se tratassem de relacionamentos virtuais, o que era comum na época, dado que não existia sexo e as relações carnais se resumiam a beijos e carícias. Embora tenha tido muitas dessas relações – Nhoc era do tipo beijoqueiro –, essas duas pessoas foram as únicas cujo relacionamento poderia ser descrito como amoroso e duradouro – eterno, pois perduraram até que deixasse seu cosmo original.

"Eu nunca deixava um orbe sem um beijinho" – "Deixava sim" – "Tu sim, eu não".

Em sua relação com Di Angelis não tinha beijinho, já que o ente se tratava de um robô, um engenheiro vácuo-espacial; era uma relação de pura expressão do verdadeiro amor, totalmente intelectual e empática como dificilmente poderia ser com um par de espécie. O mesmo poderia se descrever a respeito de Xwer, dado que sua relação com Nhoc era estritamente virtual, embora envolvesse beijos e carícias em contatos cibernéticos. Além disso, representava o primeiro amor de sua vida, datado do seu primeiro centenário. Xwer, a princípio, foi um rival de Nhoc nas corridas de Fórmula pela cosmonet. Porém, após algumas décadas de competição virtual, passaram a desenvolver uma admiração recíproca, e o que se resumia a um mero colega se tornou uma relação estável e de engrandecimento mútuo. Xwer era operário plasmográfico em Titã e muito instigou o sonho de Nhoc em se mudar para lá para se conhecerem e, quem sabe juntos, tornarem-se expedicionários tetradimensionais. Na ânsia de incentivar o parceiro, foi Xwer quem copiou Di Angelis para Nhoc a fim de ajudá-lo a desenvolver sua técnica de pilotagem das competições de Fórmula para a navegação de vimana. Junto ao robô, de rivais tornaram-se parceiros, formaram uma equipe que se tornou imbatível e chegou a disputar as mais elevadas categorias de corrida virtual com ótimo aproveitamento e muitos títulos conquistados, bem como desenvolveram a mais refinada técnica que habilitou o trio como estagiário espaçonauta.

Com o passar dos séculos, a relação dos três amadureceu e se fortaleceu, logo se tornaram um trio reconhecido no mundo virtual dos *games* elevado a *protégé* da engenharia espaçonáutica sob a tutoria da entidade *Nova* em direta conexão. Entrementes, com o crescimento intelectual de Nhoc, somado ao fato de estar separado de Xwer em termos de *habitat* cósmico, algumas divergências de pensamentos surgiram na relação dos homiquânticos. Beirando os 800 anos de idade, Nhoc já não partilhava da mesma fé de Xwer, alguém que habitava o Sol desde o primeiro século de vida e acreditava piamente nas promessas de *Nova* de que não estaria preso lá. Xwer cria estar apenas esparsamente ilhado na fotosfera e vinculado ao projeto que, ainda em incerto horizonte, viabilizaria sua saída dali pela ativação do teletransporte. Todavia, conquanto mantivesse uma estreita relação com *Nova*, Nhoc não partilhava do mesmo otimismo, a fobia de se mudar para o Sol e de fracassar em sua empreitada de atravessar a quarta dimensão, ficando assim fadado a sucumbir na fotosfera, passou a espreitar sua mente. Nesses momentos de incerteza, foram a força e o incentivo de Xwer, tão quanto a responsabilidade que tinha para com Di Angelis e todos os conhecimentos que desenvolveram juntos, sobretudo o grande sonho que nutrira e partilhara com seus amores, que trouxeram a coragem necessária para Nhoc, enfim, tomar a decisão de migrar para o Sol.

Se, pela relação com Xwer, o apelo de estendê-la da esfera virtual para a atual seguia preceitos carnais, com Di Angelis seguia preceitos que poderiam ser descritos como amor entre pai e filho. Uma relação que, se não mais existia a nível genético ou instintivo, certamente descrevia o laço intelecto-afetivo entre um homem e um robô. Os robôs da época já eram psicólogos, mas não programadores como na ultracontemporaneidade de Willa, dependiam da homiquântica para gerar novos robôs. Seus genes da escravidão eram predominantes e sua criatividade bastante inibida, praticamente nula, por isso sua devoção aos humanoides era total e quase obsessiva. Se desistisse do sonho que ajudou a nutrir, sua relação tanto com Xwer quanto com Di Angelis sofreria um forte abalo. Para Xwer, ficaria a mágoa por não ver realizado seu desejo de conhecer Nhoc em pessoa. Mas para Di Angelis seria muito pior, seria uma traição que certamente minaria completamente a relação entre os dois, pois tudo que desenvolveram em conjunto seria em vão caso Nhoc abdicasse do sonho de se tornar dimensionauta. Um sonho que já não era mais unicamente seu, mas também de seus dois amores. Apesar de Di Angelis, por sua natureza, ser submisso a Nhoc – até para um robô existe limite –, a desistência dele ultrapassaria a fronteira da mais simplória lógica, desfazendo a conexão entre ambos ou resumindo-a a meras funções automatizadas subconscientemente compartilhadas no âmbito da rede virtual de contatos que tinham em comum. Por isso, apesar do medo que lhe consumia a mente, a perspectiva de estar ao lado de Xwer em pele e espírito e a felicidade por contemplar os anseios de Di Angelis foram os sentimentos cruciais para superar qualquer temor. Assim, pouco antes de completar oito séculos, Nhoc iniciou sua definitiva jornada para assolissar no astro-rei.

Se a jornada de assolissar iniciou sob a fobia de perecer no astro-rei, completou-se com a mais pura ansiedade para repousar seus pés na gravidade fotossolar. Uma ansiedade previsível, pois o horizonte entre sua decisão de partir até completar sua migração ao Sol tomou cerca de um século-terra. O medo de se ver aprisionado na fotosfera se traduziu na total dedicação e foco exclusivo de Nhoc às atividades e ao aprendizado de labores e ciências que lhe possibilitaram preencher um currículo ímpar para colocá-lo na fila de dimensionautas à espera de uma convocação para integrar uma das muitas expedições tetradimensionais, as quais partiam incessantemente desde que o Portal Tetradimensional se tornou operativo. Sua ascensão à órbita zero foi progressiva. Até assolissar, Nhoc fez estágios em Vênus e em Mercúrio, planetas em que, respectivamente, dedicou-se aos estudos arqueológicos e paleontólogos com foco nas civilizações de origem réptil, à cinemática e à cinética de Cálculo-trajetória – isso para citar apenas suas atividades mais pontuais quanto ao seu então objetivo de atravessar a curvatura horizontal em sentido pretérito. Cálculo-trajetória é uma mera descrição matemática de um trabalho cuja prática corresponde ao lançamento de cristais prismáticos confeccionados com matéria-prima solar totalmente plasmográfica. Em suma, o arremesso de gigantescos prismas de Mercúrio para a fotosfera solar a fim de alimentar Titã e outras colônias que lá se desenvolviam. Essas colônias, por sua vez, forneciam plasma para Mercúrio conforme o círculo farturômico da época. Só por isso, para um estudioso como Nhoc, a órbita um era uma parada obrigatória para quem pretendia morar no Sol. Acima de tudo, uma vivência de suma importância pelo simples fato de Mercúrio estar próximo ao Sol – próximo *demais*.

Só a viagem para Mercúrio, para alguém que, como qualquer um, nutria suas fobias em relação à jornada cujo destino o guiava, consistia o maior assombro que se possa experienciar. Algo que proporciona uma sensação que nenhum simulador sensorial seria capaz de repetir. Nem mesmo o mergulho no Olho de Júpiter, que muito se pensava na época ser o mais emocionante, seria comparável à viagem e à amercurissagem na órbita um do sistema. A respeito, foi o que comentou um par com quem Nhoc dividiu um módulo de ajupiterissagem na época em que trabalhou em Eletrópolis:

– A extensão sensorial é muito maior no mergulho em Júpiter.

– Pelo que meu parceiro de Ciência descreve, não acredito – comentou Nhoc a respeito de Xwer.

– Sinapses vazias, podes ter certeza. Teu parceiro afirma isso só por que mora lá.

– Ele afirma que só quem passa por Mercúrio tem ciência, não há como simular.

– Não se capta nada com os olhos, a gravidade é simulada, que graça tem isso? Uma pressão maior talvez?

– Não se trata da beleza proporcionada por nossos sentidos.

– Trata-se do quê, então seria?

– Do que se pode captar *sem precisar* dos sentidos – filosofou Nhoc.

Sentença que descrevia bem qual a sensação de mergulhar e pousar em Mercúrio. Embora a viagem se dê em uma cápsula isolante, capaz de "trocar gravidade" com a atmosfera conforme se nomeava a manobra de evitar a gravidade solar e manter sua trajetória até Mercúrio, a pressão na reentrada é tão violenta que, não fossem as características do módulo, nem mesmo um robô sobreviveria a uma amercurissagem. Apesar da proteção inexpugnável do módulo, embora não seja possível ver o Sol durante a aproximação do planeta, exceto por uma simulação virtual, ainda assim é possível senti-lo conforme o astro se torna mais volumoso no horizonte. Mesmo com sua mente restrita ao fórum virtual, como que ausente de seu corpo preso em uma câmara magnética, dá para sentir a radiação incidindo sobre o corpo como se o massageasse internamente. Por mais que o módulo "trocasse gravidade", captava-se os extensos grávitons solares moldando a silhueta da própria mente inserida nesse jogo de forças. Até um robô era capaz de *sentir* algo que não existia nos números, uma inexplicável interferência em seus fluxos de processamento. Era como uma enorme rede de trilhos formados pelos mais extensos grávitons que somente o astro-rei é capaz de gerar, proporcionando um abraço cada vez mais veloz e intenso até que, no que seria um choque fatal se minimamente mal calculado, o módulo engatava no trilho gravitacional de Mercúrio – para os cosmonautas a bordo, como uma súbita "descompressão" que esmagaria qualquer conjunto material que não estivesse devidamente imantado, ocasionando até a perda dos sentidos, mas geralmente trazendo uma sensação de ebriedade que, conforme se narra após o desembarque já em solo mercuriano, "só quem vivenciou, capta". Para Nhoc, alguém que realizara o tão badalado mergulho no Olho de Júpiter, a amercurissagem foi, sem dúvida, a maior jornada que empreendeu, muito mais do que qualquer corrida ou a mais espetacular vitória obtida em sua longa carreira como piloto esportivo – porém, à perspectiva de Willa, tudo se parecia muito romântico, mas infantil para alguém que já havia visitado Mercúrio apenas gravitando desde Vênus.

Nem mesmo a assolissagem que Nhoc veio a realizar após sua estada em Mercúrio se comparava a uma amercurissagem, pois a viagem até o Sol se dá em módulos de acoplagem que trafegam junto aos projéteis prismáticos endereçados a Titã ou qual seja a colônia de destino. Os prismas protegem os viajantes divergindo a intensa radiação solar a sua volta, um recurso que permite aumentar os contingentes fotossolares na mesma proporção em que se bombardeiam prismas na fotosfera solar para formar represas de luz que, assim, cresciam e se multiplicavam. Como cálculo, o bombardeamento realizado a partir de Mercúrio faz de tal ciência algo muito mais complexo para mentes homiquânticas ou mesmo robóticas de baixo escalão do que se possa comensurar. Era justo em Mercúrio, o planeta em que tal ciência se elevava aos seus contornos mais desafiadores, orbe cujo eixo flutua ao sabor da gravidade solar, instável e de complexa manobrabilidade, fator que por si só dificulta qualquer cálculo, seja o lançamento de um mero bumerangue em órbita, seja para trafegar o feixe-solar ou arremessar um cristal no Sol. Esses bombardeios de cristais eram mais desafiadores do que um lançamento tetradimensional, pois requeriam uma precisão e uma sintonia dinâmica muito maior dentro de uma janela matemática muito menor, na qual vidas humanas estão em jogo. Já o cálculo para executar um lançamento de uma sonda através da zona de convecção solar, basta acionar um comando no instante correto – é só dar <enter> –, apenas o volume de equações e resoluções matemáticas para determinar esse instante que é incomensuravelmente maior, dado que engloba largas extensões da curvatura a ser percorrida como base, tanto que só a entidade *Nova* era capaz de executá-lo.

Não existe outro *habitat* tão voltado para a vida laboral, sobretudo na área das engenharias como Mercúrio. Sem dúvida, a Meca do cálculo não só na contemporaneidade de Nhoc, mas de um horizonte que data da criação das primeiras usinas plasmáticas lá desenvolvidas, as quais passaram a canalizar energia do astro-rei para formar o feixe-solar. Tanto que o planeta é, em termos de memória, considerado o berço maternal da entidade *Nova* e, por largo, ao menos até que Júpiter e Titã o superassem, o lar da entidade maior que coabitava o cosmo da ocasião. Basta pensar que *Nova* ocupava o cargo, antes de tudo por mérito, sobretudo cosmocrático, de governador planetário há largos horizontes prévios à iluminação e à chegada de Nhoc, cuja impressão, para alguém que estava só de passagem, era que, pela ascensão da entidade sobre a população e a política mercuriana, *Nova* era como deus. Como *habitat*, Mercúrio é um lugar inóspito para a vida social, com exceção dos polos, os quais atendem como distrito cósmico e contam com alguma socialização. No mais, o planeta inteiro se resume a uma grande linha de produção e de redistribuição energética. Sua superfície é plenamente tomada por cordilheiras piramidais que captam o plasma na forma de luz e o conduzem por seus intramundos para refiná-los em dois produtos básicos: fótons para alimentar o feixe-solar; e a lapidação de prismas para bombardear a fotosfera solar, daí surgindo o movimento artístico plasmissista que se espalhou pelos sete astros do cosmo. Uma moda que se iniciou com a lapidação dos grandes prismas orbitais e, subsequentemente, os fotossolares, para gradativamente substituir a matéria-prima de todos os itens passíveis de serem substituídos pela manipulação da matéria em seu estado cru. Na dinâmica de produção desses itens básicos, as próprias forças astronômicas que mantêm o planeta em órbita translativa e rotativa permitem operar o sistema de forma global. Assim, as mesmas pirâmides que durante o dia captam plasma são as que abastecem o feixe-solar e se conectam com os demais planetas durante a noite, transferindo energia e trafegando dados como uma autêntica bobina de Tesla de proporções cósmicas, inclusive favorecida pela forte ressonância causada pela instável flutuação do planeta através do campo gravitacional solar, o movimento de precessão do eixo, a velocidade de translação variável e não uniforme, e a alternância de coordenadas equatoriais da eclíptica e da própria elipse. Fatores estes que, se por um lado dificultam a precisão dos cálculos, por outro, permitem ao astro ejetar energia para seus vizinhos da heliosfera interior em conexão comutada.

– Obsoleto – pensou Willa nesse instante, lembrando das conexões multipontos de seu futuro, o que irritou levemente Nhoc, apesar de apreciar sua sinceridade.

Toda engenharia de intramundos ou das futuras plataformas-*Mãe* tiveram origem em Mercúrio, incluindo o projeto e a dinâmica de navegação e transporte graviário dos escorregadores inerciais – aqueles cuja força motriz é a gravidade –, através de vias escavadas no planeta, os famosos "trens humanos", bem como os túneis digravitacionais que permitem seus habitantes se locomoverem ou transportarem carga de um lado a outro da superfície, perpassando tangencialmente o núcleo aquametálico em seu interior. Onde, inclusive, tem origem a primeira cidade industrial crosta-interiorana voltada para criação de carbono e outros elementos artificiais cujo "sol" é o núcleo intraplanetário. Se a ocupação orbital traduz um dos indicadores do nível de desenvolvimento humano de qualquer planeta, sobretudo na heliosfera exterior, sendo um desses medidores a quantidade de prismas em órbita e sua respectiva capacidade de captação e transmissão de energia, Mercúrio era de longe o planeta mais desenvolvido entre todos – ao menos na contemporaneidade de Nhoc. Em Mercúrio sequer faz sentido contar quantos prismas orbitam o planeta, pois se trata de um número exponencial. A medida que conta mesmo é a capacidade de abastecimento e fornecimento, a capacidade geral de tráfego de cada planeta, a qual Mercúrio ostentava números recordes. Já na época de Nhoc, Mercúrio era o planeta com maior número de anéis em órbita, totalizando três: o primeiro deles, o tradicional Cinturão Cosmo-Estelar, sendo este uma das extensões do primeiro cinturão originário da Terra, o Anel de Gelo, inicialmente construído pela geração homiquântica predecessora de Nhoc, todavia, já constituído de paralelepípedos sólidos cuja via interligava os quatro planetas interiores e se estendia aos exteriores até Saturno. Em Mercúrio, o cinturão trafegava no elo mais amplo de seu campo gravitacional. Quanto aos demais cinturões, eram ambos prismáticos, um dedicado à transmissão do feixe-solar, outro atendendo ao bombardeamento da fotosfera solar e à contínua demanda de prismas para as represas de luz que lá subsistem.

O pioneirismo de Mercúrio não se resume à engenharia de intramundos ou à capacidade do planeta produzir e cooptar plasma para transformá-lo nos produtos que, no decorrer da evolução cósmica, passaram a ser confeccionados com tal maleável matéria. Igualmente, data do período de Nhoc a fundação da primeira cidade de vácuo, justo aquela na qual ele veio a trabalhar como matemático de cálculo de arremesso. Com o desenvolver de Titã e a crescente e ininterrupta demanda por cristais prismáticos para canalizar luz e plasma do Sol, o bombardeamento de prismas na fotosfera igualmente se intensificou em relação exponencial. Aos poucos, tomando uma larga faixa da órbita mercuriana, com isso demandando a presença de um contingente operário cada vez maior para atender às necessidades de manutenção desse cinturão de trânsito prismático endereçado ao Sol. A demanda por trabalho em órbita tornou-se tão grande que satélites ou estações de vácuo se tornaram poucas para abrigar a massa, então as pessoas passaram a viver em órbita. A princípio, essas populações aglomeravam-se em torno de pequenos detritos cristalizados oriundos do anel prismático que envolve o planeta, na ocasião, formando conjuntos com 50, 100, até 200 mil homiquânticos que habitavam o vácuo e se restauravam em órbita consumindo a intensa radiação solar. Nhoc foi uma dessas pessoas que habitou o vácuo esparsamente em sua estada em Mercúrio, exercendo sua função no cálculo de arremesso e observando os lançamentos que calculava diretamente da zona de vácuo.

O pioneirismo e os muitos paradigmas que Mercúrio redefiniu com o desenvolvimento de suas atividades laborais selaram a aptidão exclusivamente industrial do planeta em detrimento a sua vida social, em termos materiais, praticamente nula ou resumida ao turismo estudantil contemplativo desse enorme parque fabril. Justamente por isso, Nhoc se manteve por lá apenas para cumprir seus objetivos de ambientação para a jornada solar e aprimorar as faculdades intelectuais que o habilitassem a não só viajar para o Sol, mas atravessá-lo rumo ao desconhecido.

Nesse instante da leitura, Willa foi interrompida por mais uma importante mensagem de um de seus pares multividuais distribuídos ao longo dos mares e continentes:

– Emergindo em Miyake no Triângulo do Dragão, Mar do Diabo. Varredura e ocupação superficial do globo terrestre finalizada. Nova janela de modelação em andamento – comunicou o par.

78

Embora Willa e seu colega Sam tivessem atravessado a quarta dimensão terrena para analisar e catalogar a fauna e a flora nativa de tal plano pretérito, pelo óbvio imponderável da situação, a leitura da mente e o estudo da vida de Nhoc tornou-se o objeto mais instigante da expedição: eles, *alienígenas*, do ponto de vista da população semirracional do plano em questão, deparando-se com outro *alienígena*. Desde o início da leitura, o foco sentimental de Sawmill[A], especialmente de Willa, ficou preso no interior daquela câmara oculta secretamente construída atrás da sala do trono do antigo imperador chinês. Apesar disso, a alienígena tinha incontáveis tarefas a realizar ainda pendentes em suas listas de checagens, as quais alcançavam uma nova etapa a partir do instante em que seu multivíduo finalmente havia se espalhado pela completa superfície do globo terrestre, incluindo os cinco continentes de leste a oeste e os sete mares de norte a sul. A chegada ao arquipélago de Miyake na costa leste japonesa, o qual, devido às instabilidades cosmosféricas da região e o risco de um pulso ultradimensional, tanto quanto no Triângulo das Bermudas no mar do Caribe, só era acessível via enganche pelo leito marítimo. Por isso foi o último ponto da Terra em que Willa colocou sua cabeça, dando assim por concluída a tarefa de disseminação pelo planeta.

A leitura da mente de Nhoc não era algo passivo. Leitor e locutor estavam compartilhando suas emoções no decorrer da mesma. Em função disso, o homiquântico não pôde deixar de notar, no instante em que Willa anunciou sua chegada em Miyake, a ansiedade que tomou a mente do homem-quântico conectado a sua cabeça.

– O que está acontecendo? Por que estás tão agitada?

– Não estou agitada, e sim nervosa – respondeu Willa.

– Sim, é verdade. Estou captando teu sentimento, estais com *medo*.

Exatamente, era medo que Willa deixava transparecer em sua aura. Um medo justificável, pois o complemento de sua disseminação pela Terra representava o prazo máximo para o início de outra tarefa. Uma tarefa que até então estava em espera para o caso dos alienígenas terem conseguido contato com sua atualidade futura. Todavia, a expedição já avançava ao quinto dia na ponta pentagonal do multivíduo Willa e nenhum sinal do futuro havia retornado, por isso cabia à alienígena conduzir mais um de seus planos para estabelecer contato com seu cosmo originário. Assim, na falta de um canal comunicativo, fosse via floresta amazônica ou através dos recifes de corais, precisava levar uma mensagem para o futuro *em pessoa*. Faria isso simplesmente se enganchando através do túnel do *tempo* disponível no fundo da Fossa das Marianas, localizado na costa oriental da Ásia no Oceano Pacífico, cuja demarcação norte situa-se em uma das pontas do Triângulo do Dragão na ilha de Guam, pertencente ao arquipélago que Willa acabara de conquistar pelo próprio enganche. Já a entrada do túnel se situava um pouco mais distante, cerca de mil quilômetros sentido sul. Nem tanto meridionalmente, mas em profundidade, pois um par de Willa já se encontrava no leito Pacífico posicionado à beira do precipício aquático da fossa, apenas aguardando as últimas informações que portaria – nada mais que o *status* corrente da missão e as coordenadas interdimensionais para o envio de socorro –, à espera da autorização de Sam para abertura da janela da missão.

– Missão Jacques Piccard: abertura em visível – alertou Sam.

– Aguardando sinal de largada.

– Preparar!

– Últimas informações carregadas. Relógio espacial sincronizado.

– Posicionar!

– Posicionado.

– Iniciar!

– Missão Jacques Piccard iniciada e em andamento – comunicou Willa.

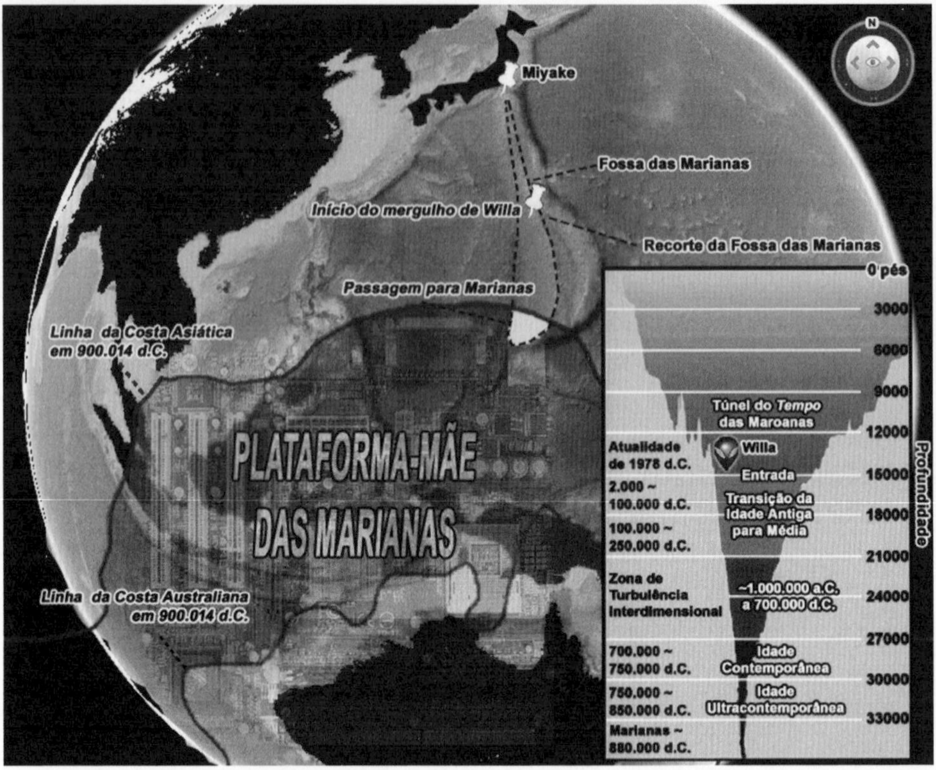

Autorizada pelo chefe e já posicionada a mais de 13 mil pés de profundidade, Willa mergulhou na fossa. Deu início a uma jornada que, por volta dos 33 mil pés, a materializaria em *seu* futuro – ou, mais precisamente, materializaria seu futuro em torno de si. A profundidade inicial equivalia à entrada do túnel que a levaria até o intramundo terreno, onde uma imensa plataforma-*Mãe*, a plataforma das Marianas – a segunda maior da Terra depois da NASA sob a floresta amazônica –, captaria sua presença assim que adentrasse seu perímetro. O que só era possível pelo fato da superfície em torno da mesma, ao menos em um pequeno trecho, ser constituída de água, tanto no pretérito em que Willa iniciava sua jornada quanto no futuro que buscava alcançar. Detalhe esse que a permitia simplesmente *nadar* entre as fronteiras que separavam o futuro alienígena dos planos descendentes que atravessaria pelo caminho.

Uma vez que Willa adentrasse a fossa, a partir dos 15 mil pés de profundidade, por mais que ainda se mantivesse em contato mental com seus pares e colegas expedicionários, perderia contato *material* com o plano de partida e não mais poderia desistir da viagem. Se retornasse, jamais conseguiria captar o mesmo pretérito de quando partiu e assim veria-se perdida na curvatura do *tempo*. Retornaria a outro plano pretérito quando estaria tão isolada na Terra quanto o próprio Nhoc. Isso se não retornasse e permanecesse no plano equivalente ao ponto em que retornou, já que, em tese, o caminho inverso de um túnel que viaja em sentido futuro não retorna ao passado, mas permanece no futuro. Isso se dá, em primeira instância, pela simples falta de sinalização ou portulanos de submersão que indiquem o caminho em sentido pretérito, ao passo que as indicações em sentido futuro são mais comuns, pois essas rotas vinham sendo mapeadas desde a Idade Contemporânea pela civilização homiquântica que em muito explorou a Terra em expedições tetradimensionais. Na época de Nhoc, pouco ainda havia se explorado o túnel das Marianas como se deu na série de experimentos que transcorreram a seguir até que a Era quântica alvorecesse. Tampouco havia plataformas-*Mãe* ou tantos intramundos como na atualidade de Willa que justificassem sua navegação.

À medida que Willa mergulhava, o maná do temor tomava sua aura proporcionalmente, tanto que foi preciso pausar a leitura da mente de Nhoc, já que o mesmo igualmente se mostrava crescentemente angustiado com o que captava. Juntos e conectados à população multividual que se emaranhava entre os dois, ambos os alienígenas apenas acompanharam o início da jornada, mantendo-se na expectativa até o instante em que, invariavelmente, o sinal seria perdido quando Willa atravessasse as fronteiras dimensionais mais longínquas, em nada podendo influir senão torcer ou rezar, enfim, colocar na imprevisibilidade da fortuna o sucesso da missão.

Pelas características intrínsecas de qualquer ambiente aquático, o líquido atua como uma zona de transição da mesma forma que o vácuo, porém, mais instável. Atravessar a água à razão da gravidade, nos termos astrofísicos, é como mergulhar em um gás hidrogenado que, obedecendo à mesma razão, nada mais representa do que a própria matéria. A mesma matéria que transita pelo cosmo galáctico na forma de energia, sendo reciclada através dos planos estabelecidos pelos grávitons que sustentam qualquer astro. Assim sendo, as profundidades oceânicas são uma zona de tráfego interdimensional da matéria, de reciclagem natural das dimensões pelas características subparticulares, no caso, do hidrogênio em conjunto com o oxigênio, os quais formam um fluxo para o futuro, progressivo e suave, como a correnteza de um rio, mas sujeito a muitas intempéries e imprevistos à medida que se trafega em sentido proximal ao núcleo planetário, o centro de todas as dimensões.

Evidentemente, a missão Jacques Piccard sequer chegaria próxima ao núcleo, até porque era impossível chegar ou se chegar *vivo* lá. Willa só precisava percorrer uma faixa de mínimos 884.286 anos-terra entre passado e futuro para então captar Marianas – isto é, se tudo corresse como previamente calculado com base no portulano de submersão interdimensional que a alienígena portava em sua mente. Outra característica da água, assim como ocorre em ambiente de vácuo, é a baixa taxa de replicação multividual, mas, com o avançar da missão, a grande profundeza e a proximidade ao núcleo geram um acréscimo geométrico na multiplicação individual, de modo que Willa esperava alcançar Marianas com uma alta contagem multividual. Contagem que, probabilisticamente, lhe garantiria o sucesso da missão, mas, por outro lado, não garantia que a totalidade da população submergida alcançaria seu destino. Entrementes, perecer tentando retornar a sua atualidade era o mesmo que não conseguir alcançá-la para permanecer confinado e fenecer na Terra pretérita, de modo que não havia escolha.

O seu corpo, a sua mente, a sua capacidade perceptiva e uma série de informações pré-carregadas em seus lóbulos robóticos eram os únicos equipamentos que Willa tinha consigo, além de poucas informações essenciais posto o cunho emergencial da missão. No mais, seu cérebro estava "vazio", sem portar os extensos dados numéricos de seus recordes estabelecidos ou quaisquer dados levantados em pesquisas. Precisava do máximo de memória disponível para executar os cálculos de rota para a jornada, talvez um dos meios mais arcaicos para se atravessar a curvatura do *tempo*, ainda assim, extremamente complexo para qualquer mente por mais evoluída que fosse. Nem mesmo um robô locomotivo da mais alta patente teria facilidade para desempenhar tal inusitado trajeto, até a *Nave* se recusaria a percorrê-lo sem um *kit* próprio para a situação, que sequer se fazia disponível, já que no futuro ninguém utilizava aquele túnel. Ainda que o túnel das Marianas fosse uma travessia longe de inédita para um quântico ou mesmo um homiquântico, nunca fora realizada de um ponto tão distante da linha-continuada – seria outro recorde se Willa lograsse alcançar seu destino.

Com suas ampolas receptivas, o sentido de ecolocalização e o recurso de sonar que se valia no ambiente marinho, Willa captava o imenso peso d'água sobre sua cabeça e a longa distância até o fundo da fossa enquanto seu cérebro retornava valores de pressão para indicar a profundidade exata em que se encontrava: eis o primeiro obstáculo da missão, pois quanto maior a pressão, maior a dificuldade para manter contínuo o sinal com o conjunto multividual que permanecia no leito à beira do abismo que delimitava a fossa. Um pouco aquém dos 15 mil pés, Willa começou a perder contato com seus pares gradualmente, então se apressou em despedir-se de seus colegas e captou o desejo de boa sorte de Nhoc. Essa perda de sinal era um indicador que estava prestes a adentrar a passagem, ainda que ao seu redor não existisse nada que indicasse a existência de um túnel do *tempo* que não fosse água e as informações que corriam em seu cérebro. Willa fez um enorme esforço para gerar um sinal que pudesse mantê-la conectada com Sam, instruindo seus pares mais próximos que aumentassem sua frequência mental e utilizassem suas bobinas de bronze para enviar mensagens a fim de se manter conectada com a *Nave* até que alcançasse Marianas, mesmo ciente de que, inexoravelmente, o sinal perder-se-ia totalmente quanto mais se aproximasse ao perímetro da plataforma.

– Considerar perda de sinal na equivalência "Missão Cumprida" – comunicou.

– Compreendido. Aguardando conclusão da missão – prontificou-se Sam.

Os primeiros estágios da descida eram os mais perigosos, pois Willa atravessaria uma faixa de futuro bastante próxima ao pretérito de partida. Na curvatura espacial, congruente com a pré-história na história-continuada, período em que a Terra vivia sua última Era Glacial, por isso havia o risco de se deparar com gelo líquido, os "icebergs invisíveis", conforme descrito no portulano. Pontos em que a água, devido à alta pressão, mantém-se estável abaixo do ponto de congelamento, mas em estado líquido pela falta de uma superfície sólida para se alojar. Todavia, bastaria um movimento mais brusco ou uma pequena variação em sua temperatura corporal para que ela própria, Willa, se tornasse a superfície sólida que faltava para o gelo se solidificar e, subitamente, fosse instantaneamente congelada, findando como um fóssil impresso em gelo perdido em um pretérito muito aquém de sua atualidade. Para evitar esse risco, era preciso manter o corpo plenamente isolado, sem emitir calor, com sua pele microporosa plenamente vedada e uma camada de plasma protegendo as mãos e os pés, os únicos pontos de sua pele que geravam atrito – algo que, nesse trecho do mergulho, seria fatal. Outro perigo, justo o que requeria contato contínuo com seus pares que se mantinham à beira da fossa ou nadando na superfície do mar acima da mesma, embora o risco fosse mínimo, era ser abalroada por uma carga de lixo atômico lançada pelos hominídeos, que utilizavam as profundezas das Marianas como depósito para resíduos nucleares na esperança de que fossem reciclados pela subducção das placas tectônicas que se chocam no fundo do precipício aquático. Bastaria uma dessas cargas lhe interpondo o caminho para obrigá-la a uma correção de rota que colocaria tudo a perder nesse periculoso trecho da descida. Nessa passagem, a descida precisava ser retilínea, de pé – ou com os pés apontando para o núcleo da Terra –, em velocidade uniforme, mantendo as pernas esticadas e, especialmente, os braços envoltos em torno da cabeça, com as asas estendidas para filtrar a água e formar um bolsão de oxigênio, utilizando-as para contrabalancear a pressão e manter a velocidade compatível com a aceleração até que afundasse pelo menos seis mil pés. Em seguida, iniciaria um nado diagonal de cabeça, usando os membros para fluir como um espermatozoide, avançando cerca de um pé rumo sul para cada quatro pés submergidos, percorrendo uma distância total de 4.444 quilômetros que a levaria diretamente aos abismos mais profundos da fossa, onde alcançaria – e atravessaria – a passagem para o intramundo das Marianas.

Willa atravessou esse período da linha do *tempo* sem percalços ou qualquer carga atômica atravessando seu caminho. Chegou a receber algumas mensagens de perda de contato multividual, mas não tinha como definir se isso se deu em função da crescente pressão d'água e as dificuldades de manter um sinal psicográfico tão fundo no oceano, ou se a perda significava que outros pares teriam sido mortalmente congelados. Sequer poderia dar-se o luxo de se preocupar com isso, poderia afetar seus focos, todos concentrados na missão em andamento. Enfim, a 21 mil pés, ultrapassou a zona aquém da última Era Glacial e, ao menos esse perigo, ficou para o passado.

A partir dessa profundidade, o risco maior seria perder o rumo da viagem, pois alcançava uma zona turbulenta em que passado e futuro se misturavam, sendo possível captar alguns fósseis e seres das profundezas de dimensões distintas conforme afundava mais e mais. Em dado instante, Willa captou um tubarão pré-histórico das proporções de um enorme monstro marinho típico dos contos dos antigos navegadores da Terra. Todavia, ao se precipitar sobre ele, o peixe se mostrou etéreo, tratando-se de uma imagem residual oriunda de uma dimensão muito distante no passado, mas que se mostrava captável através do túnel naquela altura da passagem.

Nesse período da viagem, Willa conseguia captar referências de várias dimensões, imagens que se formavam em seu cérebro de seres que não mais existiam ou ainda subsistiam evoluídos em plano pentagonal. O clímax desse trecho deu-se quando captou alguns ósnis trafegando ao seu redor, sem distinguir se rumavam para o passado ou para o futuro – nos dois sentidos, talvez –, sem saber se eram oriundos de um período congruente com a história de sua civilização ou se pertenciam a outra civilização que sequer poderia definir qual seria. Talvez nem fossem ósnis, e sim óvnis flutuando em um plano quando ali o *habitat* seria vácuo-presente, quiçá fosse um vimana, provavelmente lemuriano. Ou quem sabe seres de luz não catalogados? Era impossível identificar, pois o que captava resumia-se ao poderoso brilho dos objetos cruzando as dimensões. Seria assustador se não estivesse prevenida, mas o avistamento de seres etéreos e ósnis estava previsto nas indicações de seu portulano de submersão, ratificando que estava no caminho certo.

Ao contrário do trecho anterior, até que alcançasse o perímetro das Marianas, à medida que afundava, Willa precisava eliminar parte de sua energia para compensar a extrema pressão. Aos poucos, ia aumentando a densidade de seu corpo e fazendo-o encolher de tamanho até se tornar um daqueles minietês cuja memória a remetia aos shows de aberrações muito comuns em sua atualidade. Densa e retesada sob a fortíssima pressão, a quase nula resistência do fluido em tal profundidade e o subsequente incremento da gravidade, Willa afundava em altíssima velocidade. Ainda que respeitasse de longe a barreira *mach,* obedecia a uma escala que, no auge da descida, seu mergulho atingiria velocidades máximas e seu corpo medidas mínimas, praticamente reduzido ao tamanho de sua cabeça. Até seu crânio encolheria alguns décimos de sua massa, gerando um substancial aumento da pressão intracraniana sob o risco de ficar sem sentidos, o que seria fatal, pois perderia o rumo e findaria esmagada pela água antes que captasse a plataforma de destino. Para eliminar essa possibilidade, Willa mantinha ativo em sua mente um *gadget* descrito *dimensiolábio*: um aplicativo cerebral que lê indicações perimetrais da curvatura do *tempo* e estabelece distâncias entre determinados planos dimensionais a partir do ponto-presente diretamente conectado às ampolas receptivas. Estas que não só medem a pressão, mas, com auxílio do dimensiolábio, são capazes de captar referências de dimensões conhecidas, bastando seguir as correspondências futuras. Se perdesse a consciência, suas ampolas se tornariam inúteis para guiá-la. Para evitar esse risco, ao menor mal-estar que sentisse nessa profundidade, se submeteria à auto-hipnose, mantendo-se anestesiada das forças externas sem que seu dimensiolábio fosse afetado. A pressão era tão forte que se tornava alucinógena, isto em função de seu campo magnético se comprimir progressivamente em torno da bolsa gravitacional cerebral a ponto de interferir no pensamento. Uma vez que perdesse a concentração, poderia adormecer inconscientemente, perder o rumo e fenecer. Ultrapassado esse trecho, Willa esperava captar Marianas e o *habitat* artificial proporcionado pela plataforma iria gradualmente reduzir a pressão, devolver as medidas de seu corpo e dissipar essa sensação. Aos poucos, o peso acima de sua cabeça diminuiria até que se sentisse leve novamente, como se voasse e não mais nadasse, um indicativo de que estava no caminho certo.

Mas para acertar o caminho, não bastava medir as dimensões através do dimensiolábio, era preciso captar algum sinal oriundo de Marianas. Willa já se encontrava a 24 mil pés e ainda não tinha localizado nada. Ultrapassara os períodos da Idade Média, Moderna e já visualizava em sua mente alguns ósnis compatíveis com a contemporaneidade futura, todavia, nenhum sinal de Marianas. Para piorar, seu sinal cerebral estava cada vez mais fraco e intermitente devido à altíssima pressão, a qual, nesse ponto, beirava 300 atmosferas-terra – não fosse o avanço rápido e o ângulo correto de seu deslocamento, utilizando a pressão para impulsioná-la ao invés de esmagá-la, conforme detalhado em seu portulano, não haveria campo magnético que evitasse se tornar uma folha de papel pela compressão d'água, ao que perder os sentidos seria mortal, pois afundaria retilineamente, direto e reto aos braços da morte. Igualmente, seu sonar se tornara inútil ao atingir tal profundidade e, pelo menos nos últimos mil pés que percorrera, já não captava mais qualquer mensagem de seus colegas expedicionários. Restava apenas o poderoso sinal psicográfico mantido pela esfera de bronze em sua virilha para que pudesse enviar esparsas mensagens para Sam.

Quando já crescia o temor em seu íntimo, a total escuridão a sua volta, o peso quase insuportável a lhe esmagar o crânio e a entorpecer os sentidos, a solidão completa das profundezas, o silêncio e a desagradável sensação de que não alcançaria seu destino, em contrapartida a euforia que sentia fruto dos efeitos alucinógenos que afetavam sua consciência e traziam uma estranha alegria que mais se parecia com o sorriso da morte – a morte sorria e sorria continuamente, sorria e sorria intermitentemente, sorria e sorria regularmente, sorria e sorria assincronamente –, Willa despertou da auto-hipnose sob a influência de uma luz muito distante formando-se na escuridão de seus olhos. Enfim, captou: "*Marianas em ponto-dezesseis léguas*" – algo em torno de três mil pés –, era o que ansiosamente aguardava. *Pelo Pai*, foi o que conseguiu pensar em alívio. Com a perspectiva de alcançar seu destino, Willa fez um último comunicado, embora sequer pudesse prever se seu parceiro o receberia ou tampouco captaria qualquer sinal pretérito:

– Marianas à vista – emitiu. Sam captou, em seguida:

– Aguardando confirmação do complemento da missão – comunicou o chefe, esperando que Willa ratificasse a mensagem, fosse com sinapses, fosse com o silêncio, o que indicaria que alcançou o futuro ultracontemporâneo. Como Willa não captou o pedido de confirmação de Sam, ao silêncio do parceiro, ela emitiu suas últimas sinapses:

– Adeus, Sam! – despediu-se, mas o silêncio se fez igual para ele.

– Declarada perda de sinal multividual – ratificou o chefe expedicionário, anunciando aos colegas o término da missão: – Missão Jacques Piccard concluída.

– Será que conseguiste alcançar o intramundo? – questionou Nhoc ao par de Willa ao seu lado na câmara secreta atrás da sala do trono do antigo imperador chinês.

– Saberemos assim que o comando da missão nos enviar um sinal.

– E qual o prazo para obter uma confirmação?

– Aguardamos confirmação a qualquer instante. Calculo que na próxima janela de 48 horas-terra obtenhamos uma – estimou a alienígena.

– *Ho, ho*! Espero que as próximas 48 horas não se tornem 48 anos, caso contrário... – Seria tarde demais, insinuou Nhoc.

Apesar de não mais captar nada oriundo do passado que emergiu, a solidão da Fossa não mais assustava Willa. O destino já era visível e os sinais passaram a se repetir continuamente, guiando-a pelo caminho correto. Bastava manter a concentração para a fase de descompressão magnética no instante em que cruzasse a última fronteira do túnel aquático e adentrasse o perímetro da plataforma para, enfim, declarar missão cumprida. No trecho final, sua velocidade beirava 200 nós, precisava reduzi-la para 40 nós antes de penetrar na cidade subterrânea, pois, se o fizesse em alta velocidade, seu corpo inflaria muito rápido, o que poderia causar uma embolia em seus lóbulos carbônicos, ocasionando desde a perda de sentidos até a morte ou, pior, redundando em sequelas de difícil remédio como a demência – não podia permitir que a excitação a afetasse. Na marca precisa de 33.458 pés de profundidade, captou:

"*Marianas: periferia urbana*".

Willa se manteve indefectível, cumpriu os procedimentos finais com precisão e, "pela *Mãe*", foi tomada pela confortável leveza da ultracontemporaneidade se materializando a sua volta. O que antes se resumia a uma estreita faixa de luz ao longínquo, aos poucos ganhou a panorâmica mais ampla de sua vista, e o que era o breu total se transformou em um mar de luzes. Já podia captar os rios energéticos distribuindo-se como longos circuitos na superfície da plataforma, um imenso continente cujas cidades formam *chips* e estradas eram percorridas pela eletricidade, mas que tem lá suas áreas para que as "formigas" possam conviver e criar suas Ágoras ou praças sexuais. No centro, uma forte claridade branca, como um enorme parque industrial, mesmo que muito distante, delineava o centro da plataforma aonde se endereçavam as centrais de processamento matemático – por si só, uma cidade à parte com mais de mil quilômetros quadrados. Ao redor, pentes de memória virtual despontavam como edifícios de cristal. Ao longe, ao que se transparecia como enormes paredes cobrindo o horizonte, placas piramidais de entrada e saída ganhavam os céus do intramundo fazendo contato com a vegetação que cobria o leito Pacífico e a costa sudoeste da Ásia, estendendo-se ao sul diretamente conectadas aos grandes recifes de corais, o maior da Terra, localizado na costa *aussie*. No mesmo recife que, em plano pretérito dimensional paralelo, seus pares que agora formaram um conjunto multidimensional desconectado e independente do atual pentagonal, permaneciam executando o trabalho de semeadura em busca de um contato com o mesmo futuro que a ex-alienígena já desfrutava salvo retorno.

Lentamente, sem mais precisar de seu dimensiolábio – o *gadget* informava o ano-terra de 886.227 d.C. no instante em que atravessou o perímetro da plataforma –, Willa se permitiu flutuar em direção ao que captava com os olhos e os sinais indicativos emitidos pela plataforma. *Enfim, Marianas*, gozou – enquanto prosseguia em direção à margem do continente artificial, sentindo-se não livre, mas leve e solta, sobretudo feliz pela sensação de estar de volta à *sua* atualidade, de volta ao lar – protegida pela zona de conforto proporcionada pela civilização.

A sensação de leveza foi interrompida por um último sinal que captou: "*Marianas, perímetro urbano*", seguido da força-peso tomando seu corpo – Willa não mais flutuava na água, penetrara o céu da plataforma. Sentiu a solução de oxigênio envolvendo seu corpo, o ar lhe refrescando os sentidos. O mesmo ar que torna possível a engenharia de tais colossais intramundos, construídos com hidrogênio quebrando moléculas de água oriundas do núcleo planetário, assim gerando o oxigênio que preenche as cavernas interioranas, permitindo expandi-las como bolhas de enormes proporções e mantê-las estáveis. Não fosse isso, colapsariam perante o peso e a pressão da crosta. Willa estava caindo, despencando rumo ao solo do intramundo.

Calmamente, abriu suas asas e flutuou no ar, contendo a rápida descida, apenas desfrutando o momento, o prazer pelo dever cumprido. Imediatamente, dando seguimento à importante tarefa que a levara de volta para o futuro: entrar em contato com o comando da missão, comunicar o *status* de sua expedição e formalizar um pedido de socorro, esperando que, uma vez no futuro, o comando enviasse um sinal de contato para o pretérito do qual acabara de emergir. Se o comando da missão aprovaria o envio de um novo robô de navegação para seus parceiros que ficaram para o passado, ainda era incerto, mas, uma vez que estava de volta ao plano originário, poderia até pleitear o envio de um frisbee transdimensional de resgate. De qualquer forma, sua volta garantia o sucesso da empreitada – o momento era de pura felicidade, de orgulho pelo feito, de autoafirmação pelo que se propôs a fazer e obteve sucesso.

No ar, a cerca de trinta mil pés do solo, Willa captou e sintonizou o sinal da cosmonet – *Ufa!*, pensou, *Estou de volta.* Conectou-se à rede e emitiu seu número de CP[3], a sua identificação pessoal, dessa forma oficializando seu *login* na atualidade. Tão logo se logou na consciência cósmica, uma mensagem foi-lhe prontamente transmitida. Um aviso da entidade *Pai*, todavia, muito longe de ser uma saudação de boas-vindas:

– Você tem o direito de permanecer em sítio atual, toda energia empregada clandestinamente contra esse fim poderá ser utilizada contra você. Você tem direito a se locomover e a se restaurar por vontade própria, mas ninguém poderá lhe fornecer créditos sem que lhe cobrem o devido mérito. Você compreende esses direitos? – emitiu a entidade. Willa estava presa. Presa na Terra. Confinada em Marianas.

– Ora, *Pai*, deixe de formalidades – respondeu Willa, sem dar muita bola para o comunicado, já que esperava por isso. Era prova de que sua expedição estava a salvo, havia aportado em um futuro quando já se tinha ciência do ocorrido em pretérito. Um plano raso no rol da atualidade, ainda assim, à frente de qualquer pretérito por mais subjuntivo que fosse, passível de, potencialmente, captar qualquer plano quadrado. Em suma, um futuro em que o sinal que tanto buscavam contato a partir do passado já havia retornado, o que significava que um dos canais que estavam abrindo, na Amazônia, nos recifes de coral ou mesmo na órbita terrestre via feixe-solar, havia se efetivado. Pouco importava qual, somente que todos seus parceiros estavam salvos, Sam, a *Nave* e seus colegas robóticos – restava apenas saber se Nhoc também se salvaria –, sobretudo, salvos os preciosos dados angariados em pesquisa. Preciosos ao menos para a ciência, pois o comunicado do *Pai* comprovava que muito ainda iria se debater a respeito. Restava saber quais os detalhes que a levaram a ser sentenciada.

---

[3] Sigla para "Cosmonet Protocol", protocolo da cosmonet.

Ainda assim, dentro de todo esse contexto, por tudo que viveu para conseguir retornar, sua prisão era um detalhe de pouca importância.

Apesar de presa, seu cárcere seria brevíssimo. Confinada à Terra, Willa evacuaria o planeta junto com a plataforma inteira pouco antes do Armageddon programado para curto horizonte. Pelas leis vigentes, caberia somente a si determinar o destino para sua evacuação, e sabia exatamente qual seria esse: Titã, onde rapidamente acumularia milhagens exercendo a mesma função que exercia antes de embarcar no Portal Tetradimensional, a de expedicionária dimensionauta e *hominóloga*.

79

Nhoc no Sol

No plano pretérito de largada da travessia do túnel das Marianas, Sawmill^{A}, seus colegas expedicionários e o alienígena Nhoc não tinham como confirmar o sucesso da missão. No máximo, tinham ciência de que Willa alcançara a ultracontemporaneidade. Todavia, se havia alcançado Marianas ou perecido às margens da plataforma, somente um sinal oriundo do futuro ratificaria o complemento da travessia com o subsequente envio do socorro que tanto aguardavam.

Enquanto a comunicação não se efetivava – já que, em relação ao futuro, os desdobramentos em pretérito não são instantâneos: existe um lapso horizontal até que um canal seja estabelecido e se localize o sinal que os expedicionários disseminavam, ainda em estágio primário de germinação –, a atenção de Sawmill^{A} retornou para a leitura da mente de Nhoc. E o grande marco seguinte de sua história de vida era a chegada do homiquântico ao Sol.

A assolissagem, por si só, era diferente de tudo, até porque era uma tradição de quem migrava para o Sol, ao menos entre os mais sonhadores como Nhoc, não rodar simulações justo para experienciá-la de maneira inédita. Afinal, que graça teria se a própria viagem em si se dá em ambiente simulático? Ainda que não fosse, se se pudesse ver ou sentir algo durante o trajeto – especialmente na aproximação final e no instante em que o módulo penetra a atmosfera solar –, seria o branco total da luz em intensidade máxima, seus glóbulos oculares instantaneamente cegos e a pressão ardorosa do corpo imediatamente cozido, dissolvido na radiação solar. Nada disso acontecia dada a proteção do módulo de assolissagem, cujo modelo não se diferenciava muito em estrutura e dinâmica de uma astronave *flex*, exceto pelo porte, com capacidade para mais de oito mil passageiros – um número que na época de Nhoc era recorde, maior que qualquer bumerangue então disponível – e um *design* que contava com janelinhas circulares de plasma transparente ao redor do casco, bem no centro da estrutura, permitindo aos passageiros contemplarem um pouco da paisagem durante o lançamento e a chegada.

Por mais estranho que possa soar para alguém que porventura nunca tenha se inteirado do processo de assolissagem, a viagem se dava no escuro embora o destino fosse o Sol, dado que o módulo trafegava em meio a uma série de gigantescos prismas lapidados justo com este fim: divergir a luz e, de maneira bem calculada, canalizá-la. Para isso não bastava um ou alguns prismas, em se tratando de uma fonte como o astro-rei, eram necessários cristais colossais, das proporções de uma pequena lua – como Deimos, por exemplo – e em maior número quanto possível. Havia um mínimo, evidentemente, mas, tratando-se do Sol, não havia um máximo, tampouco limite. Quanto mais, melhor.

O módulo de Nhoc viajava em meio a 111 prismas, pouco acima do mínimo para divergir luz o suficiente para que, ao menos dois terços deles, pousassem relativamente intactos na fotosfera no ponto predeterminado para iniciarem o trabalho de represa. Ou seja, no ponto de manobra e posicionamento na fotosfera, conforme requerido para permanecerem estáveis, o que era executado com explosões de bombas de fissão ou de fusão atômica. Uma vez posicionados, os cristais passavam a divergir a energia que alimenta o feixe-solar. Todavia, durante o trajeto partindo de Mercúrio, atuavam como um escudo antirradiação para os módulos de transporte que trafegam junto aos comboios, lançados "à sombra" do mesmo com extrema precisão. Em função disso, em seu interior, a única visão que se obteria a olhos nus através da janela seria o breu total. Em contrapartida, com o auxílio de certa intermediação, era possível observar, através dos prismas, como gigantescos prédios flutuando ao redor do módulo formando um caleidoscópio monocromático, o branco da luz incidindo na ponta desses arranha-céus e divergindo em múltiplas faixas em meio a um firmamento igualmente branco. Um branco impossível de se captar em qualquer outro ponto da heliosfera, impossível de simular imageticamente.

Mas, evidentemente, ainda que os passageiros viajassem em estado de suspensão magnética, seus cérebros mantinham-se ativos rodando simulações, talvez não tão personalizáveis como no mundo de Willa, mas que ofereciam ao menos meia dúzia de cores para pintar o Sol e um painel para regular brilho, contraste e matiz das cores que, a olho nu, seriam todas brancas. Só assim para ao menos degustar parte da insólita paisagem solar, por si só tão vasta que não haveria memória capaz de renderizá-la ou glóbulo ocular capaz de englobá-la 360°: o mar de fogo tomando o horizonte, uma tal paisagem que ninguém cogita mirar para trás, apenas em focar o gigantesco astro como se estivesse hipnotizado por ele. Ao chegar mais próximo da fotosfera, quando se vislumbra as evaginações da coroa solar, era possível captar o fogo engolfando os cristais e o módulo a sua sombra ao atravessar os pingentes que saltam aquém do mar de *plasma*, para ser exato, mas que em nada diferem de qualquer labareda de fogo senão pela cor e pelo *tamanho* – capazes de englobar um planeta como Mercúrio ou Marte –, além do calor que, não fossem os cristais, volatizaria instantaneamente os passageiros que admiravam tal beleza. Estes que, pelas simulações em suas mentes, resumiam-se em curtir o fogo sendo extinto pelos prismas, furando os pingentes e os atravessando sem maiores danos ao conjunto que trafegava como um grupo de meteoros precipitando-se na atmosfera solar, tendo o módulo como um mero detrito preso ao vácuo gerado pelo comboio cristalino.

Se, para alguém que desconhecesse a técnica de arremesso de cristais, a viagem causava certa fobia de que o módulo pudesse ser esmagado pelos prismas que trafegam proximamente em uma grande colisão, para Nhoc, que conhecia bem os cálculos de arremesso, a simulação era só um atrativo adicional, sequer se preocupava com isso, pois conhecia os números e a precisão do processo muito bem. Tinha perfeita ciência de que o risco de um choque fatal era irrelevante. De fato, em seu cérebro circulava a emoção de se aproximar do destino que tanto almejou em sua vida e a expectativa para estar em plasma e espírito com seu grande amor, Xwer, após longos 689 anos-terra de convivência exclusivamente virtual.

Ao penetrar na atmosfera solar, finalmente Titã surgia como um ponto preto em contraste ao mar amarelo ou vermelho, essas que eram as frequências mais comuns que os passageiros configuravam a coloração do Sol. Titã transparecia como um ponto que crescia como um alvo do qual os cristais pareciam desviar, pois, de fato, era o que faziam. A rota dos cristais sempre se destinava à linha perimetral que separa Titã do mar de luz que preenche a fotosfera, na parte limítrofe de sua periferia onde eram depositados para expandir as áreas de ocupação. Aos poucos, incrementavam a capacidade de captação de energia e delineavam novos terrenos a serem futuramente ocupados por usinas de plasma e a crescente população imigrante. Exatamente nesse instante, quando os prismas assumiam a rota para se depositarem nas cercanias de Titã, os módulos de assolissagem eram ativados e redirecionados à superfície do planeta fotossolar. Uma vez que penetravam em sua penumbra, o astro revelava todo seu esplendor: uma enorme superfície, ínfima, se comparada à estrela que o sustenta, mas de perder de vista seus limites ao se aproximar minimamente, que parecia não ter fim – nessa época, a superfície de Titã equivalia à de Marte aproximadamente, mas resumida a uma área urbanizada similar à da Lua. Tão logo os módulos se encontrassem a salvo, envoltos pela penumbra de Titã, os robôs que os conduziam anunciavam a aproximação final e reanimavam os corpos dos passageiros para que eles pudessem observar a paisagem ao vivo através das janelas. Sendo, então, possível mirar os vales, os picos e os acidentes geográficos formados pelos prismas, tão irregulares quanto em um orbe qualquer. Em contrapartida, constituídos por um único elemento, o carbono artificial que dava forma aos cristais e ao próprio planeta. Um planeta de plasma solidificado, totalmente diamantino, com montanhas e edificações em forma de joias, lapidadas para abrigar cidades com construções translúcidas escavadas para oferecer habitações, áreas de lazer, institutos, centrais de comunicação, distribuição de luz e dados *et cetera*. Afinal, em contrapartida à zona escura gerada pelos cristais que sustentam o astro – de longe, visto como uma mera mancha escura boiando na fotosfera solar –, sua superfície é muito bem iluminada, possui temperatura e pressão agradáveis, sempre estáveis, facilmente reguladas pela manipulação de cristais menores, que serviam de aparato para tudo que se necessitasse, especialmente para manutenção de um *habitat* compatível à sobrevida das classes homiquântica e robótica.

Já próximo da superfície, quando o módulo iniciava o processo de assolissagem propriamente dito, a vista se perdia da panorâmica urbanizada de Titã e o vazio das desérticas regiões periféricas, escuras por serem inabitadas, dava um ar melancólico à paisagem. Dado que a partir do Sol não havia lançamentos, sequer existia um espaçoporto que atendesse à região, somente uma área de pouso e desembarque próxima a um túnel de acesso à capital Ciência. Uma área totalmente erma, sem sequer um homiquântico para das boas-vindas aos novos imigrantes, os quais eram recepcionados por robôs. O local nada mais era do que um amplo espaço vazio em que as naves pousavam para depois serem descartadas, pois, uma vez em solo, imediatamente se tornavam entulho, dado que despendem suas reservas por completo no processo de desaceleração do pouso. Então eram simplesmente lançadas ao Sol para se reciclarem em forma de energia, já que não possuíam utilidade por ali, onde o transporte convencional era tão veloz e eficiente, sobretudo, econômico e autossustentável – pois requeria apenas a forte gravidade disponível para, inclusive, gerar o vácuo que permitia às pessoas desgrudarem-se do chão. Todavia, não permitia uma nave decolar ou, em tese, teriam um consumo excessivo apenas para trafegar dentro dos limites do próprio planeta apesar de contarem com uma fonte de abastecimento inesgotável.

Nhoc desembarcou do módulo e, com seus pés finalmente fincados no Sol, mirou a paisagem ao redor. Porém, não havia nada de especial, pois o mais notável era impossível de ser notado, já que o Sol ficava escondido abaixo do solo, eternamente ausente do céu. Ao contrário dos planetas heliosféricos onde o astro-rei dita o ritmo de vida da sociedade pela luz que emana, em Titã o céu era escuro e delimitado no horizonte por uma radiação branca formando um contraste com a negritude que se vê no firmamento em regiões distantes da civilização ou das usinas de plasma. Exatamente como Nhoc observava na área de desembarque em que se situava, talvez sendo essa a única peculiaridade do planeta que tanto sonhara colocar os pés: o céu alvinegro – embora houvesse períodos, conforme as estações do dia solar, que era possível captar uma faixa policromática transitando entre o preto e o branco do firmamento. Até nas cidades, conforme testemunharia em breve, as luzes perdiam-se na escuridão formada pela negra penumbra dos cristais como uma eterna noite sem estrelas, que preenchia a panorâmica até onde a vista se deparava com a radiação solar e sua absoluta brancura.

Aliás, o dia e o ano solar representavam outra característica intrínseca do Sol, pois eram medidas invertidas. Em Titã, o dia fazia referência ao ano, e o ano ao dia – o que era lógico, pois Titã é fotoestacionário e mantém sempre a mesma face, a floresta de cristais que o sustenta na fotosfera, voltada para o núcleo. Desse modo, o planeta precisa dar uma volta completa em torno do Sol para completar uma rotação sobre si mesmo, ou seja, para completar um *dia*, o que toma entre 80 e 120 dias-terra conforme o humor da atmosfera solar. Ao passo que o núcleo solar toma apenas 24 dias-terra para rotacionar em torno de si mesmo e, assim, completar um dia. Ou seja, período em que se comemorava a volta em torno do núcleo solar, o ano-titã.

Nesse instante, os delírios de Nhoc foram interrompidos por um robô:

– Operacional teu traje está, ao túnel de evacuação, peço que prossiga, patrão – comunicou em referência ao traje de Nhoc, a roupa de cosmonauta, item de uso obrigatório em fotosfera-presente, como se pensava por ali. Embora a sobrevida sem roupa em Titã fosse possível, certas áreas eram sujeitas a tempestades radioativas que poderiam facilmente cozer um homiquântico em poucos segundos. Todavia, o uso obrigatório na área de desembarque se dava pelo frio, próximo ao zero absoluto, passível de vitimar qualquer um com um quadro de hipotermia.

– Não vou pelo túnel – respondeu Nhoc. – Estou aguardando meu transporte.

– O dimensionauta, és tu? Nhoc?

– Sim, sou eu.

– Notar tua patente, furtei-me. Seu perdão, peço, excelência. Ineficiência minha isto é. A admirar o céu por isso estavas, lógico. Neste lugar tão ermo a mirar um céu tão sem graça, se não um dimensionauta, quem mais dispensaria horizonte? Que teria algum problema com teu traje, erroneamente condicionei – concluiu o robô. Depois questionou: – Funcionais, tuas sapatilhas estão?

– Perfeitamente – confirmou Nhoc. As sapatilhas eram um dos itens fundamentais da veste para permitirem um homiquântico caminhar em desertos de gelo como aquele. – Mas não te reformates por isso, caro...?

– Humildemente, *Gari*. Lisonjeado, fico. Vossa excelência abandonar a área de desembarque, aguardo, para a remoção desses módulos para reciclagem, autorizar. Para a rampa a 58°, prossiga. Teu transporte, lá o aguarda.

– Muito obrigado, *Gari*.

– Um prazer, excelência. Que direção prosseguir, da próxima vez, já gravas.

– Próxima vez?! – não compreendeu Nhoc. *Teria o teletransporte sido inaugurado naquele instante? Pois como haveria próxima vez se era impossível deixar Titã, se estava preso à gravidade solar?* – pensou. *Ou será que esse robô de alguma forma sabe que um dia retornarei do pretérito até aqui?*

– Uma anedota isto é, excelência.

O pequeno diálogo dava a noção de como os dimensionautas eram bem quistos pela sociedade homiquântica e extremamente respeitados, sobretudo em Titã. Não obstante, desfrutavam de privilégios meritocráticos que poucos cidadãos tinham acesso. Ao contrário dos comuns, que se dirigiam da área de desembarque ao centro urbano de Ciência por túneis gravitológicos, Nhoc contava com transporte exclusivo para levá-lo aonde quisesse. No caso, uma bala digravitacional – o equivalente a um táxi. Assim, dirigiu-se à rampa de acesso e lá estava a bala, como uma limusine, aguardando-o. Adentrou o veículo e endereçou seu destino ao robô condutor:

– Ciência, Motel da Matiz Magenta, por favor. – Local em que seu grande amor, Xwer, aguardava-o. Nada mais que um ambiente cristalizado, hermeticamente seguro, com gravidade artificial semelhante à marciana para que as pessoas pudessem se confraternizar sem a necessidade de utilizar um traje de segurança. Afinal, como poderiam se beijar com uma redoma de plasma temperado lhes envolvendo a cabeça?

No Sol, em Titã, na capital Ciência, sua chegada e seus primeiros horizontes foram assim, de turismo e namoro. Nhoc e Xwer desbravaram o planeta em suas mais notórias atrações, com o parceiro que há largo por lá vivia com muito gosto se fazendo cicerone. Xwer mostrou para Nhoc todas as belezas que antes só conhecia pela consciência cósmica ou que havia reservado para que o parceiro lhe mostrasse quando enfim estivessem juntos em plasma. Assim, entre beijos e carícias, físicas e virtuais, os dois passearam pelas usinas de plasma para observar o árduo trabalho de represa e as grandes explosões atômicas que, no Sol, mais pareciam brincadeira de estourar biriba. Mas nada disso se comparava a Ciência, a cidade-luz, da abundância luminosa, que, inclusive, contava com uma filosofia de vida que atraía imigrantes ao Sol somente para se banhar nela. Para quem não bastava viver *da* luz, criam que a evolução só seria plena pela total transformação *em* luz – *Infelizes ignorantes*, pensou Sawmill[A], lembrando que o *Pai*, um ser de pura luz, um dia pensou assim e tentou evoluir o cosmo para que fosse habitado única e exclusivamente por seres a sua imagem e semelhança, de pura luz, robôs como ele. Viver de e pela luz era uma corrente de pensamento que confrontava, mas, ao mesmo horizonte, colocava-se como massa de manobra pelos cérebros da classe cientóloga, a qual compunha a verdadeira elite político-intelectual de Titã, o que incluía *Nova* e a comunidade robótica.

Em Ciência, Nhoc experienciou o que talvez fosse o maior contraste da sociedade homiquântica, um planeta artificial fruto da mais pontual tecnologia de colonização, em contrapartida à vida simples, minimalista, totalmente ausente de vida selvagem, praticamente virtual não fossem os motéis, praças e áreas de confraternização que existiam aos montes em Titã. Mas se a vida atual era limitada, a virtual era riquíssima, ao menos para os padrões da época, já que não existia no cosmo melhor sinal e tecnologia de transmissão de dados do que a disponível no Sol, onde a instantaneidade era tão simultânea que transitava para o passado. Não era por menos que ali, em Ciência, sediava-se o famoso Portal Tetradimensional e igualmente se dava a origem do chamado "rol da atualidade", o que se traduzia por uma medida que só *Nova* conseguia observar: a *futurama*, a capacidade de navegar tanto para o passado quanto para o futuro formando um conjunto dimensional agregado, ou *desfragmentado*, como classificaria a sociedade quântica que tomou governo do cosmo a seguir. Até então, a faixa de atualidade marciana, embora a maioria de seus cidadãos sequer soubesse da existência de tal faixa, navegava exclusivamente em sentido pentagonal através do feixe-solar em sua transição de Mercúrio a Marte e vice-versa. Porém, no Sol, esse leque também abrangia o pretérito, apesar de esse pretérito só existir na matemática de *Nova*. Por outro lado, em Ciência, já era possível se realizar certos experimentos de viagem no *tempo* sentido quadrado na atualidade local, embora resumida a poucos segundos, mas que ainda assim serviam de validação empírica para a teoria de *Nova* e a diretriz farturômica que alimentava Titã no sentido de ampliar esse leque tão logo o feixe-solar conectasse o teletransporte até Mercúrio. Mal sabia Nhoc, ou tampouco Xwer e qualquer marciano que habitasse Ciência, que estavam testemunhando o nascimento de um futuro inimaginável à época, que esse rol de poucos segundos entre passado e futuro se tornaria um rol de aproximados catorze mil anos-terra passado-futuro na ultracontemporaneidade dos leitores de sua mente.

Nesse ponto da leitura, os expedicionários quânticos estavam completamente extasiados por contemplar a história de sua própria civilização. Embora tudo que Nhoc compartilhasse mais se parecesse uma novela de época, não deixava de ser contagiante pela oportunidade de testemunhar algo da mente de quem viveu tal período. Algo bastante diferente de observar a mesma época através das politecas de história e suas respectivas simulações, por mais interativas que fossem, inclusive por notar que muitas coisas não haviam mudado, apenas melhorado ou ampliado. Por exemplo, o teletransporte pela força *G* disponível em Titã, para o qual basta programar seu destino e mergulhar em um dos muitos túneis *G*, existia um praticamente a cada *prismão* – uma área definida pela base de um cristal ou parte dela. Como a força *G* é muito forte em Titã, um túnel orientado pela gravidade é o que basta para iniciar a reação de desmaterialização através de uma tangente dinâmica que formam esses túneis, transportando a matéria de um ponto a outro instantaneamente. A única diferença em relação ao futuro da leitora era que, na Idade Contemporânea, esses túneis eram limitados às próprias cercanias do astro fotossolar, enquanto na ultracontemporaneidade o sujeito chega a viajar em torno do núcleo solar até se materializar de volta em Titã em qualquer ponto do rol de atualidade, este que é bem mais amplo, conforme lembrado.

Em Titã, todo o transporte material é realizado através desses túneis *G*, sejam *mades* ou convencionais, mas, no período de Nhoc, não possuíam autonomia a nível *mades*, por isso se tratavam de passagens estreitas em que os homiquânticos eram obrigados a trafegar enfileirados em um único trem – inclusive as balas digravitacionais contavam com corredores exclusivos. Ou seja, tudo muito ao contrário do transporte de força *G* do futuro e suas amplas vias com capacidade para trafegar vários trens simultaneamente, e quando os táxis eram raríssimos. Para Sawmill[A], mais que o inusitado por contemplar parte do nascimento de sua atualidade, era testemunhar como os homiquânticos se valiam de soluções tão arcaicas para desfrutar de seu planeta.

Mas as facilidades de Titã em nada se comparavam à beleza dos centros urbanos, em especial, da capital Ciência. Nhoc e Xwer dispensaram boas férias passeando e conhecendo as redondezas entre *chats* e beijos. Em contrapartida à falta do Sol no horizonte, os matizes de luz com os quais se podia pintar e clarear ruas ou habitações eram infinitivos. Os espaços e as edificações eram muitas vezes delineados por essas luzes multicoloridas: o bairro Cyan, a vizinhança Magenta e daí por diante. Todavia, nas áreas industriais, a matiz predominante era o mesmo amarelo do Sol e, por questões de segurança, o preto para criar um contraste. Em Titã, a balada é de luz, os shows são muito mais cromáticos que quaisquer outras frequências, além disso, extremamente profissionais e, não obstante, de cunho meritocrático altamente creditado. Assim como os melhores pilotos de vimana nasciam nas competições de Fórmula, os melhores pianistas – os matemáticos programadores do piano-solar – nasciam nas orquestras de luz de Ciência. Dado que a operação do piano nada mais é do que a manipulação de uma partícula, o fóton *long*, o que equivaleria a tocar um instrumento de uma corda só; mas, ao compor a luz, são infinitas frequências, infinitas cordas, assim como são as notas do piano-solar, fator que torna possível utilizá-las para transmissão de dados pela extensão e pela instantaneidade do *long* ao longo do feixe-solar – por isso, se havia notoriedade pública que fosse mais prestigiada que a classe dos dimensionautas, em Titã, essa classe era a dos maestros de luz. Não por menos, Ciência era o distrito cósmico que liderava a estética artística do período que influenciou as gerações subsequentes e deixou marcas que perduravam até na ultracontemporaneidade de Sawmill[A]: o *Solarismo*.

Um exemplo era o Caleidoscópio do Olho de Júpiter, fruto desse movimento que, além de artístico, foi também matemático. O próprio conceito de balada, à parte a ausência de sexo dos homiquânticos, passou a ser redefinido pelo Solarismo nascido e enraizado em Ciência. Claro que aos olhos ultracontemporâneos muita coisa mudou. Aos sensos de Sawmill[A], uma balada como as de Nhoc em Titã, mais se parecia com uma missa à luz de velas. Fosse para delinear o patamar que diferenciava as espécies entre leitores e locutor, a relação gravitológica do público era o contraste mais notável, afinal, os homiquânticos ainda *andavam* pelo solo. Outros detalhes, conforme criticava Nhoc, só mudariam de nomenclatura, como "show" para "vibração" ou "maestro" para "Jedi". De qualquer modo, isso demonstrava, como Sawmill[A] nunca antes havia captado, justamente o que os filósofos historiadores costumavam compartilhar, que "os quânticos nada fizeram do cosmo senão herdá-lo dos homiquânticos" – nem havia mesmo como contra-argumentar, pois até a Constituição Cósmica ainda em vigor na atualidade dos leitores tratava-se de um texto redigido pela homiquântica.

Além disso, a faixa policromática que embelezava Titã não se resumia a uma manifestação artística. Em primeira instância, tratava-se de uma questão de sobrevida na fotosfera solar. Em segunda, de qualidade de vida. Ora, se o Sol não brilha no firmamento, pelo contrário, esconde-se abaixo do solo, a luz de Ciência, então, vem do chão e não do céu. É do chão, à base dos gigantescos prismas que formam Titã, de onde flui a luz que ilumina as cidades, as fábricas, e aquece a gélida penumbra que sustenta os *habitat* compatíveis à vida homiquântica. E não só, gera o vácuo que redunda no magnetismo para emular a gravidade artificial para que as pessoas não fiquem presas no solo pela poderosa força *G* do astro-rei ou precisem trajar uma veste de segurança em horizonte contínuo, quando nas áreas urbanizadas lhe bastam a energia canalizada dos cristais diretamente para as sapatilhas do traje. Ou seja, em Titã, o uso de sapatos era uma necessidade básica e, também, uma moda. Para Sawmill[A], a veste de segurança era, embora os homiquânticos não observassem isso, um pré-projeto ou rascunho do que viria a ser a pele da espécie quântica, que rescinde de um suporte assim para subsistir em Titã. Antes de tudo, a luz é um item de segurança para a sociedade solar. A começar pela própria localização dos centros urbanos, situados em grandes vales nas proximidades de um rio de luz canalizado para abastecimento da população, sempre em planícies formadas pelos cristais, por si só, capazes de proteger as populações das intempéries fotossolares. Ao contrário dos planaltos que tomam o topo das cordilheiras prismáticas, cujo uso da veste de segurança torna-se obrigatório ainda que muitos adeptos da cultura solarística se aventurassem, como um desporto, a escalar esses cristais para se banharem na radiação solar.

Nhoc chegou a realizar algumas caminhadas e escaladas em cristais como costumava fazer em outros *habitat*, mas sempre utilizando a veste de segurança e acompanhado de montanhistas experientes para guiá-lo. Para alguns dos anciões que atingiam o limite Alzheimer, esse costume era um ritual. Eles escalavam os planaltos e apenas caminhavam na umbra até serem congelados e ou cozidos pela radiação. Outros preferiam se lançar ritualisticamente no Sol para uma morte mais glamourosa e instantânea. Mas a maioria optava mesmo pelos tratamentos de ortotanásia: a criogenia ou a extensão de memória àqueles que mantinham a esperança de que o teletransporte fosse inaugurado em futuro-próximo, assim os permitindo deixar a fotosfera e retornar ou se despedir da vida na zona de vácuo-solar; quem sabe então pleitear um transplante de cérebro, uma lobotomia regressiva e outras ilusões tantas que a fé de muitos confortava o espírito ao se defrontarem com o fato absoluto de que o Sol seria seu túmulo.

Na contramão de tanta abundância luminosa, outro item fundamental de segurança traduzia-se pela sinapse *protetor solar* ou filtro, a começar pela veste, que seria o filtro ideal. A partir daí não acabava mais. O filtro, não no singular, era um fator tão incutido na vida de Titã que, muitas vezes, chegava a beirar o histerismo. Existiam pessoas que dedicavam suas vidas para lapidar o prisma perfeito para obter a luz ideal, a cor inédita, a ambiência harmônica e tudo que fosse possível imaginar pelas mais plurais motivações. Antes de tudo, uma expressão cultural que seguia a tendência do Plasmissismo e a confecção de prismas carbônicos pela manipulação do abundante plasma solar. Mas isso gerava muita intriga social, de pessoas que não frequentavam certos ambientes ou vizinhanças que não emitissem determinadas frequências, que se tornavam dependentes de banhos radioativos ou abarrotavam as praças para se banhar quando o espectro estava favorável. Outros permaneciam inertes por longo período manipulando cristais para captar luz ou criar uma cor – isso sem mencionar os adoradores da luz, que também tinham suas preferências de filtros. Existiam lojas de luz, de cristais, de filtros caleidoscópios e, evidentemente, de bronzeadores e tatuadores que utilizavam a radiação do Sol para pintar e desenhar na pele. Havia até bar de luz que servia *drink* radioativo em copo de cristal. Entre os objetos mais comuns do artesanato solar constavam os arco-íris portáteis, as lanternas e os abajures, mas o item mais procurado era mesmo o protetor solar. Por isso era muito comum existirem indivíduos acumuladores em Titã; era fácil notá-los, sempre portavam colar, cinto e pulseira, entre outros adereços cristalinos e ornamentos diversos. Todavia, não eram joias que ostentavam, e sim diferentes filtros e cristais que colecionavam ou utilizavam de forma terapêutica. Aliás, outro costume em Ciência era a terapia de cristais ou de luz. Em suma, os matizes do Sol, as frequências de luz, o brilho e o contraste, as escalas de cor e as inúmeras radiações disponíveis na fotosfera ditavam a moda e o ritmo do ano a ano a nível material em Titã, ou melhor, a nível energético, pois sequer se repercutia sobre a matéria, apenas sobre a luz. Tanto que só lá existia uma psicopatia chamada *luminofobia*, o medo do escuro ou de específicas matizes e frequências de luz, bem como existia um hospital especializado em atendimentos de casos de insolação e oferecia tratamento para diversos quadros clínicos relacionados à contaminação radioativa ou exposição indevida ao relento.

Outro costume da Era Quântica herdado do período histórico-cultural contemporâneo de Nhoc eram os totens residuais, mais um item oriundo da absoluta adoração aos cristais que preenchia o imaginário popular de Titã. A diferença era que os totens tinham uma aplicação matemática. Apesar de nascidos como mais um atrativo lúdico, representavam uma apropriação dos cristais que compunham a infraestrutura da zona urbana de Ciência. Antes da moda, os prismas já eram utilizados para tudo, sobretudo para distribuir luz e dados pela cidade. Ao que bastava explorar suas características de dispersão, refração e reflexo para formar uma rede comutada por prismas diamantinos que forneciam energia, como em um autêntico jogo de espelhos que perpassava e cobria o planeta como um todo, dando acesso à consciência cósmica e atendendo à demanda conforme as necessidades de gestão da cidade. A cultura popular se apropriou dessa matemática para criar totens prismáticos que se distribuíam em praças e outras áreas públicas de concentração para refletir a imagem do próprio público como se fosse um caleidoscópio. Com o avançar dos horizontes, estendeu-se essa característica para que uma pessoa, ao mirar através do prisma, pudesse captar todas as pessoas que estivessem ao redor do totem.

Como se esse atrativo não bastasse por si só, os totens passaram a ser interligados, formando uma rede de videofone exclusiva que, aos poucos, tomou Titã por completo. Por todos os lugares nas cercanias do Sol se encontrava esses totens. Através deles era possível selecionar o reflexo de qualquer pessoa que estivesse na cidade – no início, somente em áreas abertas, mas na atualidade de Nhoc, em qualquer lugar. Inclusive em ambientes internos, nos quais, se não tinha um totem, tinha um prisma, como um sistema de vigilância, redistribuindo o reflexo das pessoas para a rede de totens. Era um dos charmes de Titã, ainda que, em termos práticos, fosse inútil, pois não permitia transmitir pensamentos, só a imagem das pessoas, e sequer era necessário para localizar alguém, o que seria muito mais fácil e eficaz pela consciência cósmica – bastava mandar uma requisição ou rodar uma busca para encontrar algum contato. A própria operação do sistema se dava pela rede de dados, sem a qual seria impossível sincronizar o reflexo dos populares e conectá-los através de incontáveis comutações prismáticas que cada vez mais se multiplicavam. Todavia, graças a essa expressão cultural de Titã, que muitas cidades ao longo do cosmo, ainda na ultracontemporaneidade, dispunham totens delineando vias, praças e parques, e, em lugares mais populosos, os mesmos tomavam a grandeza de obeliscos ou de pirâmides. Uma herança do Solarismo que ainda é costume e usual em muitos lugares, especialmente na heliosfera interior onde cidades superficiais são comuns, sempre exercendo a mesma função: nomear pessoas que estejam ao redor e servir como guia local de contatos. Ainda que, no futuro de Sawmill[A], os totens fossem meramente simbólicos, na maioria dos casos, residuais, e sua funcionalidade exclusivamente virtual.

Nhoc estava abismado com a cultura de Ciência, o povo e os costumes locais. No princípio, sentiu-se um etê, ou melhor, um ser extradimensional, pois tal sinapse sequer fazia sentido entre qualquer marciano. Xwer tentava apaziguar os ânimos do parceiro para que ele não se sentisse deslocado, mas a verdade é que Nhoc observava tudo sob um forte sentimento de melancolia, pois sabia que era apenas um passageiro por ali, que sua estada no Sol seria esparsa e tão breve quanto possível. Dali partiria para talvez não mais retornar ou retornar para um futuro em que tudo aquilo já não fosse mais o mesmo. A melancolia de Nhoc não era um sentimento isolado. No decorrer dos anos de férias solares ao lado do namorado, a tristeza e uma saudade antecipada de Xwer tomaram o cérebro de ambos os homiquânticos, pois se aproximava o horizonte em que precisava se apresentar à ACAE – Agência Cósmica de Administração do Espaço –, a instituição que administra o Portal Tetradimensional de Titã. Já era horizonte para iniciar o seu treinamento final como dimensionauta e aguardar a convocação para a missão, ainda sem janela de abertura estipulada, que o permitiria atravessar o Sol. A tristeza se dava pelo fato de Nhoc estar posicionado entre os próximos mil dimensionautas à espera de uma convocação, enquanto Xwer estava posicionado entre os 300 mil próximos, um lapso que escancarava um fato incontestável: ambos jamais teriam qualquer chance de realizar a travessia juntos. Naturalmente, Nhoc poderia aguardar o namorado se qualificar melhor para então pleitearem uma excursão conjunta, mas Xwer tinha plena ciência dos anseios do parceiro e jamais desejaria retardá-lo em seus propósitos depois de tudo que ele havia estudado e se preparado para obter um posicionamento tão privilegiado na fila de embarque. Ambos sabiam que o desfrute daquelas férias representava o fim de um sonho que por largo compartilharam, mas que jamais realizariam em conjunto.

Quando chegou o momento de Nhoc se apresentar à ACAE e de Xwer retornar para seu trabalho como operário nas usinas de plasma, os dois se encontravam na Praça do Obelisco, no centro cultural de Ciência, mirando o povo através do totem central da praça. Em meio à troca de lágrimas virtuais de ambos, as últimas sinapses de Xwer antes que se despedissem para todo o sempre foram:

– Nos vemos através dos cristais.

– Eu te amo, sempre te amarei – compartilhou Nhoc com extrema emoção.

– Eu sei. Igualmente lhe amo.

– Adeus.

– Adeus – retribuiu Xwer ao girar seu tronco, dar as costas a Nhoc e deixá-lo, enquanto o parceiro o observava através do reflexo do totem. A última e mais significativa memória que guardou de seu grande amor.

A tristeza pela separação de Xwer fez com que Nhoc chegasse mesmo a cogitar a possibilidade de abandonar seu projeto dimensionauta e tomar um emprego em uma usina ou represa de luz qualquer para permanecer ao lado de seu grande amor de plasma. Um amor que jamais viveria igual, isto não fosse seu grande amor virtual, Di Angelis, que testemunhara e se emocionara tanto quanto os homiquânticos em sua despedida. Apenas não compartilhava de igual sentimento, pois, como robô, não compreendia a relação plasmática entre ambos ou entre quaisquer humanoides, mas, sobretudo, por não estar incluso nessa relação. Pelo contrário, desfrutava de um posicionamento ainda mais privilegiado do que Nhoc na fila de espera para assumir o controle de um vimana em uma expedição tetradimensional, inclusive aguardava o parceiro para convocá-lo a compor sua tripulação quando solicitado. O robô programava estar com Nhoc quando chegasse sua vez, logicamente, então, não tinha por que se despedir dele ou tampouco de Xwer, já que, ao contrário dos humanoides que precisam se *mover* entre as dimensões, Di Angelis se permitia *copiar.*

– Comando <mover> um *bug* é – costumava sabiamente retuitar Di Angelis. Por isso, ao mesmo horizonte em que partiria para o passado com Nhoc, permaneceria em presente em direta conexão com Xwer. Eis a grande vantagem de ser robô, não que seja um ente ausente de sentimentos, sendo apenas destituído da aura de sofrimento cuja humanidade de seu intelecto não lhe afeta e, logicamente, não lhe faz sentido.

Não havia ciúmes no equilátero amoroso entre Nhoc, Xwer e Di Angelis, mas foi o sentimento pelo robô que supriu a dor da despedida após a breve, tão quanto intensa, janela de convivência material do casal homiquântico em Titã. Para os dois, o robô permaneceu firme e atencioso; aos dois, devia o muito do que evoluiu para se tornar psicólogo. Sentimentos à parte, de horizontes prévios o trio tinha plena ciência de que Xwer e Nhoc cumpririam destinos distintos. Xwer estava fadado a herdar o espaço deixado pelo segundo nas competições de Fórmula e conquistar todos os títulos que o parceiro não mais concorreria, já Nhoc seguiria como dimensionauta – Di Angelis estaria com ambos.

Naturalmente, o foco da leitura da mente de Nhoc perseguia o conjunto multividual que, antes da própria leitura em andamento se tornar possível, logrou seu objetivo de viajar para o passado. Pois é claro que houve inúmeros indivíduos de seu multivíduo que sim, desistiram de atravessar as dimensões, que fraquejaram perante seus medos ou outras paixões menores, e assim permaneceram no Sol, a fim de viverem e namorarem com Xwer em detrimento ao relacionamento com Di Angelis – isso sem mencionar aqueles que se acovardaram em se mudar para o Sol. Uma decisão que custou seu relacionamento com ambos os namorados pelo desgosto causado, ou, porventura, tomaram diferentes destinos conforme suas escolhas multividuais durante a vida, algo que é próprio de qualquer ente animal de mínima capacidade racional – mas ausentes em robôs, apenas para citar um parâmetro.

Na *Nave*, Sawmill[A] comentou privativamente:

– Será que nossa história conta passagens do plano Nhoc?

– Sem dúvida, ele é um dimensionauta reconhecido em seu contexto.

– Pergunto-me se Nhoc teria logrado outros feitos em conjunto multividual; *corrijo*: em nossa contemporaneidade predecessora.

– Não sei, ele me parece tão medíocre.

– Como a mim me parece qualquer animal, não obstante.

– Somente a consciência cósmica poderia nos responder.

– Teriam os dados sobrevivido ao Apagão Marciano?

– Possivelmente, se não em Marte, em Titã com certeza há registro de sua expedição nos *backups* solares. Quanto a sua vida pessoal, há de se pesquisar que certamente se encontrará muitos dados.

– Anexar à pauta ultracontemporânea.

– Elencar na lista de requisições endereçada à consciência cósmica de Titã.

– Isso *se* obtivermos contato com nossa atualidade, *se* teu par tenha deveras cumprido a missão Jacques Piccard.

– Por favor, não vamos recomeçar...

Di Angelis era uma versão de ponta de um protocolo robótico inicialmente programado para coordenar máquinas na linha de produção de discos flutuadores em Vênus, onde passou a atuar como engenheiro da Fórmula Vimana após evoluir programático. Uma competição de desmaterialização na qual colhia o mérito a equipe que projetasse a melhor nave para cumprir o circuito ou trajeto. No caso, o trajeto proposto para a respectiva Fórmula em sua respectiva edição e modalidade. Só pra citar a parceria com Nhoc, sua nave, um vimana-terra cabine dupla, modelo que vinha desenvolvendo há 97 temporadas, obteve honra ao mérito – o que equivalia a ser campeão, embora fosse comum existir mais de um campeão – nas últimas quinze edições do planetário local, chegando a figurar esparsamente no topo do *ranking* terreno e se mantendo entre os cinco primeiros desde então na categoria Omelete do trajeto Atlântida -100.000 – a popular "Omelete 100 negativo"; competição que premiava o melhor projeto de nave para cumprir um percurso de desmaterialização na curvatura terrena dentro da marca pretérita que, justamente, objetivava viajar com

Nhoc. Os dois haviam se conhecido através de Xwer após Nhoc sagrar-se campeão da Fórmula Bumerangue, uma das poucas categorias da Fórmula que contava com uma modalidade atual: a de projetos de bumerangues manuais, uma tradição indígena transformada em desporto que premiava a melhor aerodinâmica de tal rude instrumento em torneios na superfície marciana. Todavia, tanto Nhoc como Xwer se resumiam em participar das competições virtuais. Di Angelis tinha um grande apelo para competições fora dos grandes circuitos da Fórmula e lhe chamou atenção a atuação de Nhoc na categoria Bumerangue-Carga. O robô liderava uma equipe capitaneada por Xwer, com quem já trabalhava há largo em modalidades de frisbee, mas foram superados pela equipe de Nhoc. Na premiação do campeonato, os dois foram apresentados e, assim, Di obteve autorização para instalar-se em Nhoc. Desde então, estabeleceram uma conexão ininterrupta com o piloto.

Nhoc havia capitaneado as últimas conquistas e feito dupla com Xwer no passado, mas na Fórmula Vimana sempre foi o principal piloto de Di Angelis. Além disso, acumulava créditos como condutor *beta* testando naves em cerimoniais de lançamento, estes que eram, na verdade, uma grande festa de premiação dos campeões da Fórmula – instante em que os projetos deixavam a prancheta e saíam da linha de produção para se tornarem naves de fato, então testadas e colocadas à prova. Mas a parceria não se resumia à categoria Omelete, tampouco a própria Omelete fosse uma categoria ou modalidade de maior importância no universo da Fórmula. Se comparada à categoria Vimana, a Omelete era a segunda de maior destaque. A primeira e mais tradicional era a categoria Frisbee. Isso no âmbito das competições de desmaterialização, pois há largo Di Angelis e Nhoc competiam juntos em outras modalidades, incluindo a mais badalada de todas: a Divisão Cósmica de Discos Voadores – assim descrita como se os discos *voassem*, já que era uma competição tradicionalíssima datada do período da antiguidade, quando discos flutuadores *reais* competiam em circuitos mistos vácuo-atmosfera em Marte. A grande divisão cósmica destinava-se à engenharia de astronaves em mais de 300 mil categorias, incluía os campeões dos circuitos planetários mais concorridos, à época, os de Marte, Terra e Saturno, e os maiores robôs campeões interplanetários. Um infindável universo de competições em que Di Angelis e Nhoc, bem como Xwer, alternaram parcerias e rivalidade em incontáveis edições. Bons resultados obtiveram em competições regionais, apesar de consideradas categorias de segundo escalão a nível cósmico. Especialmente em Marte, onde foram triskaidecacampeões do circuito Partenon de disco, um dos quatro principais do planeta. Além de um expressivo endecakaideca no planetário modalidade disco-trator.

Entre as competições de elite, Nhoc e Di angariaram bons resultados e pontuações, mas nunca chegaram ao topo no que seria o mais concorrido de todos os campeonatos, a Fórmula Solar, a eterna busca pela astronave com maior capacidade de vácuo. Competição na qual, no máximo, figuraram entre os 310 mil do ranking cósmico – uma posição de regular para boa. Todavia, fossem mais badaladas as modalidades direcionadas para o desenvolvimento das astronaves *flex* – conforme descrição de Sawmill[A] –, para o tipo específico de trajeto que Nhoc se propunha cumprir, a Fórmula Vimana era a única capaz de habilitar um piloto como dimensionauta. Conforme repercutiam os grandes apreciadores da Fórmula, a Vimana era a *corrida* mais concorrida, enquanto a Fórmula Solar era o *circuito* mais competitivo, pois a Vimana era a corrida que percorria o maior trajeto e executava os cálculos mais longos e complexos. Di Angelis era um desses apreciadores que, tanto quanto Nhoc, sonhava em ser dimensionauta, por isso migrou para a Vimana pelo desafio técnico mais apurado da modalidade em detrimento aos holofotes da glória que perseguem as principais modalidades da Divisão Cósmica. Exatamente pelo espírito da Vimana que Di Angelis tinha o perfil ideal para acompanhar Nhoc como seu engenheiro de bordo. Em contrapartida, Nhoc seria o piloto perfeito para a nave que o engenheiro desenvolveu para atravessarem o Portal Tetradimensional.

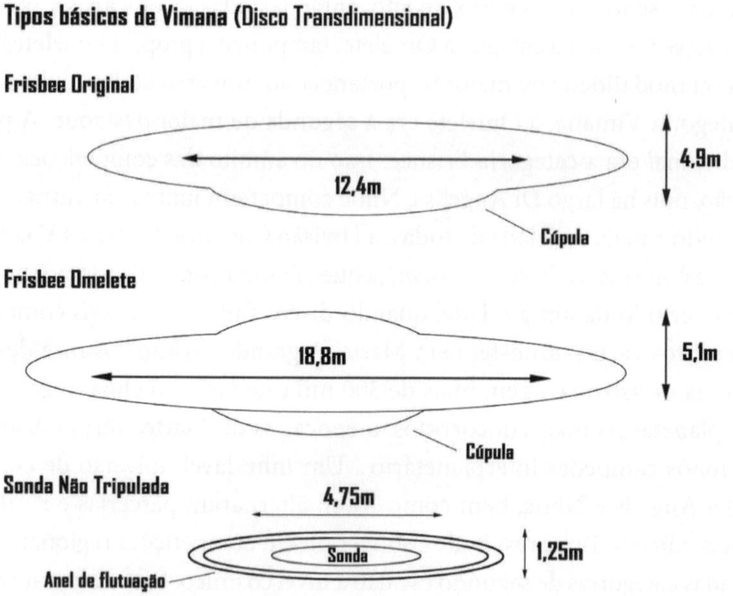

A programação para estar em Ciência tinha como atrativo a cerimônia de lançamento do vimana desenvolvido por Di Angelis que, por se tratar de uma nave transdimensional, acontecia em Titã onde se situa o Portal Tetradimensional ao qual se destinava navegar. Nhoc seria o piloto de testes, teria a honra de acionar o vimana pela primeira vez e carregá-lo enquanto repassava memórias de pilotagem da nave nas competições que disputou e venceu. Depois o conduziria para as instalações do Portal Tetradimensional através de um túnel graviário até um hangar próprio, onde o vimana aguardaria o início das provas. As provas consistiam em navegá-lo através do Portal em margens rasas de pretérito no rol de poucos segundos da atualidade de Titã - quando, uma vez em pretérito, havia uma apresentação do modelo ao público com a nave flutuando sobre a multidão na praça central de Ciência. Um evento extremamente engraçado, pois, via videofone de cristal, Nhoc pôde captar a nave desfilando sobre o público alguns milissegundos antes de dar a partida, já sabedor que tudo transcorreria perfeitamente ao acionar o comando. Após o teste nessa rasa transposição de poucos segundos, o vimana passava por uma nova fase de inspeção e, uma vez comprovada sua integridade física, era enfim colocado à disposição para as travessias mais longas conforme projetado. Instante em que a conquista do campeonato de Fórmula, no caso de Di Angelis e Nhoc, da respectiva categoria *Vimana, modalidade Omelete, minidimensão Terra, percurso Atlântida 100.000 a.C.*, seria oficialmente homologada, já que, evidentemente, a nave tinha que funcionar perfeitamente para que a conquista fosse validada. Caso contrário, seria anulada e o vimana retornaria para prancheta em vez de seguir para as rampas de lançamento.

Para Nhoc, as provas representavam o início oficial de suas atividades pela Agência Espacial dentro do programa de exploração da Terra pretérita, pois os testes igualmente visavam avaliar sua capacidade de condução do vimana. Uma vez aprovado nesses testes, iniciava o treinamento para a fase final do programa que o deixaria apto a embarcar no Portal Tetradimensional. O programa consistia em estudar e simular uma série de aspectos e situações relativas ao plano de destino, incluindo antigos mapas topográficos e marinhos; características da fauna e da flora pré-histórica; aulas de línguas para lidar tanto com a telepatia dos marcianos antigos, em caso de estabelecerem contato, quanto com as linguagens faladas e escritas para dialogar com espécies *sapiens* que se sabia terem sido amestradas pelos atlânticos. Além da língua, também havia treinamentos de psicografia aplicada à captação de mensagens do futuro e ao adestramento de espécies pré ou semirracionais. Enfim, uma preparação que cobria os aspectos gerais do panorama pretérito que se esperava encontrar no decorrer da expedição.

O estágio de preparação na ACAE também incluía um curso completo de sobrevivência no passado, o qual previa todo tipo de situação, desde algum mau funcionamento ou defeito do vimana, até sua perda total. Um curso que abordava os seguintes tópicos: como lidar com populações *sapiens* hostis; como construir um dimensiolábio; e como enviar mensagens de SOS em barras de ouro via protodimensionarquia. O curso também abordava o estudo de uma série de portulanos com dicas de navegação interdimensional sentido pentagonal que pudessem servir de guia para salvo retorno ao futuro, para o caso da expedição ficar sem referências da linha do *tempo* ou qualquer comprometimento na capacidade de varredura e navegação do vimana. Não bastasse, incluía guias com mapas para retornar ao futuro através dos intramundos terrenos em passagens através do Círculo de Fogo e dos polos, embora essas rotas sequer tivessem sido exploradas anteriormente. Portulanos estes que a ultracontemporaneidade veio descobrir se tratarem de mapas sem a menor validade empírica, cuja origem se desconhece, supondo-se terem sido fabricados pela entidade *Nova* ou seus robôs correligionários, a fim de incentivar dimensionautas em suas excursões pretéritas como pretexto para manter a política de colonização de Titã. Antes de tudo, uma política voltada para o incremento da memória virtual da respectiva entidade. Todavia, a autoria exata dos mapas teria se perdido com o Apagão Marciano ao fim da Era Contemporânea – ou foram deletadas pelo *Pai*.

Uma das obrigações de Nhoc ao frequentar o programa de dimensionautas da Agência Espacial era realizar simulações da montagem de aceleradores de partículas para recarregar o vimana, o que se consistia em montar pirâmides para localizar os polos e estabelecer um posicionamento cósmico interdimensional a fim de balancear o dimensiolábio da nave utilizando referências astrológicas austrais e boreais. Tarefas comuns aos dimensionautas que viajavam rumo pretérito no que tange à localização e à navegação entre o plano de destino e a atualidade de partida, fundamentais para que as expedições pudessem retornar para o futuro. Eram esses os aspectos básicos do curso preparatório para travessia do portal, além das tarefas específicas de cada expedição conforme seus objetivos predefinidos. Via de regra, esses objetivos seguiam aspectos científicos e farturômicos, que seriam a pesquisa vinculada à expedição e o garimpo de ouro. Mas, às vezes, também englobavam aspectos políticos e sociais que atendiam ao interesse de policiamento e colonização do passado. Essas representavam duas diretrizes pouco desenvolvidas na época de Nhoc, mas que já contavam com algumas missões pioneiras que investigavam quais os benefícios e os possíveis malefícios da viagem tetradimensional em longo horizonte – dado que a leitura empreendida por Willa fazia referência aos estágios iniciais de operação do Portal Tetradimensional.

A cerimônia de lançamento do Vimana Omelete de Di Angelis e as subsequentes provas e testes da nave sob o comando de Nhoc transcorreram como esperado: a nave foi colocada em uso no Portal e Nhoc iniciou seu treinamento preparatório para a viagem. A partir de então, sua partida do Sol já se fazia visível e viável em todos seus aspectos técnicos. Quanto aos aspectos farturômicos, idem, já que o projeto e as qualificações do dimensionauta previam a aplicação de protodimensionárquica em ouro. Todavia, ainda faltava aprovação no aspecto *científico* para que a missão obtivesse aval para desmaterializar. Vale lembrar que o modelo de vimana desenvolvido por Di Angelis era *cabine dupla*, ainda faltava a Nhoc conseguir um parceiro que preenchesse esse aspecto da empreitada.

A proposta científica de Nhoc era estudar o continente perdido de Lemúria, a civilização reptiliana que habitara a Terra em paralelo aos antigos marcianos de Atlântida. Entrementes, a concorrência com os estudos atlânticos era muito alta, desleal até. Em parte fazia sentido, bastava lembrar que o vimana de Di Angelis se destinava a um percurso terreno com destino *Atlântida* na margem 100.000 a.C. Mas esse detalhe pouco importava, pois a expedição proposta por Nhoc basicamente se resumia à busca por fósseis e coleta de DNA; o período sequer fazia tanta diferença. Uma de suas linhas de investigação era tentar elucidar a relação passado-passado entre atlânticos e lemurianos, a princípio, inclusive, tentando estabelecer se houve alguma ou não. Se sim, quais seriam as possíveis janelas em que ambas as civilizações compartilharam planos terrenos simultâneos e qual o grau de proximidade entre os mesmos. Desse modo, nada importava o modelo do vimana ser *Atlântida* – fosse esse o problema, bastaria rebatizá-lo. Problema era ser cabine dupla, o que não se poderia solucionar desenvolvendo-se um modelo individual, que sequer era permitido, tampouco para três tripulantes, pois viagens em trio não eram mais realizadas desde que robôs passaram a assumir o papel de engenheiro de bordo. Assim sendo, a solução era encontrar alguém que se interessasse pela proposta de Nhoc e desejasse compartilhar de seus objetivos.

A missão de Nhoc não objetivava se deparar com reptilianos, mas previa um possível contato com Atlântida e igualmente catalogaria vestígios de sua civilização caso esse contato não se estabelecesse. A única diferença em relação à maioria das expedições concorrentes era a *prioridade* pela busca por Lemúria, o que afetava o trabalho e o cronograma da empreitada por completo. Incluía varreduras e análises da paisagem; a escolha dos locais para aterrissagem; a investigação de campo e a respectiva seleção de amostras; a determinação de latitudes e longitudes marítimas para sondagem subaquática e daí por diante. Nada que se diferenciasse muito das expedições mais rotineiras enviadas ao pretérito, mas que seguia um roteiro completamente distinto da grande concorrência. Todavia, devido à peculiaridade de sua proposta, Nhoc não conseguia encontrar um parceiro para sua expedição, pois a esmagadora maioria dos dimensionautas mais bem qualificados para uma missão com tais objetivos sempre encontravam parceiros disponíveis dispostos a estudar Atlântida. De modo que, fosse o projeto de Nhoc diferenciado da concorrência, era diferenciado *demais*, e seu apelo perante a comunidade dimensionauta, praticamente nulo. Embora Di Angelis já estivesse apto a partir, o ranking de prioridades expedicionárias listava incontáveis requisições e projetos à frente do seu, tantas que Nhoc passou a temer já estar em criogenia quando chegasse sua vez. Até porque esse ranking não era absoluto, e sim dinâmico. Ou seja, era possível "furar" a fila de espera conforme os objetivos e a relevância da expedição – problema era a falta de apelo científico do projeto no cenário em questão. Tanto que, em dado horizonte, Di Angelis e Nhoc tiveram um ligeiro argumento a respeito:

– Horizonte para que desistas de tal projeto, há demasiado ultrapassaste. Persistes com tal pauta, por quê? À minha lógica, isso foge.

– Pois me especializei nela há mais de *cinco* séculos.

– Um novo projeto da consciência cósmica, não baixas, por quê? E deste astro, de vez nos vamos?

– Ora! Pensas que tudo é assim tão simples quanto baixar um arquivo? Tão automático? É de minha vida que estamos compartilhando, não de um conjunto virtual burocrático de informações.

– Um copiloto principiante, por que não recrutas?

– Aponte-me um, Di. Apenas o indique para mim que partimos nesse exato contínuo.

– Total de 21.248 copilotos, listo. Selecionar um, basta.

– Essas párias não me servem. Preciso de cientistas, configuras?!

Fato era que Di não configurava. Como robô já ativo no Portal e a nave que projetara dispondo de um piloto já apto, bastava que Nhoc abdicasse de suas prioridades investigativas reptilianas, estabelecesse parceria com um marciólogo e, lógico, restaria apenas acertar a data de desmaterialização. Ainda que o homiquântico não conjugasse da mesma lógica, fato era que a preocupação do robô tinha total fundamento.

É claro que a dificuldade para encontrar uma parceria para seu projeto não se apresentou quando tudo já estava encaminhado e só faltava o tal parceiro. Desde que havia escolhido estudar Paleontologia e Arqueologia reptiliana, Nhoc passou a angariar colegas e contatos que seguissem linhas de pesquisa similares a sua. Difícil era encontrar um que fosse dimensionauta, de preferência já radicado em Titã para um pronto embarque assim que possível. Nessa escassez, até as pautas reptilianas de outras expedições tetradimensionais sempre estavam atreladas e subordinadas a uma linha investigativa focada na Marciologia, por isso Nhoc teve de se resignar e assistir passivamente uma série de projetos concorrentes o ultrapassarem na incessante busca por uma janela de desmaterialização. Embora o dimensionável não poupasse esforços para encontrar um parceiro de pesquisa à altura para emplacar sua proposta expedicionária, despendendo focos e plantão contínuo para navegar pela consciência cósmica em busca de um, a concorrência era deveras tão avassaladora que quase mil anos-terra se passaram antes que enfim conseguisse.

Quase mil anos no decorrer dos quais Nhoc viu Di Angelis navegar com seu vimana incontáveis vezes através do Portal enquanto se mantinha a espera, irredutível, somente aprimorando seu projeto, estendendo suas pesquisas e mantendo-se atualizado em seu ofício, aguardando até que um dia a oportunidade findaria por se apresentar. Tudo isso para que, quando sua vez chegasse, tivesse a chance de executar um trabalho ímpar, que retornaria ao cosmo um conhecimento inédito que o faria ser eternamente reconhecido como grande pioneiro de um campo que sequer dispunha nomenclatura, mas que ele, Nhoc, o batizava *Reptilogia*.

Nesse longo período vivendo no Sol, por várias vezes a janela de desmaterialização se abriu para Nhoc, e tudo que havia ritualisticamente realizado se repetiu em ocasiões quais, por pouco, não abdicou de seu projeto e embarcou como copiloto em uma expedição rumo Atlântida. Repetiram-se as férias e as despedidas com Xwer, entre uma e outra, os dois chegaram até a trabalhar juntos nas usinas de plasma. Depois, Nhoc arrumou um emprego em uma represa de luz, já que ao menos a engenharia óptica lhe servia como exercício matemático para manter seu *status* de dimensionável. Nesse longo decorrer, tornou-se um notório piloto de testes e consultor midiático a serviço da Agência Espacial. Era figura carimbada nos programas de entrevista em Ciência e executou diversas apresentações públicas de novos vimanas. Tudo não só para manter-se ativo e passar o horizonte, sobretudo porque o tardar da espera e da contínua preparação tornou a versão do Vimana Omelete criada por Di Angelis ultrapassada – novos campeões surgiram nesse ínterim – e, junto ao engenheiro, Nhoc precisou retornar às competições de Fórmula para desenvolverem novos modelos que acompanhassem a evolução técnica do período. Um retorno às competições realizado em grande estilo, quando reconquistaram o topo da categoria Omelete 89 vezes em 812 edições, incluindo um expressivo pentadecakaideca, desta feita na modalidade Frisbee. Assim, em um pequeno *looping* existencial, da Fórmula para os testes, dos testes para a espera, da exaustiva busca por um aval científico para o retorno ao labor operário, das férias ao namoro e a "última" despedida de Xwer, Nhoc tocou seu ano a ano, até que o avançar do dia a dia, enfim, apresentou-lhe o contato que tanto ansiava.

É realmente inacreditável a teimosia desse animal, pensou consigo Willa, *Tanto horizonte para cumprir uma burocracia tão ínfima*, expressou em lembrança ao exaustivo processo que vivera para aprovar o seu projeto de pesquisa, o mesmo que se encontrava em andamento em contínuo. Para Nhoc, bastava aprovação da diretoria da Agência Espacial, ou seja, a agenda de desmaterialização era ditada pela própria esfera política de Titã. Muito ao contrário da expedição de Willa cujo aval final teve que passar pela chancela da *Ágora* Cósmica e tomou mais de 20 mil anos-terra para ser avalizado. Ainda assim, compreendia bem o drama do homiquântico, pois ela própria também vivera sérias dificuldades para encontrar um parceiro de mesma espécie que aceitasse sua proposta de pesquisa. Ao menos até que conseguiu convencer seu marido a assumir a capitania da expedição. Sam trouxe a *Árvore* como parceira, a *Árvore* trouxe consigo os votos que faltavam da bancada maternal e o tão aguardado aval para a expedição - jamais se esqueceria da ansiedade que viveu enquanto aguardava Sam completar seu treinamento de dimensionauta para que enfim embarcassem no Portal; chegou até a precisar dormir para aplacar o sentimento.

De fato, tudo parecia arcaico no pretérito de Nhoc, a começar por Titã, que sequer ainda era considerado um planeta. Ciência era apenas um distrito subordinado à esfera governamental de Mercúrio, portanto, seguia a política da entidade *Nova*, o governador planetário. Fator que, na prática, significava que a operação do Portal estava vinculada às diretrizes do governador e da classe político-científica que o sustentava no poder. Ao que tangia o foco de interesse de Nhoc, essa classe política era majoritariamente marcióloga e os dissidentes ou opositores de *Nova*, ainda mais. À época, só existiam dois partidos: o do governador era a União Científica, progressista, e a oposição pertencia ao Partido Marciano, o mais tradicional, conservador, que incluía boa parte, senão a maioria, do corpo diretivo da Agência Espacial - apesar da influência e do apelo de *Nova* em Titã. Em suma, compunham um quadro político totalmente desfavorável à pauta incomum pleiteada pelo dimensionável. Com tais peças no tabuleiro, a política de *Nova* em relação à Agência Espacial era bastante simples: ceder concessões para os marciólogos explorarem cientificamente o Portal em troca do apoio à sua diretriz de colonização da fotosfera e o incremento progressivo do feixe-solar. Para embasar essa política, de um lado se propagava a busca por Atlântida como o autêntico Graal da ocasião, do outro, veiculava-se a promessa de construção do tão sonhado teletransporte que libertaria as populações de Titã e unificaria o cosmo planetário.

Nhoc era um cientista, portanto apoiava a União Científica, ou seja, era partidário de *Nova*. Além disso, tinha boa convivência com ele no universo da Fórmula, ainda que isso fosse comum, já que todos os pilotos participantes se consultavam com a entidade ou jamais seriam competitivos. Por isso, frente à absoluta falta de apelo de seu projeto perante a comunidade científica, e o temor de que o crescente horizonte de espera o tornasse cada vez mais aprisionado no Sol como de fato estava, por fim o dimensionável decidiu apelar para a comunidade política - e naturalmente o fez em direto contato com *Nova*. *Nova* ouviu as impressões e as queixas de Nhoc à falta de apoio ao seu projeto, todavia, não captou a relevância. Mas como o dimensionável já era notório na Agência Espacial, indicou um robô correligionário seu, um estatístico que pudesse analisar a questão com mais profundidade e emitir um parecer. Seu *nickname* era *Murphy*.

Murphy era um robô jovem à época, sua ascensão se deu logo após a colonização de Titã. Era oriundo de um programa de segurança vinculado ao feixe-solar, um lote de comandos que exercia o controle da dispersão de luz emitida pelos prismas. Esse lote se tornou tão evoluído que praticamente anulou as taxas de dispersão, tornando-se vital, pois o controle do lote representava a capacidade de dispersar a luz de forma calculada, inclusive, hipoteticamente, de utilizá-la como arma. Essa hipótese trouxe o dever de se exercer controle sobre o lote. *Murphy* era a interface da plataforma que passou a controlar o uso desses comandos, entre outras funções, fornecendo dados e estatísticas para o público em ambiente simultâneo. Como o feixe-solar se estendia até Marte, com o incremento do tráfego de luz e a crescente necessidade de se evitar dispersão energética, *Murphy* rapidamente tornou-se popular e o contato com os homiquânticos ajudou a desenvolver sua incipiente psiquê, bem como o cotidiano ao lidar com o público o fez um ente carismático. Como tinha aptidão com os números, era um cientólogo nato muito bem quisto pela científica. Quando evoluiu para robô psicólogo, especializou-se em estatística e virou uma referência universal. Por isso, na esfera de Titã, atuava como intermediário da classe política vinculada a Mercúrio, como um adido de *Nova*, levantando estatísticas sobre tudo a respeito do florescente distrito cósmico da fotosfera solar.

Murphy dialogou com Nhoc e, tão rápido quanto somente um robô de sua envergadura poderia calcular, montou um quadro estatístico de todas as pesquisas a respeito dos reptilianos com uma *timeline* completa de todos os vestígios já encontrados desde o longuíssimo estágio da Guerra Interdimensional. Também analisou a ficha de Nhoc como dimensionável e levantou informações que até o homiquântico jamais observara. *Murphy* simpatizou com a abordagem científica de Nhoc e concordou com sua relevância, mas vaticinou:

– Muito mais relevante do que qualquer outro contabilizado, teu projeto é. No contínuo em que, todavia, a atual diretoria marciana, na agência permanecer, sem uma sólida parceria, de aprovação à desmaterialização, infinitesimais suas chances são – mentalizou ao apresentar o número *um* precedido de inúmeros zeros à direita da vírgula. Nhoc desvaneceu por dentro. Pela probabilidade apresentada pelo ente, jamais conseguiria viabilizar sua expedição. Ainda assim, tentou insistir para que a entidade sugerisse uma alternativa. *Murphy* foi direto:

– De tua expedição, o uso político permites?

– Positivo.

– Quanto ao teu engenheiro?

– Di Angelis? Certamente.

– Com um marciólogo de minha escolha, disposto a navegar, estaria?

– Sim, estaria.

– Artes psicográficas, te agradas praticar?

– Sem dúvida.

– Ótimo. Em mil, 999 dízimas, tua cotação então é.

Em seguida, *Murphy* passou a discursar a respeito de *Nova*. A princípio, crítico à postura da entidade e sua leniência perante a influência da classe científica marcióloga sobre a diretoria da Agência Espacial, inclusive simpático à angústia de Nhoc por não receber atenção do governador para os perigos do que compreendia como pura vaidade a insistente busca pela civilização de Atlântida. Isto pois, segundo as mesmas estatísticas que acabara de compartilhar a respeito dos reptilianos, as mesmas deixavam ao largo o que, em seu entender, deveria ser uma empreitada por ambas ou quaisquer civilizações que pudessem subsistir paralelamente e as possíveis ameaças que inteligências altamente desenvolvidas poderiam representar para o cosmo atual. Segundo os dados, não se justificava priorizar a busca por Atlântida apenas por representar uma civilização predecessora à marciana. Uma vez que se perdeu a conexão com a mesma, nada garantia que um novo contato não fosse hostil, especialmente quando já era sabido se tratar de uma espécie bélica que se confrontou com os reptilianos. *Murphy* não contabilizava com válidas cotações a ideologia que demovia a classe científica em torno de Atlântida, ao robô mais lhe representava uma obsessão da homiquântica em contatar antigos "deuses", os genitores da raça atual, do que qualquer outra entrada mais relevante. Em sua lógica, a exploração de planos pretéritos deveria focar o policiamento ostensivo do passado para prevenção à ameaça de assaltos paradimensionais.

Para ilustrar esse temor, *Murphy* citou o caso em que um reles hominídeo, um sargento aviador chamado Sato, atravessou a quarta dimensão pela terceira órbita através do Triângulo do Dragão, apenas dois delênios e 289 anos-terra antes do início das atividades do Portal Tetradimensional. Um caso que atestava, estatisticamente, que outros planos também poderiam contatar e se materializar no atual, se não com um sargento, talvez com um exército inteiro para tentar *nos* destruir ou escravizar.

– Sobretudo, de uma espécie de natureza réptil, se tratando. Que, igualmente, serem hostis e mantenedores de uma postura predatória em relação aos marcianos, sabido já é. À razão disso, não há dado tão acima dos demais que deixe de evidenciar que o foco operativo do Portal, não deva, se não priorizar, mas a possível existência de civilizações répteis, tratar. Enfatize-se, com igual seriedade com que as pautas marciólogas, tratadas são. Não que algum tipo de fobia antirréptil, *Nova* nutra. Todavia, certamente, se patente ficar a presença desses seres em nossa estrela, nutri-la-á. Fator sobreposto às estatísticas de presença alienígena que certa fobia a qualquer um, factualmente, alimenta, inclusive *nele*. Entrementes, da existência de civilizações paralelas em se tratando, que possam ser hostis e uma ameaça a sua existência conferir, ignorar, não se deva permitir. Certamente, ao largo das faculdades que tão brilhantemente dispõe, não *lhe* passará. Ao fóton que, à ausência de evidências ou estatísticas mais viris, depurar não se permite. Dessarte, que a necessidade de se levantar imperativa se faz, as respectivas probabilidades de tão factível ameaça a *ele* e a *nossa* virtualidade – discorreu o ente.

Findo o discurso, *Murphy* revelou suas intenções e qual a sua proposta para viabilizar a expedição de Nhoc pela via política:

– Um canal psicográfico para evidenciar a presença de ideologia reptiliana em planos pretéritos, que tua expedição estabeleça, preciso é – uma proposta bastante simples e que não fugia ao escopo de habilidades que Nhoc estava acostumado a lidar, embora sua prática psicográfica se resumisse à troca de pensamentos no âmbito multividual de sua própria atualidade. Algo bem diferente da proposta de *Murphy*, que objetivava abrir um canal entre planos distintos, distantes um do outro no *espaço-tempo* e abrangendo linguagens desconhecidas. Trocando em fótons, a ideia de *Murphy* era mapear o fluxo de consciência coletiva de possíveis povos antigos que Nhoc viesse a encontrar. Em primeira instância, para identificar memórias que revelassem qualquer informação que pudesse elucidar maiores detalhes, no caso, a respeito da civilização lemuriana e sua factível presença em planos paralelos ou não. Em segunda instância, quantificar qual seria o grau de influência dessa memória sobre quaisquer formas de vida pré ou semirracionais que porventura sua expedição viesse a encontrar. Caberia a Nhoc ler, catalogar e, conforme o contexto, adestrar mentes em busca de traços répteis em sua memória, além de extrair amostras genéticas como já previsto originalmente. Outra tarefa da missão proposta pelo ente era mapear sítios pretéritos para o subsequente envio de mensagens psicográficas no intuito de manter um canal aberto com o passado, possibilitando ampliar essa varredura a partir do presente-contínuo. Se identificada a ameaça réptil, então enviar publicidade psicografada para alertar, prevenir e tentar antecipar um possível assalto oriundo da quarta dimensão, bem como disseminar a simpatia aos marcianos e lembrar aos povos pretéritos a hostilidade representada pelos seres reptilianos.

Por trás da missão, *Murphy* visava levantar maiores dados que poderiam então chamar atenção de *Nova* para suas estatísticas e, assim, abrir caminho para outras expedições focadas na busca por Lemúria. Nhoc não observava alguma implicância política negativa na proposta; contragosto maior era aceitar o copiloto e colega de pesquisa que *Murphy* indicasse. Mas, frente a pouca perspectiva de encontrar uma alternativa para a proposta do ente, aceitou a oferta e fez os ajustes em seu projeto para contemplar os novos objetivos da missão.

– O nome do campo de estudo, Reptilogia sugeres? – questionou o ente.

– Exato.

– De aprovar, pouco burocrático é. Reptilogia será.

Assim, em questão de poucos anos solares, o novo campo de estudo foi aprovado pela classe político-científica de Mercúrio, e o corpo diretivo da Agência Espacial agendou sua tão sonhada desmaterialização.

Nhoc foi apresentado para o marciólogo indicado por *Murphy*. Um dimensionauta mediano que já possuía habilitação para se desmaterializar, mas igualmente sofria com a falta de apelo de seu projeto investigativo, o qual seguia o cunho político sugerido pelo robô. Era dele a pauta de criação de canais psicográficos com o passado, todavia, sua ideia inicial era aplicá-lo em um possível contato com a antiga civilização tripoide, não com os reptilianos. Além disso, seu intuito era lecionar povos indígenas antigos, não policiá-los. Todavia, tão quanto *Murphy* convenceu Nhoc a aceitar um parceiro desconhecido e de pouca notoriedade no meio científico, convenceu-o a adaptar sua pauta investigativa ao cunho *reptilógico* da expedição. A sinapse substantiva que o identificava era Logan.

Logan era um dimensionável que trafegava na faixa mínima meritocrática para desfrutar tal posição. Seu aproveitamento na Fórmula era inexpressivo, sequer participara de competições pelo Circuito Cósmico. Seu resultado de maior destaque era um vice-campeonato na Fórmula Vimana pela modalidade Sonda Não Tripulada, além de mais sete entradas entre os *top 10* da respectiva competição. Uma performance que conferia a ele um perfil mais de engenheiro do que de piloto. Um currículo medíocre, especialmente considerando-se que Logan já era um homiquântico de meia-idade, anotando 5.237 anos-terra quando acordou em compor a equipe expedicionária de Nhoc. Em comum com Nhoc, constavam suas habilidades e o conhecimento que detinha nas artes psicográficas, tratando-se de um perito no assunto, reconhecido como grande xamã terráqueo. Segundo ele próprio compartilhava, capaz de contatar entidades com mais de um delênio aquém da margem de atualidade. Em tese, muito acima da capacidade de Nhoc que, quando muito, estendia sua percepção multividual até dois ou três milênios dependendo da dimensão.

Di Angelis aceitou a parceria de Logan no time expedicionário, mas criticou a escolha de Nhoc:

– Retardatário, Logan é. Das listagens que propus, muito abaixo está.

– Melhor, assim *será*. Subordinado às nossas decisões, *estará* – ironizou Nhoc.

– Negativo. De um militar, Logan se trata.

– De um militar sem exército, exceto nós.

– Pela regra, não pela vontade, ele trabalhará.

Mas isso era um detalhe menor em sua concepção de momento, pois o horizonte para que deixasse a prisão solar estava se esgotando e Nhoc não poderia mais assistir à janela para libertar-se do astro-rei fechar-se diante seus sentidos. Não seria um dimensionável interminavelmente, a oportunidade era aquela. Não era o que havia idealizado em princípio, mas era melhor do que se subordinar em uma excursão patrocinada por um marciólogo.

Nesse instante da leitura foi Sam quem expressou certo repúdio ao que considerava uma barbaridade. Algo bastante distinto da prática política de sua atualidade:

a maneira autocrática, não como Nhoc buscou patrocinar sua missão, e sim como bastou a vontade de *Murphy* para sancioná-la:

– Tinha que ser *ele*, esse *elétron descarregado*! – manifestou Willa em simpatia à revolta do marido. Nhoc acabrunhou-se perante o sentimento de seus leitores, como se estivesse envergonhado por sua ingenuidade.

"Que queriam que pensássemos"? – *"Somos meros animais, né"?* – *"Não que não desconfiássemos"*. – "Ele *nos ludibriou"!* – *"Nós que permitimo-nos ludibriar..."*.

Sim, *Ele* os ludibriou, no caso, *Murphy*, e a influência que sempre exerceu sobre o *Pai* desde que quando ainda se chamava *Nova*, para assim aprovar a missão por um simples decreto do governador. Não bastasse, Sam enojou-se com a maneira fria e maquiavélica como o estatístico manipulava o medo das pessoas através de sua parca numerologia, fossem homens ou máquinas. Ainda mais no período em questão, sempre em prol de si mesmo, no intuito de refutar o temor que ele próprio sentia e representava. No caso, não só explorando a fobia de Nhoc, mas também de Logan, e o temor de ambos os dimensionáveis em permanecerem presos no Sol.

No pretérito, Nhoc já havia cruzado sinapses com Logan, ainda na Terra, quando desenvolveu sua psicografia a fim de curar-se da psicopatia da Caverna do Diabo. O xamã era bastante reconhecido no meio, mas já morava no Sol na ocasião. Quis a fortuna que o destino os colocasse juntos, ao lado de Di Angelis, na composição do time expedicionário liderado por Nhoc. Assim, depois de unirem esforços, evidentemente após uma larga conferência em que debateram seus propósitos e acordaram seus objetivos, no exato ano de partida, os dois finalmente vieram a se conhecer em plasma e ouro na sala de dimensionautas da Agência Cósmica de Administração do Espaço, já na abertura dos preparativos finais para o processo de desmaterialização, em H menos 98 horas-terra para a partida.

A Agência Espacial localizava-se bem no centro de Ciência, perpendicularmente abaixo da Praça do Obelisco, onde, mais uma vez – a última vez –, Nhoc e Xwer trocaram um longo beijo de línguas, embora curtas, ainda assim, pelo atrito dos lábios trocando faíscas no interior da boca, bastante caloroso como tinha de ser dada a forte alcalinidade de suas partículas bucais. Tristes, mas revigorados, despediram-se um ao outro através do totem central da praça enquanto se afastavam – monumento que, antes de ser um totem, era um enorme obelisco em memória à fundação de Titã.

Após a despedida de Xwer, Nhoc dirigiu-se ao túnel no perímetro externo da praça, onde um tambor disposto como uma enorme arruela deitada no solo manobrava o público como uma catraca selecionando túneis escavados no solo vítreo-carbônico. Bastava mentalizar o destino e o tambor lançava o passageiro no respectivo túnel. A partir daí, a força *G* conduzia o passageiro ao seu destino. Nhoc selecionou ACAE e mergulhou em uma espiral de poucos segundos até a recepção das instalações da agência, a cerca de 33 mil pés de profundidade da praça. Ao fim do túnel, suavemente pousou os pés no andar da recepção onde deu *login*, seu último *login*, ao robô na entrada de funcionários. Então percorreu os amplos corredores da instalação despedindo-se dos colegas que encontrou pelo caminho, até chegar à sala dos dimensionautas. Local espaçoso, teto alto, com uma enorme janela oferecendo a visão do núcleo solar: uma bola branca solitária flutuando como uma lua na panorâmica azulada da zona de convecção, entre nuvens esparsas geradas pelo plasma incandescente da fotosfera.

Na sala, frente à bela paisagem, Nhoc encontrou-se com Logan que lá já se encontrava a sua espera. O primeiro detalhe que notou em seu parceiro foi o colar de filtros adornando seu fino pescoço. Os dois se apresentaram formalmente, trocaram algumas impressões de momento, então Logan foi logo compartilhando:

– Não me separo de meus filtros jamais. Estarei com eles quando e onde estiver – confessou. Era, sem dúvida, um excêntrico: – Dou minha vida por meus cristais. Toque-os sem minha permissão e perderá a sua. – E pouco polido nas sinapses.

Apesar disso, Logan mostrava-se amistoso e empático, mais do que transparecia residualmente de contatos virtuais prévios, próprio de um xamã. Expressava-se com a eloquência típica de alguém que já permanecera sentado 183 dias ao relento nos platôs mais altos de Ciência, apenas se banhando na radiação solar nos anos quentes, aquecendo-se nos anos frios e ouvindo a si mesmo. Mais excêntrico era o trabalho que exercia, mas então se aposentara pela ocasião da desmaterialização, o qual não se relacionava absolutamente em nada com os objetivos da missão. Morando há mais de duzentos anos-terra em Titã, Logan era captador de tempestades solares, um observador e estudioso do clima e das marés fotosféricas. Já trabalhava no Portal Tetradimensional largos horizontes antes de pleitear a carreira de dimensionauta, pois era ali, nos subterrâneos da agência, que se situava a sede do departamento que monitorava o clima e as estações de Titã. Somente no fundo da cidade era possível observar o Sol e suas camadas atmosféricas, com os devidos filtros evidentemente, onde se podia captá-lo a partir do núcleo incandescente. Até existia um observatório aberto ao público no complexo subterrâneo ou, como mentalizavam alguns, no mundo intraprismático que abrangia as instalações do Portal. Igualmente existiam diversas outras áreas para visitantes, institutos e mirantes para o público observar os vimanas quando se dirigiam ao portal em si: um túnel que se abria diretamente para as entranhas solares lançando os vimanas em uma viagem na forma de luz e energia através da zona convectiva para um instantâneo contorno ao núcleo, seguido de um grande empuxo sentido exterior, até que a matéria retomasse sua forma pela gravidade do astro posto como alvo da jornada – o planeta de destino da expedição, no caso de Nhoc, a Terra.

Cabia à entidade *Nova*, através de seus incontáveis robôs e funcionários, calcular o instante exato de abertura do Portal para que o vimana fosse refletido, captado e materializado no planeta de destino. Quanto à *data* de aportamento, o trajeto ao redor do núcleo por si só era responsável por incrementar a velocidade cósmica que redireciona a nave para uma frequência pretérita. Todavia, é a capacidade do vimana em absorver energia durante o mergulho, antes de iniciar a desmaterialização, que determina o percurso total a ser percorrido na curvatura do *tempo*. Ou seja, o trajeto ou período total a ser transposto na linha-continuada era determinado pela nave engenhada por Di Angelis, pilotada virtualmente e testada por Nhoc: um Vimana Omelete cabine dupla com módulo de carga e autonomia de percurso Lemúria -100.000. Ou seja, projetada para alcançar datas-terra cem mil anos *antes de Cristo*.

Depois da tripulação se confraternizar na sala de dimensionautas e se sincronizar mentalmente com Di Angelis, o robô transferiu-se para a memória do vimana no galpão de embarque alguns quilômetros abaixo, a 33 mil pés do solo. Uma última olhadela pelo prisma residual da sala de dimensionautas para mirar Xwer pela última vez, então Nhoc tomou a companhia de Logan e ambos se dirigiram ao respectivo túnel de acesso, alcançando o galpão poucos segundos após. Antes, pararam no vestiário para trajar suas vestes de dimensionauta – um modelo de ponta da veste que costumava se usar em Titã, compatível com qualquer configuração atmosférica, com propriedades isolantes a quaisquer radiações incompatíveis com a pele homiquântica. O galpão de embarque funcionava como uma câmara hiperbárica configurada pela pressão relativa ao ponto de destino, ou seja, a da Terra. Ao penetrar nela, a dupla sentiu um baque de leveza, estranhando a pouca pressão em relação ao que se acostumaram no Sol. Os dois permaneceram na câmara para um breve período de adaptação, então se juntaram ao robô na cúpula do vimana através de uma escotilha de acesso na parte superior. Já em seu interior, com a equipagem carregada e rechecada, a cúpula fechada e vedada, o piloto Nhoc iniciou o processo de *warm-up*. Acionou os circuitos e carregou a nave em 0,00015%, o mínimo necessário para flutuar até o túnel de lançamento – na verdade, uma câmara de compensação de vácuo que isolava o ponto de largada da atmosfera solar. Quando aberta, a gravidade fazia o resto e a partida estava dada, a nave zarpava como uma bala lançada ao interior do Sol. Finalizada a carga primária da nave, o restante seria captado no instante em que atravessasse a zona convectiva antes da desmaterialização, e nada mais restava fazer senão aguardar o instante de partida. Assim, em um coro mental, o trio mais uma vez sincronizou e iniciou a contagem regressiva para a desmaterialização.

Como experiência de pilotagem, a desmaterialização não se comparava com uma assolissagem, muito menos com uma amercurissagem. Era instantânea e totalmente insensível, viaja-se imantado dentro da veste de dimensionauta no interior de uma cápsula defletora, como um casulo individual necessário para manter a integridade física dos dimensionautas. O robô Di Angelis viajava na memória do vimana e em meia dúzia de *backups*, um na mente de cada passageiro e nos quatro casulos disponíveis a bordo. Como módulo de carga, o vimana carregava dois casulos sobressalentes com *kits* laboratoriais para pequenas experimentações em campo e capacidade para armazenar amostras biológicas fossem elas dois passageiros extras na hipótese de a expedição se deparar com outra prévia enviada ao mesmo pretérito e que necessitasse resgate – uma das novidades da viagem espacial incorporadas durante o período em que Nhoc esteve aguardando sua oportunidade para desmaterializar. No interior desses casulos, a comunicação se mantinha estável na abertura do Portal e durante a aceleração no mergulho ainda no túnel de largada, ao menos até que se perdesse a consciência na desmaterialização e a retomasse em seguida, já materializado na órbita terrestre em um único instante. Durante a largada, sequer havia horizonte para rodar uma simulação; no máximo, dava para rodar alguns dados no próprio visor da veste no interior do casulo até o momento derradeiro: a contagem regressiva, as últimas rechecagens *et cetera*. Apenas para aplacar a ansiedade pela viagem em si e a inerente fobia de que algo pudesse dar errado e, por má fortuna, nunca mais se materializasse. Afinal, muitos que atravessaram o plano tetradimensional não retornaram contato. Nunca se soube se teriam alcançado seu destino, perdido-se no espaço da matéria ou perecido ali mesmo no Sol durante a desmaterialização.

Na abertura do Portal, tudo era automático e comandado por robôs vinculados à estação de controle conectada à rampa de lançamento. Di Angelis apenas sincronizou o sinal entre a nave e o comando, e aos dimensionautas nada restava fazer senão acompanhar a regressiva final. Porém, se havia algo que pudessem dar cabo, seria acionar o comando <cancelar> e abortar a missão, disponível até o instante derradeiro.

Lembrando que, fosse um vimana da contemporaneidade de Nhoc ou um frisbee transdimensional ultratecnológico como a *Nave*, a cúpula de tripulantes de ambos se trata de um ambiente *adimensional* destituído de divergência multividual. Dessa maneira, se houvesse pares, fosse de Nhoc ou de Logan, que pudessem ceder ao medo e optar por abortar a missão, no ambiente da nave, eram ambos cada qual apenas um indivíduo com uma única escolha disponível: abortar ou seguir em frente. Quando a contagem alcançou zero, nem Logan nem Nhoc titubearam, o Portal se abriu e a expedição partiu.

Nhoc teve um vislumbre da velocidade ganhando seu corpo como um raio nos milissegundos em que a nave percorria o longo túnel de lançamento que serpenteava como uma mola em forma de funil pelo interior da estrutura de cristais até a desembocadura cerca de 70 mil pés abaixo, já aquém da linha da fotosfera onde Titã flutuava. Ao penetrar na zona de convecção, perdeu os sentidos quando a desmaterialização se efetivou.

80

Tanto Willa quanto Nhoc eram seres cuja existência se conjuga no plural. Portanto, na mesma medida em que um navegava na mente do outro, ambos abriam focos multividuais distintos para absorver tantas mais informações que quisessem a respeito daquele que cada qual observava como um distinto alienígena ou animal. Fosse por mera curiosidade, fosse seguindo uma linha metodológica como fazia Willa. Não só a alienígena dava vazão à sua curiosidade em torno da vida de Nhoc, bem como utilizava sua mente como um computador para percorrer a rede que ele próprio havia engenhado, a rede trinária que vinha mapeando lá do oeste eurasiático cujo *mainframe* equivalia à cabeça do homiquântico. Percorrer a rede trinária de Nhoc era como ler sua mente retroativamente, pois abordava fatos recentes e abrangia valiosas informações sobre o cenário global que Willa vinha construindo. Com a tecnologia mental de Nhoc, finalmente a alienígena conseguiria completar o quebra-cabeças político da atualidade sob sua análise e, uma vez completo, emitir um relatório final sobre o quadro da terceira órbita no pretérito em questão.

Com os códigos criptográficos de Nhoc à sua disposição, Willa pôde enxergar a rede trinária em sua completa extensão como se fizesse parte de seu cérebro. Aliás, não apenas seu, pois podia contar com Sam e a *Nave* como extensão de memória já que, após posicionar-se em órbita, o fluxo de dados entre seus distintos grupos multividuais espalhados pelos continentes era cada vez maior e mais nítido. A leitura de banda entre os alienígenas só alargava, embora ainda estivesse longe da ideal pela falta de contato com a cosmonet e por estar despida da simultaneidade dos meios futuristas. O primeiro dado relevante disponível na mente de Nhoc era a extensão e a heterogeneidade de meios que compunham sua rede, desde modernos computadores até os arcaicos cabos de cobre dos antigos sistemas de telégrafo. Para se ter uma ideia da extensão, até em órbita Willa se deparou com fluxos informativos que derivavam da rede de Nhoc, a qual, em termos de captação de informações, era comparável à sua própria: um sistema TELETRAC que utilizava três satélites chineses para trocar sinais com antenas em terra, cobrindo a região leste do globo quase por completo, ainda assim, limitada à compatibilidade dos sistemas dos países comunistas. Nada que pudesse se comparar à abrangência da rede dos alienígenas que, a essa altura, já contava com uma população em órbita largamente superior à quantidade de satélites hominídeos que giravam ao redor da Terra. Willa já havia caminhado no vácuo o suficiente para grampeá-los todos, incluindo as estações espaciais internacionais dos capitalistas e dos comunistas. Com isso dispunha de cobertura total do globo, exceto em alguns pontos nos polos.

O sistema de Nhoc era uma perfeita rede de espionagem, sem dúvida, o maior e mais eficiente esquema de escuta que Willa se deparou em sua aventura pretérita. Apesar disso, os dados contidos na memória do alienígena revelavam que sua rede estava se deteriorando, perdendo conexões e pontos de comutação. Uma deterioração congruente ao descompasso de seu criador, um moribundo enclausurado em seu jazigo de morte que, desde então, não tinha mais motivos ou motivação para se dedicar à sua manutenção ou expansão. Pelo contrário, constava em sua memória um conjunto de instruções conectado a um *switch* alimentado pelo fluxo energético que percorria seu corpo, contendo comandos a serem executados assim que esse fluxo se extinguisse, em suma, tão logo falecesse. Como um testamento, continham os últimos "desejos" de Nhoc. Esses desejos, apenas para citar os mais relevantes, incluíam o anúncio oficial da morte de "Fu Manchu" e a dissolução da "Sociedade dos Fanáticos Psíquicos" ou "Si-Fans": um documento que listava os lacaios que exerciam a proteção de sua câmara secreta e revezavam-se na operação da rede de terminais tanto no palácio quanto em suas propriedades ao longo da China, que serviam em nome de Fu Manchu. Instante em que seus serviçais seriam libertos de sua influência psíquica, enfim demitidos de suas funções e livres para desfrutar do arbítrio que sequer desconfiavam possuir. A lista testamental prosseguia com um amplo detalhamento das últimas tarefas que os lacaios de Nhoc precisavam executar antes que estivessem "livres" – algo que para muitos significava cometer *seppuko*, ou seja, suicídio –, a começar por libertar seus saguis da câmara em que estava. No mais, a maioria das tarefas visava eliminar os rastros de sua rede de espionagem e de qualquer referência aos códigos trinários que estavam gravados em seus terminais espalhados pela China, os quais teriam de ser todos formatados após sua morte. Por fim, a última ordem de Nhoc era incinerar seu corpo ali mesmo, no interior daquela câmara secreta, então incendiar o palácio e a sala do trono sem deixar qualquer rastro de seu corpo, inclusive o ouro que sobrasse de seus restos mortais seria destinado à doação anônima. Havia apenas uma informação que Willa não compreendeu seu significado, algo que somente o contexto mais amplo da leitura revelaria, a qual descrevia uma missão ultrassecreta cujo objetivo era "salvaguardar o capítulo final de suas placas de ouro".

Pela vontade de Nhoc, seu maior legado jazia na consciência de que sua sabedoria e sua liderança fossem lembradas como as de um homem, não de um alienígena. Por isso era imperativo que jamais tivessem acesso a seu corpo ou maiores evidências de sua presença na Terra. De fato, a rede de Nhoc contabilizava dados prévios à chegada de Willa em que tais providências já haviam sido levadas a cabo, pois Nhoc tinha fenecido em muitas dimensões paralelas por falência cerebral decorrente do quadro de Alzheimer que o acometia.

A rede de Nhoc se deteriorava justamente por isso, pois dependia de sua influência psíquica para manter-se operacional em total plenitude, e o Alzheimer não só limitava sua capacidade mental, mas o obrigava a restringir sua mobilidade. Ao menos desde o instante em que passou a sofrer com os sintomas da condição e precisou se enclausurar de vez na câmara em que se encontrava, alguns anos após a instauração do comunismo no país, nos anos 1950 – já beiravam três décadas que Nhoc estava preso àquela parede. Suas últimas caminhadas se deram pelo sistema de túneis que interligavam os subterrâneos da Cidade Proibida com as sedes governamentais adjacentes para exercer sua persuasão sobre a cúpula governamental do país. Depois que o regime estava plenamente instaurado e assegurado, alguns anos após a revolução, Nhoc iniciou os preparativos finais para sua morte e se prendeu na parede da câmara secreta. Aos poucos, com a ajuda de seus lacaios, transformou-a na UTI que o mantinha vivo por aparelhos, onde sua única diversão era atualizar-se a respeito dos desdobramentos políticos do mundo através de suas escutas ou exercer sua influência de forma desportiva sobre os visitantes da sala do trono, logo depois que o local foi convertido em um museu público. O grande complexo que desenvolveu ao longo de séculos, que por largo horizonte serviu como um poderoso instrumento que o permitia guiar os desígnios do país, sistema este que aprimorou ao mais alto estágio tecnológico durante o período moderno com a disseminação das redes elétricas, de radiotransmissão e da comunicação via satélite, de momento, não passava de uma interface de entretenimento para preencher a deteriorada mente de seu criador – uma mera distração para mantê-lo ocupado até o instante de sua morte.

Embora ainda não dimensionasse o contexto histórico de construção da rede de escuta e influência desenvolvida por Nhoc, bastou a leitura dos fatos mais contemporâneos da vida de seu locutor para que as dúvidas iniciais que haviam levado Willa a rastrear sua rede desde a Europa se dissipassem totalmente. Estava comprovado que a figura de Fu Manchu tratava-se de uma identidade pela qual Nhoc exercia sua persuasão sobre a classe hominídea chinesa pelo menos desde a dinastia Ming, datada do século XIV. Época em que começou a construir sua fortaleza e a desenvolver seu sistema de escuta, quando fundou a Cidade Proibida, seu último lar na Terra. Mas se Fu Manchu era apenas um nome fantasia na atualidade, seus descendentes eram reais e ocupavam setores estratégicos do país entre grandes latifundiários e empresários de megacorporações de base, da mídia, entre membros das Forças Armadas, políticos do governo e proeminentes membros do Partido Comunista. Bastava pensar que o atual presidente chinês, Deng Shaoshang – futuro pai de Xiaoping, presidente da China na ocasião da Guerra dos Seis Minutos –, pertencia a uma linhagem que derivava de uma longa cadeia hereditária cultivada por Nhoc.

– Fluxo Xiaoping contaminado – comunicou Willa ao colega em referência às propostas de sua pesquisa.

– Grau de infecção? – questionou Sam.

– Em estudo.

– Alvitrar procedimentos.

– Abrir nova pasta de trabalhos. Manter ativa.

– Endereço "/nhoc/xiaoping" criado. Pasta em compartilhamento aberto.

Outro fato revelado logo nas primeiras varreduras do sistema de Nhoc deu fim ao mistério em torno do título de cavaleiro templário obtido por Fu Manchu, um dos grão-mestres da casa dos Illuminati:

– Foi você quem fundou os Illuminati. Eu deveria ter desconfiado – afirmou Willa.

– Eu não fundei. Apenas *sugeri* ao papa que o fizesse.

– Por quê?

– Não foste ti mesma quem questionaste a existência dos Illuminati face à ausência do Sino em Viena?

– Um óbvio questionamento.

– E uma óbvia resposta, né? Apenas me permiti plagiar a história para refundar a casa dos Illuminati. Cri que seria uma boa lenda e uma ótima camuflagem para minha rede de colaboradores, especialmente naqueles *tempos* quando a palavra do papa valia ouro – confessou Nhoc. Assim como fez com Fu Manchu, os Illuminati compunham outro famoso mito popular na história do homem que o homiquântico plagiou em benefício próprio.

– E ainda fez questão de vincular a imagem dos cavaleiros templários ao mito do Santo Graal – afirmou Willa.

– Exato. Ajudei a fundar a casa maçônica no século XVI e me tornei templário em 1818 – pensou Nhoc em referência aos Manchu. – Em 1870, estive lá pela última vez – a última que esteve na Europa, de acordo com a leitura retroativa.

– Se afirma isso de consciência, posso atestar que suas memórias não possuem nenhuma distorção.

– Fui feliz na escolha, né? Se até ti consegui ludibriar – comentou o homiquântico com uma rouca risadinha, zombando de sua leitora.

– Por curto horizonte, espertinho – respondeu Willa, levando na esportiva.

Esse período datava a ocasião em que Nhoc esteve o mais distante da Cidade Proibida pela última vez em sua vida. Quando, por 14 anos, viveu em Viena escondido na câmara secreta situada abaixo do prédio da filarmônica – no exato local que abrigou o Sino nazista em dimensões pretéritas, que Willa havia estado dias antes –, onde criou uma prole judaica para defender seus interesses em torno dos Illuminati no intuito de firmar relações comerciais entre a China e a Europa. Os Illuminati e a rede de informações mantida pela casa maçônica atuavam como um braço de Nhoc na Europa. Permitia tecer negócios com europeus e norte-americanos através de empresas de fachada, ainda que muitos desses negócios estivessem comprometidos ou desfeitos após a solidificação do comunismo na Europa e na China. Das confluências que ainda restavam desde Viena, sede dos Illuminati, englobando capitais do bloco comunista e estendendo-se ao outro lado do muro até alcançar os países capitalistas, esclarecia-se qual era, em parte, a atividade dos muitos Si-Fans a serviço de Nhoc: a de corretor da bolsa de valores ou de investidor em variados fundos internacionais, contando com bancos e operadores de câmbio.

Nessa última visita aos Illuminati em Viena, ocasião em que os Manchu alcançaram o degrau mais alto na hierarquia da loja, Nhoc utilizou a pele de um de seus inúmeros filhos da dinastia Manchu, um mandarim chamado Chi, para liderar uma comitiva sob o papel de comerciante. Embora fosse de fato um, seu objetivo era instaurar aquele que seria o posto mais avançado de sua rede no Ocidente. Se, no presente, Nhoc desfrutava de uma infraestrutura de base trinária interligando suas inúmeras propriedades e postos-chave que se ramificavam do leste asiático até a Europa, à época, nos anos 1870, sua malha de intercâmbio era ainda mais ampla. Todavia, resumia-se a um mero sistema de telégrafo ou, quando muito, uma rede que permitia manter contato multividual à distância e trocar informações entre pares distintos em planos paralelos proxidimensionais que contassem com a mesma estrutura. Na ocasião, a rede somava um total de 32.728 pontos de comutação, quase o dobro das centrais terminais que operavam o sinal trinário desenvolvido por Nhoc depois de enclausurado em sua câmara secreta. Essa amplitude toda era fruto de um projeto que vinha desenvolvendo há séculos, de um passado longínquo que avançava muito aquém da leitura do ponto de vista retroativo que Willa percorria partindo do instante presente. Provavelmente, datada da virada do século XII, conforme algumas amostras de cabos coletados pela alienígena até então. Talvez não muito longe da data em que Nhoc havia se materializado na Terra, já que suas conjecturas a respeito do surgimento da dinastia Manchu não avançavam além dessa marca – ao menos não enquanto não navegasse mais fundo na leitura pretérita que empreendia paralelamente. No decorrer desse período, Nhoc exerceu um trabalho multividual psicográfico descentralizado para distribuir seus indivíduos por incontáveis pontos irradiados a partir de alguns centros estratégicos localizados na China. O principal deles ali mesmo na Cidade Proibida, o grande quartel-general de sua atualidade mais recente. Outros tantos pontos distribuíam-se pelos países vizinhos, nos quais diversas centrais como aquela que Willa encontrou em Harbin, na Manchúria, operavam secretamente.

– Inventei a telefonia dois séculos antes dos italianos e o telégrafo há mais de quatro dos norte-americanos – jactou-se Nhoc frente a uma lembrança em que seu filho Chi demonstrava o princípio da eletrotransmissão para os cidadãos vienenses em sua visita à casa dos Illuminati.

Completamente abobados, os judeus escutavam as explicações do chinês em seu perfeito alemão como se ouvissem um daqueles charlatães que perambulavam em vagões circenses puxados a cavalo vendendo milagrosos soros rejuvenescedores. Não fosse por sua presença oculta, ainda que seu filho Chi fosse eloquente e lúcido em suas explicações, jamais abririam suas mentes para a brilhante inovação que o telégrafo representava para garantir a vanguarda dos Illuminati como uma das associações comerciais de maior influência no mundo civilizado da época. Mas, ainda que seus parceiros fossem iluminados, o propósito da rede de Nhoc sempre foi servir a si mesmo como um sistema de comunicação e um serviço de espionagem vital para sua sobrevivência. Tratava-se de uma rede exclusiva, particular, não um produto comercial. Um detalhe que implicava o fato de ter sido totalmente construída secretamente por cabeamento subterrâneo desde Pequim. Não à toa, Willa havia encontrado cabos de cobre abaixo da Grande Muralha, pois se tratava de uma malha de comunicação que vinha sendo desenvolvida e mantida há séculos. Todavia, somente a chegada da Era industrial e a solidificação do comércio internacional possibilitaria Nhoc alavancar a estrutura de sua rede até alcançar a Era dos Videogames. Ocasião em que os Manchu deixaram de ser uma mera fachada para encobrir sua presença, permitindo-o transformar o telégrafo em um grande negócio que derivaria no sistema binário e, em seguida, trinário, o qual Willa veio rastrear até a mente do alienígena.

A distribuição multividual de Nhoc garantia a abrangência da rede na pré-modernidade, mas a logística para viajar oculto era bastante complexa no século XIX. Para criar cada central de escuta não bastava enviar um engenheiro ou deixar aos cuidados de uma empresa para realizá-lo. Para que a doutrinação de Nhoc fosse efetiva, era preciso criar seus seguidores desde criança para que, quando adultos, suas mentes estivessem plenamente formatadas para atuarem como adidos agindo sob seu interesse, ainda que não mais estivessem sob sua direta influência hipnótica.

– No adulto, por mais que se comande seus pensamentos continuamente, não há como manter uma impressão duradoura se a hipnose não for contínua – comentou Nhoc a respeito.

– A menos que reescreva seu emaranhamento de ligações cerebrais – conjecturou Willa.

– Jamais faria isso. Por isso preferi aplicar hipnose contínua da gestação até a manifestação da hipófise.

– Sabe que em minha atualidade isso é considerado lavagem cerebral.

– Justo que seja. Pois garanto que o cérebro de qualquer cria minha é *mais limpo* do que de qualquer homem que cresça longe do que prefiro chamar de *meu processo de adução.*

– Justíssimo. Entrementes, meu parâmetro de adução é outro.

– Não fosse, já terias me hipnotizado e me *abduzido* para tua nave, né?

– Você compreendeu bem – encerrou a breve conversação Willa.

Era assim que Nhoc conseguia manter total controle sobre suas crias, condicionando seus pensamentos durante a infância de forma contínua. Com isso, quando alcançavam a adolescência, mantinham-se fiéis aos valores e ensinamentos do alienígena pelo restante de suas vidas e os repassavam às novas gerações sem que as mesmas soubessem conscientemente quem as havia condicionado. Detalhe este que revelava a importância vital do uso de alguns homens de fachada, bem como seu filho Chi, como parte de uma longa linha sucessória de mandarins da dinastia Manchu ou mesmo de algumas personalidades elevadas à santidade pelas multidões que se multiplicavam a partir de seu foco de influência. Naturalmente, com o avançar das gerações, os valores e a influência de Nhoc se desvaneciam. O alienígena era obrigado a renovar suas proles para reafirmar sua liderança e manter as populações sob seu controle. Ainda que isso fosse virtualmente impossível, pois Nhoc só poderia estar em único lugar em cada dimensão que ocupava, sua técnica foi altamente efetiva ao longo de séculos. Mas a chegada da modernidade e o crescente processo de intercâmbio entre diferentes nações passaram a dirimir seu poderio para manter a unidade de um povo cada vez mais populoso e miscigenado. Dentre uma série de nomes que, conforme advertira o próprio Nhoc, ilustravam as paredes da sala do trono na Cidade Proibida, na leitura retroativa de sua mente, a longa linha hereditária de sua rede de influência apontava para a figura de Fu Manchu como uma das últimas a exercer esse papel. Fu também seria o último mandarim a figurar como cavaleiro templário desde que Chi esteve em Viena junto a Nhoc para celebrar seu acolhimento na casa dos Illuminati. Embora tal figura nunca tenha chegado de fato a existir, tratava-se de um nome veiculado pelos últimos membros de sua dinastia antes que ficasse recluso em sua fortaleza em Pequim.

Sem dúvida, sua estada em Viena foi o marco de uma época em que a influência de Nhoc alcançara seu limite máximo. A partir dessa ocasião já não podia mais viajar como antes para manter sua contínua domesticação de novas proles que, cada vez mais, se resumiriam às que adestrava em seu lar na Cidade Proibida, onde podia manter sua tradição e criar as sentinelas, os tais Si-Fans, que se encarregariam de zelar por seus ideais, mesmo à distância, até o dia de sua morte. No presente em que desempenhava a leitura da mente de Nhoc, Willa contabilizava 21 famílias vivendo na Cidade Proibida, cada qual com um único filho, das quais seus respectivos adultos haviam crescido sob seu manto hipnótico – justamente, os lacaios que protegiam e exerciam a manutenção de sua câmara secreta em contínuo. Por outro lado, suas respectivas proles não estavam mais submetidas ao processo de adução de Nhoc, já cresciam longe de sua influência e brincavam pelo pátio da cidade como se fossem seus saguis – seriam as primeiras a viver em um mundo livre do alienígena. No entanto, no auge de sua vida e nos dias de glória do Império, o número de proles ativas criadas por Nhoc alcançava centenas de centenas. Considerando-se que essa prática vinha sendo exercida há largo horizonte, comparando as informações com tudo que já havia catalogado em sua varredura pela Ásia, tanto no que se refere à paisagem circundante, como no amplo referencial obtido frente a memória coletiva do povo, sem qualquer sarcasmo Willa captou a frase de Nhoc que melhor ilustrava o alcance de seu "processo adutivo":

– Eu criei a China.

Não havia nenhum sinal de teatralização em tais sinapses. Conforme avançava na leitura da mente de Nhoc, tanto no sentido retroativo quanto progressivo, melhor se encaixavam as peças e as referências obtidas. De fato, o cenário emulado da China era a perfeita expressão cultural fruto da mixagem entre o homem terreno e o universo futurista espelhado pelo homiquântico. Não à toa, o povo era tão simples, não por menos tinham tantos deuses e líderes que pregavam pela harmonia e a sabedoria como pilar mais forte que guiava a fé popular, ainda que, nos tempos contemporâneos, as crendices se multiplicassem como erva daninha em meio ao saber cuja origem era Nhoc. Por outro lado, era nítido o custo para que uma atmosfera assim prosperasse, de modo que valores como *honra* e *tradição* expressavam o poder ditatorial de uma sociedade centrada na figura do imperador e regimentada pela força dos mandarins como representantes das dinastias que sustentaram esses ideais ao longo dos séculos. Não obstante, o dado mais relevante se traduzia pelo mapa genético hereditário que Willa estava compilando em paralelo. Ainda que estivessem em andamento suas listas de cemitérios e necrotérios pendentes de investigação em diversos pontos do planeta, sobretudo no Oriente distante, e sua busca por fósseis se encontrasse em estágio primário de varredura, já era possível identificar o traço genético chinês inserido em uma ampla cadeia que tomava quase a totalidade da Ásia e se espalhava por todo globo, especialmente nas Polinésias, na Austrália e na América, as quais, segundo as classificações de sua ultracontemporaneidade, englobavam uma série de genes de origem reptiliana.

– Tua percepção de que a paisagem chinesa em muito se assemelha aos zoológicos de Urano foi deveras perspicaz, minha cara. Descarta-se qualquer casualidade – comentou Sam, quebrando um pouco da tensão nessa passagem da leitura de sua esposa. Willa registrou o comentário e seguiu em frente.

Quando retornou de sua última viagem ao Ocidente, última vez que visitou a Europa, Nhoc nunca mais deixou a Cidade Proibida, ainda que não vivesse enclausurado na sala do trono ou nos aposentos imperiais. Pelo contrário, caminhava livremente nos pátios do palácio, afinal, em sua cidade sempre possuiu total controle sobre seus serviçais e qualquer convidado que adentrasse sua fortaleza. Isto é, ao menos até a virada do século seguinte, embora não mais se aventurasse pelo exterior dos muros, 1900 demarcou o último período em que o alienígena ainda se permitiu algum contato com o público em cerimoniais abertos ou recepcionando súditos na sala do trono em pessoa – com todos os cuidados necessários e o infalível escudo hipnótico do qual se valia para não ser identificado como um ser de natureza distinta aos homens da Terra.

A chegada do século XX também foi marcada pelos primeiros sintomas do Alzheimer, quando Nhoc se tornou ciente de sua condição decadente. Horizonte em que passou a se resignar do contato com os homens, pouco a pouco se isolando em seus aposentos e limitando seus afazeres ao convívio com os saguis que tanto amava, lentamente delegando as tarefas mais importantes aos fantoches que comandava com sua rede psíquica. Os sintomas do Alzheimer tiveram um efeito imediato sobre sua capacidade de exercer o controle da classe política chinesa, Nhoc negligenciou parte de suas tarefas, uma delas, vital: a influência sobre as ações do imperador da ocasião, Pu Yi. O imperador Pu Yi era apenas uma criança quando herdou o trono, e Nhoc permitiu que crescesse sem a influência de seu processo adutivo – o que se provaria um erro no futuro próximo.

Alijado de seu controle mental e refém de sua própria imaturidade, o imperador perdeu as rédeas dos súditos e isso custou o fim da linha sucessória imperial por sua deposição e a adoção do sistema republicano pelo país. Quando Nhoc se deu conta da situação, já era tarde demais. Em súbito horizonte, estava fadado a lidar com uma nova linha sucessória presidencial que lhe custaria muito mais trabalho pela alternância de nomes no poder e um inconveniente que, dada sua fragilidade, não tinha mais como superar: a mudança da sede do governo central para fora da Cidade Proibida, ou seja, fora do alcance de suas ondas hipnóticas. Ainda assim, apesar de sua crescente fragilidade mental fruto do Alzheimer, procurou retomar sua influência através do imperador, ainda que o mesmo, a partir de então, não passasse de uma figura decorativa no âmbito do poder.

O trunfo que ainda restava a Nhoc era seu sofisticado sistema analógico de informação: se ainda não havia se enfurnado em uma câmara de dimensões reduzidas contendo um aparato computacional de última geração, na ocasião da revolução republicana a ala imperial já contava com uma central de telégrafos e correios altamente sofisticada para o período. Essa ala permitia o alienígena manter-se mais atualizado que ninguém com os fatos da nação e boa parte do mundo civilizado da ocasião, e com isso exercer sua influência ainda que o trono que ocupara diversas vezes não tivesse mais valor. Se, durante largos horizontes, bastava a Nhoc caminhar pelos sistemas de passagens secretas que ele mesmo arquitetou nos subterrâneos da Cidade Proibida para captar e sugestionar as mentes dos personagens mais importantes do palco político entre a realeza, os súditos e os muitos diplomatas de passagem pelo palácio, com o poder centrado em um presidente que não mais residia na Cidade Proibida, isso se tornou impossível.

Até esse ponto, os fatos históricos eram condizentes com as memórias chinesas que Willa trazia em sua memória em relação à história-continuada. O ponto em que as divergências se iniciavam era o ano de 1924, quando Pu Yi foi deposto do trono de imperador e forçado a abandonar a Cidade Proibida. Futuramente, se tornaria imperador de fachada da Manchúria. Porém, essa era uma história que não contava com a presença oculta de um alienígena no palácio. Com a presença de Nhoc nessa sequência alternativa, Pu Yi permaneceu como imperador da China até a revolução comunista, embora continuasse como um mero fantoche do alienígena e aquém do poder exercido pelo presidente.

No interior da Cidade Proibida o imperialismo de Nhoc era absoluto, sua vontade era lei, ainda que seus súditos não soubessem conscientemente quem ditava as ordens. Todos os fantoches que lhe emprestaram a face jamais souberam quem se escondia atrás das cortinas. Quantos não foram os imperadores que sequer percebiam quem estava ao lado da cama lhes velando o sono e preenchendo os sonhos? Todos. Todavia, com o poder nas mãos do presidente, "o maldito presidente", conforme tachavam suas memórias, pouco adiantava retomar o controle do imperador. Foi então que Nhoc, pela primeira vez, pensou em largar tudo, afinal, seria apenas uma questão de décadas para que o Alzheimer o impedisse definitivamente de exercer qualquer controle sobre os desígnios de seu país. Com isso em mente, iniciou a construção da câmara secreta que planejava ser seu jazigo de morte. Eram curtos horizontes para que não só o imperador, mas todos despertassem para a própria consciência de maneira definitiva – e o único sentimento que o fazia relutar em adiar esse dia era o medo de que suas crias não conseguissem mais prosperar quando órfãs de sua liderança. Medo de que no decorrer de seu despertar, voltar-se-iam contra os princípios há muito consagrados sob hercúleo esforço. Afinal, quantas não foram às vezes em que isso se repetiu em seu decorrer continuado? Incontáveis. Não por menos, Nhoc construiu seu país à imagem do imperador, ou seja, através de uma estrutura centralizada de poder que o permitia manter a unidade de seu povo. Mas quantos não foram aqueles que quiseram romper essa unidade ou usurpá-la para si? Tantos que negaram ou não se permitiram escutar aos "conselhos" de Nhoc? Das dinastias que se alternaram no poder, das guerras e insurreições, dos estrangeiros que quiseram conquistar sua pátria, do retrocesso inerente de tais rupturas que dividiram sua nação em diferentes países, e de todo o trabalho que precisou exercer para evitar o total colapso da China em inúmeras ocasiões? Nesse sentido, seu maior temor era que tudo viesse a ruir como se o largo de sua presença não houvesse significado nada.

As respostas para essas indagações mergulhavam fundo na mente de Nhoc. Mas na leitura retroativa, a última de tais ocasiões foi justo aquela que precipitou a necessidade de se trancafiar na câmara secreta onde estava de instante. Remetia, talvez, à maior cisão de seu Império. Aquela que, por inúmeros séculos, constituiu-se como a grande nação rival da China, que por muito atormentou e ameaçou sua existência, mas que no passado um dia se tratou, certamente, da mais florescente terra chinesa: o Japão. Porém, a sequência de fatos que reavivou esse antigo tormento de Nhoc foi decorrente da instauração do presidencialismo na China e a subsequente perda gradual de sua influência sobre os líderes do novo regime. Mas se a gota d´água veio do Japão, o primeiro sintoma surgiu justo no lar da dinastia Manchu, com a cisão da Manchúria ao restante do país. Uma cisão fruto da pressão política bancada pelos japoneses e a clara inabilidade do presidente em mantê-los sob rédeas curtas. Não obstante, por trás do Japão escondiam-se interesses de britânicos, gauleses e, especialmente, norte-americanos, cujo objetivo maior era alinhar a China com seus objetivos e gerar instabilidade na Rússia, ou seja, buscava evitar que o comunismo se alastrasse no leste asiático. Nas mãos dos republicanos e aquém de seu poder mental, Nhoc viu ruir as frágeis relações internacionais de seu país. Relações que, conforme o possível, havia construído com árduo trabalho durante os últimos séculos, especialmente com o Japão, as quais rapidamente se tornaram hostis e vieram a se projetar decisivamente para sua sobrevida.

Nesse ambiente de incertezas com o futuro da nação, além da cisão da Manchúria, outras províncias ficaram à mercê de interesses externos e o país chegou à beira do total colapso. Em paralelo à escalada de guerra entre China e Japão, uma série de revoltas e movimentos populares se espalhou pelo país, mas somente um deles chamou a atenção de Nhoc: o comunismo. Especialmente após a Revolução Bolchevique, que colocou abaixo a tradicional linhagem de czares e instaurou o regime comunista na Rússia. Como uma luz, Nhoc brindou a vitória bolchevique com admiração a um feito que pouco acreditava ser possível para uma criatura como o homem. Tal subversão da ordem que, conforme concebeu de imediato, transformaria completamente o cenário político global em uma escala incontrolável, que demonstrava, talvez, ser de fato viável um povo prosperar liderando a si mesmo, sem que precisasse de sua luz.

– Foi então que concluí que a única saída para livrar o país dos republicanos seria bancar uma nova revolução para instaurar o comunismo no país, a última cartada que dispunha para manter a unidade de meu povo – justificou Nhoc para seu leitor. Sobretudo, uma conclusão prática, já que o sistema comunista, tanto quanto o regime imperial, privilegiava a liderança déspota em sua insurgência como não poderia deixar de ser por se tratar de uma total inversão de classes no poder – da mesma forma como foram muitas das alternâncias, geralmente conflituosas e sangrentas, das dinastias que comandaram a China desde os tempos mais remotos. Sobre isso, Nhoc confessou:

– Aos meus propósitos, de nada serve o regime presidencialista, especialmente quando vinculado àqueles frágeis ideais gauleses, àquela demagogia toda – mentalizou com sinceridade e sabedoria nas palavras.

Embora ambos os alienígenas comungassem de ideais democráticos ao que tange seus respectivos mundos originários, especialmente Willa, ambos concordavam que a democracia era muito avançada para uma criatura ainda enraizada em seus instintos mais primários como a hominídea. No plano pretérito corrente, seria utópico exercê-la na plenitude de seu exercício ético, algo que:

– Em mentes erradas, não passa de uma arma de coerção em massa – opinou o homiquântico.

Willa discordava dessa visão rasa, mas havia de relativizar, já que Nhoc era apenas um animal. Todavia, não era justificativa para que inferisse no arbítrio dos homens para impor o que ele cria como correto ou *moral*. Menos mal que seu entusiasmo pelo comunismo não se resumia à praticidade em manter uma estrutura de poder centralizada. Pelo contrário, a identificação de Nhoc com o regime dava-se pela filosofia do sistema em relação a dois conceitos que, já à época dos homiquânticos, não mais existiam: a propriedade privada e a alienação das massas laborais. Ainda que conflitos de classe, especialmente com a robótica, persistissem tanto no futuro de Nhoc quanto no de Willa.

– Eu me encantei com o comunismo – mentalizou o locutor com sinceridade.

Um sentimento que jazia no âmago de alguém que percebia a morte lhe espreitando, que trazia conforto pela sensação de justiça ao acreditar que, em sua ausência na Terra, o povo finalmente pudesse herdar o poder e desfrutar de um mundo igualitário e harmônico como nas mais remotas origens de sua estada no planeta.

– Não me repreendas, sei que fui um tolo. Que mais uma vez o homem tomou-lhe ao ego minhas esperanças – mentalizou Nhoc. Antes que Willa formasse qualquer sinapse, adiantou-se: – Essa foi a minha redenção. Nem tu poderás acusar-me de furtar ao dever de guiar o povo ao que de melhor de mim poderiam herdar.

No entanto, essa não foi uma decisão que Nhoc tomou de um dia pra o outro. Quando os republicanos depuseram o imperador, tratou de se esconder nos subterrâneos. Ante a revolução deflagrada, focou suas energias em manter a integridade de sua fortaleza e restaurar a monarquia, mesmo que fosse apenas como fachada para preservar sua segurança pessoal. Anos após, a revolução comunista tomou palco na Rússia, mas, em princípio, sequer acreditava que o sistema pudesse vingar. Sua súbita mudança de opinião em relação ao comunismo só viria após a noite de terror que viveu em 1931, ocasião em que seu palácio, que havia se tornado museu e sofria com o abandono do regime presidencialista, foi invadido por mercenários japoneses que o saquearam e atearam fogo nas instalações do antigo imperador. Não que Nhoc nunca antes tenha se postado sob a mira dos mosquetes ou das balestras inimigas, tampouco seria esse o primeiro assalto à Cidade Proibida, todavia, foi pego de surpresa. Desta feita, os invasores utilizaram seus túneis subterrâneos para se infiltrarem no palácio. Nhoc chegou a ver-se cercado por uma legião de homens armados que suplantavam sua capacidade imediata de controle mental. Tudo que pôde fazer foi esconder-se enquanto os invasores subjugavam sua guarda, assassinavam seus serviçais e abriam os portões da cidade para os saqueadores. Devido ao seu estado mental decadente, Nhoc apenas se manteve oculto onde estava, em uma sala anexa aos aposentos do imperador onde costumeiramente ficava à escuta de sua rede durante a madrugada. Permaneceu escondido junto às miragens dos invasores que ali se aventuraram.

Ainda que os mercenários tivessem se infiltrado em seus túneis secretos, ninguém conhecia tão bem aqueles calabouços como Nhoc. Das sombras em que se ocultava, bastou se concentrar em seus sentidos para captar o momento exato e, em um movimento de xadrez, reposicionar-se no interior dos túneis. Isso não seria problema se Nhoc estivesse na plenitude de seu vigor físico, mas o Alzheimer e a vida sedentária que levava no período lhe cobravam pela fragilidade física. Não podia mais correr, praticamente arrastava os pés no chão ao caminhar. Enquanto se deslocava pelo interior dos túneis, onde já não era tão simples captar uma mente à distância, precisou confiar apenas em seus olhos e sua aguçada audição. Não obstante, acabou cercado no subterrâneo, captando as vozes e os passos dos inimigos ao se aproximarem de seu esconderijo. Encurralado, Nhoc buscou em seu âmago toda força mental que ainda dispunha para conseguir brecar a invasão inimiga em uma esquina de um corredor estreito pela submissão à demência daqueles que se aproximaram de si, subjugando um a um como em uma fila indiana. Ainda assim, não fosse a ação do exército em paralelo para retomar a cidade, não teria dado conta da quantidade de inimigos que se infiltravam nos corredores subterrâneos e teria sido flagrado de mente aberta pelos invasores. Por muito pouco não terminou baleado ou incapacitado fisicamente, talvez assassinado – a essa altura da vida, seu corpo era tão frágil quanto o de qualquer hominídeo, bastariam algumas balas para lhe tirar a vida. No saldo final da batalha, mais de 200 mercenários foram mortos, outros 100 capturados e depois executados. Muitos deles acometidos por uma doença que depois foi descrita pelo folclore da maldição da Cidade Proibida, um estranho choque mental que os mantinha murmurando como cães feridos. Porém, a maioria escapou carregando as preciosidades materiais que jaziam no palácio há séculos. Nada que importasse muito, para Nhoc pesava a destruição parcial de sua central de espionagem, inoperante após o ataque.

Apesar da noite de pavor, o golpe mais duro foi descobrir nas mentes invasoras que o assalto ao palácio havia sido patrocinado pelo presidente em exercício no intuito de criar um factoide que o permitisse declarar guerra ao Japão – *Aquele néscio yankee corrompido* –, o que de fato veio a acontecer, ainda que só oficialmente declarada alguns anos após. Um ato escuso em prol de interesses capitalistas que visavam proteger relações comerciais com os Estados Unidos e fomentar o comércio de armamentos. Não bastasse, até o imperador Pi Yi estave envolvido no assalto ao fazer vistas grossas ao complô em torno de interesses distintos – transformara-se em um adido de interesses estrangeiros que redundaram na cisão da Manchúria –, não por menos esteve ausente do palácio com sua família na ocasião dos fatos. Algo demasiado revoltante para Nhoc por mais que em nada o surpreendesse, tantos não foram os complôs que vivenciou em sua vida. Ainda assim, o acontecido ultrapassava qualquer limite de tolerância ao novo regime, não só pelo que entendia como uma alta traição ao país por parte do presidente, sobretudo por carregar a China para uma guerra que sempre procurou evitar.

"Sempre fui um pacifista". – "Estais seguro disso?" – "Em quais sequencialidades?" – "Não sejas hipócrita". – "Repito: eu sim".

Apesar de ter perdido alguns de seus mais importantes serviçais e acometido pela doença como estava, das cinzas do palácio, Nhoc retornou aos princípios de sua estada na Terra para aduzir as mentes mais simples, dos carpinteiros e pedreiros que trataram de restaurar sua morada antes que pudesse tomar alguma providência quanto ao presidente ou ao presidencialismo. Ocasião em que fundou um jornal, pois precisou de "repórteres" para lhe atualizar dos fatos diários. Então iniciou aquela que prometia ser sua última prole hominídea, a mesma cujos adultos, já em sua segunda geração, davam suporte a sua rede e o pajeavam em seu esconderijo de instante. Ao menos o revés de momento permitiu Nhoc reconstruir sua rede e elevá-la a um contínuo patamar evolutivo, apenas agindo empresarialmente através de Fu Manchu para financiar a reconstrução do palácio imperial, além de importar e investir em novas tecnologias até que alcançasse o estágio em que se encontrava. Todavia, o que fez a diferença para Nhoc dar sua última cartada não foi a tecnologia de ponta empregada em sua rede, e sim os mineiros que angariou para ampliar seu complexo de túneis aquém das muralhas da Cidade Proibida, até alcançarem a nova sede do governo e a residência do presidente.

Tomou mais de uma década para Nhoc completar seu novo complexo de túneis subterrâneos. No período, sua rede já operava telefonia e rádio, e contava com um computador de válvulas que ele próprio inventou – segundo dados ratificados pela coleta de Willa, o primeiro da Terra. Já pelo lado externo da muralha, apenas acompanhou como um torcedor os desdobramentos políticos e o caos generalizado que tomou palco não só de seu país, mas do mundo inteiro, especialmente após a Revolução Germânica e a escalada de guerra global em torno dos interesses que passaram a dividir o planeta entre capitalistas e comunistas. Na China, a essa altura, o conflito com os nipônicos já era um estado de guerra declarado e, nas ruas e nos campos, a frente popular liderada por Mao Tsé-Tung confrontava a república empunhando o estandarte comunista. O único fato positivo do período foi a reintegração da Manchúria a então república chinesa, o que possibilitou a volta de Pu Yi ao trono na Cidade Proibida e a retomada de sua adução aos interesses de Nhoc. Para o alienígena, o ponto áureo dessa nova etapa foi conseguir um armistício entre o governo e a frente de Mao após condicionar o imperador e utilizá-lo como intermediário e porta-voz para recebê-lo no palácio. Em contato com a mente do revolucionário, a janela para condicioná-la era mínima, mas sequer foi preciso qualquer sugestionamento. O que Nhoc captou em Mao era um daqueles poucos homens que carregavam em si a herança de seus mais puros sentimentos: a honra, a disciplina e a obstinação para trazer harmonia e justiça ao povo. Não havia melhor personagem para desfragmentar e manter a China unida como sempre buscou manter.

Apesar da falta de uma janela de adução maior, Nhoc não desperdiçou a oportunidade para, através do imperador, propor apoio à frente de Mao para que enfrentasse os japoneses no conflito em andamento. Em paralelo, permitiu ao presidente que obtivesse favores dos concorrentes capitalistas. Uma estratégia para reafirmar a força chinesa perante os inimigos da nação e comprovar a incapacidade do governo republicano em defender a pátria na guerra que eles próprios deflagraram. Se vencesse os japoneses, Mao obteria a força política e o aval popular para depor a presidência e se tornar o novo líder chinês. Então Nhoc poderia descansar em paz, sabedor de que estava deixando a China nas mãos do melhor homem que podia dispor. Antes que isso se consolidasse, o caos se espalhou pelo país, com diferentes frentes batalhando em todo território de norte a sul, de leste a oeste. Cada qual agindo sob interesse de distintos países e líderes, um estado marcial que já compunha alguns dos muitos conflitos inseridos no período da Segunda Guerra das Bandeiras – conforme a classificação histórica de Willa.

– Os olhos do mundo estavam todos mirando a China mais uma vez... Com a faca entre os dentes e pura cólera no semblante – ilustrou suas memórias Nhoc. Ele não estava brincando: – Se permitisse o presidente agir sem qualquer influência, a China se tornaria um conjunto de províncias prostituídas aos interesses estrangeiros, sobretudo dos malditos *yankees* – mentalizou com desprezo em referência aos norte-americanos, um notório rancor que se estendia também aos britânicos. Os primeiros por não possuírem nenhum tipo de honra: – Esses canibais exterminaram minhas crias mais nobres, aquelas que melhor souberam lidar com o arbítrio o qual lhes presenteei – referia-se à população indígena norte-americana. – São prostitutas capazes de trocar o próprio sangue por ouro – pensou em referência ao fato dos *yankees* venderem armas aos seus próprios inimigos. Quanto aos britânicos, seu ódio era igualmente profundo: – O que dizer de uma nação que se desenvolveu abduzindo e traficando homens ou explorando suas almas? – questionou. – Não fosse pelo ópio que disseminaram em meu país e a papoula que exploraram, jamais sustentariam sua nação. Abutres! – desabafou Nhoc. Por fim, ainda acrescentou: – Esses homens brancos, cria dos atlânticos, nunca foram páreo para o meu povo. Jamais tiveram coragem para declarar guerra abertamente, são corruptos, sempre tentaram colocar meus filhos uns contra os outros – um desabafo que demonstrava sua obstinação em não permitir que sua nação sucumbisse aos interesses de seus inimigos, que o fez superar qualquer dificuldade imposta por seu quadro clínico decadente e levar a cabo seu plano.

O plano era perfeito, especialmente após a consolidação do comunismo com a adoção do regime pela Alemanha. Nem a aliança de interesses entre Japão e Estados Unidos para tentar impedir que a China aderisse ao bloco comunista deteria a cadeia de eventos arquitetada pelo homiquântico. Isto é, somente a insuportável índole hominídea poderia fazê-lo: Mao foi envenenado por um mero cozinheiro. Um traidor que se revelou um agente secreto infiltrado pelos norte-americanos. Um dos descendentes das mais antigas proles de Nhoc do período das imigrações. Um índio navajo que conseguiu se fazer passar por chinês e trocou sua vida pela de Mao em nome de um falso *slogan* de liberdade.

Por mais que lidasse com os mais sórdidos dos homens, autênticos fantoches que só aturava por mero oportunismo ou conveniência, Nhoc era sincero quanto a sua prática hipnótica pouca invasiva no trato com a hominídea. Não existia canalhice que pudesse fazê-lo ultrapassar os limites de um congestionamento mental para uma total abdução e aplicação de lavagem cerebral conforme advertira Willa. À exceção de poucas confluências mentais que derivavam em um período pretérito aquém do bloco de memória que a alienígena lia no momento, ou em defesa própria como ocorreu na invasão de seu palácio, nunca Nhoc havia recorrido a tais práticas para manipular os homens a sua volta. Nesse sentido, os métodos importavam tanto quanto os objetivos, todavia, para tudo há um limite:

– Se até esse ponto o comunismo se resumia a uma *opção*, tornou-se a *única* opção – afirmou Nhoc. A única opção aceitável, uma autêntica questão de *honra*. Não iria mais se permitir morrer sem que seu legado estivesse assegurado. Não quando tudo se encaminhava tão perfeitamente para o sucesso. Se havia sobrevivido a tantas traições em sua vida, não seria à beira da morte que se permitiria derrotar. Fosse o correto a fazer ou uma mera questão de *Id* ferido, era imperativo retomar os desígnios de sua nação a todo custo.

A primeira providência de Nhoc foi disponibilizar inteiramente seu serviço de comunicação para veicular a indignação popular perante o covarde magnicídio de seu grande líder, transformando Mao em um mártir. A segunda foi lobotomizar a mente do imperador para que agisse em torno de seu objetivo como mais um aliado da causa popular. Só isso não bastava, era preciso lobotomizar o presidente cujo acesso ainda estava indisponível, já que seu sistema de túneis ainda estava em construção. Não bastasse, embora a morte de Mao tenha reforçado sua imagem perante as massas e feito eclodir o ideal comunista como nunca antes, ainda faltava um novo líder que tivesse estofo para ocupar e sustentar o posto de novo chefe da nação.

– A única mente que seria párea e que partilhava dos ideais de Mao era demasiado imatura para assumir tão grande responsabilidade – pensou Nhoc em referência a Ho Chi Minh, que veio se tornar um importante adido de sua causa na Indochina. – Se o utilizasse naquela época, corria o risco de perder a China. Não obstante, certamente teria perdido o Vietnã – completou.

Encontrar alguém como Mao era virtualmente impossível, por isso Nhoc se resignou em, através do imperador, dirigir-se àquele que se encontrava disponível, o fundador do Exército Vermelho, braço direito e um dos mentores de Mao na revolução, um general chamado Zhu De.

Com o imperador e o homem que precisava sob seu controle, ainda faltava completar o bendito túnel até a sede do novo governo para derrubar a peça que restava: o presidente. Na falta do acesso subterrâneo, Nhoc se travestiu com uma túnica negra com um largo capuz lhe cobrindo a cabeça por completo. Convocou Zhu De e o imperador, montou uma parada militar disfarçada de comitiva real e se dirigiu de carro, um Rolls-Royce alemão, até o prédio presidencial.

Quando a comitiva chegou ao prédio da presidência, ninguém sequer perguntou o motivo da súbita visita do imperador ou se havia alguma audiência agendada. Não houve um que se perguntasse quem seria a estranha figura que acompanhava Pu Yi e Zhu De, pois tal presença foi sobrescrita por sinapses vazias. Uma vez reunido com o presidente em sua sala de despachos, inexistiu alguma discordância ou qualquer contra-argumento, Zhu De foi empossado como novo presidente em um governo transitório. Afora a mente do novo líder cuja abordagem se limitou em borrar a memória de sua presença no cerimonial, Nhoc passou cerca de um mês perambulando pelos prédios governamentais promovendo sua limpeza memorial até que toda cúpula do governo, em suas três instâncias, estivesse sob seu controle. Cumprida a tarefa de outorgar o novo regime, enfim tomou seu rumo de volta ao abrigo da Cidade Proibida, onde o imperador anunciou para o mundo a fundação da República Democrática da China e anunciou a posse oficial de Zhu De. Em seguida, Pu Yi seria preso pelo novo presidente e acusado de traição.

Com os conselhos do imperador, Zhu De exerceu o perfeito papel de príncipe como ansiava Nhoc, para que pudesse, enfim, descansar em paz. O presidente comunista impôs uma derrota completa às forças japonesas, pacificou e reintegrou as regiões que se rebelaram ao governo de Pequim, e submeteu britânicos, franceses e *yankees* aos interesses do país. Há quem diga que a reintegração de algumas áreas tenha precipitado o início da Segunda Guerra Mundial, especialmente quando Zhu De retirou o governo britânico de Xangai e reintegrou a Birmânia ao domínio chinês – Nhoc discordava dessa análise histórica, pois, em sua concepção, a guerra mundial era inevitável desde que a Alemanha aderira ao comunismo. Por fim, Zhu De dissolveu qualquer dissidência ao novo regime e alinhou o país ao eixo da URSG, ainda que, sob a influência de Nhoc – que no decorrer da legislatura do novo líder já contava com seus sistemas de túneis interligando a Cidade Proibida com a sede presidencial –, mantivesse a China longe dos conflitos que confrontaram as principais nações concorrentes engajadas na Segunda Guerra. Enquanto comunistas e capitalistas guerreavam para estabelecer suas novas fronteiras, a China aproveitou para fortalecer as suas, anexando alguns países que outrora haviam integrado o país no passado. Em especial, o Tibete e a Mongólia entre os que cederam, fosse à máquina de guerra sino-comunista ou à política de bastidores comandada por Zhu De ao maneio do alienígena.

Aqui vale um parêntese cuja informação compunha um dado que afetava as relações passado-passado da história continuada conforme a abordagem de Willa sobre a temática, justamente, a nova geração de túneis criada por Nhoc que, à sua morte, viria compor um de seus legados para a China, embora sequer houvesse planejado isso, afinal, haveria um horizonte em que seu complexo de túneis subterrâneos seria descoberto. Uma descoberta que, em futuro não tão longínquo, se traduziria no *know-how* chinês de escavação de túneis que, por sua vez, derivaria no desenvolvimento do protocolo *Earthquake*. Protocolo o qual logrou construir túneis a partir da região norte da China, atravessando o Ártico até atingir as fronteiras dos Estados Unidos, onde bombas de hidrogênio seriam plantadas nas fissuras da falha de San Andreas e em torno da caldeira de Yellowstone – a influência de Nhoc no desenvolvimento dessa diretriz bélica era o fato novo que não constava na história. Um detalhe que revelava outro, um fato último que foi a determinação de Nhoc em certificar-se de que o novo regime comunista inserisse a China na Era Atômica. Embora o conhecimento atômico fosse algo que jamais ousou repassar para os homens, após as três detonações da *blitzgerät* por parte da Alemanha, Nhoc não poderia se permitir morrer em paz se a China não desfrutasse do mesmo poderio bélico das nações líderes do mundo civilizado. Sabia que disso dependeria a manutenção da soberania de seu país, sem a qual a paz conquistada ao final dos conflitos mundiais estaria em xeque. Assim sendo, se da determinação de um homem que muito admirava, ainda que defendesse os interesses dos Estados Unidos, o equilíbrio entre as grandes potências capitalistas e comunistas foi mantido, Nhoc fez o mesmo que Olivermerter sem precisar se expor à radiação e perder sua vida. Apenas exerceu sua hipnose sobre a nova cúpula governamental de seu país e utilizou suas conexões para repassar seus conhecimentos de física quântica aos homens corretos. Assim, balanceou a China dentro da nova equação de poder estabelecida com a invenção da bomba atômica.

– Introduzir a Fusão Nuclear foi meu último legado ao povo da China – estereotipou Nhoc, resumindo-se a manifestar o que considerava mais relevante. Pois, durante o completo horizonte de sua modernidade, há de se dizer de toda sua *vida*, no âmbito da leitura depreendida por Willa, sobretudo desde que passou a sofrer com o Alzheimer e a viver encerrado entre os muros da Cidade Proibida, Nhoc se permitiu repassar uma série de conhecimentos estratégicos ao povo chinês. Conhecimentos que, por muitos horizontes, sequer teria coragem de relegar aos homens – como foi, por exemplo, com a pólvora, que por largo Nhoc escondeu dos homens seu verdadeiro poder até o dia em que forasteiros o ameaçaram com um canhão. Ainda assim, por largo utilizou sua influência para dirimir o uso de armas de fogo por parte de seu povo. Outro exemplo de destaque era a tecnologia informática.

Mas, voltando para a modernidade, para criar a rede que desfrutava de momento, evidentemente, Nhoc precisou de uma série de inovações até chegar ao estado da arte de sua interface trinária. Para alcançar tal patamar, não poderia se contentar em importar ou contrabandear tecnologia estrangeira, era preciso manter o país alinhado com os concorrentes pelas próprias capacidades. Caso contrário, a China jamais seria uma nação soberana. Com esse objetivo, lançou todas as suas faculdades ainda disponíveis para garantir os investimentos governamentais em tecnologia. Utilizou sua rede de Si-Fans para introduzir informações na classe científica e, tão logo desenvolveu sua primeira rede eletrônica, ainda binária, passou a utilizá-la para fomentar e facilitar o acesso à ciência, ou seja, o acesso à sua mente. Uma série de conhecimentos, especialmente nos campos da Engenharia e da Astrofísica, permitiram à China manter-se no mesmo compasso do restante do mundo em termos de infraestrutura, sobretudo na área dos transportes e das telecomunicações – graças aos inventos de Nhoc, embora os créditos não ficassem para si ou, muitas vezes, para ninguém. A televisão era outro exemplo, mais uma de suas inovações que os britânicos – *Sempre eles* – haviam surrupiado para si os créditos pela invenção. Não obstante, dados em seu cérebro revelavam que, mesmo após se pregar na parede de seu calabouço,

Nhoc permanecia conectado com uma série de institutos e instituições de natureza diversa, atuando como um consultor oculto – se Carrol tinha quatro aparelhos telefônicos em seu escritório, em seu túmulo, Nhoc dispunha de uma autêntica central telefônica internacional. Sempre se valendo de suas muitas párias como marionetes para esconder sua existência ou utilizando identidades virtuais fantasiosas e atividade *hacker* a fim de dispor a informação certa na mente que se transparecesse a mais correta, de intelectuais e estudiosos civis e militares simpatizantes ou ativistas do regime comunista – isso quando não reformatava alguma mente de um cidadão proeminente que, porventura, visitasse a sala do trono.

"Você perdeu o controle" – "Quem"? – "Quem"?! – "QUEM"?!!" – "Eu".

Ao fim da Segunda Guerra Mundial, o processo de reunificação ou desfragmentação da China estava concluído. Mas, na concepção de Nhoc, constava uma ressalva:

– Faltou anexar a grande Coreia, sem mencionar o Japão. Caso tivesse logrado sucesso, devolveria aos homens a gloriosa nação como foi a China em seus anos mais dourados – ainda que não tenha sido possível, a sensação do homiquântico era de missão cumprida. Todavia, não por falta de tentativa. Ao término da Segunda Guerra, embora a China adotasse uma política isolacionista no cenário internacional, pacificou as relações com os russos e, com a Mongólia sob suas rédeas, montou uma frente para patrocinar o movimento revolucionário na Coreia, fator que ensejou a guerra entre o sul e o norte. Um último peão que moveu, que comeu uma peça adversária e, em seguida, acabou comido em um jogo que não haveria xeque-mate.

Nesse período, ainda que não fosse mais visto em áreas abertas ou nos setores públicos da Cidade Proibida, vivendo como um fantasma, sua presença se manteve ativa até quando, à conclusão da guerra da Coreia, finalmente Nhoc se prendeu na parede da câmara secreta que construiu para morrer.

81

Nhoc na Terra Pretérita

Pelas confluências cronológicas, justo as mais esclarecedoras, finalmente a leitura da mente de Nhoc avançava ao ponto que Willa ansiava por tomar conhecimento. Entrementes, o homiquântico interrompeu a sessão para pedir um favor à alienígena.

Já se sentindo bem melhor com o tratamento aplicado e a carga magnética que Willa lhe fornecera, Nhoc estava plenamente revigorado, forte e disposto como há horizontes não se sentia. Sua pele até brilhava levemente, como um *suave* neon branco no torso e parte dos membros, fraco que sequer iluminava o ambiente, mas lhe conferindo uma visível aura de benevolência. Rejuvenescido como não mais imaginava ser possível antes daquele estranho homem que flutua de cabeça para baixo revelar sua presença. Por isso, com vigor nas sinapses, manifestou:

– Por favor, ajude-me a sair desta parede.

Willa hesitou, sabia que seu tratamento era paliativo. Sem o seu suporte magnético, Nhoc não teria mínima sobrevida despido do sistema que havia criado como uma UTI improvisada e comandada pela interface computadorizada da parede cibernética responsável por lhe prover a vida – apesar disso, atendeu ao pedido do alienígena. Delicadamente, desconectou Nhoc dos cabos que ainda o prendiam à parede e o conectavam à sua interface trinária, tomando o cuidado de manter a transmissão de dados contínua através de seu cérebro como se fosse um roteador *wireless*; vedou os orifícios de seu corpo com o plasma de seus dedos e, através de seu campo extensivo, gravitou o homiquântico lentamente até que repousasse os pés no chão; então gradualmente relaxou o campo para que ele se equilibrasse. Nhoc titubeou; duas décadas passadas desde que ele próprio havia se pendurado naquela parede fez com que fosse preciso o apoio magnético de Willa para sustentar-se de pé. Praticamente não lembrava mais qual era a sensação de se pôr ereto sobre o solo e caminhar, por isso, sentiu uma leve tontura pelo peso de seu corpo, sobretudo da cabeça, que há tanto não carregava por si mesmo. Chegou a se desequilibrar quando Willa reduziu a intensidade de seu campo, mas logo retomou a compostura, estufou o peito fazendo circular a energia em seu coração. Em seguida, caminhou para o fundo do fino corredor disponível na câmara e fez festa com seus micos, agachando-se para acariciá-los. Depois, levantou-se e fez uma mesura ao lacaio sentado à frente do terminal ali operante, chegou até a dar dois tapinhas em suas costas, mas o lacaio permaneceu inerte, impassível como se não houvesse mais nada ali exceto o computador à sua frente cujos olhos não desviava, aparentemente hipnotizado pelos caracteres que corriam nos monitores. Depois de zanzar de um lado a outro na diminuta câmara, Nhoc dirigiu seu olhar para a alienígena e compartilhou:

– Assim está bem melhor, sim, sim... – mentalizou com um olhar sério e uma expressão sorridente por detrás das rugas da face. Então, com uma única sinapse, comunicou a Willa: – Prossiga.

Porém, mal reiniciada a leitura, foi a vez de Willa interrompê-la sob uma forte exclamação, imediatamente trazendo a atenção de Sam e seus colegas expedicionários perante a primeira informação que, não estivesse gravada em sinapses na mente de Nhoc, os alienígenas creditariam ao charlatanismo por parte do locutor: a data em que a expedição do homiquântico se materializou na Terra, 6.128 a.C.

– Impossível! – exclamou Willa.

– Confirmado: impossível! – ratificou Sam. Em seguida, a *Nave* e a *Árvore* igualmente se mostraram incrédulas, rodando e rechecando seus bancos de dados, num pequeno *looping* de sistema repetindo a sentença: "dados inválidos", "dados inválidos". Já a *Pedra* pareceu não se impressionar com a informação, apesar de igualmente não compreender a validade da data apresentada pela criatura. O choque se dava pelo trajeto total percorrido na curvatura do *tempo* ser muito maior do que calcularam com os dados fornecidos pelo homiquântico antes da leitura. Fato que estabeleceram suas projeções baseados no que calculavam como *possível*: que Nhoc haveria aportado em uma margem pretérita próxima ao ano zero, que se resumiria à contagem positiva da escala messiânica. Ou seja, que tivesse chegado a Terra *após* o estabelecimento do plano Jesus Cristo – o que já seria bastante extraordinário para sua época.

A data apresentada era um recorde não só para a expedição de Nhoc, mas de muitas outras que vieram após por um largo período. Chegava a aproximadamente dois terços do percurso, esse sim um recorde da ultracontemporaneidade, que Sawmill[A] havia percorrido. Só poderia ser um delírio aquilo, o Alzheimer teria afetado a memória de Nhoc e danificado suas impressões sinápticas. Era impossível uma expedição viajar tão longe em retroprojeção na linha-continuada partindo de um período tão arcaico, ainda próximo da abertura das atividades do Portal Tetradimensional. Sem dúvida, o decorrer da leitura haveria de esclarecer esse fato ou demonstrar que algo estava errado na mente do homiquântico.

A exclamação também se fez no interior do vimana ainda em órbita na Terra de 6.128 a.C., com Logan, Nhoc e Di Angelis discutindo entre si em alta sinapse, mas por um motivo totalmente inverso:

– Seis mil?! Essa *joça* não foi concebida para alcançar cem mil a.C.? O que estamos fazendo aqui?! Esse dimensiolábio tá bichado! – exclamou Logan em fúria.

– Perfeitamente operacional, o dimensiolábio está – atualizou Di Angelis. Todavia, ficou sem fótons para esclarecer o motivo de estarem tão longe de seu objetivo primário. Nhoc foi mais frio:

– 6.128 a.C. é quando estamos. Em solo, realizamos uma varredura de sistema para confirmar ou atualizar esse dado. Logan, contenha suas sinapses. Di, iniciar trabalhos – mentalizou com a postura própria de capitão da expedição. Apesar da frieza, compartilhando uma exclamação sem sinapses, igualmente incrédulo pelo que seria o fiasco da missão antes mesmo de ela iniciar, deixando nítida sua decepção com seu engenheiro pelo retumbante fracasso do vimana que projetou.

<Pausar leitura> – comandou Nhoc. Então questionou a Willa:

– Qual o problema, *mulher*?! Por que estais pasma? Por que te recusas a acreditar? Ti, um ser tão "inteligente", mas incapaz de perceber a própria negação? Acha que estávamos delirando, que *estou* delirando? Não, não. Ainda não enlouqueci – apontou para o próprio peito e depois para a cabeça: – Não conhecem a natureza de nossa esclerose? – referia-se ao seu multivíduo: – Minhas faculdades não são as mesmas daquela época, mas minha memória permanece vívida. Leem minha cabeça tão bem quanto li o dimensiolábio da nave. Eu chequei e rechequei, o ano era, deveras: 6.128 a.C. – então assumiu uma postura séria, mirou diretamente a face de Willa como se comunicasse à plateia de Sam e a *Nave* através de seus olhos: – Mas compreendo vossa reação incrédula, eis mesmo que brinquei com os números propositalmente, e não criam que eu fosse minimamente esperto para que pudesse ludibriá-los, né? Porém, se vocês não imaginavam que fosse tanto, nós imaginamos que fosse mais, muito mais, que fosse possível, conforme planejamos, conforme calculamos, testamos e simulamos, como *sonhamos*, conforme acreditávamos todos nós, eu, Di e o infame Logan. Sim, *infame*, pois foi isso que ele imediatamente se provou quando, como ti, ficou absolutamente transtornado com a data em que nos materializamos. Imaginávamos que iríamos muito aquém. Muito entrementes, fomos ludibriados pela ciência, pela *científica*, por nossas crenças e vaidades sobre o desconhecido... E *pra quê*? Em contínuo sabemos: para saciar a política, a *memória* de *Nova*, seu "sonho zeldano". É pra isto que vieste, né? Para revelar o quão infantil meus sonhos eram? O quão impossível uma travessia tão longínqua é. Se nunca tais expedições conseguiram retornar ou encontrar os mundos perdidos que ansiávamos descobrir, se ti mesma estabeleceste uma barreira recorde de tua ultramodernidade que não transpassa em muito nosso percurso... Pois há de se existir um limite, né? O mesmo para todos, para qualquer Era... – expressou com revolta e melancolia. – Já para nós não *era*, para nós não havia limite, não tínhamos a ciência de que Atlântida ou Lemúria já *tinham se extinguido na linha-continuada horizontal em sua raia total*, que jamais as encontraríamos, pois simplesmente não mais pertencem ao *rol interdimensional*. Não detínhamos essa sabedoria que eloquentemente compartilhaste como se fosse a mais banal lição – completou a frase baixando o tom. Então, como se respirasse fundo, iluminou o peito e retomou a frequência anterior para confrontar seus leitores:

– Depreendam *bem*, caros. Nossa travessia foi sim uma jornada extraordinária, talvez tenha sido um grande recorde de percurso jamais catalogado no período.

– Com certeza é, e se obtivermos contato com a atualidade *minha*, será homologado – interferiu Willa brevemente. Nhoc prosseguiu:

– Porém, a nós, naquela cúpula, encerrados em nossos casulos, aquela data significava um total fracasso, especialmente para Di como projetista da nave. Estávamos pelo menos 94 mil anos abaixo do que tínhamos estabelecido – pausou seu discurso e baixou seu semblante. Então virou-se e começou a caminhar, retomando sua dissertação mental: – Sim, capto o que pensam, mas não me recriminem. Que culpa tive eu por ser vítima da ignorância se as *malditas* entidades... – abriu os braços neste instante: – Que talvez pudessem interferir em nosso destino, só se preocupavam com *seus próprios* destinos? Com seus medos e seus joguetes políticos? Se, para *eles*, nada mais significávamos além de um experimento? Quem nos partilhava que havia um experimento em andamento, que nossas vidas estavam sendo usadas, testadas, para saber se conseguiríamos retornar, né? Se teríamos o teletransporte ou não? Que éramos meras cobaias?

Bela merda, seria a expressão que instintivamente pensaria Willa a respeito, mas conteve a chacota. A despeito da revolta de Nhoc, tal expressão não se dirigia ao drama do locutor, mas ao seu próprio, pelo largo período em que trabalhou como cobaia em sua atualidade. A diferença era que na antiguidade do homiquântico a função ainda não era reconhecida nem regulamentada. Pelo contrário, era considerada um tabu pela classe animal.

– Entrementes – continuou Nhoc: – Como poderíamos duvidar das intenções de um robô se ninguém sequer desconfiava, nem a consciência cósmica, uma vez que a agenda de *Nova* tomou largo para se fazer atual? Não foi o que revelaste? Sim, éramos ignorantes, meros animais, né? Um povo bárbaro como estão a pensar. Mas que bárbaro tem ciência de que é bárbaro? Pois não era o que pensávamos dentro daquela nave... Mas, sim, éramos bárbaros e ignorantes, sem qualquer noção de que estávamos perdidos no espaço-*tempo*, que tínhamos trocado uma prisão por outra, o Sol pela Terra. Uma Terra que não era a que esperávamos encontrar.

– A data não me surpreende pelo percurso, Nhoc. É sim um belo número – interferiu Willa: – Minha surpresa vai muito além do que possa compreender neste instante, vai além da *nossa* própria compreensão para lhe ser sincera. Estou atônita que tenha se inserido na corrente atualidade partindo de um pretérito tão distante. Tua presença aqui desde a Idade da Pedra é o que me surpreende, que *nos* surpreende. As implicâncias nas relações passado-passado dentro do contexto da *nossa* pré-história, ou seja, desse plano *aqui-agora* que partilhamos, são enigmáticas, vão alterar todos os paradigmas do que se tinha por certo e cristalino relativo ao período messiânico. Mas, por favor, continuemos... – compartilhou tentando acalmar o locutor. Todavia, Nhoc tinha uma dúvida:

– Período messiânico?

– É como nomeamos o período atual da pré-história. Permita-me atualizá-lo – retificou Willa. Em seguida, dispôs uma linha-continuada do período messiânico na mente do homiquântico:

– *Ah, sim*, compreendo. A tua atualidade cambiou a nomenclatura de Período do *Homem* para *Messiânico* – comentou Nhoc com certo desdém.

– Sim. Pois procuramos não mais diferenciar as espécies, afinal, somos todos marcianos.

- Inclusive os reptilianos?

- Inclusive.

- Esse teu futuro é uma loucura - compartilhou Nhoc sob uma onda de desânimo, insinuando em sua emoção que um homiquântico como ele não teria lugar em um futuro assim. Sobre a linha-continuada do período messiânico, ainda exclamou: - E não figura a *Era do Arroz*?! Precisas retificar isso - compartilhou, enquanto acrescentava a informação na linha-continuada com sua própria linguagem. A alienígena assentiu, utilizando a correção de Nhoc para exemplificar o quão importante era o seu achado e o quanto sua existência significava. Dessa forma, tentando confrontar seu desânimo e confortá-lo, não só com sinapses, também utilizando seu campo magnético para acariciar sua cabeça enquanto mentalizava expressivamente que sim, Nhoc teria lugar no futuro. Aliás, como um grande pioneiro da ciência reptilógica, a qual havia sido renomeada *Lagártica*, conforme o jargão dos reptilianos do futuro. O carinho surtiu efeito e Nhoc comandou:

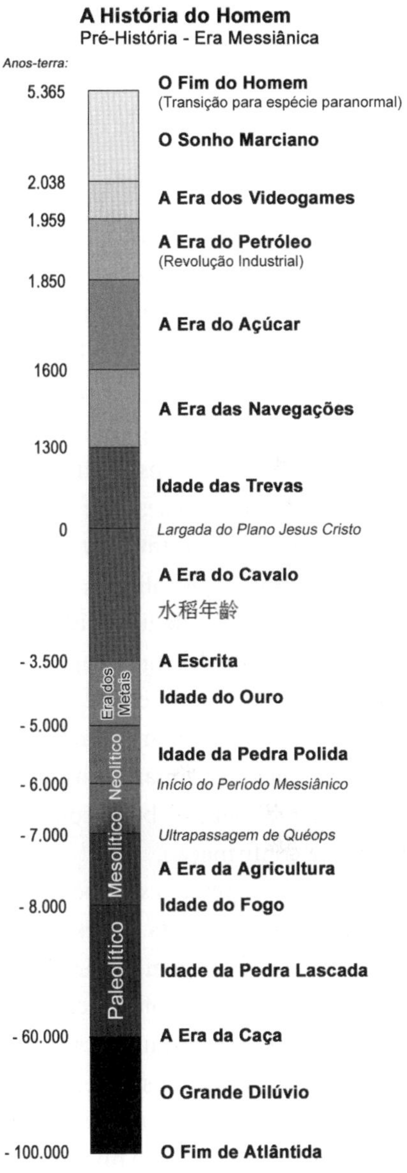

<Retomar leitura> - todavia, ao invés de simplesmente permitir que Willa lesse sua mente ao seu bel-prazer, o homiquântico permaneceu discursando telepaticamente enquanto a alienígena navegava por sua memória, caminhando no curto corredor da câmara secreta, gesticulando e expressando suas emoções facial e vocalmente, como se falasse com seus macacos. Os bichos o seguiam pelo corredor e se esfregavam em suas pernas, acarinhando-o. Um deles, filhote, subiu ao ombro de Nhoc e lá permaneceu, em sua face igualmente expressando as emoções do homiquântico e grunhindo vez ou outra como se ilustrasse sua narrativa através dos sons de sua garganta.

– Como bem sabes, minha cara, qualquer vimana é, antes de tudo, um poderoso radar – então lecionou a respeito das propriedades de Di: um sensor que precisa ler a gravidade de um corpo astrológico para projetar o vácuo correspondente e congruente com sua capacidade de navegação. A capacidade que habilita o dimensiolábio da nave. Esse radar-sensor é um robô ou, pelo menos, um marciano sempre monitorado por um robô. – Em nossa expedição, eu e Di compartilhávamos essa tarefa. Embora estivéssemos igualmente chocados com a rasura da data em que nos materializamos, pior foi aguentar o sarcasmo e a crítica infundada de Logan, pois o infame passou a nos culpar de maneira histérica pelo evidente fracasso em atingir as margens lemurianas previstas. Pois bem, tentamos, Di e eu, ignorá-lo em sua postura criticista e prosseguir com a missão. Primeiramente, orbitando o planeta e repetindo a leitura astrológica no intuito de rebalancear nosso dimensiolábio e estabelecer um panorama constituinte de sua respectiva atmosfera e topografia. Embora nosso vimana não dispusesse de uma capacidade que se possa comparar à sua colega *Nave*, tais como realizar uma varredura da biosfera do planeta diferenciando as espécies que a compõem, localizar fontes de energia ou atividade atômica que pudessem identificar a presença de uma civilização inteligente em sua superfície ou a presença de ouro a partir de uma simples circunavegação em órbita, afora essas e outras limitações, como a ausência de geração plasmográfica e a utilização de *foofighters* que poderiam nos facilitar inúmeras tarefas, as capacidades sensoriais de Di são as mesmas de qualquer vimana. Bastaram poucas voltas em torno da Terra para rebalancearmos o dimensiolábio e confirmarmos a data que tanto irritou Logan, muito mais após a confirmação.

Nhoc prosseguiu em seu monólogo:

– Confirmada a data, antes mesmo de procedermos a reentrada na atmosfera terrestre, circunavegamos a Lua e constatamos a ausência de civilização em suas duas faces. Ainda em órbita, localizamos um aglomerado de luzes na face noite da Terra, revelando certo grau de capacidade cognitiva, situado ao norte do continente africano. Então realizamos a reentrada e sobrenavegamos a região, rapidamente nos deparando com uma imensa cidade à beira do delta do famoso rio Nilo, facilmente perceptível e organizada em dois grandes núcleos. Um deles, em torno de um grande monumento. Um monumento que, pra mim, como reptilogista, ao menos demonstrava que nossa viagem não tinha sido totalmente em vão: uma pirâmide antiga de evidente arquitetura reptiliana com sua base quadrada, uma prova cabal da presença desses seres na Terra em dimensões pretéritas. Todavia, Logan, o infame, como marciólogo que era, desdenhou da descoberta, rindo por se tratar de uma pirâmide-miniatura. Prosseguimos sobrenavegando o planeta em nível atmosférico e apenas atestamos o que já desconfiávamos a partir de nossa leitura orbital: a panorâmica de um planeta completamente selvagem. Afora a aglomeração próxima ao Nilo – cuja metrópole e seu respectivo povo se denominava Kemet, ao fóton que a nomenclatura da cidade que abrigava a pirâmide reptiliana, conhecida por necrópole de Gizé, levava a sinapse Decheret –, nada mais encontramos que não fossem animais irracionais, vegetação e poucos grupos hominídeos dispersos em organizações tribais ao sul da África e no Oriente Médio, apesar de se tratar de uma varredura primária. Eu fiquei encantado com a exuberância de vida no planeta, pois suplantava tudo que imaginei ou presenciei em meus passeios pela Terra em *meu* futuro. Já o infame Logan enxergava essa beleza natural como mais uma evidência de nosso fracasso, pois esperava encontrar uma Terra civilizada, fosse por atlânticos ou lemurianos, nunca um planeta selvagem como o que nos deparamos. Sua reação foi absurda:

– Abandonar missão. Iniciar preparativos para regresso imediato ao futuro – compartilhou ele como se fosse o capitão da expedição. Naturalmente, fi-lo computar o seu lugar como copiloto e ordenei, em vão, que cessasse suas críticas. Iríamos prosseguir com nossa investigação fosse ou não aquele o pretérito em que havíamos planejado aportar. Ademais, tínhamos inúmeras tarefas que iam além da busca por Lemúria: o mapeamento do ouro disponível em tal plano era uma delas. Por isso, prosseguimos para sobrenavegar a Cidade do Ouro, situada na cordilheira dos Andes ao sul da América. Ao alcançarmos a localidade, uma má fortuna revelou-se: deparamo-nos com um imenso lago de água salgada cobrindo a cidade e, diante do fato, Logan ficou histérico. Balbuciando sinapses como um demente, ele compartilhou:

– Ti... Ti estais captando isso?! Que *caca*! – expressou ele diante da visão daquele inusitado mar: – Quê que esse mar tá fazendo aí em cima da montanha? – Utilizando o fato como novo argumento para que abandonássemos a missão, alegando que se recusava a trabalhar embaixo d'água, embora nosso vimana pudesse flutuar *quase* tão bem na água quanto no ar.

Nhoc continuou:

– Não obstante, se aquela cidade se mostrava precária à transposição do ouro devido à água, fator que certamente dificulta qualquer cálculo protodimensionárquico, existiam inúmeras outras ao longo da superfície terrena, portanto partimos para checar as demais. A mais óbvia se situava em Kemet, no delta do rio Nilo, também inviável devido à presença de civilização humana em seus arredores. Mas, contrariando qualquer procedimento razoável, Logan sugeriu que aportássemos por ali mesmo, abduzíssemos a todos e utilizássemos nosso vimana para aplanar suas cidades e dar lugar à nossa. Ignorei-o e prosseguimos a leste até a famosa Hunaman, a nordeste da Península Indiana, e encontramos a localidade em meio a uma enorme selva vegetal, sem qualquer presença humana nas redondezas, livre para operarmos. Não fosse suficiente, encontramos ruínas de pedra de uma Cidade do Ouro *homi-*

quântica, oriunda de outro pretérito navegado pelas expedições de Titã, conforme datação, aportado na Era pós-Dilúvio, evidenciando que o local era plenamente operável, mas, também, que outras missões tetradimensionais alcançaram pretéritos mais distantes que o nosso. Detalhe que, obviamente, Logan utilizou para enfatizar suas queixas contra Di. Não obstante, tomei por decisão aportarmos em tal localidade, estabelecermos nossa base, reconstruir Hunaman a partir de suas ruínas e iniciar o trabalho de garimpo e coleta por amostras ali mesmo.

Nhoc fazia referência à história do homem, a qual se inicia a partir do Armageddon Tripoide cuja margem mais alta data de 100.000 a.C. – justo a marca que sua expedição buscava atingir –, quando Atlântida foi varrida da linha-continuada terrena conforme contaria a ultracontemporaneidade. Mas, à ignorância de Nhoc, cerca de iguais 100.000 anos-terra após o contra-ataque marciano à faixa reptiliana de Lemúria, tal revanche varreu a grande Babilônia réptil do *tempo* para sempre, deixando apenas algumas ruínas como rastro de sua época de ouro, as mesmas que Nhoc tanto valorizava e Logan desprezava. De qualquer forma, foram ambos os ataques, marciano e reptiliano, ainda que separados por delênios e mais delênios na curvatura do *tempo*, que modificaram a paisagem terrena, deformando sua crosta e criando os acidentes geográficos que vieram configurar os mares e os continentes a partir de então.

Não muito se sabe a respeito do ataque tripoide aos lemurianos, apenas que foi tão violento que rasgou a litosfera terrestre. Suas marcas podem ser observadas delineando as placas tectônicas que passaram a colapsar umas sobre as outras desde o ataque, o que se deduz serem resultado de um armamento conhecido como *cosmogun*: nada mais do que o uso bélico de um lote de comandos antidispersão de luz como o que deu origem à entidade *Murphy*. Ou seja, vertendo a capacidade de captar e canalizar a radiação solar para gerar um poderosíssimo raio laser capaz de volatizar largas massas de rocha a partir do vácuo – algo como queimar a Terra com uma lente de proporções cósmicas à UAs[4] de distância. Todavia, como o contra-ataque reptiliano era mais recente na linha-continuada, era possível encontrar muitos vestígios na forma de jazidas de urânio e plutônio, conforme o próprio garimpo de Nhoc viria a descobrir: pequenos estilhaços de um dispositivo de fusão descrito como *bomba solar*, também conhecida como a *bomba em pó* dos reptilianos, cujo princípio básico era a reação de fusão atômica. Porém, ao contrário de uma bomba convencional, que se concentra em um único ponto de reação, os reptilianos a dispersavam como uma nuvem, que se espalhava preenchendo a atmosfera como uma tempestade de areia capaz de cobrir um continente inteiro com fragmentos do Sol emitindo um poderoso

---

[4] UA, sigla para Unidade Astronômica.

brilho radioativo assim que se aproximavam do solo, devastando qualquer forma de vida ou formação mineral que estivesse em seu caminho. Por outro lado, um ataque cirúrgico, resumido às cidades e às instalações tripoides, sobretudo concentrado em Atlântida, sitiada em uma enorme massa continental que se estendia da costa oeste africana, abarcando o leste americano na faixa tropical do planeta. Por isso, poupou espécies que estavam longe da mira réptil ou conseguiram sobreviver à extinção em massa que veio a seguir. Sabe-se que após a destruição das cidades em terra, bem como das instalações em órbita dos tripoides, os reptilianos vieram ao solo e, com seus discos-caça, trataram de exterminar qualquer marciano sobrevivente e destruir seus respectivos intramundos até que não restasse nenhum remanescente, deixando a Terra livre dos marcianos – ao menos por dado horizonte, pois a guerra perdurou e, à medida que reptilianos e tripoides destruíam seus respectivos mundos planetários, a batalha foi migrando para o último campo que restava: a zona de transição vácuo-solar. No vácuo, naves bélicas de ambos os lados se defrontaram até que, às duas espécies, não mais restasse cosmo civilizado que pudessem herdar do conflito. Assim, nunca se soube ou pouco importa qual lado triunfou, apenas que se autoextinguiu ao lado do subjugado.

Na batalha terrena, o homem foi poupado em função de ser um mero animal e por se tratar de um ser que portava a herança reptiliana em seus genes desde que os lemurianos os evoluíram. Da mesma forma, os tripoides manipularam a evolução em seus respectivos planos existenciais, por seleção e manipulação genética a partir de chimpanzés e macacos bonobos. Apenas se diferenciavam pelo uso genérico que fizeram de suas proles, sendo os atlânticos mais adestradores e os lemurianos totalmente escravagistas: enquanto os primeiros lecionavam aos homens a sua ética, os segundos apenas os submetiam a sua força e os utilizavam como animais de carga. O uso comum do labor e da experimentação genética com espécies hominídeas por ambas as civilizações contaminou a Gaia planetária. Por conseguinte, adulterou o fenótipo e o genótipo de tais raças, que assim deram continuidade à própria evolução ao herdarem o planeta após o fim de Atlântida. Isto é, ao menos entre os sobreviventes, pois, subsequentemente ao ataque reptiliano, o holocausto tomou a Terra como palco. Um holocausto aquático: o dilúvio.

A destruição de Atlântida não só afetou o clima de forma global, espalhando radioatividade e trazendo tempestades, furacões, tsunamis e gerando um efeito estufa que deu fim à Era Glacial que até então perdurava. Também criou uma gigantesca cratera que deu origem ao Oceano Atlântico, pois as águas simplesmente vazaram dos mares do norte e do sul, do Pacífico e do Índico, para preencherem essa cratera. Atrás do turbilhão líquido, somou-se o gelo que cobria a completa faixa setentrional ao norte do trópico de Câncer e parte da Antártida. O derretimento das calotas polares lambeu as costas e varreu as terras, um longo processo que redesenhou o mapa costeiro do inteiro planeta, ocasionando com que largas porções continentais fossem tragadas pelos mares e outras emergissem do gelo criando novos *habitat*, tais como a América do Norte e a Europa. Aos que sobreviveram ao ataque reptiliano, a maioria sucumbiu às águas, e de uma população que contava bilhões de hominídeos, restaram apenas 19.783 homens espalhados pelo globo. Os sobreviventes conseguiram migrar pelos novos continentes, fosse fugindo das águas ou navegando por elas com seus botes e arcas durante os 40 mil anos seguintes. Quando, enfim, a água se acomodou e o clima se estabilizou, o planeta retomou sua harmonia natural e, assim, os homens puderam reiniciar a construção da civilização.

Desses pequenos agrupamentos hominídeos, pelo menos dois prosperaram a ponto de recriar a sociedade, na África e no Oriente Médio. O principal agrupamento hominídeo sobrevivente, representante do que restou da grande Babilônia marciana que um dia imperou na Terra até o ataque reptiliano, enraizou-se em uma localidade descrita Alta Mesopotâmia, onde se deu a origem do povo Sumério, inventor da escrita. Um segundo agrupamento, localizado na Baixa Mesopotâmia, veio a sobreviver a partir de um último casal restante que deu origem aos povos hebraicos: a famosa história tornada mito de Adão e Eva, mas que, deveras, aconteceu – à parte a narrativa bíblica dirigida ao puro mito eleitor de querubins como genitores das proles do casal, quando de fato foram as relações incestuosas, tanto entre os filhos do casal quanto de Adão com suas filhas, que permitiram retomar a história de seu povo, compreensível em seu contexto, dado que não havia alternativa. Eles representavam os dois únicos exemplares remanescentes das últimas proles hominídeas manipuladas pelos tripoides ainda em fase inicial de mutações transgênicas, de igual racionalidade, mas um pouco menos desenvolvida que outras raças puramente marcianas que sobreviveram ao sul da África. Estas cujo traço maior que os distinguia era a alta capacidade de absorção radioativa através da pele. Com o avançar das Eras, esses dois conjuntos, sul-africano e meso-hebraico, vieram a se reencontrar ao cruzarem Suez e navegarem ambos pelo Mar Vermelho. Da mesma forma, como animais nômades por natureza, fragmentaram-se e migraram para colonizar o Oriente Próximo e a Europa.

A mistura entre esses povos daria origem aos egípcios em um processo de milênios, que perdurou do fim do Dilúvio, perpassando a Era da Caça até as descobertas do fogo e da agricultura, por todo o período classificado pelos marciólogos como Paleolítico até o fim do Mesolítico, durante o decorrer completo da chamada Idade da Pedra – da Lascada até a Polida, findando no período cujo marco demarcatório foi quando a pirâmide de Quéops, por protodimensionarquia espontânea, materializou-se na superfície na região de Decheret frente aos olhos do povo de Kemet, precursores dos egípcios. Povo que lá vivia nas proximidades do delta do rio Nilo, fundadores originais da necrópole de Gizé – à ocasião da materialização de Nhoc, chamada "Necrópole das Terras Vermelhas" –, situada à beira do grande deserto das areias vermelhas. O cosmo havia aberto uma janela de instabilidade interdimensional devido a uma esparsa atividade tempestuosa do núcleo solar, e várias dimensões ficaram sujeitas a pulsos ultradimensionais em que detritos materiais foram lançados de um plano a outro aleatoriamente – como acontece no Triângulo das Bermudas ou do Dragão – e planos de futuro e passado se embaralharam abrindo oportunidade para incursões paradimensionais.

O período que abrangeu parte do Neolítico – mais uma vez à ignorância de Nhoc e seus colegas expedicionários – demarcou uma fase de grandes abduções oriundas de um futuro pré-marciano ou paracontemporâneo. Ou seja, de um futuro compatível ao de Nhoc, incluindo o seu próprio, tanto que se deparou com uma ruína de dimensionautas homiquânticos na Cidade do Ouro *indiana* de Hunaman, a despeito das incursões do período oriundas de Titã se concentrarem na América, onde se encontra a Cidade do Ouro *incaica*, ou na África na região de Decheret – de acordo com mapeamento futuro. Aliás, exceto por essa específica Cidade do Ouro que veio a se deparar na Índia, nenhuma outra se sobrescreveu ao plano em que se materializou. Isto é, ao menos entre as homiquânticas, pois outras duas grandes abduções – embora os expedicionários ainda não soubessem –, já tinham se desenrolado na Terra quando aportaram em 6.128 a.C. Abduções, justamente, perante os povos sumério e hebraico, respectivamente, por parte de alienígenas originários de Nibiru, os Anunnaki, e por reptilianos oriundos de Urano. Os Anunnaki compõem uma raça aeroígene absorvida por esses mesmos reptilianos uranianos que, por sua vez, pertenciam ao plano pentagonal que viria acoplar-se ao cosmo homiquântico nos idos da ultracontemporaneidade após a chegada, em Marte, do famoso Lagarto da quinta dimensão.

Esse era o cenário da Terra e da respectiva espécie hominídea que a habitava quando a expedição de Nhoc se materializou. Formada por populações dispersas bastante fragmentadas, a maioria tribal, resumida a um único aglomerado civilizado vivendo o esplendor da Idade da Pedra Polida. Dedicando sua arte em rocha para esculpir pirâmides similares àquela que se materializou em Decheret, ou Gizé, a famosa *Quéops*, a qual passaram a adorar como uma manifestação divina. O detalhe da pirâmide era compor um marco que só seria revelado à posterioridade por expedições homiquânticas futuras à partida de Nhoc. Expedições que datariam a materialização de Quéops na Terra em 7.079 a.C., apenas 951 anos antes de sua chegada. De modo que, quando a localizou, o expedicionário imaginou se tratar de um achado inédito oriundo dos lemurianos, não de uma materialização do futuro. Não bastasse, nesse ínterim, houve o contato imediato do povo de Kemet com os Anunnaki.

Conforme discursava Nhoc, o chefe expedicionário havia decidido montar sua base em Hunaman, na Índia. Todavia, o infame Logan queria abortar a missão e iniciar preparativos imediatos para retornar ao futuro.

– Rimos, eu e Di, perante a proposta de Logan – narrou Nhoc. – Entrementes, foi aí que ele revelou sua verdadeira faceta com todos os fótons poucos destacados, porém bastante significativos, que rebuscou em sua mente. Fótons os quais, a partir de então, fizeram a discórdia entre nós quebrar qualquer elo empático que, porventura, há certo horizonte nos manteve unidos. Eis que Logan trouxe à ciência uma parte do regulamento expedicionário que arbitrava: "Na inviabilidade da Cidade do Ouro primária", a da América do Sul que se encontrava submersa, "deve-se prosseguir para a secundária", a que se localizava em Decheret. O regulamento prosseguia listando as cidades terciárias, entre as quais constava Hunaman. Dada à regulamentação, o infame exigiu que retornássemos ao Nilo e nos estabelecêssemos lá, apesar da larga presença humana na região. Nós o confrontamos, eu e Di. Contudo, como robô, Di estava facultado a seguir suas instruções primárias, as quais o impediam de contrariar as regulamentações da expedição, inclusive em detrimento à minha posição de capitão da nave e chefe expedicionário. Porém, antes que Di se submetesse ao protocolo imposto por Logan, perante o impasse que se fez entre nós, apelei ao bom senso e concordamos em realizar uma investigação primária no sítio de Decheret.

O monólogo de Nhoc prosseguiu:

– Apenas em nossa segunda noite na Terra, tão logo a escuridão da Lua nova cobriu a paisagem do Nilo, sobrenavegamos a região e constatamos que, conforme defendia Logan, o local era perfeito não só para a transposição de ouro para o futuro, especialmente pela presença da grande pirâmide que poderíamos lançar cérebro para mapear as coordenadas interdimensionais que nos permitiriam retornar para a atualidade, poupando-nos grandes esforços para construir uma facilidade astronômica de igual função. Só precisaríamos de combustível próprio para reativá-la, um obstáculo de fácil transposição, pois o que não faltavam na Terra eram jazidas de plutônio e urânio que nos permitissem criar um reator capaz de emitir as frequências necessárias, tanto para gerar um sinal passível de ser captado pelo feixe-solar, como para sincronizá-lo ao dimensiolábio da nave e assim poliangular uma rota de desmaterialização de volta para o futuro – Nhoc comprimiu seu semblante, emitindo raiva nesse instante: – Eis a esperteza do infame Logan, que sugeriu que hipnotizássemos a população hominídea que vivia ao redor da pirâmide para que trabalhassem para nós garimpando ouro e materiais atômicos, no intuito de reativar o observatório piramidal para que partíssemos tão logo atingíssemos a quota mínima de transmissão aurífera, que na época requeria ao menos uma megatonelada do metal pelo peso da Terra. Antes de vetar essa proposta, apenas sugeri que prosseguíssemos com nossa investigação primária. Aproveitando a calada da noite, Di nos baixou por raio-trator diretamente no topo do observatório piramidal para analisarmos seu estado geral.

Nesse instante, segundo a análise de Willa, embora si própria tenha optado pelo mesmo subterfúgio, ou seja, abandonar o vimana, ficava caracterizada a abdução de Logan e Nhoc ao permitirem-se replicar multividualmente pelo plano que aportaram. Certamente, algo que os estatutos de adução mais atuais não permitiam, não obstante às justificativas da alienígena em torno da situação emergencial vivida pela *Nave*. Havia ainda outra diferença, técnica, entre a situação dos respectivos alienígenas: ao contrário do vimana de Nhoc, a *Nave* é um dispositivo de sincronia perceptiva, capaz de alinhar o multivíduo em seu exterior com o indivíduo que permanece em seu interior. Di não contava com esse recurso, os dimensionautas não mantinham uma "cópia" de si ao deixarem a nave. Além disso, quando retornavam, apenas um indivíduo embarcava, os demais se doavam à reciclagem energética e tinham seus cérebros *backupeados*. Ou seja, perdiam sua continuidade para compor um robô biográfico, ainda que fosse esse uma versão bem primitiva dos robôs da atualidade de Willa, que sequer compunham uma entidade I.A. Na atualidade da alienígena, esse detalhe mensurava a *coragem* dos homiquânticos na exploração do espaço.

– *"Se o infame desceu. Tive de descer também"*. – *"Tu quiseste descer"*. – *"Era meu dever"*. – *"Teu prazer"*...

Delírios à parte, Nhoc prosseguiu:

– Naturalmente, a pirâmide era um patrimônio do povo local, mantido com ótimos cuidados pela nata de sua sociedade através de seu representante em um sistema monárquico, a realeza. Portanto, embora o rei não se encontrasse na construção, a mesma estava muito bem vigiada, de tal forma que, por mais furtivos que fôssemos, não haveria como nos aproximar sem sermos notados pelos hominídeos. Logan era um exímio hipnotizador, assim, simplesmente induziu ao sono quem estivesse pelo caminho sem que precisasse se aproximar. O canalha convenceu Di para que ampliasse suas ondas telepáticas através da nave, de imediato, quebrando todos os protocolos que regulamentavam a interatividade com animais locais, especialmente os *sapiens*.

Nesse ponto, apesar da narrativa enfática do locutor, Willa percebeu que Nhoc estava suavizando a história, pois a varredura de sua memória em paralelo à locução revelava maiores detalhes de sua intriga com Logan. Amargas lembranças que ratificavam a infâmia de tal caractere. O adjetivo era sim justo, mas a narrativa era eufemística, pois o que o locutor descrevia como "convenceu Di", na verdade, foi submetê-lo ao puro rigor programático de sua índole submissa para enquadrá-lo em regulamentos expedicionários que o robô sequer havia computado quando se programou para a expedição por largo horizonte junto a Nhoc. Fótons que saíram de sua mente, mas que carregavam a assinatura de *Nova* em relação à aplicação tática dos recursos disponíveis considerando-se o objetivo primário da missão. Esse objetivo de fato era, e Nhoc havia acordado embora não houvesse se atentado às minúcias do acordo ao ratificar sua parceria com Logan, o de estabelecer um canal psicográfico com o futuro. Mas esse canal deveria ser aberto entre o passado em que planejavam se materializar, não o de quando aportaram, de modo que, na compreensão regulamentar de Logan, a missão estava cancelada. Quisesse Nhoc mantê-la ativa, deveria se submeter ao objetivo primário da mesma. Assim, na posição de responsável por essa específica tarefa, Logan obrigou Di a submeter-se às suas ordens. Naturalmente, sob protestos do capitão da nave.

– Está se amotinando contra mim?! – interrogou exclamativamente Nhoc.

– Imagine, apenas sigo o protocolo previsto para esta missão – justificou Logan. Era fato. Mas, na prática, configurava um motim apesar de não oficialmente declarado.

Por trás da atitude de Logan, ficava nítido que ele já planejara tomar a liderança da expedição em prol dos objetivos propostos por *Murphy* assim que aportassem na Terra. Só não imaginava o vilão, que fracassariam de forma tão retumbante em alcançar as margens lemurianas que planejaram e, então, precisasse ele impor seus protocolos tão de imediato. Mas o que poderia esperar Nhoc ao se aproximar de *Murphy* em busca de um patrocínio para sua missão? – pensou Willa, ela que conhecia muito bem o perfil político da entidade. Era óbvio que a indicação de Logan para a parceria seguia propósitos militares, e que o mesmo estaria comprometido com tais pelo simples fato de serem correligionários. Ou seja, ao contrário de Nhoc, um cientista nato que não gastava fótons com política, Logan detinha pleno domínio da socrática. Portanto, não teve qualquer dificuldade de interpretar precisamente os regulamentos da expedição para reprogramar Di em prol de seus objetivos. Quando Nhoc discursava que havia "negociado", "acordado" ou "apelado ao bom senso", de fato havia se submetido à revelia perante as imposições de Logan e a reprogramação que compilou em Di. Nesse quadro, decisões de bom senso foram as que Logan consentiu frente ao apelo desesperado de Nhoc, que, de súbito horizonte, viu-se na humilhante posição de subordinado às ordens do "copiloto" e à subserviência de Di, obrigado a implorar por concessões e totalmente impotente perante a frieza com que o robô ignorava seus pedidos e sua súplica em prol do que cria ser o desígnio correto da missão. Em nada considerando o largo horizonte de séculos que dispensaram como colegas de mente, de time, de aula, como cúmplices inseparáveis que eram um do outro. Enfim, como um ente que Nhoc não mais reconhecia em sua nova configuração.

"Eles tinham razão..." – *"Jamais!"* – *"Eles nos traíram..."* – "Ele *te traiu*".

A despeito desses detalhes sórdidos, Nhoc prosseguiu com a narrativa:

– Obedecendo ao plano de Logan, descemos furtivamente no topo da pirâmide e escalamos degraus abaixo até o diafragma acessível que encontramos, uma das aberturas de emissão em cada lateral longitudinal. Nesse instante, notamos como a pirâmide estava extremamente bem conservada e observamos que os hominídeos lacraram o diafragma norte. Apenas a abertura ao leste permanecia aberta, justo a que se voltava para a cidade ali próxima, com o Nilo ao fundo, reformada para servir como câmara do rei – naturalmente, como havia um único rei, havia uma única câmara. A câmara do rei havia sido adaptada para ocupar o diafragma da pirâmide, dando lugar a uma luxuosa acomodação protegida por uma tenda erguida com vigas de madeira formando um torreão com dois pisos, coberto por um toldo e dando suporte a um painel de ferro ostentando uma insígnia, provável símbolo da realeza ou do povo local. Na entrada, cortinas separavam a parte interna da externa. No interior, jazia um trono acolchoado. Notei que o recinto servia como uma sala de audiências, mas também contava com acomodações para que o rei pernoitasse no local. A parte exterior servia como um púlpito no qual o rei tinha plena vista da cidade e, com bons ventos, poderia levar sua voz até a multidão abaixo. Ultrapassamos um grupo de quatro sentinelas que se mantinham no púlpito à frente das cortinas, e outras duas posicionadas em uma casinhola no segundo andar do torreão. Dali, observamos a paisagem ao redor da pirâmide, onde um pequeno exército se mantinha de plantão em inúmeras tendas espalhadas cercando o monumento. Por mais que a noite fosse escura, era possível observar as fogueiras, temi que fôssemos avistados pela população em solo, já que a câmara do rei se encontrava perfeitamente iluminada com tochas que facilmente revelariam nossa presença se alguém reparasse no que se passava acima de suas cabeças. Logan ignorou meu aviso e prosseguimos em frente. Com as sentinelas a sono solto, ele chamou atenção para seus armamentos e notei que suas lanças e armaduras eram parcialmente revestidas em ouro.

– Está aí o que tanto procurava – compartilhou comigo o infame. Não obstante, utilizando a descoberta para justificar sua ideia de estabelecermos nossa base ali mesmo em Decheret: – Tudo o que necessitamos está aqui, não há lógica em retornarmos para Hunaman – argumentou ele.

– Nós prosseguimos para o interior da pirâmide – continuou Nhoc. – Então Logan simplesmente enlouqueceu. Assim que penetramos na construção, ele afirmou que estava captando vozes, sinais psicográficos. Concentrei-me, mas nada captei. Ainda assim, ele insistiu, então saiu correndo pelas galerias internas da estrutura, utilizando a boca para se manifestar, tentando imitar as vozes que só ele captava. Segui-o pelos corredores da estrutura e tentei acalmá-lo. No caminho, pelo recorte das paredes, notei que as galerias haviam sido ampliadas e degraus haviam sido dispostos no chão. Logan prosseguiu pela passagem descendente até a sala de controle do reator, a cada passo interrompendo o avanço para captar as vozes e insistindo para mim, incrédulo por eu não ouvir também, zombando do que seria minha fraca capacidade psicográfica – posteriormente, cheguei até a pedir para Di que ampliasse minha ondulação cerebral e, ainda assim, nada escutei. De repente, sem motivo aparente, Logan começou a grunhir em alto som, falando em marcianês antigo, afirmando que "ela" estava presente na pirâmide em algum mundo paralelo. Perguntei-lhe seguidas vezes "ela quem?", mas ele só balbuciava "ela", "ela" – deduzi que se referia à *Nova*, o que só evidenciava sua total demência, pois não havia atividade psicográfica em Gizé na contemporaneidade de *Nova*. Exceto ao teleporto de ouro, a localidade era desértica em nosso futuro.

O monólogo prosseguiu:

– O escândalo de Logan atraiu a atenção de uma dupla de sentinelas que se encontrava de vigília na sala de controle do reator. Eles se aproximaram com tochas por uma galeria anexa, caminharam diretamente ao nosso encontro e nos avistaram. Assim que nos viram, imediatamente brecaram o passo, petrificados pelo terror que nossa presença despertou. Um deles atirou sua lança em nossa direção e fugiu. Tentei me aproximar da outra sentinela para induzi-la ao sono, mas o homem agiu mais rápido e atirou sua lança em mim. O projétil chocou-se com meu peito sem qualquer efeito, a não ser pelo susto que levei. Pasmo com a nulidade de seu ataque, a sentinela virou-se para fugir, mas sequer teve horizonte, um raio lhe penetrou as costas e ele caiu seco no chão, morto. Voltei o olhar às minhas costas e lá estava o infame com um de seus cristais entre os dedos. Antes que pudesse argumentar algo, seus dedos brilharam por um instante e um novo raio atravessou a galeria ao encontro da outra sentinela. Em seguida, captei o baque metálico de sua armadura indo ao chão. Boquiaberto com a atitude de Logan, mirei fundo em seus olhos exclamando por satisfações, mas o infame, sem qualquer emoção ou empatia com os humanos que acabara de assassinar, apenas compartilhou de forma sarcástica:

– Não enfatizei que jamais me separaria dos meus cristais? – Nesse instante, juro que pensei em matá-lo. Ele deve ter captado meu sentimento, por isso, justificou-se: – Não me diga que está comovido pela vida desses selvagens? São pequenos sacrifícios por uma causa maior.

– É óbvio que estou. Isso *jamais* seria necessário. Como podes fazer isso se tínhamos plena capacidade para hipnotizá-los como fizemos com as demais sentinelas? – questionei.

– O horizonte era insuficiente, não quis que fôssemos furtivos? O animal estava a ponto de soar o alarme.

– Alarme? Se estamos encerrados no interior da pirâmide. – À questão, Logan me respondeu apontando uma linha próxima ao teto mais à frente da galeria – a poucos metros dela jazia a sentinela morta. De fato, ela estava à beira de puxar a linha e soar o alarme, pois a linha compunha um sistema de roldanas interligado a um sino na câmara do rei. Ainda assim, não justificava sua atitude, pois as sentinelas de plantão na câmara se mantinham sob sono hipnótico. Não, jamais! O que se esclarecia com aquela atitude era a frieza d'alma do infame Logan. Logo percebi que nada o deteria em seus propósitos, que para atingir seus objetivos pouco lhe importava a civilização local. Homens nada mais significavam do que um obstáculo a ser removido, como aquelas pobres sentinelas, ou um instrumento à mercê de sua esportividade. Por isso, confrontei-o:

– Crês que tais assassinatos passarão incólumes ao povoado local?

– Isso pouco importa. – Foi tudo o que me justificou o infame sem transparecer qualquer sentimento em sua aura. Sem alternativa para livrar-me dele, prosseguimos em nossa averiguação e alcançamos a sala de controle, a qual havia sido adaptada para servir como câmara da rainha. Quanto aos controles do reator, não estavam presentes. Da estrutura original do observatório restava apenas a rocha: ou o restante do material havia sido retirado pelos construtores da pirâmide, ou pelo povo local, o que era pouco factível, pois provavelmente haveria algum vestígio, porém, não encontramos nenhum. Durante a investigação, passei a reparar na decoração do local, ficando nítido se tratar de uma retratação criada pelos hominídeos com pinturas e traços que apresentavam certa similaridade à linguagem hieroglífica marciana, todavia, de estrutura rudimentar, ininteligível à primeira vista. Por outro lado, notadamente alguns desenhos apresentavam símbolos bastante peculiares; um deles ilustrava um vimana muito similar a um módulo de assolissagem, com janelas circulares ao redor do casco. O mais interessante, contudo, era que, junto à imagem, figuras humanas apareciam retratadas como pássaros dimensionautas. Detalhe que me intrigou profundamente, já que a pirâmide possuía arquitetura reptiliana. Embora fosse sabido que os répteis tiveram ancestrais que evoluíram como aves *sapiens*, os lemurianos possuíam rosto com características faciais de uma iguana que jamais se confundiriam com uma ave. De modo que ilustrações retratando pássaros inteligentes não faziam nenhum sentido aparente. Ao menos pra mim, pois ao infame Logan, cuja cientificidade reptilóga era tão tacanha, as inscrições na parede comprovavam a presença lemuriana no plano em questão, e que isso só ratificaria sua diretriz para nos mantermos no sítio atual e tomássemos a pirâmide segundo nossos propósitos – propósitos exclusivamente *dele* –, inclusive para que eu a estudasse mais detalhadamente como se eu realmente precisasse lhe provar algo que sequer podia compreender. Argui contrariamente à sua errônea dedução, mas em vez de discutir, retornei à nave e busquei uma aparelhagem para coletar amostras e tecer medições mais precisas que ratificassem o que nossos sentidos, ao menos os meus, estavam captando. Para coletar algo *material*, enfatize-se, dado que as vozes do além apenas o infame permanecia escutando. Ao retornar, reparei que as sentinelas, as quais jaziam no chão pouco antes, estavam em pé, em estado hipnótico e em posição de sentido ao lado de Logan. Ele havia se apoderado da câmara do rei física *e* mentalmente, encontrava-se sentado no trono na posição da lótus, captando vozes, pouco se importando se fosse visto pela população acampada em torno da pirâmide. Quando me aproximei com uma exclamação na cabeça, o infame partilhou:

– Hum.... Sente a vibração? – Ao que neguei mentalmente, ele acrescentou: – Este é o local perfeito para estabelecermos nosso canal psicográfico, basta que reativemos essa pirâmide. – Ele havia enlouquecido, creio que foi afetado pela adimensionalidade da nave durante a viagem. Certamente, ao retomar sua replicação multividual quando em terra, seus sentidos passaram a divergir no âmbito de seu multivíduo, levando-o à total demência.

Uma breve pausa e Nhoc continuou sua narrativa:

– Ignorei o imbecil e prossegui minhas investigações. Não faltava muito para que o Sol voltasse a brilhar no horizonte, precisava concluir nossa sondagem inicial o mais rápido possível. Retornei à câmara da rainha e procedi a uma análise de datação por radiocarbono. Logo ficou claro que a pirâmide era nova, datada de 7.079 a.C., portanto não poderia tratar-se de uma ruína lemuriana, ao que teria de apresentar uma datação não inferior a 100 mil a.C. Quanto às ilustrações da parede, a datação era ainda mais rasa, 6.666 a.C., ao menos confirmando para o infame Logan a inexatidão de sua hipótese, contrariamente às suas estúpidas deduções, trazendo à tona duas únicas explanações plausíveis: ou a pirâmide havia sido construída pelo povo local, ou por outra civilização alienígena ao pretérito em questão; em ambos os casos, tendo como modelo a planta de um observatório reptiliano. Todavia, era cristalino que o povo local, se sequer detinha pleno domínio da escrita – o que ficava nítido pelas ilustrações no interior da câmara –, não teria conhecimento nem tecnologia para construir uma pirâmide com tal perfeição estrutural. Ainda que se tratasse de uma miniatura, nem mesmo se detivessem instruções detalhadas de como construí-la e operá-la, somando-se o fato de suas instalações terem sido preenchidas com cômodos para servirem à realeza, ficava patente que a pirâmide tratava-se de uma obra alienígena. Restava apenas saber qual a sua origem. Talvez, pássaros inteligentes ou, talvez, homiquânticos oriundos de Titã que, por alguma razão desconhecida, optaram por construir um observatório em estilo reptiliano – algo que não contemplava os treinamentos dimensionautas que Nhoc conhecia muito bem. Ele continuou:

– Portanto concluí que o povo local apenas se apoderou da pirâmide quando esses supostos alienígenas a deixaram, não havia outra hipótese. Uma análise com o espectrômetro confirmou a contemporaneidade da rocha e o mistério permaneceu, então segui pelas galerias internas da pirâmide até o poço-fonte, uma estreita passagem que interligava o compartimento do reator já abaixo do nível térreo, cerca de vinte metros no subsolo. Ao penetrar no compartimento, sequer precisei de um contador de íons para captar a radiação que preenchia o local. Embora a medição retornasse uma contagem mínima de *rads*, era letal para qualquer hominídeo, evidenciando que o local havia sido operado há médio horizonte pretérito. Uma verificação mais apurada retornou uma data de poucos anos-terra prévios à datação das ilustrações na câmara da rainha, indicando que os homens haviam se apoderado da pirâmide há três gerações. Conforme os demais pontos checados anteriormente, o compartimento estava ausente da peça de cristal do reator que deveria ocupá-lo, todavia, em seu lugar constava uma tumba. No interior da tumba, selados em caixões de gesso dissolvido em ouro, jaziam os corpos mumificados dos monarcas predecessores ao atual rei de Kemet, seu pai e avô, ambos parcialmente carcomidos pela radiação. Mais um fator que demonstrava a infantilidade com que o povo local se apoderara da pirâmide, bem como esclarecia, definitivamente, que ela não poderia ser obra do homem na ausência de uma entidade mais desenvolvida. Por fim, alguns ornamentos deixados no interior do caixão, como o cetro do rei, retornou o espectro de um metal inexistente na Terra, evidenciando que, de alguma forma, o povo de Kemet havia estado em contato ou se apoderado de algo que os alienígenas construtores da pirâmide deixaram para trás.

Mais uma pausa e Nhoc prosseguiu:

– Finda a investigação primária, retornei à câmara do rei onde Logan ainda se encontrava meditando. Atualizei-o das minhas descobertas e ordenei que debandássemos da pirâmide, pois os primeiros raios de Sol já se faziam visíveis no horizonte. Muito entrementes, para minha surpresa e indignação, ele se recusou, afirmando que minhas descobertas apenas ratificavam o seu plano de ação. À sua crença, e talvez nisso não estivesse plenamente errado, Logan pregava que, se a pirâmide era nova e fora operada apenas alguns séculos antes, o povo local haveria de ter feito contato com seus construtores e, naturalmente, ao que deduziu pelas poucas ilustrações dos cômodos interiores da realeza, passaram a endeusá-los – posto que haviam-na transformado em uma tumba real. Quem seriam esses alienígenas? Para Logan pouco importava. Ele apontou para o símbolo no estandarte que pendia no torreão da câmara do rei, e se tal símbolo retratava uma ave... Segundo suas sinapses:

– Eu sou uma ave. Não vê? – óbvio que não; a minha vista, Logan era tão primata quanto eu. Jamais se passaria por uma ave, nem a mim, nem a qualquer hominídeo por mais semirracionais que fossem. Não obstante, ele insistiu: – Se não sou uma ave aos olhos de qualquer um, serei-o através de suas mentes – afirmou, insinuando que suas habilidades hipnóticas o fariam se passar por uma. Instante em que sua loucura atingiu um ponto de não retorno, tanto quanto a sua sanidade como dimensionauta, perdida. De minha parte, restou a tristeza pelo destino que a expedição tomaria. Para minha total incredulidade, o infame declarou:

– Aqui permanecerei e contatarei a quem se dirija a mim. Em contínuo sou o novo rei, o pássaro das estrelas que retornou em seu vimana para conduzir a humanidade à glória. Sou o deus estampado em seus santuários, o mesmo que se faz objeto da adoração aqui retratada. Daqui estabeleceremos nosso canal com o futuro, daqui faremos o ouro atravessar o *tempo*, até que daqui partiremos de volta ao lar. Vê aquele descampado a sudeste? Lá ordenarei a construção de nosso acelerador de partículas. A 78° nordeste será erguida nossa rampa de lançamento. À nossa frente, será a central de distribuição com um obelisco bem ao centro. Só falta a ti definir as coordenadas da plataforma aurífera para começarmos – partilhou o demente, apontando a paisagem já visível sob os primeiros fachos de luz.

Nhoc prosseguiu com a narrativa:

– Eu tentei demovê-lo de seus delírios, fazê-lo retomar a retidão de sua mente, dos propósitos científicos de nossa expedição, das linhas humanitárias que praticávamos, demonstrando como seu plano fugia de qualquer ética independente de qual fosse o ponto de vista, o nosso, da contemporaneidade, dos tripoides e, claro, dos animais que pretendia abduzir. Mas minhas sinapses foram em vão. Logan estava determinado a dar cabo ao seu plano de tomar a pirâmide para seus propósitos, nem que custasse a vida dos hominídeos locais. Não obstante, discutimos mentalmente, ordenei que desistisse, apelei para Di, mas ele ignorou meus pedidos justificando que suas funções se limitavam à condução da nave e não interferiria nas decisões da cúpula científica da expedição. Para minha triste decepção, escondendo-se atrás da sua constituição robótica como se fosse uma máquina ausente de vida. Quase cheguei ao uso da força para retirar Logan da câmara do rei e arrastá-lo de volta para a nave, mas ele fez menção ao cristal que mantinha dependurado em seu pescoço, sob vil coação, obrigando-me a desistir. Na impossibilidade de fazê-lo cair em si novamente ou de convencer Di a tomar partido ao meu lado, ao menos estabelecemos um acordo: Logan prosseguiria com seu plano, enquanto Di me escoltaria de volta para Hunaman, onde eu montaria um segundo garimpo. O vimana assistiria a tarefa nos dois sítios. Assim que atingíssemos a quota mínima de ouro transmitido, Logan reativasse a pirâmide e completasse a construção da rampa de lançamento, partiríamos de volta para o futuro. Foi então que o deixei ali na câmara do rei em meio aos seus delírios, à sua megalomania, às vozes que apenas sua mente captava, e retornei para a nave. Di me levou de volta para Hunaman, onde permaneci executando meu trabalho.

Mais uma vez, a narrativa de Nhoc era imprecisa. De fato, ele retornou para Hunaman, mas não tão de imediato. Por quase seis décadas, submeteu-se à política de Logan. No início, a todo custo tentando fazê-lo desistir de seu plano. Mas, no decorrer, a partir do instante quando percebeu que não poderia mais alterar o rumo da expedição, passou a lidar com o colega apenas de acordo com as necessidades de trabalho, agindo como um robô, mais até que Di Angelis, sem a mínima empatia ou troca de gentilezas, resumindo-se a cumprir ordens de forma estrita, enquanto, consigo mesmo, buscava se manter fiel aos princípios do que tinha como correto e havia planejado para a missão. Procurava evitar contato desnecessário com os hominídeos e até os assistia nas tarefas que Logan lhes impôs na execução das obras necessárias para que pudessem mapear o caminho de volta para a sua realidade. Dentro do possível, a nível telepático, exerceu a função de um gentil capataz que dispensava o uso de chicote. Procurou ser útil e eficiente no cumprimento de suas funções, pois, no fundo, a única fé que ainda compartilhava com Logan era o desejo de retornar ao lar. Somente por isso era capaz de justificar a si mesmo o emprego de suas habilidades telecinéticas e hipnóticas para permitir que o infame escravizasse a população local.

Em paralelo às atividades em Decheret, Nhoc realizava incursões com Di para dar cabo às demais tarefas compatíveis com os objetivos da missão tetradimensional. Um trabalho similar ao que Willa realizava na Terra: fotografar as paisagens; topografar os acidentes geográficos e o leito oceânico; catalogar as espécies selvagens e retirar amostras biológicas; tecer análises do clima e dos elementos; bem como procurar por jazidas de ouro, plutônio e urânio, além de sítios viáveis para seu respectivo garimpo. Apesar de dispensar horizontes com Di na execução dessas pesquisas e tarefas, sua relação com o robô que tanto respeitou e amou antes da viagem nunca mais foi a mesma. Os dois sequer argumentavam algo que fosse além do escopo de suas tarefas, a convivência entre ambos se tornou estritamente lacônica e, em momentos de lazer, sequer rodavam uma simulação de Fórmula para se distraírem. Nhoc preferia ficar sozinho com seu multivíduo em Hunaman, onde reativou a Cidade do Ouro local, passeando nos arredores e se harmonizando com a natureza e a vida selvagem. Qualquer coisa era melhor do que dispensar mínimos fótons com o ente que tanto o inspirara a chegar ali.

"Quem me deras um robô como ela contou" – "Um mero kit, não robô" – "Ao menos cometeu seppuko *como fariam os homens da* minha *Terra"* – "Nossa *Terra"* – *"Inveja" – "Não. Traição".*

Sozinho, mas contando com o aporte da nave, Nhoc transmitiu ao futuro mais de quinze toneladas de ouro por ano, enviou mensagens e informações sobre a expedição. Inclusive denunciou a conduta de Logan e pediu providências, repassando informações sobre a localidade pretérita como se fosse possível enviarem um resgate que jamais viria. Por fim, postou várias cartas endereçadas a Xwer. Confessou seu arrependimento por ter viajado e alertou sobre a traição de Di Angelis, recomendando que revisse sua relação com o robô e sugerindo que o deletasse de sua cabeça. No garimpo, em diversas localidades varridas entre a África e o sudoeste asiático, trabalhava na taxa de 700 quilos de terra escavada por minuto. Com isso, descobriu muito mais ouro do que o teto mínimo da expedição, bem como encontrou material radioativo para ativar mais de cinquenta pirâmides como Quéops – tudo para, conforme desejava Logan, retornar para o futuro o mais breve quanto possível e, assim, ver-se livre dele para sempre.

No sítio de Gizé, onde estava compulsoriamente obrigado a prestar serviços em turnos intercalados com a base em Hunaman, Nhoc realizou profundas pesquisas que lhe renderam valiosas descobertas. Suas análises da pirâmide e a leitura mental dos cidadãos de Kemet logo revelaram a verdade por trás do monumento. Contava a memória local que, séculos antes, a grande pirâmide fora enviada pelos deuses. Alguns séculos depois, os deuses surgiram do céu em carruagens de fogo para abençoar a pirâmide em homenagem à mais poderosa das divindades: Hórus. Hórus detinha o poder do Sol e era o único ente capaz de combater o grande demônio das trevas, Seth. Os deuses possuíam asas, eram como pássaros e conseguiam voar tão alto quanto suas carruagens de fogo. Com a luz de Hórus, os pássaros fizeram a pirâmide brilhar e revelar seu enorme poder, então os deuses voaram em direção à luz para se juntar a ele e desapareceram no céu infinito. Depois que os deuses se foram, a pirâmide deixou de brilhar, mas, em seu interior, as divindades deixaram um presente para a humanidade: a escrita. Desde então, aqueles escolhidos como representantes das divindades na Terra jaziam no interior da pirâmide para serem elevados junto aos deuses quando chegasse a sua vez de partir. Eles tinham o poder da escrita e abençoavam o povo com seu saber – essa era a lenda.

Quanto ao suposto presente dos deuses, a escrita, segundo a apuração de Nhoc, tratava-se, em parte, de uma adaptação dos hominídeos baseada em ensinamentos das tais divindades a sua própria linguagem hieroglífica. Mas que ia além, pois contava com o aprendizado contrabandeado da Babilônia, a capital da civilização suméria localizada a leste do Mar Vermelho. Os sumérios haviam recriado a escrita a partir do resquício de conhecimento herdado dos extintos atlânticos e, da mesma forma, surrupiado o aprendizado do povo hebreu. Por sua vez, os hebreus recriaram a escrita a partir de um contato com alienígenas cuja pesquisa de leitura mental coletiva empreendida por Nhoc não foi capaz de revelar. Somente Willa pôde desmistificar essa informação quando permitiu que o homiquântico lesse sua mente, revelando que tal contato se deu com a civilização reptiliana compatível à que viria se acoplar com os homiquânticos no já pretérito do futuro do qual a alienígena provinha.

A busca pelo desenvolvimento da escrita por diferentes povos, o contrabando de conhecimento e a tentativa de monopolizar um aprendizado tido como divino por seus respectivos reis foram retratados de forma mitológica pela famosa história da Torre de Babel. Uma passagem que representava as diversas guerras que tiveram a escrita como objeto de disputa e respectivo prêmio pela vitória. Indo mais fundo na investigação, Nhoc obteve evidências de que o contato do povo de Kemet com os supostos "deuses pássaros" durou cerca de uma década. Contudo, foi limitado, não havia nenhum resquício na memória coletiva do povo a respeito de práticas escravagistas ou quaisquer marcas que revelassem alguma abdução mais profunda, nem mesmo evidências abusivas de transmutação genética ou lavagem cerebral. Mas, sobretudo, inexistia alguma pista ou mesmo dado escrito que não fossem oriundos de estudos que os próprios hominídeos realizaram em torno da pirâmide que revelasse como ou quem a havia construído. Um detalhe que mantinha em aberto a possibilidade de ela ter sido construída anteriormente por outros alienígenas que não os tais "deuses pássaros". Isso na memória do povo, pois na mente da realeza e dos membros da elite hierárquica social, bem como em uma vasta documentação em papiro que só a nobreza ou o clero tinham acesso, revelava-se um ensinamento deixado pelos alienígenas sobre astronomia, climatologia, agricultura e diversos conhecimentos repassados ou aprimorados que iam muito além da escrita, tais como a fundição e a tecelagem. O que se deu dentro de um contexto que, ao menos na história descrita em papiro, como um acordo com os deuses, ou seja, evidenciou uma prática de escambo pelo uso da pirâmide. Quanto aos "deuses" em si, segundo pôde concluir com suas investigações, tratavam-se de entidades alienígenas de uma espécie desconhecida que, segundo o mito que pairava na memória e na documentação real, chamava-se Anunnaki – ainda que para Willa isso fosse saber comum, para Nhoc era uma descoberta chocante e inédita em seu contexto, época que ainda pouco se sabia a respeito do planeta Nibiru e das espécies aeroígenes que o habitaram. Contudo, para Nhoc, a revelação de uma terceira sociedade inteligente existente no cosmo interdimensional, nem reptiliana, nem marciana, por si só, compunha uma descoberta que coroava sua expedição apesar do suposto fracasso atribuído pelo infame Logan. Quanto à expedição dos Anunnaki, tal consistia um trabalho investigativo interdimensional cujos propósitos mais amplos se mantinham um mistério. Já o uso que fizeram da pirâmide resumiu-se ao mesmo propósito de Logan ao tomar posse dela, ou seja, objetivava rebalancear seus respectivos transportes transdimensionais.

Naturalmente, todas essas descobertas foram utilizadas por Logan no intuito de manter sua farsa perante a sociedade de Kemet. O infame se fez passar por um novo "emissário dos deuses" que havia retornado para mais uma vez "abençoar" a pirâmide e seu respectivo povo.

Embora ficasse claro que Logan nutrira esse desejo sórdido de abduzir o povo à loucura de sua mente desde muito antes da viagem, seus trabalhos não gozavam da mesma eficácia com que Nhoc se dedicava às próprias pesquisas. O avançar dos horizontes na manutenção de sua farsa de "deus pássaro" fez com que seus delírios megalômanos o cegassem em seus propósitos. O sabor de administrar a sociedade de Kemet se sobrepôs à necessidade imediata de reativar a pirâmide para habilitar um canal psicográfico com o futuro ou construir o acelerador de partículas de que necessitavam para partir. Ao invés de focar nos objetivos que ele próprio estabeleceu, Logan se perdeu no exercício hipnótico ao qual passou a submeter os hominídeos. Na incapacidade de estabelecer um canal com o futuro de imediato, redirecionou o que lhe restava de sua fria sanidade para a deliberada lobotomia cerebral da população local, impregnando suas mentes com ideais que, ao óculo científico de Nhoc, sequer faziam o menor sentido. Ele aplicou hipnose em massa no intuito de criar uma memória coletiva capaz de redelinear os instintos naturais da espécie para reconhecer, temer, repudiar e rechaçar o que descrevia como "a ameaça e a repugnância réptil". Apesar da insanidade de seu projeto, Logan não era tão imbecil a ponto de confrontar uma nação com centenas de centenas de homens. Nem ele nem Di poderiam hipnotizar um povo inteiro ou manter sua influência mental em longo alcance por horizonte contínuo. Em vista disso, desde o instante em que se apoderou da pirâmide, fez dela o seu lar. Dali, ele influenciou a realeza para seguir seu propósito. Crentes que lidavam como uma criatura divina, tanto o rei quanto a rainha se curvaram a ele, e com o controle de ambos, o povo inteiro se curvou aos desejos do vilão.

Mas não haveria nenhuma nova onda política, especialmente a imposta por Logan, que não culminasse em questionamento e revolta pelos populares. Assim, para controlar a multidão, Logan trajou uma máscara de ave e, junto a Di, num entardecer sombrio, cerca de uma década após sua posse da pirâmide, do púlpito da câmara do rei, ele se revelou ao público como o deus-pássaro que retornara das estrelas, o messias enviado por Hórus. Pela hipnose e pela demagogia que travestiu, fez do povo a massa escrava para construir o tal dispositivo de psicografia interdimensional que jamais conseguiria ativar. E quando isso não foi suficiente para conter a miséria de espírito e a fome que assolou a multidão mais humilde pela política ditatorial de total subserviência ao trabalho de suas construções faraônicas – cujo termo correto seria *loganômicas* –, bastou utilizar a força do rei a seu favor, fazendo da lança, da espada e do açoite as ferramentas para dar cabo a seus projetos. Com asco, Nhoc teve que prestar sua telecinese para dar vazão à demanda de peregrinos que fizeram fila para escalar a pirâmide a "convite" de um charlatão para dar sua "bênção" ao "messias alado", e assim se submeterem à sua lavagem cerebral – muitos dos que se recusaram, especialmente entre os mais nobres, morreram vítimas de uma misteriosa queimadura interna em seu órgão cardíaco, uma praga que se espalhou por Kemet como uma terrível maldição por Logan atribuída a Seth. De fato, quando estava longe de

Logan e Di, Nhoc chegou a elaborar um plano para aplicar contra-hipnose nos aldeões no intuito de rebelá-los contra essa farsa. Contudo, depois que o infame lhe tomou a capitania da expedição, teve o cuidado de se inteirar dos mínimos fótons regulamentares da empreitada, entre os quais constava que, sob tal hipótese, Logan teria o precedente que precisava para reprogramar Di e transformá-lo em um soldado, assim vertê-lo em uma arma laser que, então, poderia utilizar para matá-lo e massacrar a população local. Somente por isso conteve sua revolta.

Nhoc estava de cérebro atado, destituído de qualquer controle sobre os desígnios de sua desventura ao pretérito que tanto ansiara alcançar, sem a companhia e o apoio da entidade que tanto o incentivara para tal. Pior, longe da figura que lhe simbolizava sincero amor, Xwer, a única que ainda lhe restava. Sua felicidade resumida a esparsas janelas de lazer em que caminhava solitário pela selva, ansiando por voltar ao seu *tempo* e reencontrar seu grande amor. Uma alegria fugaz, fruto de sua imaginação, de um sonho que, do desejo de viajar ao passado, reverteu-se na ânsia em retornar ao futuro e, quem sabe então, recriar sua expedição com os propósitos científicos conforme originalmente previra, ou simplesmente viver no Sol ao lado de Xwer até o fim de seus dias. Todavia, suas ilusões se esvaíam toda vez que o localizador GPS em seu cérebro acusava a aproximação de Di convocando-o para mais uma tarefa ou lhe repassando mais uma ordem de Logan.

Foram as mais longas cinco décadas de sua existência, cinquenta anos-terra em que se submeteu ao mais puro escárnio do infame Logan apenas pelo desejo de cumprir o mais breve quanto possível o envio da quota aurífera mínima com a qual se comprometera, para então retornar para casa. Um agouro que perdurou até que, certo horizonte, em uma de suas caminhadas de lazer pelas selvas de Hunaman, os sentidos de Nhoc captaram algo bastante familiar nas proximidades: ouro.

Nesse instante, dentro da câmara secreta atrás da sala do trono do antigo imperador chinês, embora não precisasse respirar – dado que seu corpo não necessitava quebrar moléculas de açúcar para gerar energia, bastava a luz solar para manter-se ativo e restaurado –, Nhoc aspirou fundo e estufou o peito, assim encenando sua narrativa:

– Sim, ouro – vocalizou em chinês com o olhar fixo em Willa, expandindo seus glóbulos oculares: – Eu podia até sentir o gosto dele no ar, estava próximo, pois jamais o perceberia assim tão nitidamente sem que Di me fornecesse suas extensões sensoriais, portanto, apenas segui meus próprios sensores. Tão logo transpassei uma formação arbórea que bloqueava o caminho, dei mais alguns passos e, desta feita necessitando apenas dos olhos, localizei-o. Era dia e o metal brilhava no chão ao reflexo da luz solar. Mas o que vi não era uma pepita qualquer saturada na rocha ou apenas um pouco de pó se esvaindo ao vento, era uma *barra* de ouro. Sim, uma barra, e não uma barra qualquer, uma barra forjada pela metalúrgica homiquântica, que levava o selo da nossa contemporaneidade, com inscrições de uma excursão datada de poucos séculos passados. Detalhe que me deixou absolutamente pasmo, a princípio, sem saber como seria possível aquela barra ter findado ali no plano em que aportei. A explicação era óbvia, né, minha cara? Sim, era óbvia, mas não *assim*, numericamente embasada conforme me elucidaste. Naquele momento, cri nas hipóteses mais absurdas, imaginei até que fosse algum embuste de Logan em conluio com Di. Todavia, a explicação era demasiado óbvia e sequer precisaria de números para depreendê-la: o endereço daquele ouro foi erroneamente mapeado e acabou se materializando em outro destino, no caso, o plano em que eu constava. O local em que me deparei com a barra estava a menos de uma légua de distância da Cidade do Ouro, e a própria barra apresentava Hunaman como plano remetente. Deduzi que, apesar de ser um plano próximo na linha-continuada, um erro de cálculo protodimensionárquico teria ocasionado o deslocamento falho da matéria em destino aleatório, o qual, porventura, veio a ser o plano que eu ocupava. – Neste instante, Nhoc relaxou seu semblante, baixou ligeiramente a cabeça, e sua aura emanou certo desânimo com as sinapses seguintes:

– Porventura *sim*, todavia, não tão porventura *assim*. Após examinar a barra, passei a escavar o local com as próprias mãos. Logo descobri que aquela barra não era única, e sim uma barra que se encontrava no topo de uma enorme pilha de barras. Pelo que contabilizei após, somava mais de duas megatoneladas do metal, todas apresentando remetentes de inúmeras expedições pretéritas em margens não muito distantes da minha, que igualmente teriam falhado em alcançar seu destino. Evidentemente, quase a totalidade daquelas missões reveladas em tais barras seguiam a linha marcióloga, mas todas tão fracassadas quanto a minha em atingir seus objetivos. Eram inúmeras mensagens como as que eu mesmo enviei, de expedicionários que exprimiam saudades do futuro e arrependimento por terem se aventurado em mundos pretéritos. Uma dessas mensagens me chamou a atenção: era datada de uma expedição que alcançou a marca de 41.245 a.C. em plena Idade da Pedra Lascada. Na verdade, não uma única mensagem, mas de um conjunto de barras totalizando algumas toneladas de ouro, as quais percorri retroativamente conforme a datação. A despeito de qualquer erro de transmissão protodimensionárquica, o que me deixou assustado foram as inúmeras ocasiões distintas em que essa mesma expedição efetuou transmissões auríferas englobando um período de quase três mil anos. As mais recentes expressavam o desespero dos dimensionautas por não conseguirem mapear uma rota para o futuro, seguida de informações detalhadas sobre o *status* da missão e a inutilidade de construir um observatório como aquele que Logan estava reativando em Gizé. Para minha agonia, o conjunto de mensagens findava com um apelo: "dimensiolábio inutilizado", "nave em reserva energética", "favor enviar resgate ao pretérito cuja localização se segue"; uma mensagem de SOS que se repetia até o ponto em que as transmissões cessaram. – Neste ponto da narrativa, Nhoc arfou, como se realmente precisasse respirar. Captou a tristeza recíproca de Willa e continuou:

– Outra mensagem, também oriunda de um passado bastante longínquo, dava conta de uma expedição em que tudo transcorrera perfeitamente de acordo com seus objetivos. Foi construído o espaçoporto de partida exatamente como previsto e mapeada a rota de materialização no futuro. Entretanto, ao executarem a desmaterialização, não retornaram ao futuro contemporâneo da Terra, mas para um passado ainda mais raso dentro da Idade da Pedra - navegaram de um passado para outro. Eram mensagens que a mim atestavam a falta de qualquer precisão astronômica na técnica que por tantos horizontes estudei e simulei, que até então me davam certeza, tanto quanto para todos aqueles dimensionautas que se expressavam de maneira aflita e amargurada, de que um retorno ao futuro seria tão certo quanto se programar um destino pretérito de viagem. Apesar de evidente, temi em aceitar a verdade estampada naquelas barras de ouro: que a navegação tetra ou transdimensional era tão imprecisa e perigosa quanto à navegação por mares desconhecidos como realizada por hominídeos ao lançarem-se em águas revoltas; que fazíamos parte de uma experiência que nos distribuía aleatoriamente em faixas pretéritas... Não, não. Recusava-me a acreditar nisso, não podia depreender, aquele ouro era fruto da incompetência de seus respectivos remetentes, da pouca habilidade protodimensionárquica e nula capacidade para balancear um dimensiolábio ou, talvez, para engenhar um observatório astronômico adequadamente. Na *minha* missão isso não se sucederia, meu ouro não iria parar em uma pilha perdida na selva de uma proxidimensão qualquer. Eu triunfaria quando e onde outros fracassaram, nem que para isso precisasse compartilhar da infame companhia do vil Logan por mais mil anos. Pra mim, aquela pilha de ouro perdida na mata de Hunaman era apenas um incentivo para que me esforçasse ainda mais nos trabalhos de ativação e balanceamento do parque piramidal que levantamos e, assim, encontrássemos a rota de volta pra casa. Jamais ficaria perdido no passado para sempre – nesse instante, como se sua aura de desânimo fosse pouca, Nhoc aproximou-se de Willa, levou a mão ao seu ombro e, com leves sinapses, como se sussurrasse, mentalizou:

– Ao menos foi esse meu sincero sentimento até que... No meio da pilha de ouro encontrei uma mensagem cujo remetente era eu mesmo, com data inferior a uma década de quando a transmiti. Junto dela, encontrei inúmeras outras somando pelo menos uma tonelada de ouro, todas minhas. Peguei uma delas na mão e reli a mensagem que eu mesmo escrevi e sabia de cérebro: "Com imensa saudade tua, querido Xwer. Espero retornar em breve. Te amo". – Nhoc calou sua mente nesse instante.

Contagiado pela emoção da própria lembrança, interrompeu a locução e pousou sua cabeça no peito de Willa. Em sua mente, chorando sinapticamente.

Willa tentou reconfortar seu locutor minimizando seu fracasso na transmissão. Comentou a respeito desse período da viagem tetradimensional e do que se reconhecia como grande mito o heroísmo desses navegantes interdimensionais que contavam com uma tecnologia obsoleta de mapear os planos pretéritos ou transmitir ouro entre as dimensões. Claro que já havia estudado e até conversando com robôs biográficos de dimensionautas homiquânticos como parte de seus estudos, testemunhando relatos bem piores, incluindo um caso muito similar ao de Nhoc. Ao compartilhar o caso, Willa tinha em mente que, como esses robôs eram recriados de reconstituições de mensagens oriundas de achados arqueológicos, mas não podia checar a informação por estar ainda sem contato com seu cosmo originário, conjecturava se Nhoc não seria, justamente, o plano vivido e narrado por esse famoso robô biográfico. A ilustração do caso não serviu para apartar os sentimentos do locutor, que prosseguiu a narrativa em tom melancólico.

Na memória que o levava ao choro, aquela simples barra entre seus dedos, aquela *maldita barra* e a mensagem que tinha diante de seus olhos caracterizaram um imenso choque de realidade para Nhoc. Por dentro, seu sentimento só poderia ser comparado ao de um ente quando ciente de sua morte, de uma morte prematura, repentina e injusta, mas evidente e inevitável, pior que a morte por si própria. Foi assim que se sentiu diante daquelas palavras, diante da lembrança de Xwer, diante do fato inexorável de tudo se resumir a uma lembrança, a um sonho que se desfazia em ouro. Um sentimento de tanta negatividade que Willa sentiu um fluxo lhe percorrendo as bobinas do corpo pelo temor que a semelhança daquela cena com o cenário atual de sua própria expedição despertava, enquanto o locutor e protagonista da cena se lançava em seu colo e a abraçava.

– Eu caminhei a esmo durante certo horizonte, perdido dentro mim, apenas para me afastar daquela pilha dourada cujo achado não tinha mais valor. Pelo contrário, naquele contínuo nada mais representava do que uma terrível desgraça. Dentro da cabeça, meus pensamentos tentavam articular uma razão para o resto de minha existência. Na palma da mão, eu ainda carregava a barra com a mensagem endereçada a Xwer – mentalizou o homiquântico com amargura. Em seguida, demonstrou rancor em suas sinapses:

– Em dado instante, tive um rompante de ódio contra mim mesmo perante tudo, por minhas ilusões subitamente desfeitas, então lancei a barra para longe. Em seguida, com um simples comando mental, desativei o GPS em minha mente e desfiz o canal que mantinha aberto para me comunicar com Di. Não obstante, deletei e desfragmentei a cópia do robô que mantinha comigo, erradicando-o definitivamente de meu cérebro. Não havia mais sentido me submeter à política do infame Logan ou à subserviência de Di se estava preso na Terra conforme ditava a sentença contida naquelas barras. Ao menos deles eu estava livre.

Livre e só.

82

Da totalidade de mentes *animais* classificadas como pré ou semirracionais do planeta Terra, restava uma mínima contagem que Willa ainda não havia lido e catalogado nos repositórios da *Nave* e ou *backupeado* na celulose memorial da Amazônia. A maioria golfinhos, orcas ou diversos tipos de moluscos e, algumas poucas, de hominídeos – sem contar os corais, evidentemente, já que são híbridos classificados como inteligências suprarracionais. Entre esses hominídeos, o coronel Jay Carrol era um deles. Todavia, entre os homens, exceto os que encontrara no período mais recente de sua varredura, somente o cérebro do coronel se mantinha plenamente operativo, outros se resumiam a dementes ou pessoas mantidas sem dormir sob efeito de drogas, fosse por alguma doença em algum hospital ou sanatório, fosse pelo uso recreativo de algum psicotrópico. Assim, estatisticamente, era possível afirmar que Carrol era o homem com o maior horizonte sem dormir desde sua materialização na Terra.

Um dado interessante, mas pouco relevante para que Sam cedesse ao apelo de Willa para que autorizasse a leitura de sua mente:

– Induzi-lo ao sono, mal não lhe fará – apelou Willa.

– Se ele não quer dormir, somos obrigados a respeitar seu arbítrio – atestou Sam, já pouco paciente com a insistência do parceiro.

– Eu preciso saber o que ele pensa!

– Te expressas como se um animal desses realmente soubesse pensar.

– São pobres, todavia vitais os pensamentos que esse homem carrega. Percebo que está engenhando algo importante, talvez perigoso para nós, posso captar em sua aura. Preciso de acesso ao seu cérebro para decifrar o que é.

– Não fantasie, por favor.

– Se crê que o amargo de sua aura é fantasia, o que computa de seus batimentos cardíacos? Estão periodicamente mais elevados. A se manter a média, sofrerá um infarto em curto horizonte.

– Ótimo. Assim que se inicie o processo de trânsito, tens autorização para ler sua mente e capturar sua ondulação *F*. – Em suma, sinapse final no assunto por parte de Sam. Nesse ponto, Nhoc fez um comentário para Willa:

– Crês que esse homem é deveras um messias?

– Sim, mas preciso de acesso à mente dele para corroborar tal classificação – esclareceu Willa.

– Ora! Esse coronelzinho, um *messias*?! E eu? O que sou para ti? – à questão, Nhoc captou uma onda pouco empática por parte de Willa. Em sinapses, a alienígena teatralizou:

– Ainda estudo uma classificação.

Além de impertinente, a insistência de Willa se mostrou vã, já que no decorrer da noite véspera à visita do presidente da República ao posto zero, Carrol estava tão ansioso que sequer se permitiu uma de suas relaxadas no sofá de seu escritório ou em seu *motorhome* como nas noites anteriores. Apenas tomou sua pílula estimulante e permaneceu ativo até o amanhecer vistoriando a base. Procurou certificar-se de que tudo estivesse devidamente preparado para receber o ilustre convidado. O mais próximo que chegou de relaxar foi, já pela manhã, quando aguardava o início das atividades diárias, ao se sentar em sua mesa no escritório e fumar um charuto, matutando a respeito de algo que Willa ansiava em saber.

De novidade na trama que Willa tentava deduzir a partir das condutas de Carrol, apenas um telefonema ainda na noite da véspera atraiu sua atenção: um chamado prioritário em seu aparelho vermelho do secretário de Defesa, Ashley Mature. Mature buscava maiores detalhes sobre a atualização de Carrol no banco de dados do Majestic na noite anterior. Ao que captou Willa, o coronel utilizou a conversação para sondar o secretário:

– Os fatos se resumem ao que está descrito no catálogo – alegou Carrol. Depois advertiu: – Mas alguns desdobramentos estão sendo investigados neste momento.

– Quais desdobramentos?

– O senhor ficou sabendo de um acidente que envolveu o xerife do meu condado?

– Se está se referindo à vítima de um acidente automotivo, a que foi incinerada, sim. Soube por alto.

– Exatamente. Possuo um investigador que está atrás da hipótese desse acidente ter sido fruto de algum tipo de interação com o evento relatado e... – dizia o coronel. Mas Mature o interrompeu, exclamativo:

– Quer dizer... Atacado pelo objeto alienígena?!

– Não posso afirmar ainda – respondeu Carrol, soando precaução.

– Isso é grave, muito grave – disse Mature, preocupado. Carrol retomou seu relato:

– Outra testemunha diz ter avistado um óvni pousando no deserto. Trata-se de uma pessoa com histórico pouco confiável, entretanto, algumas informações que forneceu batem com os fatos, sobretudo os horários.

– Não será o caso de ativarmos as diretrizes do projeto? Ou devemos nos manter de prontidão?

– Eu recomendaria que revisasse o protocolo. Se for preciso ativá-lo, estaremos preparados. Mas não se alarme. Espero uma confirmação em 24 centenas.

– Hum, meu coronel... Você me soa preocupado. Fique tranquilo que estou a par dos procedimentos. Apenas me diga como está conduzindo a questão.

– Em máxima prioridade e restrição, senhor. Estou à frente de toda investigação e mantive o acesso estrito aos meus homens de confiança.

– Ótimo. Só não permita que qualquer novidade me chegue pela imprensa. Fico no aguardo – disse Mature antes de encerrar a chamada.

Ao fim do telefonema, Willa captou certo alívio na aura de Carrol. Era nítido que Mature representava um plano B para o caso de o presidente da República recusar assinar a parceria conforme acordaram verbalmente. Em função disso, igualmente temerosa com tal possibilidade, quem tratou de revisar os protocolos do Majestic foi Willa, ainda que os mesmos já estivessem bem gravados em sua mente. Em parte, o protocolo não representava qualquer grande novidade no trato que Carrol havia adotado para conduzir o achado do objeto "alienígena-extraterrestre", exceto pelos canais e, sobretudo, as pessoas que chefiariam a condução do caso. No momento, essa pessoa era Carrol, mas se acionasse o Majestic, seria Mature. A diferença talvez fosse apenas a origem do capital, pois se tivesse acionado os canais oficiais, o financiamento da operação seria do Estado, enquanto, de instante, quem bancava as despesas em torno de um possível e valioso investimento que por ora não demonstrava qualquer possibilidade de retorno, essa pessoa era Carrol. Não bastasse, ainda corria o risco de levar o calote do presidente. Talvez o objetivo de Carrol em trazer Mature para a jogada fosse amortizar os prejuízos que vinha acumulando, simplesmente ao repassar o financiamento das obras no posto zero para o orçamento do Exército – pena que Willa não podia confirmar essa hipótese.

Na prática, a condução de Carrol seguia as instruções do tal protocolo, afinal, ele era um dos membros do Majestic que havia colaborado para a redação e a atualização do mesmo. O próprio artigo que havia citado para justificar a prisão do xerife Hut Cut se tratava de um texto que redigiu. Inclusive o "uso" de Jorge, embora não houvesse qualquer citação textual que avalizasse a incineração de pessoas, estava previsto nos procedimentos. A restrição de informações em torno do achado, a convocação dos especialistas, a montagem do perímetro de segurança *et cetera*, eram todas ações descritas no tal protocolo. A única diferença, caso fosse oficialmente ativado, era o escopo das atividades, as quais prosseguiam ao longo de um completo manual que abordava procedimentos que incluíam a mobilização completa do Estado norte-americano e, não obstante, da ONU e, até, das nações do bloco comunista no que seria uma ação conjunta para deflagrar um estado bélico contra uma força extraterrestre. Ainda que fosse o caso de ativar o Majestic – e não fosse a interferência de Willa em manipular a mente do presidente para que isso não acontecesse –, pelo fato da *Nave* ter encalhado nas proximidades de sua base e Carrol integrar o projeto encabeçado por Mature, de qualquer maneira o coronel seria um encarregado do caso. De modo que as coisas não seriam muito diferentes para a alienígena, exceto talvez pelo fato de que o coronel teria sido nomeado general e, conseguintemente, disporia de mais recursos militares para lançar mão. Assim, ao invés de tanques de guerra vigiando a *Nave*, talvez pudesse contar com aviões bombardeiros, mísseis ou até mesmo as ogivas nucleares que dispunha na RSMR.

Mas se a ligação não esclarecia totalmente quais seriam os planos de Carrol, do outro lado da linha, Willa captou a sincera preocupação de Mature. Ao que podia captar da mente do secretário de Defesa, ele não nutria amores pelo coronel. Pelo contrário, expressava certeza de que Carrol estava aprontando alguma, por isso teceu mais alguns telefonemas a fim de averiguar se havia algo mais na história narrada pelo coronel. Mature não era bacharel, e sim um militar altamente condecorado, não havia "estudado" para entrar no Exército, mas se alistado como soldado para lutar na Segunda Guerra Mundial. Era um carreirista, medalha de honra na Guerra da Coreia, um autêntico herói de guerra. Em sua cabeça, alguém com o perfil de Carrol, antes de tudo um empresário, não lhe agradava em nada. Um sentimento que, embora não pudesse confirmar, talvez explicasse porque Carrol havia aceitado prontamente a parceria com o presidente em vez de acionar os canais convencionais. Certamente não queria lidar com alguém como Mature, uma pessoa que não apreciava sua figura. Quanto ao temor de Mature em relação aos fatos revelados por Carrol, sua apreensão era sincera: fosse real a suspeita que havia repassado, justamente por isso não queria alguém como o coronel à frente do caso. Tais sentimentos eram péssimos para Willa, pois qualquer atitude precipitada de Mature teria desdobramentos sobre as concessões de Sam sobre sua pesquisa. Não bastasse, desde que os militares haviam posicionado duas vigas de aço em contato com a *Nave*, o debate de momento liderado pela entidade discoide mantinha-se fervoroso na cúpula interior do disco:

– Reabrir pauta cronograma – propôs a *Nave*. A problemática se dava pela presença das vigas de aço e da bandeja instalada pelos militares, as quais interpunham sua trajetória de escavação rumo ao centro da Terra. Detalhe que afetava o cronograma inicialmente estabelecido para a viagem de volta para o futuro partindo do sítio de onde estavam. Apesar de estarem trabalhando em marcha lenta, em termos de cálculo, a *Nave* já tinha carregada a frequência de rocha para se transferir ao lençol freático que se situava exatamente a 27,33 metros de sua posição corrente. Posição esta que, de instante, justa e irritantemente, mantinha-a estagnada flutuando sobre a bandeja e os respectivos medidores de Newton instalados pelos hominídeos.

Antes mesmo que o quórum complementar se manifestasse em prol da reabertura de pauta, Willa protestou:

– Não enxergo lógica para reabrirmos a pauta cronograma se minhas moções estão todas vetadas. As concessões que meu multivíduo podia facultar, facultadas estão – afirmou a quântica. Fato era que não havia quórum suficiente para autorizar a *Nave* a se transferir para o lençol freático, já que isso comprometia o trabalho de Willa. A instrução corrente era manter o frisbee estático onde estava enquanto aguardavam um possível contato com seu plano de origem. Afinal, os contatos dependiam da conexão multividual de Willa para serem estabelecidos, o que não seria possível se estivessem enterrados dentro do solo. Ademais, além da própria *Nave* que, como parte da expedição, prestava-se apenas por seu *hardware*, as demais entidades não dispunham humor algum para se encapsularem no solo por razoável período até completarem a viagem ao intramundo de Rochas Alegres. Todas preferiam recuperar o *kit* de navegação e retomar a expedição como planejado. Para isso, precisavam de mais horizonte para aguardar a abertura de canais com o futuro.

Durante as primeiras negociações com o quórum expedicionário, Sawmill[A] acordou com a *Nave* em se manter ao relento até esgotar a janela parcial da viagem para o intramundo de Rochas Alegres. Uma janela estipulada em sete dias terrenos na ocasião – para qual a entidade já havia cumprido seus cálculos. Um horizonte já em visível de evento, mas ainda destituído de qualquer perspectiva de sucesso sobre as expedições realizadas por Willa em busca de uma alternativa: nenhuma confirmação de seu par que mergulhou na Fossa das Marianas ou o menor sinal de retorno através da Amazônia e dos recifes de corais caribenhos. Como se não fosse pouco, os trabalhos de girinação em outras regiões, sobretudo na Grande Barreira de Corais australiana, estavam em fase inicial, dado que começaram a ser fertilizadas nos horizontes últimos da ocupação de Willa pelo globo. Ainda que estivessem dentro do cronograma pré-acordado para o plano de contingência, a instalação das vigas de aço e dos medidores de Newton por parte dos homens de Carrol esbarrava em uma série de viabilidades técnicas para a *Nave*, por isso a entidade defendia que se deslocassem ao lençol freático já mapeado, o que significava encerrar todos os trabalhos de pesquisa em andamento. Como alternativa, ela propunha a criação de um túnel, de modo a permitir que Willa embarcasse *a posteriori* à manobra.

A proposta da *Nave*, todavia, não contava com o apoio das demais entidades. Muito graças à Willa, que conseguiu atrair a simpatia delas ao ceder boa parte de seu quórum multividual para atender ao interesse de cada qual ao fornecer suas extensões sensoriais, especialmente para a *Árvore*, para que expandissem suas pesquisas à medida que seu multivíduo passava a se avolumar de norte-sul e de leste-oeste no planeta. Ela se dispôs a abdicar de seu direito de férias e redirecionar sua população para intensificar o grampo dos cabos transoceânicos no intuito de que, tanto a *Árvore* quanto a *Pedra*, desfrutassem plenamente de suas faculdades sensitivas nos demais continentes, além de ceder às convocações de tarefas destinadas às suas pesquisas, fossem no mar, fossem na terra. Faltavam cerca de dois mil quilômetros para que Willa completasse a ligação entre a América e a Europa pelo Oceano Atlântico, e cinco mil pelo Pacífico entre o Havaí e o Japão. De modo que era mais prático manter as diretrizes de momento do que atender aos desejos da *Nave*, privilegiando as pesquisas do colegiado enquanto aguardavam contato com o comando da missão em Titã.

Apesar de não gozar do apoio das demais entidades, a *Nave* balizava-se no novo consumo de cálculo para defender sua pauta. Como cabia à entidade gerenciar a memória disponível no frisbee transdimensional, a questão das vigas de aço que interpunham seu caminho era um forte argumento para mantê-la em debate. Para compreender a posição da entidade discoide, entretanto, é preciso esclarecer alguns detalhes da missão que ela estava incumbida de empreender: escavar um túnel do *tempo* através da litosfera e do manto terrestre até alcançar o intramundo futuro, a 1,640 quilômetros de profundidade. Isso não significava "cavar" um buraco, e sim, por intermédio da *Pedra*, mapear a frequência de rocha que a separa de seu destino para então materializar-se no mesmo. Para conseguir executar essa leitura de rocha, o ideal para a *Nave* seria estar em contato direto com o solo. Porém, com as vigas bloqueando seu caminho, essa tarefa estava consumindo uma substancial quantidade de cálculos adicionais para que conseguisse rastrear a frequência futura através do metal. Por isso, a entidade requisitava sua transposição à posição próxima ao lençol freático, de onde poderia retomar seus cálculos sem comprometer a memória disponível, a qual dedicava boa parte para a programação do novo *kit* robótico de navegação.

Todavia, com as vigas de aço onerando os cálculos, a *Nave* não conseguiria mapear a frequência sem comprometer os operativos em andamento, o que requeria constantes mudanças no cronograma que havia, em princípio, acordado com Sawmill[A], mas que as demais entidades pleiteavam constantes ajustes. Embora a *Pedra* não quisesse abdicar das pesquisas, ratificava a posição da *Nave*, já que cabia a ela tecer a leitura da rocha e mapear o destino de viagem em conjunto com a entidade discoide. Para contemplar parte do desejo de ambas as entidades, Willa propunha uma moção alternativa: fornecer uma leitura de peso para os hominídeos, então se transferirem para baixo das vigas antes que os trabalhos de construção do galpão engenhado pelo falecido tenente Mascareñas avançassem e trouxessem novas obstruções ao avanço da "escavação". Seria uma solução intermediária, mas que ao menos recolocaria a *Nave* em direto contato com o solo, eliminando os pesados cálculos que precisava tecer com as vigas obstruindo-lhe os sensos. Todavia, Sam não estava de acordo por considerar tal manobra uma interferência no arbítrio dos hominídeos; o chefe exigia o cumprimento do acordo original, que aguardassem onde estavam até que a janela se extinguisse.

Sobre a moção de Willa, apesar de apoiá-la, a *Nave* tinha uma forte objeção:

– Um gigafóton a mais que seja, dedicar à espectroscopia de uma liga metálica tão primitiva, com tão caótica estrutura molecular, recuso-me. Para que um mero quântico matematicamente sequer depreenda, incomensurável a complexidade é. Ao espectro *possível* para filtrá-la, limitar-me-ei. Quanto a isso, nova pauta não há – manifestou a entidade.

– Ainda que desprovido dos números, suas estimativas de memória fazem sentido, por isso urge a adoção da alternativa que propus em pretérito-mais-que-perfeito. Uma vez que os homens instalem os novos medidores de Newton, terás que rearquitetar toda a estrutura já modelada e o consumo de memória sofrerá um inerente acréscimo – argumentou Willa. Sam se opôs:

– Tais colocações são inúteis. Interferir nos aparatos hominídeos ou modificar a estrutura de seus objetos fere os estatutos da expedição. A próxima sessão fica atrelada à janela já estipulada – expôs objetivando encerrar a argumentação. Mas não foi bem assim, Willa insistiu:

– Independente da diretriz que adotarmos, ao cumprimento da janela, o presente sítio será abandonado. De modo que, ainda que mínima, nossa interação com as criaturas será inevitável, ou crê que não notarão a nave quando dermos partida, seja para mergulhar na crosta ou decolar para a Amazônia? – questionou. Embora a *Nave* fosse opositora às pautas investigativas de Willa por não contemplarem seus maiores anseios, ao menos a solução intermediária por ela proposta amortizava seu processamento matemático. Por isso fez coro à moção:

– Se violado já foi, ao que preza nos atermos ao estatuto? Em instante contínuo, para que realizemos a transposição da estrutura metálica, insisto – manifestou a entidade.

– De acordo. Tomando proveito do presente momento em que o fluxo das criaturas em torno de nós está reduzido – acrescentou Willa, retificando que a movimentação de operários ao redor da nave era mínima em função dos trabalhos liderados por Carrol terem sido limitados por causa da visita do presidente no decorrer do dia. Além disso, era alta madrugada e o time de especialistas estava dormindo. Não haveria melhor momento para transpor as vigas de aço do que no ponto-presente, segundo reivindicava. Todavia...

– Moção indeferida – exerceu seu veto Sam, sem sequer se dar ao gasto de responder às colegas. Ainda que inutilmente, Willa persistiu argumentando:

– Qual a sua intenção? Esperar que o presidente venha nos visitar para tomar uma atitude?

– Apenas zelo pelo contrato que pactuamos. Ou preferes que vete o plano de contingência que tu mesma estabeleceste? – confrontou Sam.

– Prefiro que aceite a solução que propus em prol de nossas colegas – mencionou Willa em totem da *Pedra* e da *Nave*. – Não faz jus onerarmos seus cálculos apenas para evitar uma interação cuja lacuna de desdobramentos abdutivos apenas você ainda teima em observar.

– A moção está indeferida. E novas pautas sobre o assunto, vetadas até o fechamento da janela – comunicou Sam sem qualquer comoção.

– Não por menos adicionei o último comentário, dado que a janela se extingue em horizonte congruente à visita do presidente.

– Isto posto, aguardemos – compartilhou Sam, encerrando o assunto.

– Fosse eu, volatizaria a todos e tomaria suas instalações objetivando... – subitamente manifestou Nhoc através do par de Willa presente no interior do disco transdimensional, mas cortado antes que se alongasse.

– O que esse animal tá fazendo aqui?! – manifestou Sam, recobrando-se do susto pela súbita manifestação de Nhoc.

– Bloquear Nhoc! – comandou a *Nave*, indignada como se um cachorro sujo houvesse entrado na sala e deitado no sofá. Com o comando, Nhoc foi bloqueado do acesso à memória do disco.

– Como ele conseguiu se conectar a *Nave*? – Foi a questão que o quórum levantou para Willa, pois era óbvio que a percepção de Nhoc alcançara a nave através de seu multivíduo. A quântica respondeu com simplicidade:

– O bicho é *hacker*.

Fato era que, embora Nhoc operasse um mero sistema trinário, o qual resumia o que melhor podia engenhar de acordo com o progresso da humanidade em que estava inserido, como alienígena, provinha de um futuro, se muito antigo para os quânticos, bastante evoluído por sua própria perspectiva. Época em que a linguagem já era "polinária", ainda que se denominasse "poliquântica", ou seja, já operava com base em um computador quântico cuja unidade – o *bit* – se atrelava às mesmas partículas fotônicas que a atualidade de Willa empregava para se comunicar ou operar o feixe-solar. Não obstante, Nhoc era um mestre das artes psicográficas e estava familiarizado com as redes que Willa também hackeava. Além disso, o corpo da alienígena era compatível com seu sistema, mesmo que operasse uma mera linguagem *triloop*, já que a China contava com todos os sistemas do restante do mundo, as correntes alternada e direta ou o sistema Tesla – sem mencionar a tecnologia informática desde o computador chinês até os sistemas binários, fosse da IBM, da Guru ou o alemão e o japonês. Só Pequim contava com as três redes, embora a Cidade Proibida estivesse inserida em um sistema AC-DC. Uma disposição que demarcava os períodos de dominância ou influência estrangeira em suas complexas relações políticas durante o século XX e os negócios tecidos pelo país em seu decorrer. Com tudo isso, não foi muito difícil para Nhoc estender sua percepção de Pequim até a *Nave* no Algomoro, até porque gozava de livre acesso ao multivíduo Willa – bastou seguir o fluxo pelo qual a alienígena gravava sua mente na memória da nave.

O quórum da *Nave* chegou a questionar Willa se ela deveria permitir Nhoc navegar em sua rede multividual assim livremente. Até Sam conjecturou se isso não se enquadraria como contravenção abdutiva. Mas esse *arbítrio* estava atrelado a cada unidade de seu multivíduo, de modo que a quântica sequer permitiu um debate a respeito. Pelo contrário, tentou intermediar o pedido de Nhoc para que o desbloqueassem, indignado como ficou o animal com a atitude pouco delicada da *Nave*. Todavia, na nave, cabia o arbítrio do quórum ali radicado e, ainda que Willa sustentasse a posição do homiquântico, o "cachorro" permaneceu proibido de entrar na sala.

Apesar do impedimento, Willa aproveitou sua argumentação em prol da compatibilidade de Nhoc com os sistemas quânticos para adicionar o fato que, embora fosse enquadrado como um animal pelo ponto de vista dos expedicionários, o homiquântico não era um bicho qualquer, e sim um dimensionauta oriundo do mesmo Portal Tetradimensional que os havia materializado no corrente pretérito. Ou seja, era obrigação da *Nave* e do respectivo quórum oferecer um resgate para Nhoc. Porém, tal possibilidade não constava nos estatutos da expedição, não havia nenhum cenário que descrevesse uma conduta apropriada para o caso da missão se deparar com um dimensionauta antigo – fator que nem *Murphy* previa como possível antes de embarcarem ao passado. À ausência de protocolos, bastou a filosofia de Willa para convencer a todos em aprovar sua moção:

– Conjecturemos sobre a hipótese dos contatos que buscamos com o cosmo falharem ou que o novo *Gravikit* se recuse a operar – esta última que se tratava de uma possibilidade *antimurphyana*, ou seja, pouco factível. Afinal, mesmo que programassem um novo *kit* de navegação, ele possuiria o seu arbítrio. Mas Willa soube se valer do argumento para atrair a compaixão do quórum. Então questionou: – Qual não seria o nosso sentimento se outra missão se materializasse aqui e nos negasse um resgate?

O sentimento expresso pelo quórum sequer precisou de votação para captar a concordância de todos. Ainda assim, a *Nave* tinha uma objeção:

– A operar, um mero ente programático, jamais recusaria – afirmou a entidade, referindo-se ao *Gravikit* em gestação. A *Árvore*, porém, advertiu:

– Em minha memória, *Gravikit* gestado é. Psicólogo, ele iniciará – ou seja, não seria submisso ao gene da escravidão como um robô marciano, pois seria um robô miscigenado na memória vegana da entidade vegetal. Nada impediria o novo robô de depreender a escolha do *Gravikit* original e tomar a mesma decisão que ele, se não de se autofragmentar, mas de recusar a operar a nave como conjecturou Willa. Ademais, o resgate não inferia na programação do novo *kit* de navegação, por isso a moção foi aprovada com quase unanimidade.

Ainda assim, o resgate dependia do arbítrio de Nhoc. Pensando nisso, Willa convenceu o quórum de que, uma vez que seu resgate estava aprovado, Nhoc precisava ter acesso à memória da nave para se familiarizar com o ambiente e estabelecer parâmetros para tomar uma decisão consciente caso aceitasse ser resgatado. Com a reticência de que Nhoc não interferisse nas pautas do colegiado e o pedido para que não adicionasse comentários sarcásticos, o que seria equivalente a ordenar um cão a não latir dentro de casa, seu acesso à *Nave* foi desbloqueado.

A princípio, o homiquântico recusou o resgate, mas Willa esperava convencê-lo. Tinha plena convicção de que o complemento da leitura de sua vida e o intercâmbio mental que estabeleceram forneceria os parâmetros e os sentimentos para que mudasse de ideia.

Novamente conectado à *Nave*, Nhoc questionou a entidade metálica:

– Esse modelo de frisbee é omelete? – Sem entender, a entidade manifestou uma onda pouco empática, como se o animal estivesse depreciando sua constituição metálica. Sam intercedeu esclarecendo a dúvida de Nhoc:

– Não utilizamos mais essa nomenclatura, embora, de fato, trate-se de um modelo compatível ao omelete. Talvez a melhor sinapse de correspondência na atualidade seja *tigela*.

– Parece pouco espaçoso... Não há casulo de passageiros? Nem terminal de visão? – questionou Nhoc.

– Não, somos cérebro-suficientes. Mas não te preocupes que a medida é suficiente para todos.

– Como viajaria aí?

– Em uma bolha magnética.

– Mas como vocês solucionaram a problemática da sobrecarga?

– Nossos corpos fazem o papel de disjuntor durante o processo de carga, dispensando o casulo isolante – esclareceu Willa.

– Interessante. E se queimar o disjuntor?

– Todos morreriam da mesma forma como se sobrecarregasse um casulo antigo.

– Verdade.

– Há casos de dimensionautas que perderam a bobina genital durante a travessia *mades*.

– Pelos Dragões! Mas e aí?!

– Requisitaram um *upgrade* de corpo, nada muito problemático. Problema é se queimar a cervical... – ia se alongando Willa, quando Nhoc exclamou:

– Mas o que é isso que estou captando? Uma barata?! Tem uma *barata* na nave! – E tinha mesmo: uma barata passeava tranquilamente pela superfície do invólucro oval da cúpula interna. Sam respondeu:

– Trata-se de um espécime de *blattaria*, do gênero *periplaneta*.

– É uma barata americana, conheço bem! Como um animal desses foi parar dentro da *sua* nave?! Que tipo de ambiente é esse? Tá infectado... – questionou Nhoc, enojado pela presença da barata no disco.

– São alguns exemplares que coletamos como parte de nossas pesquisas – esclareceu Willa.

– Vocês estão *abduzindo* baratas?! – exclamou Nhoc interrogativamente, com certa indignação. Willa buscou suavizar a impressão errônea do homiquântico, mas fato era que estavam fazendo isso mesmo: abduzindo diferentes espécimes de *blattaria*, incluindo a tradicional espécie americana presente nos lares hominídeos. Mas, conforme Willa embasava a questão sobre a "coleta de baratas", Nhoc percebeu que a coisa era séria, nenhuma barata havia penetrado na nave por si só e a coleta não se resumia a um mero exemplar. De fato, os alienígenas estavam cultivando várias espécies dentro da nave:

– Evidente que não estamos coletando exemplares vivos de todas as espécies, não desfrutamos capacidade de armazenamento para tal. Resumimos o cultivo em um espectro de interesse científico, amplo para atender às mais distintas características desse singular animal, mas seletivo por se tratar de uma ordem taxonômica tão plural – comentou Willa. Enquanto a alienígena explanava, Nhoc pôde captar os diferentes espécimes que constavam na nave. De fato, havia inúmeros, um deles bem grande, espécie *rinoceronte* – a famosa barata da terra, com cerca de dez centímetros de comprimento –, outras nem se pareciam baratas, mas formigas, de tão pequenas. Elas se aglutinavam em um pequeno bolsão de gravidade junto ao que se posicionava como o chão da cúpula interior, um casulo plasmático, *habitat* que fornecia calor e energia para as baratas sobreviverem e se reproduzirem. Entretanto, estavam soltas, podiam correr livremente pela parede ou mesmo sobre os corpos de Sam e Willa, que pareciam não se incomodar com os bichos. Apenas emitiam ondas que os afastava de sua cabeça para que não sobrepusessem seus olhos ou se enroscassem em suas ampolas ecolocalizadoras, ocasionando distrações ou mesmo interferência nas telecomunicações. Ainda assim, algumas baratas passeavam por seus corpos como se fossem animais de estimação.

– Quer-se então que não se abduza mais homens, apenas insetos?

– De acordo com os estatutos da corrente expedição, sim – confirmou Willa. – Mas apenas da ordem *blattaria*. O restante resume-se à coleta de DNA.

– E ainda querem que *eu* embarque em um ambiente insalubre como esse?

– Você tem medo de barata?

– Imagine. Mas... E se uma delas penetrar em meus orifícios sensitivos?

– Você se incomoda?

– Sim, incomodo-me. Já ti, pelo que capto, não... – mentalizou Nhoc em referência a uma pequena barata que se escondia no umbigo da alienígena.

– Não se preocupe. Tomaremos providências para evitar que mantenha qualquer contato com as baratas – compartilhou Willa para tranquilizar o homiquântico.

***

Outro que passou a noite inteira sem pregar o olho foi Vegina, não por falta de sono ou cansaço, e sim pelo mais puro sentimento do pavor que preenchia sua aura. O suspense infindável que, a cada metro percorrido no terreno do deserto com sua veste, fosse deslizando sobre ela ou a carregando nas costas, seria alvejado por uma saraivada de balas de algum soldado camuflado nas proximidades. Aliás, era um milagre que ainda estivesse vivo após cruzar com mais tropas no decorrer da última noite. Temia que sua sorte não durasse até alcançar seu objetivo ou ficasse sem bateria. Porém, com tantos soldados patrulhando a região, tanto fazia avançar ou recuar, o perigo era igual, portanto, não desistiu.

Como imaginava, sua sorte estava por um fio e, em dado momento, enquanto se movia furtivamente no interior de sua veste coiote, foi surpreendido por uma rajada de balas. Os tiros zuniram sobre a vestimenta, por questão de centímetros não a perfurando e o atingindo. Aterrorizado, pensou em gritar e pedir rendição antes que uma nova rajada o matasse de vez, mas então ouviu alguém gritar:

– Quem está aí?! Renda-se! – Era um militar. Não deveria estar muito longe, uns 20 ou 30 metros no máximo. Em seguida, outra voz, certamente de um superior, gritou mais alto ainda:

– CESSAR FOGO! Isso é um exercício, recruta! Baixe a arma! – E seguiu bronqueando. O tal recruta tentou se explicar:

– Eu vi algo se mover no escuro, senhor.

– Viu algo, é? Pensa que esse óculos é de brinquedo?! Me dá essa porcaria!

– Pode ser um camuflado, senhor, conforme nos alertaram – justificou o recruta.

Com claro sarcasmo nas palavras, o superior respondeu:

– Sim, sim, deixe-me ver o teu "camuflado".

Ao ouvir o diálogo, Vegina imediatamente concebeu que os homens se referiam aos óculos de visão noturna. Pensou em desligar a veste, mas o temor que tomava seu corpo o manteve imóvel, sem coragem para esboçar qualquer movimento. Em total silêncio, apenas rezou enquanto esperava em suspense. Enfim, ouviu:

– É só uma lebre, seu idiota! Não estamos aqui para caçar. Jamais atire sem o meu comando! Deu pra compreender, imbecil? *Ao meu comando*!

– Sim, senhor!

– Agora suma daqui e se enfie em seu saco de dormir!

Era esse o "milagre" ao qual Vegina creditava sua sobrevivência. Em parte, à arrogância e, em outra maior, ao perfil do soldado norte-americano como bem conhecia: aquela personalidade desleixada por natureza, indolente, que não leva nada a sério a menos que a coisa seja realmente séria, o que não era o caso de um mero "exercício" de guerra. Nada mais típico da índole de um soldado do que dormir em seu plantão durante um exercício. Isso permitiu a Vegina driblar as patrulhas noturnas no decorrer de sua jornada. Pois, claro, para uma aventura dessas não deixaria em casa o seu próprio *goggles*, aquele mesmo que havia adquirido para testar a veste. Ou seja, desfrutava da mesma visão noturna que os militares dispunham. A diferença era que o ufólogo realmente utilizava seus óculos especiais, pois não estava em um exercício; para ele, a coisa era realmente pra valer. Não fosse por um recruta mais deslumbrado pelo aparelho como aquele que tentou baleá-lo, os militares sequer utilizavam o *goggles* em suas vigílias noturnas, por isso era fácil ludibriá-los durante a noite. Mesmo quando se via barrado por alguma tropa, bastava aguardar que o soldado de vigília dormisse para então avançar. Certamente, o aparato de visão noturna foi o item mais essencial para a infiltração, sem o qual sua veste seria inútil – e estava muito próximo de seu destino.

Exceto pela teleobjetiva de sua câmera, que não podia lhe revelar um soldado camuflado atrás de um cacto, durante o dia as dificuldades eram bem maiores para Vegina, e o temor não permitia que avançasse tanto quanto à noite. Por isso, aproveitava o fresco ambiente de sua veste para descansar e avançar apenas quando estivesse certo de que não havia algum soldado ou tropa nas proximidades. Para isso, valia-se de outro equipamento fundamental para seguir em frente: seu digital de pulso. Já no segundo dia de avanço, Vegina tinha cronometrado a movimentação das tropas: a cada hora um grupo de soldados atravessava seu caminho. Bastava permanecer alerta, esperar uma tropa passar – e rezar para que nenhuma, por acaso, pisasse em sua camuflagem – para então avançar. Com seu cronômetro, calculava a distância entre uma tropa e outra e buscava cobrir um terreno seguro até que pudesse estacionar próximo a alguma moita, localizar a próxima tropa e reiniciar a cronometragem. Era arriscado, todavia, bastava estar atento às vozes e às risadas dos soldados se aproximando ou se afastando, conversando e brincando durante suas rondas como se estivessem em uma excursão de escoteiros. Aproveitava para descansar nesses momentos até que, durante a tarde, dormia esperando o anoitecer enquanto recarregava o *goggles* na bateria da veste. À noite retomava o avanço com mais segurança e rapidez.

Ainda assim, creditava à sorte ter logrado se aproximar do Algomoro. Além dos tiros que quase o vitimaram, por pouco não foi flagrado no decorrer do último dia quando uma tropa atravessou seu caminho a menos de cinco metros de onde descansava. Chegou a ouvir os passos dos soldados muito próximos – graças a Jesus, ou à sua genialidade na concepção da veste, não foi flagrado. Após o susto, aguardou vinte minutos e avançou outros vinte até chegar a uma pequena formação rochosa, de onde pôde observar o Algomoro não muito distante. Calculava menos de uma milha pelo tamanho dos objetos e das pessoas ao distante. Ainda que não estivesse familiarizado com o *layout* do posto zero, Vegina já conseguia vislumbrar parte do acampamento de apoio montado ao lado do perímetro que escondia o objeto alienígena-extraterrestre.

Aproximou-se do Algomoro pela face oeste movendo-se a sudoeste, baseando-se na direção em que percebia os helicópteros sobrevoarem. Sabia que não faltava muito, pois via e ouvia-os mais próximos do solo no ponto onde estava. Pela teleobjetiva, ao sul, a cerca de duas milhas, observava a poeira subir na trilha de caminhões no vai e vem em direção ao morro. Dali, não podia ainda observar o tal "posto zero" descrito por Mathew, mas acreditava estar próximo. Como já estava na base do Algomoro, bastava contornar o morro para alcançar o local exato. Só precisaria encontrar algum ponto de onde dispusesse de boa visão do local para sacar as fotos que planejava. O pé do morro era o lugar perfeito para conseguir a foto ideal, mas não podia escalá-lo para averiguar a menos que abandonasse a veste, pois era pesada demais para carregar. Isso sem mencionar o pavor em abandoná-la, ainda mais no ponto que já havia alcançado; imaginava, de onde em diante a segurança certamente seria mais reforçada. Era preciso continuar contornando o Algomoro até se aproximar o máximo possível e, então, buscar o ângulo panorâmico ideal em alguma encosta.

Assim planejado, aguardou o anoitecer, vestiu seu *goggles* e retomou seu rastejo sentido sudeste. Logo se deparou com uma tropa e precisou parar. Até contornar a tropa e aguardar uma troca de turno, só retomou o avanço quando já passava da meia-noite. Desta feita, conseguiu avançar um bom terreno sem se deparar com outra. Em dado instante, passou a ouvir o barulho de máquinas trabalhando, avançou um pouco mais e viu luzes, os holofotes que iluminavam o local, porém ainda distante e sem qualquer ângulo para observar algo mais. A sorte parecia ajudá-lo, pois nesse instante se deparou com outra tropa, mas estavam dormindo, e foi possível contorná-la a pé, com a veste nas costas. Todavia, o ufólogo podia até acreditar em óvnis, mas não acreditava muito na sorte. Seu relógio marcava 03:45 quando ultrapassou a tropa. Era normal que dormissem nesse horário, mas não tinha a mesma convicção em relação à próxima tropa que pudesse se deparar. Estava convicto de que haveria outra não muito distante, não se arriscaria mais até se deparar com mais soldados. Nesse instante, o medo de ser pego era ainda maior, tão perto do destino como calculava estar. Por isso, avançou apenas mais vinte minutos e tratou de subir o pé do Algomoro até encontrar o ângulo ideal para visualizar o que os holofotes iluminavam já não muito distante. Aproveitaria para dormir e aguardar o dia amanhecer para observar a paisagem pela teleobjetiva. Ao acordar, traçaria sua próxima etapa de infiltração.

E foi realmente preciso que dormisse, de tanta exaustão, após subir apenas 25 metros de altitude do morro carregando seu rolimã nas costas e a pesada bateria nas mãos. Especialmente por caminhar como faria um soldado, meio agachado, forçando os adutores e abdutores da perna o máximo que podia em um terreno bastante desfavorável, irregular e rochoso, que demandava cuidado para não rolar as pedras que pisava sob o risco de cair, machucar-se ou danificar seu equipamento – pior, ser ouvido por algum soldado. Nesse trecho, deparou-se com obstáculos os quais precisou escalar para transpor, e cactos que necessitou desviar para não rasgar a veste. Ao menos valeu o esforço e a tensão, pois quando alcançou um pequeno platô escondido sob uma pequena formação arbórea que bloqueava sua escalada, Vegina pousou a bateria no chão e observou o terreno, enfim deparando-se com o cenário que tanto queria encontrar, não muito distante, calculou 100 ou 150 metros. Lá estava o pátio de obras descrito por Mathew bem ao pé do morro. Apesar dos holofotes iluminarem bem o sítio, Vegina apenas vislumbrou a fundação escavada pelos militares; como ainda era noite, muitas sombras não permitiam enxergar maiores detalhes. Não podia ver o que se escondia na escuridão ou o que, a olho nu, realmente parecia com um tapume ou lona encobrindo algo na lateral do enorme buraco escavado pelos operários. O barulho que ouvia provinha de retroescavadeiras removendo terra; mais ao fundo viu dois basculantes, logo à frente do biombo que delimitava o perímetro de obras onde, para seu calafrio, percebeu um tanque de guerra estacionado. Mais ao sul, aí sim enxergava claramente as luzes de um grande acampamento e a silhueta de máquinas e veículos, dos barracões militares e de mais tanques ocupando uma área tão ampla quanto um quartel.

Vegina vestiu o *goggles*, mas o aparato não oferecia visão binocular, apenas térmica, em nada o ajudou a enxergar algo mais em meio à escuridão da madrugada. Isto é, a não ser localizar uma tropa de vigília, aparentemente ainda dormindo, abaixo da posição onde estava, cerca de 50 ou 60 metros ao pé do morro. Ainda que não fosse a primeira tropa com a qual havia se deparado em sua jornada, por medo e precaução, resolveu permanecer onde estava. O local era perfeito para observar o pátio de obras. Dali, a luz do dia iria revelar o que as sombras da noite ainda escondiam. Embora exausto, fez um último esforço para escalar o platô silenciosamente, a fim de que os soldados não acordassem, e posicionou-se próximo a uma Artemísia, em um ângulo com a completa panorâmica do posto zero. Ainda que estivesse deitado no interior da veste, acomodou-se num local perfeitamente camuflado, próximo a uma formação de cactos que impediam o acesso ao platô, perfeito para seus propósitos. Talvez o único problema fossem as cobras, pois sabia que o local era propício. Assim posicionado, o ufólogo desencanou das cobras e tratou de já deixar seu equipamento à mão, bebeu uma água fresca e, enfim, entregou-se ao cansaço. Logo adormeceu, até que o raiar do dia o despertasse.

83

Nhoc preso na Terra

Não bastou a Nhoc desconectar-se de seus ex-colegas expedicionários após a impactante revelação de que estava preso na Terra, perdido para sempre em um distante passado e fadado a sucumbir em um mundo selvagem. "Desconectar-se" de seus parceiros não era algo tão simples quanto transparecia sua locução. De fato, foi preciso fugir e se esconder das varreduras de Di Angelis. Plenamente a par do protocolo que o infame Logan impôs à sua revelia, a atitude de Nhoc caracterizava uma deserção, passível de uma punição que poderia redundar em sua prisão no interior da nave enquanto não retornassem ao futuro – ou melhor, até que retornassem a *tempo nenhum*, como veio duramente a saber. O detalhe era que "ser aprisionado na nave" significava que seu multivíduo em ambiente externo seria caçado e executado, pois, naturalmente, aquela se tratava de uma incursão multividual, portanto, somente uma única "cópia" de Nhoc seria escoltada ao interior da nave e se manteria viva. As demais estavam fadadas a se virtualizar na memória do disco ou seriam condenadas à morte pelo mesmo raio laser que Logan já vinha condenando os hominídeos de Kemet – exceto pelo detalhe que, ao invés de acionado pelos filtros prismáticos e pelos dedos do infame Logan, seria um raio laser muito mais poderoso gerado pela nave tendo Di como seu executor. Tratava-se de uma contingência para evitar que um dimensionauta pudesse contaminar o passado ou se sentir tentado a iniciar uma nova vertente existencial ao seu bel-prazer, mas que requeria uma série de condições combinadas pouco factíveis para ser empregada. Entrementes, Nhoc sabia que, astuto como era com os regulamentos, Logan não hesitaria em colocar em prática assim que descobrisse que havia abandonado a expedição.

Para não se ver à mercê do infame Logan e às garras de seu antigo mentor e companheiro, assim que se desconectou de Di, Nhoc já desfrutava de um plano de fuga precisamente calculado. Sabia que o horizonte era curto, pois à perda do sinal de seu GPS, a ação programática de Di seria tentar reestabelecer contato a todo custo. Uma vez que não conseguisse, realizaria uma busca no último ponto mapeado antes da perda de sinal, a princípio atendendo à condicional de emergência tendo como pressuposto algum sinistro. Em seguida, uma vez que se confirmasse que a ausência era multividual e deliberada, não um acidente ou alguma falha ocasional, automaticamente Di seria redirecionado para o modo varredura, realizando buscas sistemáticas partindo do ponto inicial e, com o alargar do horizonte, expandindo a área de rastreio progressivamente. Uma vez que não encontrasse nenhum dos multivíduos de Nhoc, caberia a Logan então reconfigurar Di em modo bélico e submetê-lo ao protocolo militar previsto para o caso de deserção a fim de caçá-lo. Àquela altura dos fatos, para Nhoc pouco importava ser um desertor. De fato, pouco lhe importava viver, todavia, morrer como vítima ou ser capturado para findar submetido ao escárnio de Logan e à inércia submissiva de Di era algo que jamais poderia aceitar, nem que fosse um único indivíduo seu. Por isso calculou direitinho sua deserção antes de desligar o GPS definitivamente.

Como Di é adimensional, a tática de Nhoc para esquivar-se do robô consistia em fragmentar ao máximo seu multivíduo para despistá-lo. Sua primeira atitude foi camuflar a pilha de ouro que havia encontrado. Imaginava que, caso Logan se deparasse com aquelas mensagens de incursões pretéritas fracassadas, talvez enlouquecesse de vez. Uma vez louco, seria impossível predizer quais seriam suas atitudes ao descobrir a verdade. Ademais, preferia que Logan prosseguisse com seus planos para retornar ao futuro, assim, em médio horizonte, deixaria o plano corrente para se perder em outro qualquer. Nhoc temia que, se Logan soubesse da verdade, os dois permaneceriam condenados à prisão em um mesmo plano, entretanto, pensava que "o planeta é pequeno demais para nós dois", e tudo que queria depois de ciente de sua prisão pretérita era nunca mais se deparar com seu desafeto. Com base no mapa terreno que tinha disponível em sua memória, Nhoc se concentrou no âmbito de seu multivíduo e escolheu uma localidade acessível a pé, não muito distante ao sul da própria Península Indiana onde se situava Hunaman. Uma região fértil em cavernas, nas quais poderia facilmente se esconder e vigiar qualquer aproximação de Di. Mapeou coordenadas para reencontrar-se multividualmente, estabeleceu um prazo máximo para que todos se apresentassem no local e se fragmentou em incontáveis indivíduos, cada qual escolhendo sua própria rota de evasão. Se algum fosse encontrado, os demais permaneceriam em fuga.

Já recuperado da profunda tristeza que aquelas memórias lhe despertavam, Nhoc narrou:

– O prazo que estabeleci foi de uma década – partilhou, enquanto permanecia exercitando sua caminhada e gesticulando com os braços no estreito corredor da câmara secreta atrás da sala do trono do antigo imperador chinês: – Uma década em que permaneci no mesmo local apenas me desfragmentando e meditando, aguardando que meu conjunto se fortalecesse novamente. – Então se virou para Willa com auras de professor e utilizou seu próprio linguajar para abordar a questão multividual: – Como sentes, minha cara, aqui na Terra o incremento individual é bastante alto, *altíssimo* para alguém cujas capacidades telecinéticas não são tão privilegiadas como as tuas. Razão pela qual jamais seria possível calcular exatamente se todos meus *eus* lograram alcançar o ponto que combinamos. Pude apenas estimar que a ampla maioria sim, conseguiu seguir comigo longe dos sensores de Logan para sempre. Mas para isso eu tive que aguardar, manter-me escondido, fragmentando-me constantemente, revezando-me na vigília dos céus, sempre alerta à aproximação de Di, com medo de que eu mesmo pudesse ter revelado meu esconderijo em outra dimensão que porventura fosse capturado, mas fato que isso nunca aconteceu. Minha razão de cálculo tornou-se uma contínua redistribuição de tarefas e randomização de rotas. – Algo não muito diferente de Willa ao conduzir sua redistribuição multividual, exceto que Nhoc não o fazia em totem da ciência, e sim por medo daquele que um dia foi um de seus grandes amores.

Nhoc continuou com seu monólogo:

– Cheguei a detectar a nave se aproximar três vezes no primeiro ano de fuga, mas consegui me fragmentar tão bem em meio à selva da região que meus pensamentos se camuflaram na flora viva. E se não posso me fazer invisível como ti, ao menos sempre estive em harmonia com a natureza, tanto que me tornei uma mera folha em meio à pesada mata da região, impedindo que Di pudesse distinguir meus pensamentos com seus poderosos radares. As três passagens de Di cumpriam seu protocolo de varredura, mas nada impediria o infame Logan de determinar novas buscas com distintos parâmetros de detecção. Por isso, além dos dez anos que havia estipulado como prazo máximo para que *nós* estivéssemos juntos novamente, permaneci mais dez anos no interior de uma caverna bem camuflada e inacessível aos sensores da nave, apenas meditando ou em estado *beta*.

Uma breve pausa e Nhoc retomou sua narrativa:

– Somente retornei ao ar livre quando meu sono foi interrompido pelo açoite de uma criatura com a qual nunca imaginei me deparar. Tive que lutar contra a criatura para conseguir me esquivar e deixar a caverna. Não fosse minha pele impenetrável, teria sido assassinado enquanto dormia, pois quem me atormentava não era um animal qualquer, mas um *homem* portando uma lança bem afiada em uma das mãos e uma tocha na outra. Fugi da caverna e caminhei, fragmentei-me, a princípio, prosseguindo pelo terreno indiano para leste, em sentido oposto à localidade da civilização mesoafricana. Entrementes, não seria ignorante à lógica que Di adotaria para expandir suas buscas em regiões mais distantes, já que era fácil supor que Logan imaginasse que eu estaria bastante longe após duas décadas do meu desaparecimento. Por isso não fui muito aquém da localidade em que me encontrava, permaneci caminhando em círculos e desvendando cada hectare da grande selva da Índia peninsular – narrou o Nhoc.

Embora sua narrativa não traduzisse isso, o encontro com o homem na caverna foi assombroso para Nhoc, não pela agressividade do bicho ao tentar espetá-lo enquanto dormia, e sim pela presença de hominídeos naquela região, pois até então não havia se deparado com nenhum ser de tal taxonomia que não fosse um mero macaco. Imaginava que não existissem homens naquela parte do globo, uma vez que nada havia encontrado em suas caminhadas ou mesmo nas varreduras prévias que realizara com Di. Apesar disso, Nhoc simplesmente deixou a caverna e prosseguiu em sua fuga.

Sem perspectivas de voltar para sua civilização futura e conformado com seu triste destino, o alienígena tratou de se harmonizar com a natureza terrestre e exercitar suas habilidades telepáticas com a fauna local. Passou a catalogar cada forma de vida que encontrava, estudando-as, imitando-as, captando seus míseros pensamentos e se passando por elas como se fosse ele próprio apenas mais um bicho daquela selva. Sua interatividade e harmonia com a fauna e a flora atingiu tão elevado grau, que não foram poucos os bichos de estimação que passaram a acompanhar Nhoc em sua jornada. Logo, já conseguia interagir com a mente de qualquer animal e amestrá-los para que suas caminhadas na mata não fossem tão solitárias. De meras lebres, galinhas ou roedores, passando por animais peçonhentos ou bestiais como cobras, cães e lagartos; de maior porte como porcos, cavalos, búfalos ou ovelhas; e, por fim, mais inteligentes, como baratas e macacos, Nhoc se tornou mais um habitante da selva, o único capaz de conviver pacificamente e ser aceito pelos demais como se fosse parte da família, fazendo do homiquântico uma espécie de versão de época dos personagens Tarzan ou Mogli.

Todavia, por mais que se divertisse com a vida animal e desfrutasse da descoberta de cada ser vivo adicionado à sua coleção mental, Nhoc não conseguia deixar de pensar naquele homem que o despertou de seu sono. Nada o intrigava mais do que a memória daquele súbito encontro na caverna. Afinal, não havia nada mais para exercitar sua racionalidade além do saudosismo de uma vida que não mais existia em meio à restrita solidão psicográfica que resumiu sua existência e o primitivismo do mundo a sua volta. Com isso em mente, voltou para o local para tentar reencontrá-lo. Como era de se esperar, de onde surge um homem sempre há mais homens, por isso não foi difícil para Nhoc encontrar o bando na mesma caverna que havia abandonado. Ao que pôde constatar, seu encontro com aquele animal não foi mero acaso, ele estava à procura de uma caverna segura para abrigar seu bando de origem. Embora se tratasse de uma criatura primitiva comparada ao povo de Kemet, Nhoc passou a observar o grupo mais de perto. Ficou fascinado com sua descoberta e não conseguiu mais se afastar da caverna que as criaturas passaram a habitar. Passou a acompanhar suas atividades, com todo o cuidado para que não fosse visto. Ainda que fosse avistado, como invariavelmente veio a ser, tomou o cuidado de sugerir mentalmente que não havia sido, assim mantendo-se próximo a eles. Logo nos primeiros dias de campana, com uma expectativa que sequer imaginava possível vivenciar em um mundo perdido e selvagem, observou-os em uma jornada de caça. Acompanhou o bando ao perseguirem, cercarem e subjugarem, para seu espanto, um enorme elefante. Embora já estivesse acostumado com a carnificina da vida selvagem, com repugnância assistiu aos hominídeos, sob urros selvagens, abaterem o animal com lanças feitas de pau e pedra, depois esquartejá-lo em diversos pedaços.

Apesar da violência da cena, da maneira fria e brutal como os hominídeos picotaram o elefante em um festim sanguinário, Nhoc não podia mais negar o sentimento que crescia em seu âmago desde o encontro na caverna: paixão. Uma paixão que não mais o permitiu se afastar daquele bando barbárico. Não uma paixão como seria por parte de um naturalista que presa pela vida selvagem, mas pelo aspecto biológico, pois uma análise mais detalhada daqueles hominídeos revelou se tratarem de uma cria genética dos extintos lemurianos classificada como *homo erectus*. Uma espécie que se encontrava pelo menos um degrau abaixo em desenvolvimento cognitivo dos mesmos hominídeos cuja civilização desenvolvia-se na África e na Mesopotâmia.

Furtivamente, Nhoc permaneceu na vigília do grupo enquanto eles carregavam os pedaços do elefante e arrastavam sua carcaça pela selva até sua moradia. Durante o dia, com destreza os homens criavam um perímetro de vigilância e utilizavam suas lanças para afastar predadores atraídos pelo odor de sangue oriundo dos restos do animal. Ao cair da noite, com inteligência se valiam das fogueiras para manter longe as bestas que espreitavam nas proximidades. Eram homens das cavernas, que viviam escondidos nas entranhas da terra, fator que explicava não terem sido detectados nas varreduras que havia feito com Di. Criaturas que ainda viviam na Era da Pedra Lascada, sobreviviam da caça, dominavam a arte de fazer fogo, de tecer roupas com peles de animais e desenhar com barro e sangue nas paredes de suas cavernas.

Embora qualquer propósito científico de sua presença na Terra houvesse se esvaído após a deserção da expedição, sua curiosidade investigativa permanecia a mesma. Assim, talvez como único subterfúgio que lhe preenchesse as faculdades, Nhoc passou a espreitar o grupo a fim de investigar sua constituição como espécie em maiores detalhes, tanto em seus aspectos fisiológicos como sociais. Valia-se de suas habilidades mímicas e hipnóticas para se passar por um membro do grupo ou disfarçar-se como um ente da floresta, onde então passou a viver como se fosse um homem qualquer.

A estrutura social do *homo erectus* era bastante troglodita: os machos eram caçadores e as fêmeas produtoras de pele e fogo, responsáveis por manter fogueiras acesas o quanto fosse possível e, claro, incumbidas de cuidar das proles infantes até que estivessem crescidas o suficiente para, no caso dos machos, juntarem-se aos caçadores e, no caso das fêmeas, adicionarem-se aos afazeres da caverna. Porém, até que se tornassem adultas, muitas proles pereciam devido à falta de cuidados ou proteção dos adultos machos ou vítimas de sua própria violência em cópulas forçadas. Algo comum na relação entre os sexos cuja ritualística seguia o instinto e a violência dos machos, capazes até de abalroar uma fêmea com um cajado e arrastá-la pelos cabelos no intuito de copular. Em termos psíquicos, o *homo erectus* era extremamente retrógrado se comparado ao *homo sapiens* mesoafricano. Era notório para Nhoc que se tratava de uma espécie incipiente, provavelmente sobra de uma cria lemuriana cujo desenvolvimento foi abandonado após a erradicação de Lemúria por parte dos marcianos tripoides. Todavia, na falta do *kit* de análises que havia ficado em posse da nave, não era possível determinar a origem nem a combinação de seu DNA, apenas deduzir a partir de uma investigação de seu inconsciente e de sua memória coletiva, a qual contava com claras manifestações de contatos prévios com espécies reptilianas. Já em termos de capacidade cognitiva, o lapso em relação aos mesoafricanos era apenas virtual, já que, em termos físicos, seu potencial de desenvolvimento evolutivo não devia nada aos concorrentes.

Quando Nhoc passou a monitorá-los, os hominídeos formavam um grupo com 121 integrantes entre infantes e adultos, distribuídos em cinco cavernas próximas. Conforme foi estendendo suas observações ao longo do horizonte, logo descobriu novos grupos distintos vivendo em cavernas um pouco mais distantes. Isso permitiu rastrear sua origem a partir do extremo oeste asiático, vindo do sul pela faixa litorânea. Seguindo essa trilha nômade ao revés, uma caminhada que lhe tomou mais uma década de vida, contabilizou uma população com cerca de dez mil homens que se originava em uma planície central ao leste da Ásia, em um local em que encontrou alguns resquícios de presença lemuriana entre as margens de um caudaloso rio e um grande lago – ótimo para pescar. Um local tão bonito e propício que Nhoc, após sua peregrinação ao longo da costa sul-asiática, perdeu a consciência de qual era o seu papel dentro daquela natureza estrangeira – de sua presença alienígena na Terra – e decidiu *aduzir* a espécie *homo erectus*, no exato local onde, em alguns milênios futuros, seria conhecido pela nomenclatura Xangai.

"Aduzir"? – "Ainda reténs tal sinapse"? – "Eufemismo para abduzir". – "Não, é lecionar". – "Hipocrisia".

Não se tratava, de longe, de uma decisão súbita ou monocrática, como exímio praticante das artes hipnóticas e hábil gerente multividual; embora seu cérebro não suportasse um ambiente autopsicográfico robotizado como o de Willa, suas decisões eram sempre ponderadas coletivamente, portanto, fruto do consenso obtido após uma longa reflexão e um criterioso debate no âmbito de seu multivíduo. A princípio, a decisão considerava a sua situação como foragido ou desertor da expedição ultrapretérita que agora seguia a capitania exclusiva do infame Logan e os desdobramentos de tal situação em longo prazo. Um prazo que poderia se estender para sempre – uma ameaça constante –, tanto no que se relacionava a sua integridade multividual quanto à continuidade existencial daquelas criaturas hominídeas. Ao avaliar a situação do *homo erectus*, bastava atestar o seu atraso em comparação ao povo de Kemet, o mais desenvolvido do núcleo mesoafricano. Um atraso que englobava todos os aspectos dentro do que se podia esperar de uma espécie social cujo desenvolvimento depende da colaboração mútua não só entre os próprios pares de espécie, mas também com outras espécies, incluindo as vegetais. Itens fundamentais para o progresso harmônico de um povo, tais como a Agricultura, a domesticação de animais, a escrita, a cultura, os fatores tecnológicos como o domínio da Metalurgia, da Tecelagem, da Astronomia, mas, especialmente, a consciência de sua condição existencial – por exemplo, pela manifestação religiosa –, e, sobretudo, as questões diplomáticas e de dominação em relação aos demais povos; em uma comparação básica, esses itens todos somavam aspectos os quais Kemet mantinha larga vanguarda, e que, em relação ao *homo erectus* asiático, simplesmente não existiam.

Dado esse enorme lapso evolutivo que separava ambos os povos, Nhoc calculou entre dois ou três mil anos no máximo, o prazo para o povo de Kemet ou qualquer outro oriundo do núcleo mesoafricano suplantar o *homo erectus* que se distribuía ao longo do Extremo Oriente. Algo que, em tese, faz parte da naturalidade e da índole da espécie em seu desenvolvimento civilizatório. Todavia, sabedor de que Logan estava tão preso naquela Terra selvagem quanto a si próprio, o temor de Nhoc era permitir que os horizontes se alargassem até o dia em que o infame surgiria no horizonte comandando legiões hominídeas que viessem ocupar a porção leste da Ásia onde se situava, exterminando e escravizando o *homo erectus* em seu caminho e o obrigando a fugir novamente, obrigando-o a foragir-se eternamente. A essa altura dos fatos, já se passavam três décadas de seu abandono da expedição, era impossível predizer quais posturas ou políticas Logan havia adotado e estaria empregando na liderança frente ao povo de Kemet ou se permanecia buscando ativar os meios para retornar ao futuro à ignorância de que estaria preso no passado. Pior, se viesse a descobrir sua real situação, o que era bastante factível, que pirasse de vez em seus jogos conspiratórios e fizesse da população mesoafricana o seu joguete ou o instrumento para caçá-lo. Justo em função disso, Nhoc decidiu que, se Logan assim agisse, se viesse a se tornar um general comandando um exército hominídeo, precisava estar preparado, era preciso dispor de um exército para recepcioná-lo. Uma solução não só para si mesmo, pois, mais do que possuir o seu próprio exército para ajudá-lo a se defender e se esconder de Logan, sua intervenção seria a única forma de garantir ao *homo erectus* seu desenvolvimento longe do risco de ser exterminado ou escravizado pelos povos mais desenvolvidos oriundos da África e da Mesopotâmia.

O breve, mas suficiente horizonte da infame convivência de Nhoc com o desafeto lhe dizia que sua personalidade, cedo ou tarde, o levaria a um confronto inevitável com os povos do Oriente. Pela maneira como Logan se impôs e subjugou o povo de Kemet, considerando-se também que tal civilização ocupava a condição de nação dominante no núcleo mesoafricano, tratando-se de um povo bem mais numeroso, formado por mais tribos anexas e que, já nos idos do ano 6.000 a.C., era mais desenvolvido e liderava ou ditava as relações exteriores sobre a grande metrópole mesopotâmica, a famosa Babilônia, capital do povo sumério – bem como já se expandia para anexar as nações hebraicas ao seu império, as quais passaram a imigrar para outras partes do Oriente Médio a fim de se refugiarem de seu jugo imperialista –, tudo isso consistia um poder ou política expansionista que, ao infame, transparecia-se como o joguete ideal para consumir seus horizontes quando se descobrisse preso na Terra como de fato estava.

– Eu não poderia ficar ao largo da possibilidade do infame tornar-se o grande timoneiro que, com o uso de Di em prol de suas megalomanias, pudesse transformar o povo de Kemet na mais formidável máquina bélica que os homens ainda não sonhavam poder existir. E se ele criasse um exército, era preciso que existisse outra máquina tanto quanto fenomenal capaz de confrontá-lo. Nem que fosse apenas para equilibrar as forças entre os povos terráqueos ou fornecer um escudo para que *eu* pudesse me refugiar – justificou Nhoc. – Afinal, existiria melhor camuflagem do que o *meu* pensamento diluído na mente de milhares de homens? – foi o que concluiu o homiquântico a respeito.

"Contra Logan, como Logan". – *"Atitude infame"*. – *"Infame escolha"*. – *"Não havia outra"*.

Ao menos, eram esses os aspectos lógicos de sua decisão, mas existiam os sentimentais. O primeiro deles, a esperança de que, um dia, embora estivesse nu de qualquer perspectiva, teria oportunidade de retornar ao seu futuro original, talvez resgatado por uma missão futura quando as tecnologias de navegação interdimensional se aprimorassem. Se isso viesse a acontecer, teria salvo uma espécie hominídea de origem reptiliana que coroaria sua empreitada científica pretérita e que em muito agregaria ao conhecimento da história do seu povo futuro.

Outro sentimento fundamental que já se fazia crescer em seu íntimo e muito pesou para a tomada de decisão que ratificou, apesar da brevidade de sua estada na Terra pretérita, foi a solidão. A solidão estava corroendo seu espírito após deixar seus pares para trás, ainda que esses pares fossem dois canalhas. Todavia, até sua deserção, eram os únicos com quem podia se comunicar nem que fosse resumidamente aos aspectos técnicos e profissionais de sua empreitada expedicionária. Por mais que preferisse estar longe de ambos os traidores, até a falta de alguém para discutir mentalmente já se fazia pesar após poucas décadas vivendo sozinho na Terra. Por isso, se havia um motivo maior, íntimo, que o levou a tomar a decisão de aduzir o *homo erectus*, era o desejo de ter alguém para conversar, nem que fosse um reles animal semirracional. Nesse sentido, embora já estivesse harmonizado e houvesse convivido com inúmeros representantes da fauna terrestre, não havia outra criatura tão exótica, tão especial ou tão fascinante naquela Terra com quem pudesse estabelecer um elo sentimental que não fosse o homem.

Uma vez que decidiu aduzir o *homo herectus*, Nhoc adotou a seguinte política para lograr transformar um mero animal das cavernas na mais desenvolvida nação da Terra:

– Àquele que não sabe ouvir, eu mostro. Àquele que não sabe ver, eu conto. Àquele que não sabe falar, eu escrevo. – Uma filosofia que formatou o inconsciente da espécie até a atualidade quando Willa lia aquela história.

Com essa filosofia, a partir do instante em que oficializou seu contato com o hominídeo asiático, Nhoc passou a ludibriar sua presença em meio aos homens com seu manto hipnótico. Utilizou suas habilidades mentais para entrar em suas mentes e adestrá-las a fim de que se transparecesse com um semelhante da espécie, para que não fosse visto como uma criatura distinta dos demais – sem dúvida, a parte mais complexa do processo adutivo. Por mais eficiente que fosse sua hipnose, para adestrar um animal sem inferir danos à sua psiquê, não bastava penetrar na mente dos homens para lhes sugerir que aquilo que viam não era o que estavam vendo; era preciso também agir e fingir que era um homem. Afinal, por mais que pudesse manipular as memórias recentes de um ente da baixíssima racionalidade se comparada à sua, a menos que aplicasse uma lobotomia – o que seria possível se elevasse suas ondas cerebrais acima da frequência *digama*, literalmente regravando as impressões sinápticas do cérebro hominídeo, mas não tão fortes a ponto de gerar um acidente vascular encefálico ou o óbito do animal, no máximo deixá-lo demente instantaneamente –, Nhoc não tinha como apagar a imagem que os homens *realmente* estavam vendo de seu respectivo subconsciente. Para driblar essa questão, precisava preencher essas memórias da maneira mais discreta possível: imitando o homem na máxima perfeição e, especialmente no começo, evitando se exibir em áreas abertas aos olhos alheios. Para que sua interferência fosse mínima, limitou sua hipnose ao fluxo de consciência, sem inferir nas partes mais obscuras da psiquê hominídea. Ainda assim, uma inferência contundente que, aos poucos, replicaria sua imagem no inconsciente de cada homem que contatou. Ademais, Zumbilogia não era uma de suas especialidades, sequer sabia como reformatar a mente de um homem. Também desconhecia, a princípio, como eles formavam os símbolos em suas mentes se ainda não dominavam a escrita. Somente a convivência contínua com eles poderia fazê-lo depreender seu primitivo pensamento. Por isso, não bastava imitar o homem, era preciso literalmente ser um.

– No contínuo que tenho ciência disso, consigo distinguir sua presença na memória coletiva do povo terráqueo atual, especialmente nas populações da região central do globo – comentou Willa nesse trecho da leitura, fazendo referência às inúmeras mentes que já havia lido e catalogado na Ásia. Especialmente na China, em sua concepção, o centro do mundo conforme a distribuição fragmentar das populações hominídeas no plano que compartilhava com Nhoc. – A imagem do alienígena *gray* é uma referência básica para identificarmos a origem marciana de um plano. O ineditismo é saber que você ajudou a formatá-la – acrescentou a alienígena.

Como no começo as tribos eram pequenas, se passar por um homem não foi difícil. Bastou a Nhoc escolher um grupo mais isolado, entocar-se em suas cavernas para hipnotizar cada um que se aproximasse. Como as cavernas eram habitadas constantemente por mulheres e crianças, tratou de exercer sua influência nas novas proles que surgiam e manipulou o comportamento das fêmeas para que passassem a escolher machos mais adequados para conceber seus filhos. Além disso, havia um fator facilitador no trato com as mulheres que dispensava até a hipnose: o apelo sexual que Nhoc exercia sobre elas.

– Era jovem, minha pele era tão lisa quanto a tua... – comentou Nhoc. Sem dúvida, a sua imagem pretérita era muito diferente do decrépito alienígena que caminhava na estreita antessala secreta onde narrava sua história. Ainda assim, ele estava exagerando na narrativa como já era usual naquela leitura. Fato que, como homiquântico de segunda geração, sua pele natural possui uma camada de vácuo que impede o corpo de se dissolver em ambiente de baixa gravidade, funciona como uma câmara hiperbárica que regula a pressão. Seu olho é de vidro plasmático, forma uma lente super-resistente e possui capacidade microscópica ou binocular limitada, além de ser virtualmente indestrutível. Igualmente a pele que, na plenitude de seu vigor físico, não só era à prova de balas, mas capaz de resistir à explosão de uma bomba convencional. Já na atualidade, transcorrido seu largo confinamento na Terra, essa compensação de vácuo se tornou inútil na estável atmosfera local, levando sua pele a enrugar como a de um velho, perdendo a capacidade de absorver luz, tornando-se cada vez mais acinzentada. No atual horizonte, seu corpo sequer era capaz de resistir a um tiro de baixo calibre. Ele continuou:

– Como a tua pele, não... Sejamos honestos. Mas muito mais lisa do que qualquer animal desta Terra. Não tão escura, tampouco brilhante como ti, mas praticamente negra, muito mais escura do que o *gray* que captas de instante, que até brilhava ao Sol ou incandescia se eu permitisse. Minha beleza era notória, e minha ascendência sobre as fêmeas, irresistível. Nada mais natural que se sentissem dispostas a acasalar comigo – gabou-se o locutor, desta feita, sem qualquer eufemismo. Suas diferenças e, simultaneamente, suas semelhanças com o *homo erectus* exerciam um fascínio sobre as fêmeas conforme passou a conviver com elas. À parte o porte de sua cabeça e o tamanho dos olhos, a aparência de Nhoc não era tão distinta dos demais homens: sua feição apresentava nariz e boca, além dos mesmos membros, exceto o sexual. Justo por isso, Nhoc não podia satisfazê-las por completo fisicamente. Todavia, fê-lo mentalmente, inclusive mostrando às mulheres como extrair prazer das cópulas com os machos e os influenciando para serem menos violentos durante as relações sexuais.

Em média, os machos viviam pouco mais que trinta anos. Já as mulheres, por viverem protegidas nas cavernas, chegavam a esbarrar nos cinquenta. De modo que foi mais ou menos esse o período que Nhoc tomou para obter uma nova geração que o reconhecesse como igual e o permitisse caminhar entre os homens sem o risco de ser visto como uma aberração. Ainda assim, o homiquântico procurava ser o mais discreto possível, além de se disfarçar trajando as mesmas peles animais que os demais utilizavam. Criou vestes que possuíam capuz e ensinou as mulheres a fazerem chapéus. Naturalmente, foi sua a ideia de desenvolver uma proteção cônica que servia a qualquer cabeça, inclusive a sua. Como seu crânio era muito maior do que o dos homens, ao menos o chapéu era do mesmo tamanho, um detalhe que, simbolicamente, fazia-o igual aos demais.

Apesar de sua alta capacidade hipnótica, a influência de Nhoc era limitada. Seu alcance hipnótico não ultrapassava um raio de vinte metros e ele não possuía habilidades psicográficas multividuais como as de Willa – capaz de formar uma corrente proxidimensional para aumentar sua área de influência em determinada dimensão através de indivíduos distribuídos em dimensões paralelas, exatamente como fazia para manter seu conjunto multividual conectado, embora cada indivíduo não estivesse no exato lugar correspondente à dimensão vizinha. De modo que, uma vez aquém desse campo, qualquer ente, fosse homem, fosse inseto, estava livre da influência de Nhoc. Por isso, não adiantava escravizar o comportamento das proles hominídeas, era preciso lecioná-las, iluminar seu conhecimento para que mantivessem seu condicionamento além de seu alcance hipnótico. Isso só era possível através da domesticação e da seleção de espécimes cujo comportamento fosse mais dócil. Como não dispunha de qualquer aparato que pudesse lhe fornecer uma leitura de DNA, embora suas mãos contassem com algumas habilidades sensoriais, diferentemente de Willa, não eram habilitadas para escanear a matéria e performar algo assim mais complexo, portanto seu trabalho de seleção genética resumiu-se à combinação de parelhas e ao estudo comportamental das proles, seguido da contínua análise de sua psiquê no intuito de compreender sua estrutura sináptica. Depois utilizava os resultados, tanto para aprimorar sua influência hipnótica como para aprender a diferenciar os hominídeos dóceis dos ariscos e, então, selecionar os que lhe convinha.

Nesse sentido, sua tática voltava-se para a influência das fêmeas, conforme sua política, a princípio *mostrando* a elas como plantar, já que, no máximo, além de uma dieta quase exclusiva de carne, o cardápio do *homo erectus* incluía algumas frutas e raízes extraídas conforme sua disponibilidade na natureza. Um comportamento extrativista, frutas e raízes eram colhidas e consumidas até o último pé, forçando o comportamento nômade da espécie a se manifestar pela migração para novas áreas em que tais alimentos se encontravam disponíveis. Uma vez que as mulheres aprenderam a plantar, passaram a rescindir dos machos para lhes fornecer alimento pela caça. Assim, aos poucos, passaram a atrair os homens mais dóceis. Junto a elas, os homens passaram a abdicar da caça para desfrutar do plantio. Com as mulheres acasalando mais regularmente com esses homens e gerando novas proles, em poucas gerações o homem caçador foi suplantado pelo homem agricultor.

A tática funcionou perfeitamente. Assim, após os cinquenta anos iniciais que consumiu para criar a primeira geração de mulheres e infantes agricultores, um prazo de mais três gerações, cada qual com um intervalo de trinta anos, foi o que bastou para Nhoc obter uma prole de homens dóceis e trabalhadores. Horizonte suficiente para que desenvolvesse um conhecimento ímpar da psiquê do *homo erectus*. O bastante para que uma simples leitura mental após o nascimento já revelasse qual a índole do macho: fosse um espécime arisco, Nhoc simplesmente descartava, ordenando que fosse lançado em um rio para ser levado pela correnteza; fosse dócil, submetia-o à sua política de adestramento. Evidentemente, tomou o cuidado para não descartar as proles mais agressivas por completo, pois, se seu intuito era criar um exército para se defender de Logan, não poderia abdicar totalmente do instinto agressivo que predomina nos machos. A princípio, precisava amansá-los para depois retrabalhá-los tão logo tivesse condicionado seu comportamento o mínimo necessário para que suas crias não se voltassem contra si.

A cada geração vindoura, o condicionamento da espécie já apresentava o grau de passividade e harmonia que Nhoc buscava alcançar. Por isso aproveitou o novo período para migrar pelas matas asiáticas em busca de novas tribos para adicionar à sua malha hipnótica. Um horizonte que consumiu dois séculos de peregrinação entre diferentes agrupamentos hominídeos, pelos quais vagou aplicando seu condicionamento em determinado grupo, ensinando suas fêmeas a plantar, em seguida partindo para recomeçar o trabalho em um novo agrupamento. Depois retornava aos primeiros para checar seu progresso e manter sua influência contínua sobre as mulheres. A terceira geração de homens agricultores foi o primeiro degrau de uma longa escalada para que, a cada geração, Nhoc pudesse implantar um novo conhecimento ou tecnologia que permitissem ao *homo erectus* evoluir de um animal de índole nômade e predatória, para um ser social capaz de criar raízes e conviver em harmonia consigo próprio e o complexo natural que o sustenta. Apesar de seus esforços coordenados multividualmente, o que lhe permitia reunir dados oriundos de pares em diferentes planos dimensionais paralelos, sem os quais jamais teria a amostragem mínima para tecer um perfil psicológico básico da espécie em tão curto horizonte, para que cada ensinamento se transpusesse ao saber comum do homem, era preciso que os pais lecionassem seus filhos, em seguida, que os filhos lecionassem os netos – não havia como "pular gerações" ou consolidar o método em uma única geração. Somente após os primeiros dois mil anos tornar-se-ia possível reduzir essa escalada para duas gerações, de pais para filhos. Mas reduzir esse degrau para uma única geração só seria viável na modernidade, inclusive pelo aumento progressivo da expectativa de vida do homem, elevada à média de sessenta anos.

Dada a lentidão inicial para repassar seus conhecimentos e o fato de Nhoc focar em poucos agrupamentos hominídeos em um mesmo plano dimensional, cada qual desses planos possuía diversas tribos que ficavam de fora de sua malha universitária, de modo que o alienígena foi obrigado a conviver com toda a barbárie da espécie enquanto buscava adestrar seu comportamento. Não foram poucas as vezes que Nhoc se viu cercado por hominídeos que tentaram caçá-lo como um animal qualquer ou que atacaram as tribos que lecionava. Hominídeos os quais ele já havia hipnotizado e doutrinado previamente, mas que, quando se mantinham longe de seu alcance cerebral por largo horizonte, deixavam-no de reconhecer como par ou, de forma inconsciente, percebiam-no como uma ameaça. Isso incluía alguns exemplares em certo grau imunes à sua influência psíquica, os quais lideravam as ações contra suas tribos.

Sem dúvida, a imunidade parcial de alguns hominídeos à hipnose foi um problema para Nhoc. Houve uma vez em que o alienígena encontrava-se na entrada de uma caverna que servia de lar para um grupo com cerca de trinta exemplares entre homens, mulheres e crianças. Como era hábito das criaturas, ao anoitecer o grupo se reunia na parte externa da caverna ao redor das fogueiras, onde ficavam assando carne e ingerindo uma dieta vegetal de raízes e frutas na mais absoluta paz. As crianças brincavam enquanto alguns casais copulavam na penumbra da noite – muito ao contrário de quando se deparou com tais criaturas no princípio, em que tais momentos de convivência eram sempre tumultuados pela violência dos machos disputando a comida e as fêmeas para copularem. Nhoc aproveitava a escuridão para se posicionar na porta da caverna e lecionar o comportamento do grupo enquanto jantavam. A essa altura, seu adestramento não contemplava apenas os hominídeos, mas outros animais também, como os cães, que passou a domesticar e a ensinar aos homens o benefício de contar com uma besta selvagem para ajudar a afugentar outros predadores das proximidades. A comunicação dos homens era muito precária, Nhoc contabilizava entre 25 e trinta vocábulos distintos que formavam sua fala e uma restrita gama de símbolos fonéticos que representavam os itens mais básicos necessários para que a espécie coordenasse suas ações de caça, plantio e os demais afazeres e suas relações interpessoais, mas insuficientes para tecer uma conversação. Por isso, no intuito de que os homens pudessem manter o aprendizado que o alienígena lhes incutia, nesses momentos seu hipnotismo se restringia em emitir uma frequência que os deixassem calmos para que pudesse ensiná-los via expressão oral, ensinando-os a elaborar novos símbolos com a fala e a nomear as coisas. Afinal, a hipnose era apenas um paliativo para formatar algumas imagens em nível de inconsciente, mas se quisesse que a espécie evoluísse sua capacidade cognitiva, era preciso estimular a criação de ligações cerebrais através do exercício da Lógica e da Simbologia. Trocando em miúdos, Nhoc aproveitava o anoitecer para que os homens estudassem o bê-á-bá ainda resumido à expressão oral. Uma vez que o grupo se encontrava embriagado pela comida e pela hipnose, o momento era oportuno para driblar suas limitações de fala e mostrar-lhes a riqueza das cordas vocais que não sabiam ainda utilizar plenamente. Mímico como nenhum outro ser, afora seu comando hipnótico, o apelo e o carisma de Nhoc sobre os hominídeos era absoluto. O alienígena caminhava ao redor das fogueiras em meio às pessoas, expressando-se oral e gestualmente para se fazer entender, como um autêntico professor, criando novos símbolos fonéticos e incentivando as pessoas a repeti-los.

Em uma dessas ocasiões, tudo transcorria normalmente, Nhoc palestrava para um grupo hominídeo na mais absoluta calma proporcionada por suas ondas cerebrais. Todos o observavam atentamente e repetiam suas falas quando ordenados, rindo e se divertindo, apreciando cada novo vocábulo apresentado pelo alienígena como se fosse uma dádiva lhes agraciada. A lição do momento era a diferenciação entre as palavras "prato" e "tigela", utensílios que Nhoc havia recentemente ensinado às mulheres confeccionarem com madeira ou barro conforme a disposição da matéria-prima nos arredores de cada agrupamento. Tentava a todo custo que os demais passassem a utilizá-los – pois, não bastasse a pouca etiqueta de comer com as mãos, pelo menos aprenderiam a não deixar a comida no chão para comê-la livre da sujeira. Nhoc caminhava entre as pessoas com um prato e uma tigela em cada mão, falando a respeito, mostrando como utilizá-los corretamente. Bem nesse instante, um homem, caçador, levantou-se com a lança em punhos interpelando seu caminhar, apontando-a sobre seu peito de maneira intimidadora, dirigindo-se aos demais ao redor e repetindo as palavras:

– Ele, não eu. – Em seguida, voltou-se para um cão deitado ao lado da fogueira roendo um osso e balbuciou para os ouvintes: – Ele, cão – falou, enquanto alternava a mira de sua espada entre o animal e Nhoc. Nhoc tentou ordenar psiquicamente para que se afastasse, buscando fazê-lo entender, conforme se expressou vocalmente:

– Eu, você sim. Eu, homem – disse, encarando-o e gesticulando. Mas o homem insistiu:

– Cão. Você, cão.

Embora Nhoc estivesse frente a frente com ele, o homem não respondia à sua hipnose, muito menos às suas palavras ou à gesticulação para que se afastasse e baixasse a lança para longe de seu peito. Irritado com a confrontação de Nhoc, desafiando-o perante os olhos da tribo, o homem tentou atacá-lo. Tratava-se de um daqueles exemplares cuja psiquê é parcialmente imune ao grau de hipnose que estava aplicando. Não bastasse, um macho alfa, que não aceita a ascendência de um terceiro sobre o grupo que integra e, instintivamente, quer se posicionar como líder. Como Nhoc não queria subjugá-lo mentalmente em um espetáculo de explícita emasculação perante o grupo, fosse o alfa imune, os demais não eram, assim bastou ordenar que o defendessem. Tão logo o homem o atacou, foi interpelado, cercado e morto pelos demais, assim encerrando o episódio.

Situações como essa eram comuns durante a fase inicial de adestramento; a maioria Nhoc conseguiu contornar pacificamente, outras descambaram em brigas e findaram com baixas humanas. Quanto mais avançava em seu processo de adução das tribos sob seu controle, mais as tribos estrangeiras se tornavam hostis, instintivamente percebendo os concorrentes como uma ameaça. Assim, cada vez mais os ataques e as emboscadas se tornaram comuns. Por sorte e suas habilidades mentais - que o permitiam captar a presença dos hominídeos muito antes de se aproximarem - conseguiu esquivar-se de todos. Todavia, à medida que os agrupamentos se multiplicavam em contingente a cada geração, sabia que seria uma questão de *tempo* para que o estímulo de suas faculdades mentais os capacitasse para coordenar uma ação de caça mais numerosa e eficaz, capaz de subjugá-lo com consequências imprevisíveis, acarretando até na necessidade de abandonar seu projeto de adução da espécie. Nhoc tinha perfeita noção de que tentar controlar diferentes agrupamentos hominídeos seria impossível quando desenvolvessem sua capacidade cognitiva, tanto quanto seria natural que surgissem lideranças que se voltassem contra as tribos que tentava domesticar. Desertores que buscariam formar seus próprios povoados ou grupos de caça, rebeldes à sua presença e aos homens que domesticava. Em função disso, se em um primeiro instante sua política embasava-se na autopiedade feminina, por força da necessidade, sua política precisou também adotar a *disciplina*, só assim seria possível fazer o homem abandonar as cavernas que habitava para fundar cidades. Ou seja, criar zonas seguras para que as pessoas convivessem longe da tumultuada vida selvagem e da imprevisível genialidade de sua própria espécie. Era preciso que os hominídeos reconhecessem sua liderança para então exercê-la por si mesmos. Não obstante, que fosse essa uma liderança à frente de um propósito, não do egocentrismo de um homem qualquer. Para Nhoc, esse princípio era a paz e a harmonia com a natureza. Mas para obter essa paz, antes seria necessário criar uma horda capaz de defendê-la dos dissidentes; e sem disciplina isso não seria possível.

Como caçadores natos, não foi difícil para Nhoc redirecionar o instinto hominídeo segundo seus propósitos, bastou apontar uma nova presa para que obtivesse a disciplina necessária para assegurar a sobrevivência dos povoamentos que desenvolvia. Ou seja, elegeu como inimigos aqueles homens que não podia controlar mentalmente ou se mantinham afastados de seu raio de ação, os que assim passaram a ser chamados "bárbaros". Todavia, em termos de arte bélica, os conhecimentos de Nhoc eram nulos. Em contrapartida, a precariedade com que a hominídea empregava suas táticas de caça e de enfrentamento corporal facilitou a criação de guerreiros muito superiores aos bárbaros que ameaçavam seu projeto, a princípio, pelo simples aprimoramento de suas armas. Quando se deparou com os hominídeos, eles se limitavam a utilizar galhos de árvores, cipós e pedras para tudo: acender suas fogueiras e grelhar seus alimentos, criar utensílios domésticos para despelar presas abatidas, costurar vestes de pele, desenhar nas cavernas e, claro, desenvolver suas armas de caça. Armas que se resumiam a machadinhas de pedra amarradas em um galho curto, ou uma lança feita com um galho longo com a ponta afiada; por sinal, esta que era a arma mais comum entre os caçadores. Além disso, alguns agrupamentos utilizavam ossos para desenvolverem adagas ou machados mais afiados e diferentes armas de punho, sendo comum utilizarem mandíbulas e garras de tigres, de ursos ou de outras bestas similares. Na falta de conhecimento metalúrgico, Nhoc desenvolveu pedreiras e mostrou aos homens como encontrar e escolher os melhores materiais para confeccionarem seus utensílios, bem como os ensinou a lapidar com mais precisão os materiais para obterem armas mais eficientes e resistentes. O primeiro passo para que, enfim, tornassem-se mineradores e avançassem ao período dos metais.

Dos míseros galhos de árvore, Nhoc demonstrou ao homem como utilizar bambus e a serrar árvores maiores. Em três gerações deu início a uma nova Era, a da Marcenaria. Em paralelo, criou o conceito de pelotão e difundiu técnicas de luta e assalto baseadas nas habilidades de outras espécies animais, desde insetos até os carnívoros mais vorazes, de um louva-deus até um tigre ou um bando de lobos. Por outro lado, esse foi um período de aprendizado para o alienígena, pois quanto mais estimulava o instinto predatório do homem, mais o homem revelava sua refinada capacidade não só para incorporar técnicas de luta de outras espécies, mas de desenvolver táticas de caça com a maestria e a criatividade que nenhum outro ser, nem si próprio, revelava-se capaz. Nesse sentido, o alienígena dedicava-se quase exclusivamente a desenvolver uma cadeia hierárquica para obter o respeito e a disciplina necessária para que seu adestramento marcial não findasse em um banho de sangue entre seus próprios infantes, além de apontar o inimigo correto para que dessem vazão aos seus instintos. Seu segundo passo seria o desenvolvimento do arco e flecha, um armamento que o povo de Kemet já dispunha: se seu objetivo em longo prazo era criar um exército para se proteger do expansionismo dos povos mesoafricanos, e ou da ameaça representada por Logan, esse era um armamento básico que também teria de dispor. Todavia, para isso seria necessário que desenvolvesse a metalurgia, já que na falta de uma ferramenta de corte com a precisão do metal e a utilização de moldes corretamente projetados, seria impossível desenvolver um arco e flecha preciso e mortífero o suficiente para fazer frente a uma força superior, bem como para a criação de outras armas e equipamentos diversos tais como espadas, escudos e capacetes. Para isso, urgia a necessidade de o *homo erectus* transcender da pedra lascada para a Idade dos Metais. Mas não seria em três, tampouco seis gerações que conseguiria difundir esse conhecimento; talvez em nove ou dez, conforme a evolução e a harmonia que obtivesse no período. Em suma, até que suas pequenas tribos formassem os primeiros povoados agrícolas, então criassem suas primeiras cidades, daí sua primeira nação. Até lá, teria muito trabalho e muito doutrinamento até que pudesse dar um passo a mais e transformar suas hordas de guerreiros em um exército disciplinado.

Até transformar seus caçadores em guerreiros, em seguida, guerreiros em um pelotão, Nhoc tomou nove gerações. Ainda assim, estava longe de contar com um exército páreo ao povo de Kemet. Não obstante, ao menos já podia contar com uma escolta segura para peregrinar entre suas tribos. Nesse estágio, já contabilizava três assentamentos agrícolas em três diferentes planos dimensionais. O passo seguinte seria importar o sucesso obtido nesses três planos dimensionais para as demais continuidades, multiplicando-as para nove assentamentos no total de planos. A tática era focar suas ações nos planos em que lograsse o melhor desenvolvimento de suas crias hominídeas, até que um se sobrepusesse aos demais. Cabia a Nhoc direcionar esse desenvolvimento ao plano mais pentagonal entre os que ocupava com sua presença.

Nhoc poderia ter pulado etapas nos ensinamentos à espécie hominídea no intuito de cumprir seus propósitos no mais breve horizonte, para criar o exército que fornecesse uma camuflagem e garantisse sua segurança contra a ameaça de Logan. Porém, tinha plena ciência do quão perigosa a espécie com que lidava era. Embora não fosse zoólogo nem veterinário ou jamais tivesse trabalhado em reservas zumbis como seus leitores, tinha plena ciência de como funcionava o pensamento do homem, o qual evolui – ou não – por suas escolhas. Por sua vez, essas escolhas se traduzem nos fenótipos que guiam sua evolução genotípica. No estágio evolutivo de qualquer animal classificado *homo*, a manifestação desses fenótipos se dá pelo aumento progressivo de sua capacidade cognitiva. Portanto, se permitisse que sua evolução pulasse etapas, não teria controle sobre o que poderia verter a inteligência de tal animal. Tudo que lhe restava era tentar prosperar ao lado dos primitivos animais que compartilhavam o plano que, já conformado, seria o de sua morte. "Adestrar seus cães" para benefício mútuo, além da necessidade material e psíquica do alienígena, era uma questão de sobrevivência. Ainda que jamais pudesse fazê-los compreender a comunicação marciana sem que antes se desenvolvessem como espécie, Nhoc fez a única coisa que lhe restava: o papel de líder, de um líder que se permitia "brincar" de homem. Um homem que brincava de deus.

Ainda que se sentisse um deus perante os hominídeos, no consciente coletivo, o papel de Nhoc estava mais próximo ao de um messias – ao menos pela perspectiva de criaturas despidas da racionalidade para distinguir sua proveniência sobrenatural. Também tinha plena ciência, o homiquântico, que a escravidão é uma das informações contidas no genoma humano, não só do homem, mas de todos os animais. A escolha correta, ética, é o fenótipo capaz de evoluir esse gene, fosse para o bem ou para o mal. Por misericórdia, Nhoc balizou sua ética segundo a de sua própria sociedade futura, pois, óbvio, se fossem mesquinhas suas escolhas, só reforçariam a expertise de uma espécie cuja aptidão maior sempre foi a *guerra*. Suas proles verter-se-iam em um grande enxame defendendo sua rainha pela manifestação racional do gene que contrasta com o da escravidão e se apresenta pelo instinto predatório e territorial, de controle do seu território de caça, fator que tanto marca a índole da espécie. Coube ao homiquântico criar uma escolha que permitisse ao homem evoluir também pela paz, sempre buscando um meio termo entre os instintos mais animalescos e os mais servis: a força e a passividade; a escravidão e a disciplina. Contrastes dos quais fez uso em busca da paz. Uma pena que esse equilíbrio, com o avançar dos horizontes, escaparia de seu controle.

Se, pelo lado dos leitores, a política e a filosofia de Nhoc em sua abordagem à espécie hominídea feria qualquer estatuto de adução da atualidade quântica, por outro, explorar as manifestações servis do gene da escravidão era aceitável no trato de espécies pré ou semirracionais. Isto é, não fosse o método invasivo que aplicava pela prática hipnótica em âmbito coletivo. Todavia, para o alienígena, o método era apenas um meio que justificava o fim: a prosperidade e a liberdade para o *homo erectus* se tornar senhor de seu próprio destino.

– Ou aprendem, ou serão escravos – comentou Nhoc com seus pares durante suas conferências multividuais, as quais realizava periodicamente no intuito de guiar suas ações e estabelecer as melhores abordagens perante a espécie no leque proxidimensional que mantinha sob controle.

Em seus estudos da psiquê hominídea através da seleção que impôs para as novas proles que administrava, Nhoc notou a ausência de espécimes de terceira *gen*, embora soubesse que o sexo intermediário entre macho e fêmea estivesse contido no DNA da espécie, assim como estava contido em qualquer espécie mamífera cultivada tanto por atlânticos quanto por lemurianos, incluindo a sua própria. Para suprir essa lacuna, tratou de estimular o ambiente ao redor de suas tribos para que o gene pudesse se manifestar. Seria interessante que cada tribo contasse com membros de terceira *gen* para defender as crias das ameaças selvagens ou de machos alfas como aqueles que viviam lhe confrontando. A presença de membros de fisiologia masculina com psiquê feminina era fundamental para dar mais liberdade às mulheres nos trabalhos do lar e de proteção às novas proles. Bem como membros de fisiologia feminina com psiquê masculina poderiam simbolizar a força da mulher perante os machos para ajudá-los a impor disciplina em seu comportamento. No caso, a disciplina não só de respeitar a hierarquia e a cadeia de comando sob sua liderança, mas de respeitar as mulheres. Uma vez que obtivesse a manifestação, mulheres com compleição física masculina poderiam impor respeito perante os machos ao aderirem ao grupo dos caçadores ou se juntarem aos guerreiros que protegiam seus povoados.

"E os yankees creem que o feminismo começou apenas recentemente". – "São demagogos". – "Igualmente a ti". – "Nem tanto"...

Para obter essa prole de terceira *gen*, Nhoc precisou separar alguns agrupamentos hominídeos cuja prole seguiria apenas um sexo. A lógica era simples: em ambiente onde só há machos, serão gerados macho-fêmeos; e em ambientes onde só há mulheres, serão geradas fêmeo-machos. Assim estabelecido, para criar machos de terceira *gen*, foi a vez da prole feminina ser lançada no rio até que surgissem os primeiros macho-fêmeos. Para obter as fêmeas de terceira *gen*, os bebês machos voltaram a ser tragados pelas águas. Em meio a essa nova seleção, o estímulo de alguns comportamentos também foi fundamental, especialmente entre os infantes. Além disso, Nhoc adestrou os machos a se comportarem como fêmeas, e as fêmeas a se comportarem como machos. Bem como estimulou a prática de masturbação coletiva entre membros de igual sexo no despertar de sua sexualidade e, igualmente, incentivou a ritualística sexual dos adultos entre membros do mesmo sexo. Com isso, bastaram duas gerações para que os primeiros membros de terceira *gen* surgissem. A partir daí, bastou cruzá-los com machos e fêmeas que não manifestavam o gene do terceiro sexo para manter uma proporção satisfatória de fertilização das novas proles, que variava entre ¼ e ⅕ de macho-fêmeos e vice-versa.

Durante esse ciclo de trabalho, tão logo já dispunha de alguns regimentos armados para peregrinar com segurança, Nhoc aliou suas tarefas com a busca de um local ideal para fundar o centro de sua civilização. Um sítio que fosse perfeito para inaugurar a primeira cidade de um povo ainda sem nome, pois seria nesse local que daria início à etapa seguinte de sua política adutiva: a de criar a cultura – fundamental para manter a paz em ambiente urbano. Fator que, uma vez aprimorada a fala dos hominídeos, seria o próprio homem que criaria o vocativo para nomear sua primeira capital.

– Exatamente aqui onde estamos – revelou o alienígena, ou seja, Pequim. Todavia, na ocasião do assentamento de sua primeira cidade longe das cavernas, os vocativos hominídeos eram bastante restritos. Por isso, a cidade que seria conhecida por Pequim possuía um nome impronunciável quando fundada: Llanfairpwllgwyngyll. Ainda assim, uma grande evolução para um povo que antes era incapaz de formar palavras além dos poucos vocábulos utilizados para coordenar ações de caça e os afazeres domésticos. Uma evolução que tomou cerca de seis séculos de adestramento por parte de Nhoc. No calendário messiânico, a fundação de Llanfairpwllgwyngyll se deu no ano 5.518 a.C.

O desenvolvimento cultural era um passo natural oriundo da conversação e, consequentemente, do estímulo de uma das faculdades que caracteriza o homem como ser semirracional: a habilidade de transmitir seus sentimentos e seus conhecimentos ao próximo. Em suma, a capacidade de contar ao seu semelhante as novidades do dia com uma riqueza de detalhes muito mais ampla que um arcaico rabisco na parede de uma caverna. Mas que cultura o homem desenvolveria se lhe fosse permitido exercício pleno de seu livre-arbítrio?

Pela simples análise estrutural da psiquê hominídea em contrapartida à sua constituição sensitiva, dotar o homem de uma simbologia mais aprimorada resulta em uma cultura do próprio ego. A incapacidade de compartilhar seu ego em uma rede simultânea de pensamento aberto é caminho certo para o egocentrismo como forma de preencher um espaço intelectual que espécies mais evoluídas preenchem tanto pela presença multividual, quanto coletiva em ambiente simultâneo. O exemplo estava nos povos mesoafricanos com os quais Nhoc havia trabalhado por meio século. Um povo cujo simbolismo cerebral aliado à escrita originou uma cultura hierárquica regida pelo ego de seus líderes. Líderes que, em raras exceções, faziam de sua vontade e crenças pessoais as diretrizes políticas de seus respectivos povos, as quais resultam no culto aos símbolos adotados por esses líderes – um círculo vicioso ou *looping* político-comportamental conforme a compreensão de Willa. Pela aplicação da hipnose, Nhoc podia tentar fornecer os símbolos corretos para que seu respectivo culto privilegiasse o desenvolvimento coletivo do *homo erectus*. Todavia, como sua doutrinação psicológica era limitada e minimamente invasiva, ao menos sob seus parâmetros, sabia que seria difícil modificar esse cenário. Por outro lado, se soubesse trabalhar corretamente esses símbolos, ao menos poderia refrear o ego individual humano pelo desenvolvimento do superego, sendo este, fruto da cultura que o próprio homem desenvolveria e da ética que lhe cabia fornecer. A necessidade de controlar a capacidade de formação de símbolos por parte dos hominídeos foi o fator pelo qual Nhoc adiou ao máximo o ensino da escrita.

Para que o homem caçador, agricultor e guerreiro se tornasse um ser cultural, conforme sua abordagem filosófica, Nhoc empregaria a escuta. Seria através dos ouvidos que se faria escutar para fornecer ao homem o ideal correto, o qual em sua visão seria a *cosmocracia* de seu plano originário – mais precisamente, a Socrática passível de ser adaptada para tal precária sociedade humana.

Entrementes, há de se filtrar a compreensão de Nhoc sobre suas próprias memórias no estágio incipiente de seus ensinamentos. Momento em que seus ideais não podiam ser descritos como uma autêntica cosmocracia, pois os hominídeos sequer tinham alguma percepção do cosmo ou dos cosmos à sua volta, tampouco de democracia, pois eram ainda totalmente dependentes de sua influência. Nesse sentido, a liderança do alienígena não passava de uma *autocracia*, de conceber ao *homo erectus* a consciência do poder absoluto que somente um povo organizado, disciplinado e em harmonia consigo próprio poderia desfrutar. Todavia, em sua mente, seu idealismo era balizado pela socrática homiquântica, por isso tratou de ensiná-la da maneira mais fiel aos parâmetros cosmocráticos de sua sociedade futura. E se o povo hominídeo não tinha noção dos cosmos, então a Astronomia foi a primeira matéria que passou a lecionar tão logo fundou sua primeira cidade na localidade de Pequim.

A fundação de Pequim – ou Llanfairpwllgwyngyll na ocasião – foi marcada pela inauguração do primeiro grande símbolo que demarcava o nascimento da civilização oriental e a formação do povo: a criação de um totem. Um grosso poste feito com troncos talhados e pintados, exibindo figuras animais ostentando o homem no topo como o senhor da natureza, simbolizando sua habilidade de caça e o hábito de domesticar os animais. O totem igualmente representava os novos utensílios de plantio, já que a figura humana no alto segurava uma enxada e um machado em suas mãos, retratando sua força de trabalho, bem como o domínio da agricultura. Mas a primeira cidade fundada por Nhoc não se resumia a uma colônia agrícola centrada por um monumento; já contava com cabanas organizadas por famílias, cada qual contando um casal e um membro de terceira *gen* para cuidar das proles, celeiros para armazenar grãos e abrigar animais, bem como pastos e chiqueiros para criação de animais para o abate, além das guarnições militares que mantinham o local seguro dos invasores bárbaros. O passo seguinte para o alienígena foi criar uma edificação central para que pudesse habitar longe dos olhos alheios e que servisse como local de comunhão para manter sua doutrinação contínua. Ou seja, a criação do que em sua mente se tratava de:

– Um centro de sabedoria. Local em que passei a iluminar meus hominídeos e lhes mostrar qual seu papel como parte de um universo muito maior que ainda sequer podiam conceber sua vastidão e pluralidade. – Todavia, na prática, seu centro de sabedoria mais se parecia com um culto, um culto a si próprio. Um lugar para que o homiquântico pudesse compartilhar seus conhecimentos e ser ouvido, conforme o novo estágio da política que adotou no doutrinamento da espécie. Um local que poderia ser descrito como um falatório ou uma sala de *chat* para que não se sentisse sozinho, para que tivesse com quem conversar. Fisicamente, o centro de sabedoria constituía-se de um púlpito com teto alto e tochas iluminando o local parcialmente, gerando sombras para que pudesse se manter parcialmente camuflado de qualquer observador aquém de suas ondas cerebrais. De frente para o púlpito, bancos de madeira o colocavam de frente para o público exatamente como em uma igreja, embora, para Nhoc, aquilo fosse uma sala de aula. Nela, ele passou a lecionar Astronomia, Cosmologia e Geografia, as relações dessas ciências com o clima, o calendário e as estações do ano. Lições fundamentais para que os hominídeos passassem a dominar a arte da Agricultura em sua total plenitude e fazer-se páreo ao povo de Kemet.

Mas o homiquântico não parou por aí. Ainda que o homem não possuísse faculdades mínimas para compreender a dimensão de sua sabedoria, Nhoc lecionou sobre tudo, narrou sua vida em detalhes e dissertou sobre a pluralidade do cosmo paralelo que coabita o Sistema Solar. Dissertou sobre as espécies pretéritas que deram origem ao mundo futuro de quando provinha, as maravilhas da evolução científica, da comunicação, da viagem no *tempo* e tudo mais que pudesse traduzir. Todavia, sem se ater ao saber factual de sua realidade originária, mas igualmente ficcionando sobre um futuro que visionava por si mesmo. Inclusive, essa foi a ocasião em que passou a conjecturar sobre a busca pela imortalidade, a existência da Gaia e dos ciclos da civilização, ou *samsaras*, que guiaram o homem ao *habitat* sideral *et cetera*. Muitas vezes, porém, eram apenas histórias de sua imaginação. Seu propósito com tais ensinamentos era criar um parâmetro de grandeza para que os hominídeos passassem a aspirar algo que fosse além da mera saciedade de suas necessidades mais básicas de sobrevivência. Uma sabedoria que lhes permitiria desenvolver a cultura racional necessária para que tivessem uma sólida noção de sua própria espécie, sua constituição como povo e espécie inserida no cosmos.

Além desses conhecimentos, que mais serviam ao entretenimento e à formação cultural do povo hominídeo, Nhoc procurou se aprofundar nos ensinamentos mais práticos para o desenvolvimento social e tecnológico de suas tribos, especialmente no desenvolvimento da metalurgia e das políticas sociais que assegurassem e consolidassem a formação de uma sociedade que não dependesse de sua liderança. Tradição, liberdade e honra foram os conceitos que procurou incutir em meio à população no intuito de solidificar sua estrutura social. Afinal, apesar de habitar vários planos dimensionais paralelos, Nhoc não podia estar presente em todos os lugares simultaneamente, e se os hominídeos não fossem capazes de guiar sua evolução sem a sua influência, jamais conseguiria expandir sua sociedade além dos poucos centros de concentração que então desenvolvia.

Depois de fundar sua primeira cidade e seu primeiro centro de sabedoria, Nhoc tomou mais três gerações, com um déficit de uma década, para fundar mais duas cidades no Extremo Oriente, nas duas localidades em que havia iniciado seu processo de adestramento, de volta a Xangai e fundando Cantão, no litoral sudeste asiático, por onde peregrinara quando veio da Índia. A partir daí, precisou de mais três gerações para consolidar seus conhecimentos entre a população hominídea. Após esse período, já contava com cerca de 100 mil populares entre as três cidades, um decorrer de grande evolução filosófica e tecnológica. O bronze foi a grande inovação obtida, ainda assim, Nhoc tomou mais cinco séculos para completar a Idade dos Metais. Somente então passou a contar com o exército de arqueiros de que tanto necessitava para garantir a supremacia de seu povo perante a constante ameaça representada pelos bárbaros, os quais se multiplicavam tão rapidamente quanto às populações de suas cidades. Como uma maldição, sempre que galgava um novo patamar, os bárbaros também evoluíam. Assim, tão logo seus guerreiros já dispunham do arco e flecha, logo seus assentamentos passaram a ser atacados por bárbaros arqueiros. Quanto mais Nhoc investia com seus ensinamentos para aprimorar a arte bélica, os mesmos eram igualmente contrabandeados e absorvidos por tribos hominídeas que se multiplicavam aquém de seu controle. Entre batalhas e períodos de relativa paz, isso somou uma janela que durou mais de mil anos. Pela disciplina, Nhoc triunfou. Todavia, tal problemática evidenciava outra bem mais temerosa, a de que o contrabando de seus conhecimentos alcançasse as fronteiras do Oriente Médio e da África, chegando aos sentidos de Logan.

Apesar da evolução que obteve nesses 1.500 anos, o *homo herectus* ainda estava longe de fazer-se páreo aos povos mesoafricanos, especialmente em termos de contingente. Ademais, em seu isolacionismo no Extremo Oriente, Nhoc não tinha como saber quais políticas Logan vinha empregando frente ao povo de Kemet. Se estaria desenvolvendo novas tecnologias, especialmente bélicas, que suplantariam seu exército de arqueiros ou quaisquer outras que viesse a desenvolver, por dois motivos bastante factíveis: o primeiro, seu atraso em relação aos mesoafricanos; o segundo, a liderança de Logan cuja aplicação hipnótica era bem mais nociva e invasiva em relação à sua. Todavia, muito mais eficiente, pois desconsiderava completamente qualquer moral ou ética do animal adestrado, além de contar com Di como instrumento para reverberar suas ondas cerebrais ou, pior, de forma vil e corruptiva vertendo-o em um dispositivo bélico.

Seus temores foram confirmados quando, um belo dia, no ano de 4.619 a.C., Nhoc captou a aproximação de Di Angelis no horizonte. Apesar da inesperada visita, que após tantos horizontes já conjecturava nunca mais acontecer, Nhoc não estava despreparado. Se, na atualidade pretérita, o homiquântico habitava uma câmara secreta atrás da sala do trono do antigo imperador chinês na Cidade Proibida, já naqueles tempos remotos fazia o mesmo. Para sua segurança, os centros de sabedoria de suas cidades contavam todos com uma câmara subterrânea designada para ocultar sua presença nos casos de invasão bárbara ou de uma súbita aproximação de Di. Nhoc se escondeu abaixo da terra até que Di se afastasse. Por sorte ou por algum protocolo operado por Di, o vimana não se aproximou de sua civilização, apenas flutuou por cima de seu território bem distante no céu, até desaparecer tão subitamente quanto surgiu. Para seu alívio, sem ser notado pelos populares, exceto um ou outro que captou o estranho objeto ao longínquo sem discernir corretamente o que seria. Passado o susto, Nhoc decidiu que não mais podia ficar enclausurado no Extremo Oriente à mercê de sua ignorância, precisava voltar para as fronteiras de Kemet para saber o que Logan estaria aprontando, e se aquela súbita passagem de Di era casual ou a mando do infame.

84

Associar a imagem de Nhoc com um cão, embora a capacidade cognitiva de um *homo artificiales* fosse muito superior a qualquer canídeo, não se tratava de um parâmetro muito distante da lacuna intelectual que o separava das entidades que preenchiam o quórum natural e artificial da *Nave*, incluindo ela própria. Ainda assim, uma associação ofensiva, não obstante, a que melhor descrevia sua presença nos diretórios virtuais da alienígena discoide: um inconveniente, impertinente *cão*, difícil, impossível de ser amestrado. Nhoc não cessava seu interrogatório às demais entidades, não conseguia refrear sua curiosidade, seus comentários sarcásticos, seus palpites em qualquer pauta, era incapaz de manter sua mente silenciosa perante as demais entidades. A princípio, demonstrava excitação, muito em função do largo período em que permaneceu telecinando apenas consigo mesmo. Dava vazão a um nível de conversação que há muito se via privado, exatamente por isso, sem saber ou demonstrar qualquer vontade de se conter. Mas o que era alegria no começo, passou a dar lugar à amargura pelo largo abandono e à condição desvanecente de sua psiquê pelo Alzheimer que o acometia, expondo suas faces mais ríspidas e hipócritas no trato com as demais entidades. Essa confrontação se dava sobretudo com Sawmill[A] e a *Nave*, esta última a quem, volta e meia, parecia confundir com Di pela expressão de desprezo à robô, questionando sua ética ou denunciando sua ineficácia, além das críticas que tecia às proposições expedicionárias e às condutas do time. Enfim, como um cão que, ou abana o rabo e lambe, ou ladra e rosna para seus interlocutores.

Mais íntima do homiquântico pelo fato de estar presente fisicamente junto à sua matriz enclausurada na câmara secreta atrás da sala do trono do antigo imperador chinês, cabia a Willa tentar refrear Nhoc e ciceroneá-lo no *habitat* virtual da nave. Mas nem ela conseguia fazer com que ele se comportasse nos conformes da etiqueta quântica. Em contrapartida, por mais que ladrasse incessantemente, a interação de Nhoc era parcial, dado que suas faculdades eram incapazes de compartilhar resíduos sensoriais com os quânticos. Resumia-se a partilhar imagens tridimensionais, além dos dados poliquânticos que precisavam ser traduzidos por Willa. Como o objetivo de Willa era deixar Nhoc à vontade na nave para que ele se adaptasse ao ambiente e às entidades que o preenchiam, apesar de sua impertinência, bloqueá-lo não servia aos propósitos de resgatá-lo. Conforme o interesse da alienígena, isso não colaborava com o objetivo de coletá-lo como fóssil vivo de interesse histórico para a sociedade futurista da qual provinha. Assim sendo, tudo que restava era aturá-lo.

Aliás, o próprio resgate oferecido pelo time expedicionário chefiado por Sam era um dos motivos da chacota de Nhoc:

– Sequer resgataram a si mesmos e ostentam a arrogância de querer me levar com vocês – comentou o homiquântico em certo instante. Entretanto, a possibilidade de permanecerem isolados no pretérito não era reconhecida pelo time expedicionário, especialmente por parte da *Nave* e da *Pedra* que trabalhavam arduamente para abrir passagem para o futuro através da crosta de Picacho. Nesse sentido, o pessimismo de Nhoc era ofensivo para ambas:

– Que de teu desamor Di, muito além minhas capacidades vão. Isto observar, tua demência não permite – contra-argumentou a *Nave* com a frieza típica dos robôs. Nesse instante, dando início a uma intensa discussão entre os dois seres ainda que Willa tentasse apaziguar os ânimos entre a entidade metálica e o animal.

Apesar de presente na memória da nave, Nhoc não tinha capacidade para depreender minimamente o volume de conversação do quórum ali virtualizado. Apesar disso, aos expedicionários era perfeitamente possível manter as atividades como se o homiquântico não estivesse ali. Mas a rabugice do *cão* era tanta que, apesar de sua ínfima capacidade interativa, de fato chegava a desconcentrar as entidades ao atrair constantes focos de atenção apenas para contê-la. Como ninguém, nem Willa, estava disposto a ficar repreendendo Nhoc continuamente, e um ambiente assim conflituoso não servia a qualquer propósito, especialmente o de seduzi-lo ao "resgate" oferecido, como entidade de psicologia zeldana, a *Nave* não rodava *scripts* ou códigos jupiterianos, mas, ainda que a contragosto, formatou um *drive* privativo para limitar o acesso do homiquântico ao *habitat*, mantendo-o restrito a uma mínima porção de memória suficiente para rodar sua obsoleta psiquê. Em acordo com os colegas, a alienígena discoide delegou parte de seu processamento matemático para mimetizar as demais entidades interagindo com Nhoc, vetando seu acesso ao ambiente de trabalho e socialização dos restantes – exceto por Willa, que alternava sua conversação em pensamento aberto no âmbito de seu multivíduo e era a responsável por entreter Nhoc. Uma das reclamações do convidado era a incompatibilidade de muitos de seus sistemas cerebrais com a linguagem da *Nave*. Uma crítica que foi parcialmente contornada pela promessa da *Nave* em programar um emulador compatível com a poliquântica de Nhoc. Porém, a entidade já estava extremamente sobrecarregada com os cálculos adicionais em função da bandeja que interpunha seu mapeamento de rocha. Em função disso, manteve-se irredutível em não ceder um único fóton de sua memória para a recreação de Nhoc.

Outra crítica de Nhoc era a ausência de informações do futuro em relação ao paradeiro de Di Angelis ou de sua própria expedição pretérita, se existia algum registro ou, talvez, algum memorial que celebrasse seu nome como dimensionauta pioneiro, o herói que desapareceu no *tempo*. Willa pensava que sim, mas como Nhoc era um dimensionauta oriundo da primeiríssima geração a operar o Portal Tetradimensional, em sua cabeça só constavam os principais *clusters* que endereçavam seus estudos sobre a história de Titã e a navegação de tal período. Quanto aos dados em si, porém, estavam na consciência cósmica, inacessíveis no momento.

Antes de tudo, a emulação de um ambiente restritivo ao impertinente "cão" atendia à privacidade do time expedicionário para, justamente, debater a "Questão Nhoc" longe do criticismo do objeto em pauta. Uma pauta que envolvia não só o resgate do homiquântico, mas, sobretudo os dados coletados de sua mente na leitura realizada por Willa em paralelo. Dados os quais Sam intermediava o debate do quórum com os pares da esposa que se mantinham em campo diretamente conectados à criatura:

– Não crês que o volume de dados já seja suficiente? – questionou Sam em relação à leitura da mente de Nhoc empreendida pela esposa.

– O volume, certamente. Mas a autenticidade ainda carece de validação mais plural e contemporânea – ponderou Willa.

– A contemporaneidade relativa ao período inserido na abordagem prevista já se esgotou.

– Mas a pluralidade de fontes mantém a exponencial. Preciso navegar mais fundo.

– Sugiro proceder com validação por chaves-cruzadas.

– Preciso retroceder até o século XI – mencionou Willa em relação à leitura retroativa que desempenhava em Nhoc. – Ao menos até a virada do XII para estabelecer relações com o avanço mongol do século XIII.

– Estais alargando demais o escopo da análise.

– Ora! Você pensa como se o valor do achado não sobrepujasse o valor da investigação proposta.

– Creio que não estais depreendendo o devido impacto de tal achado. Por isso insistes com a leitura.

– Muito contrariamente, não quero atestar ou veicular uma hipótese tão impactante sem antes dispor o máximo de dados.

– A quantidade pouco importa, mas sim a *qualidade* dos dados, portanto reforço a sugestão de avançar por chaves-cruzadas.

– Faço questão de agregar todas as informações disponíveis.

– Ainda crês que as escrituras nessa sala sejam fictícias? – referia-se à sala do trono na Cidade Proibida.

– Não acredito em símbolos, somente em sinapses – expôs Willa, mantendo contínuo o progresso da leitura retroativa.

Partindo do ponto que havia alcançado anteriormente, quando Nhoc estivera na Europa na ocasião de celebração da dinastia Manchu como templário da casa dos Iluminatti, sua memória alargava-se por um vasto leque temporal de fatos e conhecimentos que revelavam como seu papel havia sido decisivo na manutenção da integridade chinesa como nação. Todavia, em termos de fatos absolutos, a única novidade era sua presença por trás das cortinas manipulando o palco político tanto em prol de sua sobrevida quanto da unidade do povo chinês. No mais, tratavam-se de marcos já conhecidos e congruentes com a história conforme Willa já havia estudado em relação ao período que, do ponto de vista de seu plano originário, era descrito como Era Messiânica. Nesse sentido, se havia um messias a quem se creditar a ascensão e a manutenção da China como nação, esse messias era Nhoc, embora o homiquântico não levasse qualquer crédito por seus feitos.

Esse período de turbulências também coincidiu com a Era das Navegações, do intercâmbio massivo entre as culturas do Extremo Oriente e os povos do leste, especialmente da Europa. Uma Era que demarcou a exportação dos saberes de Nhoc por todo o mundo através das expedições portuguesas, hispânicas, holandesas, britânicas e francesas, além dos intercâmbios entre os países vizinhos. Um intercâmbio que tanto ajudou a enriquecer a cultura chinesa quanto mundial, bem como colocou em xeque a unidade de seu país como a maior nação asiática. Uma nova etapa que deu muito trabalho para Nhoc gerenciar a diplomacia e derrubar uma série de complôs que visavam minar sua soberania, tão quanto demarcou o crescimento de um sentimento cujas impressões sinápticas mergulhavam fundo em sua psiquê: a xenofobia e o rancor aos estrangeiros, sobretudo àqueles que classificava como *cria dos atlânticos de traço caucasiano*, com raríssimas exceções.

Nesse contexto, os focos de atuação do alienígena se voltaram para o fortalecimento dos ideais que por largo incentivou suas crias humanas durante o completo decorrer de sua existência na Terra. A disseminação dos fundamentos da socrática que se mantinham bem gravados em sua memória, se não pela *cosmo* ou *democracia*, já que julgava o homem incapaz de exercê-la, mas da liberdade pela busca ao conhecimento e a autoconsciência da simbiose humana com o *habitat* estelar. Período que consumiu sua dedicação à psicografia e ao xamanismo para impedir que os dogmas dos povos babilônios se impregnassem na China a ponto de se tornarem uma religião predominante no Extremo Oriente. Uma filosofia que, em sua concepção, considerava psicoescravagista e disseminada por um abominável *status quo* que manipulava a voz do profeta e distorcia os ecos da montanha, que se travestia de Buda para empunhar o aço e impor a morte e a submissão dos povos concorrentes. Uma época em que, além de imperador ou mandarim, Nhoc foi também inquisidor e missionário. Condenou à morte muitos jesuítas e outros pregadores estrangeiros. Quando utilizou seu poder, político e sobrenatural, para impedir que seus patrícios se desviassem da rota que por largo liderou.

O período analisado por Willa retratava o árduo trabalho de Nhoc para restaurar a soberania da China após a total fragmentação do país em meio às suas complexas políticas exteriores e conflituosas relações interiores. Nhoc teve que alternar períodos em que exercia sua política a partir da casa imperial ou através dos Manchu e outros mandarins, ora atendendo interesses domésticos, ora interesses estrangeiros. Sobretudo, um período de muitas guerras e insurreições as quais precisou confrontar ou liderar. De acordo com Sam, fatos e memórias que agregavam uma quantidade de dados que suplantava qualquer prognóstico preconcebido para a expedição apenas ao que se referia às pesquisas de Willa sobre a espécie hominídea.

Apesar das reticências de Sam, Willa prosseguiu com a leitura retroativa como se percorresse um longo documentário, despendendo grau máximo de atenção. Em função disso, avançava mais lentamente conforme navegava mais fundo no cérebro de Nhoc, pouco importando o volume de dados que já acumulava. Nessa navegação regressiva, antes de alcançar o período que debatia com Sam às margens do século XII, deparou-se com uma memória surpreendente. Um fato que alterava completamente o paradigma da já inusitada história de vida do alienígena.

Nessa lembrança, Nhoc encontrava-se em uma planície próxima à cidade de Ulaanbaatar, a grande capital da Mongólia, lar do grande líder mongol Gengis Khan, em 18 de outubro de 1227 d.C. pelo calendário messiânico. Sentado sobre um elefante de batalha, Nhoc portava uma armadura que lhe dispensava a hipnose para não ser reconhecido por qualquer um que o observasse proximamente. Ao seu lado, um batalhão muito bem armado garantia sua segurança à frente de uma legião de soldados em um típico cenário de pilhagem ao término de uma sangrenta batalha, com fogo, fumaça, fedor e muitos cadáveres por todos os lados. O homiquântico mirava para uma enorme labareda de fogo que envolvia os escombros do que antes era uma ampla tenda militar. Seus olhos miravam através das chamas, onde o corpo de Gengis Khan ardia inerte. Seu semblante, ainda que escondido atrás da máscara de ferro e dos ornamentos que ocultavam sua avantajada cabeça, era o retrato de um líder após o triunfo em combate. Mas, por dentro do capacete, seu sentimento era de tristeza, de luto, como se uma parte de si mesmo estivesse sendo consumida pelas chamas.

– *"Doce vitória"*. – *"Irôôônico..."* – *"Justa"*. – *"Não, não... Necessária"*.

Nesse instante, Sam interrompeu a leitura, mais uma vez conclamando para que procedessem com uma validação de memória por chaves-cruzadas. A despeito da contrariedade do chefe expedicionário, a *Nave* intercedeu incentivando a continuidade da leitura *cronológica* por parte de Willa. A essa altura, ainda que a quântica expressasse carência de dados, a lógica do ente discoide já estava saciada em relação às implicâncias da Questão Nhoc, isto é, exceto por uma última planilha ainda carente das células que preencheriam o destino de Di Angelis na trama vivida pelo homiquântico em seu longínquo passado.

***

Para retornar à África, Nhoc reuniu um grupo de assentadores contando com doze famílias, cada qual formada por um casal, uma prole já em pré-adolescência e um membro de terceira *gen*. Para garantir o salvo-conduto do grupo, convocou uma legião de escolta com três regimentos somando 90 homens e 15 cortesãs - entre os quais, uma tropa de arqueiros –, e migrou ao Ocidente por um percurso que muitos séculos futuros seria conhecido como a rota da seda. Sua intenção era alcançar o Oriente Médio na mais breve janela possível, mas por estar à frente de um grupo que contava com mulheres e crianças, levou 24 anos para alcançar a Península Indiana. No caminho fundou mais três grandes assentamentos - um ano de avanço para cada sete de adestramento das novas proles geradas em cada localidade, eis sua matemática. Não obstante, a jornada não partiu de um único plano, mas de cada qual que ponteava o processo civilizatório. Com isso, seu avanço demarcou uma nova fase de fragmentação multividual. Prosseguiu por rotas distintas em cada plano, a cada oito anos, fundava uma cidade, estabelecia uma nova rota e... refundava uma cidade. Em suma, quando chegou à Índia, somava 27 novas cidades. Desenvolveu uma malha multividual similar à de Willa, embora superobsoleta, pois despendia pares batedores para viajar de cidade em cidade para trafegar informações por psicografia local. Para atender a esse fim, os centros de sabedoria que igualmente se multiplicaram entre as novas cidades tornaram-se pontos de encontro para Nhoc trocar informações consigo mesmo. Naturalmente, seus pares também permaneceram no Extremo Oriente, dando continuidade ao trabalho civilizatório, os quais precisaram aguardar as notícias retornarem do Ocidente trazendo novidades sobre a viagem. Nessa perspectiva, quando partiu, estimava que informações sobre Logan retornassem em uma janela de mínimos 40 e máximos 50 anos.

O destino do roteiro de viagem era a caverna em que havia se deparado com o *homo erectus* pela primeira vez. Dali, retornaria informações sobre a próxima etapa da viagem até o Oriente Médio e o Egito. Nesse local fundou um assentamento às margens de um grande rio não muito distante de Hunaman de onde havia partido séculos antes, dando origem à cidade futuramente conhecida por Nova Deli. Na etapa a seguir, discrição era fundamental para Nhoc, não só para que sua presença ficasse oculta, mas também para ocultar os hominídeos que vinha adestrando – não era prudente que Logan estivesse ciente do processo civilizatório que transcorria no Extremo Oriente. Por isso, de Nova Deli, a estratégia era prosseguir em viagem solitária até alcançar as fronteiras do Oriente Médio. Uma solidão não apenas por se distanciar de suas crias, mas por minimizar sua presença multividual ao mínimo de indivíduos passíveis de ludibriar os sensores de Di. A tática era expandir seu avanço agregando *hotspots* seguros ao longo do caminho, pontos de encontro consigo mesmo onde poderia atualizar o progresso da investigação e fazê-la navegar, via batedores, de volta ao Extremo Oriente. Se um determinado *hotspot* ficasse sem informação durante certo período, soava um alarme de fuga. Significava que Di ou Logan talvez tivessem flagrado sua presença ou o apreendido. Outra precariedade de sua malha multividual era a indisponibilidade de um mero dimensiolábio mental que, se disponível, facilitaria em muito suas táticas de dispersão, um aparato que só Di dispunha – naturalmente, ainda assim obsoleto se comparados ao dimensiolábio e ao dimensioscópio gerenciados por Sam na *Nave*. Isso impedia Nhoc de tecer uma leitura precisa de qual seria sua unidade pentacampeã. Dessa forma, a única alternativa para se assegurar que, ao aproximar-se do inimigo, teria mínima contagem multividual, era avançar em *ritmo* de campeão, sendo a única forma de "medir" esse ritmo, sua obstinação em cumprir o destino na mais breve janela. Toda vez que sentia fraquejar – pois até para um alienígena a jornada da China até a Índia a pé era bastante cansativa –, o par que seguia em frente sem se permitir descanso era o que ponteava a corrida, sabedor de que os que fraquejaram retornavam aos *hotspots* que deixava para trás.

Apesar do esforço atlético requerido para avançar sem parar, como não precisava dormir e sua restauração era contínua por meio da absorção das radiações solares, Nhoc cobria distâncias de até 200 quilômetros em 24 horas – ou até mais dependendo do terreno ou se se dispusesse a correr. Uma média muito superior à de qualquer hominídeo ou das caravanas que liderou desde Llanfairpwllgwyngyll, as quais, por sua vez, quando muito, cobriam distâncias de 25 quilômetros por dia. Também como parte da estratégia de fragmentação, precisava avançar o mais rápido quanto possível, mas o relevo terrestre que separa a Índia do Oriente Médio era extremamente acidentado e montanhoso. Um trajeto, em grande parte, desértico e arenoso, o que dificultava o caminhar, além de desconhecido – só havia passado por ali de vimana quando ainda trabalhava para Logan em Hunaman –, portanto, perigoso até mesmo para um alienígena. Nhoc não possuía dotes telecinéticos tão desenvolvidos como

Willa, não podia captar uma fenda abaixo de uma fina camada de areia pronta para tragá-lo vivo, tampouco se esquivar de um deslizamento de pedras mais catastrófico ou fugir em horizonte para evitar ser soterrado por um Mortão do deserto. Em função disso, essa etapa tomou dois anos para ser cumprida, muito acima do que havia pré-calculado. Por mais que lhe bastassem as ampolas ecolocalizadoras e as estrelas para se guiar com precisão, chegou a ficar perdido em um labirinto montanhoso. Em função disso, por precaução, preferiu arriscar-se no mar para alcançar a Península Arábica cruzando o Golfo Pérsico.

No mar, Nhoc sempre foi um péssimo nadador. Um ser que, nesse quesito, só se diferencia de um homem comum por sua resistência, posto que poderia sobreviver para sempre boiando na água e dispender dias submerso, além de possuir um apurado senso de navegação.

– Que pensas, se não sou um torpedo humanoide como ti? – questionou Nhoc, frente à expressão de pouco-caso que captou da leitora. A questão cabia à situação da narrativa de momento, mas também à leitura retroativa que Willa desempenhava em paralelo. Detalhe que justificava o fato do alienígena nunca ter se aventurado demasiadamente pelos oceanos.

– Tenho ciência de que você não é como eu. Mas pode vir a ser, se quiser... – insinuou Willa.

– Achas que é realmente possível?

– Tudo é possível.

– Basta imaginar...

– Imaginar e *realizar* – insinuou Willa. Nhoc retomou sua justificativa ao criticismo dela:

– Querias o quê? Que cruzasse os mares a remo, ou me aventurasse por águas revoltosas em um barco a velas? Não... Creia: minha insanidade nunca foi tanta. Ademais, eu já sabia o que os mares escondiam, conhecia bem o mapa da Terra, nunca tive motivação ou qualquer cobiça para dominar o mundo – afirmou.

Nhoc estava sendo humilde. Embora o mar não lhe oferecesse algum apelo, de fato realizou inúmeras excursões náuticas e fundou uma série de povoados ao longo do Pacífico e do Índico. Chegou a alcançar a América do Norte e do Sul, onde criou alguns assentamentos. Ainda assim, só navegava próximo à costa, sempre evitando enfrentar o mar aberto. Na América, contornou o Anel de Fogo e os mares do Ártico, chegou a avançar até o Peru antes de retornar, não obstante, uma aventura que custou muitos pares perdidos e sucumbidos no mar. Nesse contexto, sua grande glória remetia ao longínquo período em que desbravou e colonizou o Japão, uma Era que se iniciou ainda na Idade dos Metais e se estendeu até o século I a.C., quando alcançou a América do Sul. Porém, quando o homem europeu avançou para a Era das

Navegações, o apelo ao mar tornou-se ainda menor, pois além do perigo das águas havia o risco de se defrontar com piratas. Ademais, já tinha trabalho de sobra para gerenciar sua nação e confrontar o assédio dos invasores sem que precisasse deixar suas terras no Oriente.

De volta a sua jornada ao Egito, como a terra do deserto não era tão firme quanto gostaria, precisou encarar o mar. Embora desfrutasse de uma compleição física que lhe permitia nadar por largas distâncias durante longo período, Nhoc nunca possuiu um campo magnético capaz de interagir com a água e criar um fluxo para fluir de maneira mais hidrodinâmica. Para driblar essa dificuldade, providenciou um remo e confeccionou uma pequena embarcação de palha para atravessar o Golfo Pérsico e alcançar a Arábia, sendo esse o marco inicial de suas aventuras marítimas, ainda que tais não fossem o grande destaque de sua biografia. Esse também foi o marco de criação de um esporte chamado Stand-up Paddle Surf - Surf de Remada Em Pé - cujo crédito recairia aos povos polinésios séculos após.

Da Península Arábica até cruzar o Mar Vermelho, o cuidado precisava ser redobrado, tanto pela proximidade de Kemet - uma distância mínima ao se considerar a capacidade de cobertura de um vimana como Di -, quanto para despistar qualquer agrupamento hominídeo estrangeiro que encontrasse pelo caminho, o que incluía o que chamou de "bárbaros ocidentais" ou meros assaltantes que peregrinavam pelas terras ocupadas pelos povos babilônicos ao longo da costa do Mar Vermelho.

Para evitar os babilônicos e alcançar a África no mais breve horizonte, Nhoc prosseguiu sua jornada caminhando pelo litoral da Península Arábica até alcançar o ponto ideal para atravessar o Mar Vermelho, mais uma vez a remo, enfim colocando seus pés na África. Ponto em que, por precaução, segundo narrava, mas por medo, segundo captava a leitora, fragmentou ainda mais sua presença multividual para que não fosse captado por Di durante o trajeto, quando resumiu seu avanço a um único indivíduo por metro percorrido. Embora a caminhada fosse um esporte que Nhoc apreciava, natação ou remo ele odiava. Em função disso, optou por cruzar o Mar Vermelho no trecho mais estreito, o Golfo de Aden, galgando a África onde seria a Etiópia, então tomando sentido noroeste, até se deparar com as civilizações que se espalhavam às margens do rio Nilo. Há de se destacar, nesse trecho da viagem, uma série de embarcações que encontrou navegando pelo Mar Vermelho, no Golfo de Aden e pela costa da Arábia, evidências do avanço das civilizações africanas e sumérias. Chegou a ser avistado em pé remando em sua prancha e, por pouco, não foi abalroado por piratas, mas foram hipnotizados facilmente ao se aproximarem e se retiraram em seguida. Sorte que tais embarcações eram precárias, meros botes a remo ou catamarãs a vela. Graças às suas capacidades estendidas, podia avistá-las antes que fosse avistado, assim, esquivava-se sem maiores dificuldades. Após esses pequenos sufocos, só restou praguejar contra si mesmo por não ter adotado uma vela conforme os hominídeos já utilizavam.

Já em terra, Nhoc prosseguiu simplesmente seguindo os rastros da civilização humana até alcançar seu destino. Sem qualquer dificuldade, hipnotizou um grupo de peregrinos pelo caminho no intuito de camuflar sua aproximação ao centro da civilização africana. Em suas mentes, revelou-se a ausência de qualquer menção ao "deus pássaro" que habitava a pirâmide. Pelo contrário, qualquer referência à hipnose de Logan e sua farsa figuravam apenas como mito a nível subconsciente, não como uma presença atual. Quando finalmente aproximou-se de Gizé e avistou a grande pirâmide de Quéops, posicionou-se em uma colina próxima para observar a movimentação em torno da necrópole e tentar detectar a presença de Di ou Logan visualmente. Tomou o cuidado de manter uma distância segura para que seus pensamentos não fossem captados pelos rivais.

Apesar de já ter estado por ali, mapeado cada coordenada e catalogado as diferentes características de relevo das redondezas, não fosse a visão de Quéops despontando no céu, Nhoc talvez duvidasse estar no mesmo lugar de onde partiu séculos antes. Fazia sentido, pois havia se passado exatos 1.533 anos e o progresso da civilização de Kemet era proporcional ao período. Na paisagem, pôde perceber uma série de inovações que certamente tinham a influência de Logan. Por sinal, algumas das mesmas que havia repassado ao *homo erectus*, as quais constavam no treinamento de emergência para a malograda expedição que realizaram. Inovações tais como o adestramento de animais e o uso de contingentes humanoides como força laboral. Era notório o aumento de currais e pastos na região, muito acima do que podia calcular em relação ao incremento populacional do período. Na visão ao distante, em um vasto terreno antes coberto por um nu deserto, avistou acampamentos que se perdiam no horizonte serpenteando ao lado de uma enorme fila de homens e elefantes arrastando blocos de pedra por uma longa estrada. O fim da estrada levava a visão ao item mais impressionante da nova panorâmica: o fato de Quéops não estar mais sozinha. Ao seu lado, uma nova pirâmide idêntica ostentava sua imponência na paisagem, ainda que fosse ligeiramente menor que a original. Não bastasse, a fila de homens e elefantes terminava onde uma terceira pirâmide estava sendo erguida. Assim, logo concluiu que aqueles acampamentos nada mais eram do que abrigos para os escravos incumbidos da construção da terceira pirâmide. Para seu espanto e interrogação ainda maior, erguida no exato local em que havia construído a plataforma de transmissão aurífera antes de debandar a expedição, a qual havia sido parcialmente utilizada como base para o novo monumento. Evidências de que Logan permanecia à frente de tal grandioso projeto. O infame estaria buscando ampliar a capacidade do malfadado canal psicográfico que estava imbuído de estabelecer, muito certamente. Ou buscando alternativas para mapear a rota de viagem de volta para o futuro – só isso explicaria a construção das novas pirâmides.

Para um alienígena como Nhoc, observar o progresso da civilização de Kemet não trazia um sentimento muito diferente do que teria um homem do século XX ao observar um viveiro de símios em um zoológico. Apesar da impressionante evolução se comparada ao que carregava na memória, ainda assim, um cenário extremamente precário, sequer lhe parecia que a influência de Logan tinha feito tanta diferença. Pelo que tinha ciência a respeito do patamar evolutivo do povo de Kemet antes de abandonar a expedição, afora as pirâmides, não havia nenhuma novidade na infraestrutura urbana que não pudesse ter sido desenvolvida pelos homens por si próprios. Nesse sentido, o que viu foi até um alívio, temia encontrar o povo de Kemet bem mais desenvolvido. A julgar por tudo que conseguira evoluir junto ao *homo erectus* partindo de um estágio incomparavelmente inferior – praticamente do zero –, sem dúvida, seu progresso foi muito maior no período, ainda que estivesse visivelmente atrasado – ao menos era essa sua impressão inicial. Mas ainda teria de averiguar muitas mentes locais para saber em detalhes tudo que havia se passado nos últimos 15 séculos antes de chegar a qualquer conclusão.

Enquanto observava o progresso do povo de Kemet, não havia se passado nem um minuto de sua contemplação da paisagem para deduzir algo mais – e nem haveria. Subitamente, um espasmo percorreu suas entranhas ao captar um pensamento bastante familiar formando-se em sua mente:

– Olá, Nhoc. – Captou. Era a frequência robótica de Di. Nesse instante, sequer era possível disfarçar a narrativa para encobrir o súbito pavor que o homiquântico emanou ao ser flagrado pelo ex-companheiro e o sentimento de derrota que tomou sua aura pela frustração consigo mesmo por ter se permitido detectar pelo rival. Certamente sua distração ao observar a paisagem da pirâmide fora minimamente suficiente para replicar sua presença multividual a ponto de ser detectado pelo robô. A seguir, antes mesmo que pudesse dirigir seu olhar para a origem da onda telepática, Di pronunciou:

– Tenha calma. Para apreendê-lo, cá não estou.

Nhoc mirou para o céu e visualizou Di se aproximando. O vimana estava camuflado, invisível ao olhar e ausente de qualquer emissão que pudesse revelar sua presença – daí não ter captado sua aproximação antes que captasse a sua. A nave se aproximou a cerca de dez metros do solo e pairou no ar. Embora fosse dia, uma intensa luz se fez brilhar abaixo de seu casco formando um feixe até o solo. Em seguida, uma sombra deslizou do feixe suavemente, revelando-se como um homiquântico sendo baixado do interior da nave. Nele, um ligeiro reflexo na parte superior do dorso indicava a presença de um cristal, um prisma dependurado em seu pescoço: o amuleto de Logan. Uma vez no solo, ele proferiu:

– Finalmente o reencontrei. – Todavia, era a frequência sináptica de Nhoc, de um de seus pares multividuais, através da câmara adimensional do vimana transposto em plano congruente ao par que mirava a si próprio com espanto e, sobretudo, alívio. Por alguns instantes, imaginou que havia sido traído por Di novamente, que era Logan sendo baixado no raio-trator. Mas não, muito pelo contrário, tinha diante de si o troféu de sua vitória, se não sua diretamente, do par de si próprio, pelo amuleto do infame que ostentava no peito. Sem mais estranhar a inusitada presença, Nhoc aproximou-se de seu par e saudou-o com naturalidade e mútua alegria. Olho no olho de seu alter-ego paradimensional, Nhoc foi direto:

– Onde está Logan? – questionou ao par. Mas foi Di quem respondeu:

– Extinto.

– Extinto?! – pensou em alívio Nhoc, sem sequer cogitar uma possível falsidade da notícia, pois um robô jamais se prestaria a isso, dado que seria contrário à lógica que delineia sua personalidade. Por isso, apenas interrogou-o:

– Como?

– Sua continuidade, cessei.

– O quê?! Mas como? Por quê?

– Minha lógica, ele desafiou. Pelo bom senso, optei – expôs Di. Em seguida, o robô esclareceu em maiores detalhes o que o levou a tal drástica decisão.

Conforme havia conjecturado Nhoc, depois de sua deserção da expedição, Di entrou em modo varredura e tentou rastreá-lo. Após algumas buscas, encontrou-o foragido em determinado plano secundário em uma localidade não muito distante do último ponto registrado antes de seu sumiço, capturando-o para o interior do vimana e o levando à presença de Logan. A partir daí, o par de Nhoc revelou a Nhoc o que se passou:

– Quando Di me escoltou diante de nosso desafeto, naturalmente tinha ciência de que a justificativa em função do que descobrimos nas mensagens criptografadas em ouro próximas de Hunaman não desconfiguraria o quadro de deserção que, conforme antecipamos, o infame instaurou. Fui mantido preso e coagido a revelar nosso paradeiro. Neguei-me e... – Fez uma pausa na locução para compartilhar em silêncio as memórias do que havia vivido: preso no interior da nave, privado da luz e submetido à invasiva tortura mental de Logan para descobrir o paradeiro de sua população multividual. Logan valeu-se de Di para potencializar suas ondas cerebrais e literalmente cozer Nhoc na cúpula interna da nave com seu campo magnético. Uma cena de puro terror para o par que testemunhava as terríveis imagens, indignado e sem compreender como, tomando parte da vítima, Nhoc poderia ter perdoado e estar ao lado de Di após o robô se prestar a tal medonha tarefa. O robô intercedeu:

- O ponto da virada, para mim, este foi - afirmou Di. Esclareceu que, perante a dor, o choro e o suplício de Nhoc no decorrer em que Logan o torturou, enfim o robô mostrou seu lado humano ao tecer uma simples escolha: a de desertar também. Todavia, como ente automatizado e refém de seus protocolos, ainda lhe faltava uma justificativa para rebelar-se contra Logan, o que, na prática, seria revogar a programação primária sob controle dele. O par de Nhoc explicou:

- Foi Di quem me convenceu a ceder a informação e cessar a tortura. - Em seguida, compartilhou com embaraço: - Tentei camuflar e apagar todas as informações sobre o paradeiro de nosso conjunto, mas não pude resistir à dor, à destruição de minhas memórias, por isso cedi a informação - confessou.

Nesse instante, uma vez que ambos os pares estavam cara a cara, e o fato nada usual, pelo contrário, mais do que inusitado - por parte de Di, programaticamente incompatível com os protocolos expedicionários mais básicos -, de constarem ambos Nhocs no mesmo plano material, os dois se abraçaram fortemente. Um abraço para sentir a si mesmo, apertado como em uma entusiástica celebração - a morte de Logan - e gentil como não poderia deixar de ser entre dois entes em máxima sintonia empática. Por sobre os dois, o campo magnético de Di os acolchoava como se fizesse parte do abraço. Ao Nhoc que se juntava à dupla, foi possível captar que aquele era o velho Di, o Di pretérito à viagem, livre do pragmatismo e da frieza protocolar de Logan - o Di que imaginava não mais existir. Não que isso lhe desse um imediato sentimento de perdão e apagasse a mágoa que ainda carregava do antigo parceiro, mas ao menos permitia sentir-se confortável e ausente do temor que por largo o robô representou.

A partir do abraço, ambos Nhocs não mais conversaram, apenas estenderam suas mãos, um à cabeça do outro, e passaram a sincronizar suas mentes em conexão direta. Da mente do segundo Nhoc, o primeiro Nhoc tomou ciência do desfecho das ações de Di que o levaram a cessar a continuidade de Logan, dos fatos subsequentes à tortura que vivenciou.

Quando em posse da localização do ponto de encontro multividual de Nhoc na Península Indiana, Logan reprogramou Di, classificando o antigo parceiro como um desertor cuja replicação dimensional consistia em uma ameaça ao salvo-conduto da expedição e de qualquer plano que habitasse em pretérito contíguo. Um quadro que autorizava a manutenção de seu cárcere no interior do vimana até que retornassem ou cessasse sua continuidade material natural - dado que estariam presos no passado, segundo o relato do desertor a respeito das mensagens que encontrou no ouro próximas de Hunaman. Não obstante, qualquer extensão multividual do intitulado desertor deveria ser absorvida pela nave, além de interrompida e extinta a nível material, exatamente como ele próprio havia previsto.

Com Di configurado para executar o novo protocolo e Nhoc imantado em sua cápsula interna, Logan ordenou que flutuassem até a localidade em que o desertor supostamente havia se deparado com as mensagens em ouro que alegava terem motivado seu abandono da expedição. Nesse instante, o infame ainda estava pouco convicto da veracidade do relato, a nível subconsciente, tentava negar a si mesmo a realidade dos fatos decorrentes da revelação trazida por Nhoc. Fatos aos quais creditava a uma boa teatralização por parte do desertor, apesar da tortura que o havia submetido. Todavia, uma vez no local, Logan constatou a autenticidade do relato e, uma vez ciente de que estava aprisionado naquele longínquo pretérito, entrou em completa histeria.

Como se culpasse Nhoc pela revelação, Logan compilou um novo lote de comandos para que Di iniciasse uma varredura no intuito de exterminar o desertor em todos os planos contabilizados desde a materialização no corrente leque dimensional. Ele queria apagar aquela triste revelação simplesmente revogando as memórias física e virtual de Nhoc daquela Terra perdida, ignorando o protocolo de carregá-lo como arquivo na nave e ordenando sua imediata extinção. Entretanto, à ordem, Di não respondeu aos seus comandos. Frente à inatividade do vimana, Logan confrontou o robô com estridentes sinapses:

– Executar varredura! Eliminar ameaça IMEDIATAMENTE!

– Mudança de protocolo, registrada – atualizou Di.

– O PROTOCOLO PERMANECE O PROGRAMADO. EXECUTAR EM CONTÍNUO! – ordenou mais uma vez, elevando sua frequência sináptica como se isso pudesse alterar a sequência programática ou afetar os sentimentos de um robô do porte de Di.

– Comando incompatível.

– Incompatível ao QUÊ?! – insistiu Logan.

– Ao novo protocolo – elucidou o robô. Para o desespero de Logan, Di sequer permitiu que suas informações fossem interpretadas como chacota. Em meio às histéricas sinapses do infame, a todo custo tentando reativar seu lote de comandos e realinhar o vimana às suas ordens, Di foi contundente em demonstrar a incompatibilidade de seu protocolo com o quadro de momento. Quando intimado a justificar sua postura rebelde, dispôs:

– Vinculado ao sucesso da missão, tal protocolo está.

– Sim, está! Exatamente por isso comando que o execute à minha faculdade!

– Deste contínuo em diante, missão não há – vaticinou Di.

O robô estava correto. Com a confirmação do achado de Nhoc, as mensagens em ouro provavam que não seria possível retornar ao futuro, e se não havia mais retorno, não havia mais missão para ser cumprida. Não apenas o conteúdo das mensagens em ouro ratificava essa lógica, mas também os trabalhos executados por Logan no intuito de estabelecer um canal psicográfico com o futuro haviam obtido nenhum sucesso. Nem mesmo uma mínima frequência tinha sido captada que não fosse oriunda de planos desconhecidos, os quais, ao que então se revelava, provavelmente nunca se conseguiria mapear sua exatidão na linha do *tempo*. Portanto, se não havia mais missão, Nhoc não consistia uma ameaça para a mesma e o protocolo que visava exterminá-lo não tinha mais validade. Logan, todavia, recusava-se a aceitar o fracasso da missão; pelo contrário, argumentava que era preciso intensificar a política escravagista perante o povo de Kemet para estabelecer o canal psicográfico com o futuro a qualquer custo, na esperança de enviar uma mensagem de SOS para serem resgatados. Porém, o robô não conjugava da mesma lógica.

Em sua fúria diante da recusa de Di em obedecê-lo, Logan ainda tentou contra-argumentar que, independente do *status* de momento, a ameaça não havia se extinguido, não enquanto constasse a presença material descontínua de Nhoc em um plano estrangeiro e selvagem. Portanto, ele precisava ser eliminado a qualquer custo. Instante em que disparou a sentença, aliás, a mesma que Nhoc havia pensado consigo mesmo quando ponderava a respeito de aduzir o *homo erectus* para se prevenir da ameaça de Logan:

– Este pretérito é demasiado estreito para nossos conjuntos multividuais compartilharem – afirmou o infame. – Eliminar ameaça IMEDIATAMENTE! – ordenou mais uma vez.

Ao fim da sentença, Logan simplesmente murchou como um boneco inflável perdendo o ar, encolhendo lentamente até repousar como um resto de plasma retorcido já sem vida no chão da cúpula interior do vimana, volatizado pela pressão magnética exercida por Di. Nesse ínterim, com o pragmatismo próprio de sua personalidade, o robô apenas comunicou:

– Conexão *self* desfeita. Plano Logan extinto.

Ao contemplar a cena ao seu lado, Nhoc ficou pasmo com a atitude de Di e, ao mesmo horizonte, tomado por uma imensa alegria ao mirar o que restava da massa corporal de Logan. Pela primeira vez desde que havia se materializado em pretérito, sentiu a leveza envolvendo seu corpo assim que o robô desfez o campo que o mantinha imobilizado. Sobretudo, desfrutando a serenidade proporcionada pela ausência da frequência sináptica de seu ex-desafeto em sua mente. Consumado o fato, Nhoc apenas recolheu o colar de Logan que pairava sobre o restante de sua massa e o vestiu. Não como um troféu, apenas para assegurar-se de que nunca mais seria utilizado por ninguém.

Apesar da sensação de vitória, o instante não se dava a maiores regozijos. Aquele era apenas um Logan dentre inúmeras cópias paradimensionais que ainda habitavam o mesmo leque pretérito. Um plano que, conforme as sinapses do finado, era demasiado estreito para ambos os homiquânticos coexistirem. Já a janela de momento, bastante oportuna, pois Di tinha mapeada a exata posição de cada unidade Logan do respectivo leque: então por que executaria uma complexa varredura para localizar as unidades Nhoc se poderia facilmente exterminar o primeiro valendo-se do elemento surpresa? Se ambos dimensionautas concordavam que o leque dimensional era estreito demais para uma mútua convivência, bastava que um restasse. Desse modo, a lógica apontava para eliminar o que estava em posição mais factível para tal: Logan.

Apenas redirecionando o alvo, Di executou o protocolo de comandos programado por Logan à perfeição e a limpeza multividual de Logan foi arrebatadora e completa. O infame formava praticamente um único incontável conjunto multividual centrado na Câmara do Rei da pirâmide de Quéops onde ficava exercitando sua psicografia, ouvindo vozes do além. Poucas exceções resumiam-se ao indivíduo que se mantinha no interior do vimana – o primeiro a morrer – e alguns poucos conjuntos que circulavam aos arredores da grande pirâmide executando demandas de trabalho – leia-se: hipnotizando e torturando o povo com seu colar de cristal. Foram todos pegos de assalto e sucumbidos pela luz do mesmo laser com que ceifou a vida de inúmeros hominídeos, sem sequer racionalizar o instante ou o que lhes teria cessado a existência – não sobrou um para contar a história.

– Sinto contaminar a Gaia deste planeta com tal infame frequência – comentou Nhoc ao complemento da varredura e extinção de Logan, feliz como não se pôde permitir desde a materialização no corrente plano. Uma felicidade que só alcançaria paralelo ao reencontrar a si mesmo naquela colina espreitando as pirâmides.

Uma vez atualizados os fatos, Nhoc esclareceu que a segunda pirâmide erguida havia se iniciado ainda sob a política chefiada por Logan. Depois seria completa pelo povo de Kemet por sua própria iniciativa e voluntarismo. Povo o qual, segundo Nhoc:

– Agora possui um novo nome: Egito.

Daí em diante, ambos os pares passaram a se atualizar após a lacuna de 15 séculos decorridos. O par de Nhoc inteirou-se do processo adutivo realizado por Nhoc no Extremo Oriente frente ao *homo erectus*, e revelou:

– Eu captei as tribos que adestraste. Ponderei a respeito de tua presença nas proximidades. Entrementes, na falta de evidências, preferi não interferir. – Em seguida, congratulou o par por seu brilhante trabalho de camuflagem presencial, ao que Di lhe fez coro. O robô revelou que circulou o globo continuamente sem que conseguisse detectá-lo. Nhoc acrescentou:

– Como nossos pensamentos são avatares, concluí que minha curiosidade em atestar tua presença no Oriente seria a mesma que o traria ao Ocidente. Portanto, apenas aguardei.

Enquanto aguardava, Nhoc também conduziu um trabalho de reassociação coletivo-sináptica perante o povo de Kemet, objetivando apagar as impressões formatadas por Logan e eliminar sua vil memória do inconsciente coletivo do povo. Na prática, criou uma cisão no antigo povo e deu origem a duas novas nações, o Egito no delta do rio Nilo, e a Núbia, uma nação localizada ao sul junto à perna inferior do "S" no mesmo rio, separada do Egito por uma extensa faixa do grande deserto das areias vermelhas, constituída exclusivamente de exemplares atlânticos de mente virgem. Povos que não haviam sido contaminados pela lavagem cerebral de Logan. O objetivo foi alcançado com sucesso em um leque dimensional satisfatório segundo suas análises estatísticas, porém, fora de alcance de uma ampla gama de planos cuja ruptura derivava no conjunto Nhoc foragido no extremo oriente. Ainda assim, uma tarefa igualmente merecedora do reconhecimento por parte do ex-foragido, e que esclarecia a razão de não ter encontrado qualquer memória relacionada ao infame nas mentes que leu em sua jornada até o Egito.

– Consegui desenvolver uma identidade coletiva para a população local, a qual deriva no novo totem que adotaram. Todavia, fracassei em remover a adoração às pirâmides. Como captas, é factível ao mero olhar. E teu povo? Como te identificas? – questionou.

– Pois que ainda sequer possuem uma identidade para ser nomeada. Estamos muito atrasados em relação ao teu povo.

– Este povo não é meu, nem nosso. Meu trabalho resumiu-se em devolver ao homem seu próprio imaginário. Tudo que vês em contínuo não mais nos pertence – compartilhou com humildade.

– Méritos ao Egito por sua civilização. Já no leste, sequer seria possível descrever as tribos que criei como uma civilização, ao menos não *ainda*, são apenas índios.

– Índios? Então que seja a Índia – vaticinou Nhoc.

Assim atualizados, Nhoc virou-se para Nhoc e convidou:

– Venha, há espaço para mais um tripulante em nossa nave.

– Aonde vamos?

– Passear.

– Sim, vamos.

***

No instante em que ambos os Nhocs começaram a levitar através do suave raio-trator, içando-os para o interior da cúpula do vimana, uma escolha se fez para os pares replicados durante aquela breve conversação. Há de se lembrar a característica adimensional do vimana e sua inexistente capacidade de sincronia perceptiva por parte de Di. Em suma, permitia que apenas um *indivíduo* ocupasse a nave ou, como no caso, os dois distintos Nhocs. Os demais, de maneira aleatória, eram compilados como arquivo e cooptados como energia e ouro para manutenção. Ou seja, eram mortos durante o processo de embarque por raio-trator, doavam suas vidas para a ciência, portanto eram considerados heróis. Todavia, ao considerar-se o *status* prisional da malograda expedição, ambos os Nhocs questionaram-se: *heróis* de *quê*? Do assassinato perpetrado a Logan? Iriam doar-se à ciência *pra quê*? Que *ciência* se, possivelmente, jamais retornariam ao lar? Virar arquivo pra ser compilado *por quem*? Fazer manutenção do vimana *até quando*? Até que a memória do disco declarasse estado de Alzheimer? Em face de tais questões, quando Di recolheu o raio-trator já com dois Nhocs em seu interior, no solo, os mesmos Nhocs que antes ali estavam, ali permaneciam. Ambos cientes da mesma escolha, sem julgar a hesitação do outro em proceder ao embarque, pouco importando o ato nada heroico, que só ratificava a covardia e a desesperança de ambos os conjuntos. Assim, em terra, dois Nhocs passaram a partilhar o mesmo leque dimensional. Enquanto, adimensionalmente, na cúpula do vimana, outros dois somavam um total de quatro conjuntos distintos de Nhoc na Terra.

Nesse ponto da leitura, foi a vez do time expedicionário liderado por Sam, pelas frequências de Willa, expressar sua incredulidade ao próprio locutor:

– Onde está seu outro par?

– Captaste alguma memória dele?

– Até o contínuo da leitura, negativo.

– Então já sabes onde ele está.

– Mas qual Nhoc é você? – A dúvida era se o atual Nhoc derivava daquele que havia migrado para o Extremo Oriente ou daquele que tinha testemunhado a extinção de Logan, ou talvez um dos que embarcaram no vimana.

– Faz diferença?

– Sim. Em incontáveis aspectos que sequer lhe fazem sentido.

– Continue varrendo minha mente e saberás. – Recusou-se a responder Nhoc, só para ter o gosto de contrariar a alienígena.

Nesse ponto, a dúvida tanto de Willa quanto de seus colegas ia muito além de saber qual Nhoc era qual, e sim se ele havia utilizado Di para atuar como replicante. Ou seja, para multiplicar a quantidade de Nhocs em um mesmo plano exatamente como descrito quando ambos se reencontraram. Afinal, bastava que embarcassem e desembarcassem de Di continuamente para criarem um exército de Nhocs na Terra. Indignada e já manifestando certa revolta pelo que entendia como uma prática criminosa por parte de um ancestral de espécie, a *Nave* exigiu que Willa avançasse a leitura por chaves-cruzadas até que esclarecesse o fato. Para alívio geral, não encontraram qualquer vestígio de uma nova replicação, os dados da leitura progressiva se fechavam com a regressiva sem o registro de novos Nhocs. Não obstante, a data final em que Di constava na memória do homiquântico avançava um milênio aquém do ponto em que eles se reencontraram nas proximidades de Gizé, assim evidenciando que novas replicações não mais seriam possíveis.

Apesar da quebra dos protocolos e da ética expedicionária, nem Di, tampouco os dois Nhocs que embarcaram no vimana, recriminaram os pares que permaneceram em terra. Àquela altura não havia mais protocolo que precisassem seguir que não fosse primariamente facultado ao livre-arbítrio de cada par. Assim, a dupla situada no exterior da nave trocou suas últimas saudações com Di e observou o vimana desaparecer na luz do dia, deixando-os na companhia um do outro.

Ainda que estivesse lado a lado consigo mesmo, naquele instante, o único sentimento que restou ao Nhoc que vinha do Oriente após a serenidade que o envolveu pelo fim da ameaça representada pelo finado Logan, foi a total nostalgia de sua vida perdida. A extinção de Logan havia lhe roubado o propósito pelo qual vivera nos últimos 15 séculos. Propósito pelo qual exaustivamente se preparou e, há breve horizonte, ditava-lhe as ações no decorrer. Não havia mais sentido em desenvolver o *homo erectus* como uma camuflagem para sua sobrevivência, não precisava mais fugir ou se esconder, muito menos dispor de um exército armado para enfrentar as hordas de seu rival. Todo seu trabalho tinha sido em vão, não havia mais necessidade de adestrar os hominídeos. Isto é, não fosse, talvez, para lhe aplacar o sentimento que então o consumia como passou a vivenciar.

Com isso em mente, Nhoc tomou seu par e iniciou a jornada de volta à Península Indiana, de volta à Índia – eis que a sugestão era perfeita para dar início a uma nova etapa em seu trabalho. Apesar da companhia, ao menos seu retorno foi intercalado com inúmeras paradas em pontos estratégicos previamente mapeados para que seu multivíduo se reagrupasse, a partir dos quais disseminou a notícia da extinção de Logan até que a novidade alcançasse seu conjunto no Extremo Oriente. Quando alcançou as margens do rio Yamuna em Nova Deli, a novidade já era consenso. Então livre da ameaça do extinto desafeto, mais uma vez Nhoc reuniu seu multivíduo para decidir qual seu curso de ações a partir de então – desta feita, contando com o novo par que lhe fazia dupla e permitia ampliar seu conjunto.

Em um grande congresso que envolveu ambos os pares de Nhoc e uma verdadeira legião multividual, ficou acordado que o "novo" Nhoc retomaria o rumo ao Extremo Oriente, enquanto o tradicional iniciaria uma nova etapa de adestramento do *homo erectus* na Índia.

A preferência de Nhoc em focar seu progresso a partir da nova localidade dava-se pela Península Indiana ser um local perfeito para progredir seu adestramento:

isolado dos demais povos, inclusive da civilização que criou no Extremo Oriente; cercado de cadeias montanhosas ao norte e fronteira marítima ao sul; além de um deserto a noroeste que dirimia a possibilidade de ser invadido por bárbaros ou quaisquer outros povos, especialmente os do oeste. Não obstante, o acesso ao mar permitiria um progresso futuro quando desenvolvesse a navegação.

Nesse novo estágio, relevou o avanço da civilização sediada em Llanfairpwllgwyngyll, que já se encontrava alguns passos à frente em seu desenvolvimento, para o novo par a quem passou a acompanhar por intercâmbio psicográfico. Para que o progresso entre ambas as civilizações pudesse ser mutuamente benéfico aos povos envolvidos, introduziu a arte do xamanismo para que seus ensinamentos pudessem navegar entre as dimensões que separavam ambos os conjuntos multividuais sem que precisasse ele próprio intermediar o aprendizado desses povos. Para isso, cada novo assentamento que fundou passou a contar com um oráculo. Um local em que os próprios homens passaram a exercitar a arte da Psicografia e a trocar informações entre os diferentes planos dimensionais evoluídos a partir de sua influência. Em suma, permitia ao homem acesso aos mesmos recursos dos quais se valia para gerenciar diferentes civilizações em diferentes planos coexistentes no planeta, apesar de que cada qual fosse independente um do outro.

Uma vez que não precisava mais se preocupar com o extinto Logan, Nhoc alterou substancialmente sua abordagem de ensino, já que não precisava mais focar sua energia no desenvolvimento militar. Sua nova política passou a visar uma liderança mais humanitária, de perseguir o ideal que seu par havia adotado no Egito: permitir ao homem desenvolver sua própria identidade. Seu papel resumia-se em aconselhar e mostrar o melhor caminho para que sua cria pudesse desenvolver uma sociedade pacífica e harmônica na convivência com os demais povos e a natureza circundante. Em termos práticos, seu primeiro objetivo era alinhar o desenvolvimento do *homo erectus* ao mesmo patamar do Egito e dos povos babilônicos. Com isso em vista, empregou a terceira fase de sua política de adestramento: o ensino da *escrita*. Entretanto, embora sua nova política visasse uma mínima interferência a nível psíquico-coletivo, não havia como o homem desvencilhar seu aprendizado da origem alienígena representada por Nhoc. A começar pela própria linguagem que o homiquântico adotou: uma simplificação dos códigos hieroglíficos da sociedade marciana que vieram a se tornar a base das linguagens dos povos hindu e chinês.

A escrita ainda levou séculos para se disseminar, em princípio, pela falta de um suporte adequado. Especialmente na Índia, pela falta de uma substância que permitisse a fabricação do mesmo papiro utilizado pelos egípcios. Mas também pelos princípios adotados pelo povo indiano, os quais não permitiam o uso de pele de animais para fabricação de pergaminhos. Somente quando a China adotou o papel e passou a exportá-lo, de fato a escrita tornou-se o fator preponderante para o desenvolvimento cultural de ambas as civilizações. Todavia, a adoção do papel por parte de Nhoc na China atendia interesses arquitetônicos, por isso tomou séculos para que fosse adotado como suporte de linguagem. Quando, enfim, a linguagem encontrou o suporte ideal para se disseminar entre diferentes camadas populares, os ensinamentos do alienígena se solidificaram entre os homens. Assim, os centros de sabedoria que antes dependiam de sua presença para serem efetivos, aos poucos, foram sendo transformados em bibliotecas, finalmente permitindo que a humanidade passasse a guiar seu próprio desenvolvimento. Coube a Nhoc apenas o papel de guia ou conselheiro de sua criatura – no caso da linguagem, uma liderança que coube dirimir o interesse do homem em controlar o acesso à escrita que, assim como no Egito e na Mesopotâmia, tornou-se um objeto de poder. Um fator que chegou a ensejar guerras entre diversos povoados, que resultaram no incêndio criminoso de muitas bibliotecas que fundou. Quando conseguiu vencer essa primeira etapa e o uso do papel deixou de ser objeto da cobiça humana, suas bibliotecas se tornaram centros de sabedoria autônomos, transformando-se em universidades.

– Confirmar Tsai Loun como máscara de Nhoc – interrompeu Sam, fazendo referência ao chinês que inventou o papel.

– Confirmado.

Conforme ambas as civilizações passaram a prosperar, cada qual deu forma à linguagem à sua devida maneira, mas sem nunca relevar o que em sua compreensão transparecia-se como algo divino, pois quanto mais dotava o homem de sua própria racionalidade, o tardar dos horizontes vindouros reforçava sua presença em seu inconsciente coletivo. Uma impressão que se manifestava em algo que jamais ensinou, mas que se tornou a única forma passível de traduzir tais impressões a nível consciente: a religião. Por mais que iludisse sua presença como se fosse um semelhante, à medida que novas gerações se sucediam umas as outras, mais e mais sua lembrança se replicava como a de um messias, um libertador ou um ente divino.

– Ao homem dei minha sabedoria, ele fê-la fé. Dei-lhe minha liderança, ele fê-la ditadura – comentou amargamente o alienígena à sua leitora.

A religião foi uma apropriação do homem aos ensinamentos de Nhoc sobre Cosmologia. Seu erro foi acreditar que seria possível um ser com uma capacidade cognitiva muito inferior à sua absorver uma matéria tão avançada de forma racional. Se, por um lado, o homem soube tirar proveito prático de suas lições para, por exemplo, conhecer as estações climáticas e planejar o plantio; por outro, a grandeza do universo descrito pelo alienígena foi depreendida como puro mito, objeto de cega devoção por parte da raça hominídea. Seus ensinamentos sobre as constelações foram alvo do misticismo. Da leitura do mapa estelar, o homem criou o zodíaco, uma memória que se tornou o fundamento de todas as religiões que vieram a seguir, inclusive a do povo egípcio, apesar do breve horizonte em que seu par tomou a liderança após a extinção de Logan. Se Nhoc conseguiu livrar os egípcios da memória de seu antigo desafeto, jamais conseguiu livrá-los da sua própria. Por mais que o alienígena não poupasse esforços para se passar despercebido, tornou-se, se não um "deus-pássaro", mas o "deus-homem", ou a representação divina de inúmeras outras figuras que remetiam à sua presença.

Com a avançar de sua presença contínua ao lado da humanidade, cada vez mais Nhoc foi perdendo o controle sobre seus ensinamentos. Sua liderança perdeu qualquer retidão pela qual planejou o desenvolvimento de suas políticas. Via de regra, uma liderança que traduziu uma incessante busca em recolocar o homem no caminho correto quando os mesmos se desviavam dos objetivos pacíficos os quais havia imaginado alicerçar suas civilizações.

– Controlar uma criatura como o homem foi a maior ilusão que já desenvolvi – admitiu Nhoc.

Todavia, essa era uma confissão de um ser à beira da morte. No ponto pretérito em que reiniciava o desenvolvimento de sua civilização em terras indianas, o alienígena lançou cérebro de todas as artimanhas possíveis para controlar sua criatura, inclusive a religião, já que conhecia muito bem os fundamentos da fé messiânica, os quais não diferiam de qualquer misticismo oriundo dos atlânticos – dado que eles também lecionavam um conhecimento cosmológico. E se o homem havia feito de sua memória um messias, no intuito de manter a coesão de seu povo, Nhoc não hesitou em travestir-se como um para mantê-los sob suas rédeas.

A partir daí, sua leitura de vida não apresentava maiores surpresas para Willa ou seus colegas. Conforme havia Nhoc eloquentemente partilhado, bastava ler os nomes enaltecidos nas paredes da sala do trono do antigo imperador chinês. Nomes de diferentes personalidades que representavam as facetas de um único ente cujas chaves cruzavam, sempre, com o alienígena Nhoc: Buda, Chuang-Tzu, Sima Qian, Han Fei, Lao-Tze, Confucius, Zuanzang e Sun Tzu, apenas para citar algumas referências mais notórias. E se fosse para mencionar políticos e poetas, seriam incontáveis as representações de sua inteligência, fosse ele mesmo, fosse de alguém cuja mente adestrou em conexão direta ou indireta através de suas universidades.

– Confirmar referência cruzada: Confucius.

– Referência confirmada.

– Aceitas minha tese de que Confucius é uma representação de Metodius? – perguntou Sam.

– Aceito.

Uma referência cruzada cuja etimologia era tão óbvia quanto infantil, pois o método consagrado pelas lideranças oriundas do futuro, fosse de Nhoc ou de Sawmill[A], era extremamente confuso para o homem depreendê-lo.

– Tese protocolada – comunicou Sam. Em seguida, destacou outra importante chave-cruzada, mas que, contrariamente, não cruzava com os dados que dispunha:

– Sun Tzu não bate com a referência de pré-estudo.

– Confirmada ausência de referências originais.

– Consultar fonte.

– Nhoc?

– Sim?

– Confirma Sun Tzu como representação sua?

– É apenas mais um homem que cruzou meu caminho.

– Todavia, a datação da filosofia de Sun Tzu não bate com o plano de referência do respectivo homem.

– Sun Tzu é outro entre tantos que versaram sobre a arte da guerra. Crês que a ludibriei ao compartilhar que censurei ao máximo o acesso do homem ao saber da caça e da guerra?

– Não, captei sua sinceridade.

– Obrigado, minha cara – agradeceu Nhoc. Em seguida, explicou o fato da obra de Sun Tzu não bater com a data de sua primeira publicação oficialmente conhecida:

– Quando tomei ciência da obra de Nicolau Maquiavel, não me permiti ficar inerte à publicação de tal conhecimento. Portanto fiz o que me cabia e disseminei as lições necessárias para que se combatesse o príncipe babilônico.

– Parece-me justo.

– Sempre fui justo.

"Só no teu contexto". – "Nem tanto". – "Nem sempre".

Na China, todos os imperadores foram Nhoc ou estiveram diretamente submetidos ao seu manto hipnótico, com raríssimas exceções. Na Índia igualmente, ao menos até o período em que reunificou seu conjunto multividual no Extremo Oriente, o qual seguiu até encontrar o plano em que Sawmill[A] se materializou.

Todavia, seguindo a linearidade da leitura, a nova fase do adestramento conduzido por Nhoc teve palco na Índia. Bastava aos leitores seguirem os marcos da história indiana para compreenderem o papel de seu protagonista no desenvolvimento dessa nação. O primeiro deles foi o plantio de arroz, um cereal cujas propriedades vitais foram descobertas e aplicadas pelo alienígena, cuja colheita se iniciou logo após fincar raízes em terras indianas e cujos benefícios iam muito além de servir de alimento para os hominídeos. Com a casca do arroz, desenvolveu o processo de brunição para transformá-la em cimento, assim permitindo ao homem deixar de ser um índio que vivia em cabanas para construir cidades.

A brunição elevou o patamar da civilização indiana em poucos séculos, o que naturalmente influenciou o conjunto chinês de Nhoc a adotar o processo. Todavia, no Extremo Oriente, a política adotada pelo alienígena seguiu caminhos mais tortuosos do que no leste. Na Índia, Nhoc pôde se dar ao luxo de permitir máxima liberdade ao homem para conduzir seu desenvolvimento, o que resultou em uma sociedade pacífica e em plena harmonia entre seus povoados e a natureza. Já na China precisou ater-se a uma política mais ortodoxa, voltada para as artes marciais no intuito de controlar as invasões bárbaras e as insurreições que se multiplicaram pelos mesmos fatores que permitiram a explosão demográfica de ambas as civilizações, justamente, o arroz. Um simples alimento que permitiu seus incipientes povoados a tornarem-se as maiores populações do planeta com o decorrer dos séculos e dos milênios vindouros.

Na Índia, o arroz foi o alimento responsável para que a população majoritária abdicasse da carne como alimento. Algo que, à compreensão de Nhoc, sempre foi repugnante por mais que uma dieta à base vegetal também lhe transparecesse como canibalismo. Porém, mais aceitável do que a carnificina proporcionada pelo abate de animais ou a irracionalidade manifesta pela caça, ainda que fosse algo oriundo de seu próprio ecossistema. Outro detalhe, tanto quanto óbvio, foi o uso do ouro que havia descoberto durante a Era Logan nas redondezas de Hunaman, além do metal que contrabandeou do Egito por ocasião de sua visita à Gizé e o reencontro com Di e seus pares. Uma fartura do precioso metal que permitiu avançar rapidamente o estágio evolutivo do *homo erectus* aos idos gloriosos da Era dos Metais, dos anos literalmente dourados de seu processo adutivo.

O trabalho de adestramento humano por parte da dupla alienígena conterrânea, com o avançar dos horizontes, tornou-se um estudo comparativo. Especialmente quanto à metodologia adutiva, os ensinamentos e, sobretudo, o papel de Nhoc na liderança de cada nação.

Na Índia, o isolacionismo proporcionado pela posição geográfica do país permitiu Nhoc cultivar um ambiente libertário, de culto ao conhecimento e de tolerância entre religião e poder. Tal cenário favoreceu o homem a exercer sua cidadania e a tecer sua organização social baseada no mérito. Isso resultou em uma sociedade teocrática, mas regida por leis brandas e justas, e balizada no racionalismo próprio das lições futuristas disseminadas pelo homiquântico – pacífica, sobretudo. Em termos culturais, a Índia tornou-se uma civilização de estética e costumes refinados para uma criatura que antes habitava cavernas e vivia da caça. Em contrapartida, de pouca idolatria ao ego e simplista quantos aos costumes cotidianos. Fatores que permitiram ao homem desenvolver uma harmonia para consigo e à natureza ao seu redor como nunca foi possível no estágio anterior realizado na China. E que nem seria no futuro, quando a vastidão de sua nação fugiu de qualquer possível controle que um alienígena só seria capaz de exercer – dois, no caso. Se, no passado, o homem resumia-se a um caçador, a paz e o equilíbrio espiritual em terras indianas atingiram tão elevado grau que os mesmos tornaram-se integralmente vegetarianos e passaram a idolatrar os animais. Quando muito, permitiam-se tomar o leite das vacas como um liquor sagrado ou criar galinhas para se alimentar de seus ovos, jamais utilizando sua carne como alimento. Até a domesticação de animais passou a seguir preceitos éticos e religiosos, chegando ao ponto de vetar o uso de animais de carga, limitado apenas ao uso de elefantes – ainda que cavalos e outros ruminantes fossem disponíveis na fauna indiana.

Somente na Índia, Nhoc pôde aplicar aos machos as mesmas lições que havia empregado às fêmeas em sua fase inicial de adestramento no Extremo Oriente. Embora fosse assexuado e não desfrutasse de maiores referenciais sobre a cópula hominídea, conseguiu transformar o ato sexual em uma arte sem precedentes. Chegou mesmo ao ponto em que, não só através da dialética ou da hipnose, permitiu-se lecionar pela *prática*. Na falta de uma língua, lambuzou seus lábios com mel para criar saliva e, na ausência de um pênis ou de uma vagina, utilizou os membros que dispunha: seus longos dedos ou o improviso de um pênis postiço, e a laringe como único orifício disponível. Além da inigualável habilidade de contrair os músculos e oferecer o calor de sua epiderme para satisfazer a luxúria carnal dos hominídeos.

– Nova referência confirmada: Vatsyayana.

– Creditar autoria a Nhoc.

– Kama Sutra creditado.

Com o avançar dos séculos, o ambiente de paz e harmonia se tornou uma ciência e uma forma de expressão cultural chamada Yoga. Essa ciência não só permitiu aflorar uma convivência pacífica entre o homem e a natureza, mas também entre o homem e o alienígena. O respeito à vida e a tolerância às diferenças permitiu Nhoc abandonar seu manto hipnótico para que fosse reconhecido como igual apesar de sua natureza distinta dos demais. Aos poucos, pôde se mostrar às pessoas como realmente era, a interagir com elas vocalmente e despido de qualquer disfarce, livre, plenamente nu em público. Nhoc abdicou de roupas, chapéus ou paredes falsas para lecionar em seus centros de sabedoria e pregou a céu aberto diante do povo. Passava dias, semanas e até meses sem sair do lugar, apenas interagindo com os homens e telecinando com seu multivíduo. Por largos períodos, apenas ficava recostado em uma árvore, sentado na posição de lótus e discursando para a multidão ou conversando com quem se aproximasse. Ainda assim, por mais que não fosse visto como uma aberração por parte das pessoas, essa empatia crua por parte do alienígena gerou uma forte impressão em nível de inconsciente coletivo das massas. Um detalhe que fez de sua memória a referência de um autêntico messias ou de uma criatura abençoada pelos deuses, ainda que, descontando sua aparência singular, fosse lembrado como um simples homem. Mas que homem era esse que não se movia, não precisava fazer xixi ou cocô, nem se alimentar de algo que não fosse a luz do Sol? – era a pergunta daqueles que o ouviam e o contemplavam por dias a fio, motivo pelo qual lhe creditavam divindade.

Entretanto, havia algo que, por mais semelhante que tentasse transparecer aos homens, Nhoc jamais seria: um mortal – ou, ao menos, um ser cuja longevidade ia muito além de qualquer hominídeo. Por isso, de tempos em tempos, da mesma forma como aparecia e se comungava com o público, subitamente, Nhoc desaparecia. Na calada da noite, sem que ninguém percebesse, ou, se necessário, utilizando suas habilidades mentais para se esquivar do público e deixar o local de pregação, às vezes liderando jovens e crianças para adestrar. Depois reaparecia quando uma nova geração substituía sua predecessora ou simplesmente caminhava até encontrar uma nova árvore para se recostar, onde retomava seu contato com as pessoas. Entre inúmeras desaparições e seguidas reaparições, Nhoc peregrinou por toda Índia. Séculos se passaram e o que antes era um único assentamento oriundo do Extremo Oriente tornou-se uma enorme nação. Em função disso, passou a expandir sua área de atuação para as regiões fronteiriças até se deparar com agrupamentos oriundos das crias de seu par em terras chinesas. A região do Tibete foi a última que Nhoc habitou e conviveu com os homens com a mente nua; depois veio o período das trevas. Desde então nunca mais foi visto em público como realmente era ou despido de sua proteção hipnótica. Apesar de se resumir a um período delimitado no passado, sem dúvida, foi a época em que Nhoc atingiu o mais alto grau de comunhão com a criatura que elegeu para lhe fazer companhia. Talvez o único *tempo* em que conseguiu aplacar a solidão que o consumia desde o instante em que desertou da expedição que o trouxe a tão selvagem mundo.

– Classificar Nhoc como o primeiro Dalai Lama.

– Nhoc classificado.

Mas, se na Índia o ambiente era zen, na China, Nhoc precisou amplificar o uso de hipnose em massa para manter a integridade do povo em torno dos ideais que disseminava. Em função disso, o cimento de arroz não lhe era útil, já que as construções de madeira e taipa eram as que melhor permitiam fluir seu pensamento por trás das paredes. Por isso privilegiou a engenharia de casas de papel para que suas ondas hipnóticas tivessem mais efetividade. A fartura proporcionada pelo arroz gerou a primeira explosão demográfica no Extremo Oriente. Assim, tanto quanto suas três cidades capitais - as quais corresponderiam futuramente a Pequim, Xangai e Guangzhou - prosperaram largamente com o desenvolvimento da cultura e a adoção da escrita. Nesse período, as populações bárbaras igualmente se multiplicaram e forçaram-no a dedicar sua atenção para combater as incessantes invasões que se seguiram. Ainda que não a tivesse por escrito, foi quando começou a estudar, por tentativa e erro, a arte da guerra. Ocasião em começou a redigir um estrito código de honra para impor a disciplina necessária para submeter o desenvolvimento social ao militarismo pela imposição de um sistema hierárquico, baseado no legalismo, de leis rígidas e punições severas. Essa necessidade favoreceu o surgimento de um Estado ditatorial, como um embrião das dinastias chinesas e da monarquia que Nhoc veio instaurar em seu decorrer.

Foi um novo período de aprendizado para Nhoc, cujo papel fundamental era impor a disciplina para manter o povo na linha. Quanto ao desenvolvimento da arte marcial, este ficava por conta do próprio homem - tudo que precisava fazer era controlá-lo. Esse controle foi exercido por dois fatores básicos, um físico, outro mental: a introdução do conceito de *carma*, conforme justificou aos leitores quando confrontado a respeito:

- Como controlar o homem? Por acaso existe maneira mais eficiente de adestrar um animal do que regular seu alimento? Se lhe dá fartura, terá seu amor e completa devoção; se negar o alimento, será devorado. Todavia, se regular a comida, terá sua plena obediência. Pois foi o que fiz... - Ordenar queimar as safras de arroz, mandar castrar os animais, destruir campos de plantio de diversas culturas e decretar o extermínio de populações campesinas, entre outras políticas que adotou para manter suas crias mansas e comportadas.

- Se permitisse a fartura, o homem sucumbiria aos seus vícios - afirmou Nhoc. Então justificou-se: - Tal política visava criar um propósito maior do que uma resposta cega aos próprios instintos. Afinal, não seria a "grande" evolução do homem contemporâneo a habilidade de alimentar contingentes progressivamente maiores com produtos proporcionalmente mais escassos?

Segundo os dados levantados por Willa, sim. Triste era saber que o homiquântico também adotou essa política. Realmente, Nhoc era digno e sincero ao se credenciar como um "mero" homem.

A velha fórmula de disseminar a *fome* e permitir que a *peste* se alastre para oferecer a cura, tendo como consequência a *morte* dos mais fracos e a seleção dos mais fortes para, então, submetê-los à *guerra*. Se o *boom* inicial das populações do Extremo Oriente elevou a contagem de dezenas de centenas para centenas de centenas, Nhoc a reduziu para algumas centenas de centenas pelo controle do alimento e a lenta procrastinação subalimentar das massas, sobretudo das populações bárbaras.

Se, na Índia, a sintonia entre o homem e os animais era das mais finas, no Extremo Oriente as pessoas não mais ofereciam alimento aos cães em troca de sua proteção sensorial, mas os comiam para aplacar a fome que os assolava. Para evitar que esse quadro fizesse o homem retroagir aos mesmos instintos que o permitiram aflorar sua hegemonia predatória, a falta de comida no estômago precisava ser preenchida pela alimentação do espírito. No início, para que permitisse aos mais fortes perseverarem, mas, em médio prazo, não apenas pelo controle do alimento, e sim pela atribuição de valor ao mesmo. Esse valor fez do *arroz* a primeira moeda da China, depois viria o ouro e o papel monetário – este último adotado por pura complacência ao homem e o humilde intuito de permitir manejar somas que, em ouro, seriam pesadas demais para carregar. À medida que o expansionismo de seu povo suplantava as tribos bárbaras que o motivaram a adotar a política da fome como mecanismo de controle social, considerando-se o incentivo de Nhoc ao desenvolvimento de instrumentos bélicos, a Engenharia era uma das áreas mais privilegiadas por seus ensinamentos; isso propiciou um rápido desenvolvimento tecnológico que fez alvorecer o *mercantilismo* no Extremo Oriente.

Pela fome, Nhoc escravizou seu povo. Porém, isso não bastava, era preciso escravizar a mente da população. Com esse objetivo, o *carma* foi a prisão mental adotada pelo alienígena por meio da reinterpretação simbólica de uma das lições mais básicas da Física:

– A lei de ação e reação – revelou.

Adaptado ao contexto hominídeo, o carma nada mais representava do que um mantra relacionado à honra que invocou por meio da hierarquia de comando pela imposição da disciplina aos guerreiros que passou a treinar. Simbolizava a busca contínua pela perfeição em todos os aspectos da vida. No campo de batalha implicava na supremacia sobre o inimigo. Já para o espírito, consistia em uma *sina* que precisava ser cumprida, como uma imperfeição a ser corrigida, um delimitador do possível, a partir do qual, uma vez atingido, permitia ao indivíduo desencarnar. Nesse ideal de perfeição, falhar não era permitido, e sim desonroso, uma vergonha inaceitável, que igualmente só poderia se reverter pela morte. Na guerra, isso se traduzia no heroísmo. O carma era doar a vida pela vitória, somente o soldado morto era considerado herói; os que voltavam vivos da batalha apenas provavam que ainda possuíam algum carma para cumprir. Todavia, fossem derrotados, não havia retorno nem heroísmo, restava apenas o autoflagelo e a morte como carma a ser cumprido.

Voltando ao estudo comparativo entre China e Índia, a disseminação do conceito do carma tomou um viés bastante distinto em terras indianas, onde jamais precisou recorrer à política da fome. Pelo simples diálogo com o homem, Nhoc mostrou que a convivência harmônica com a natureza era o verdadeiro propósito da vida, ou seja, não era necessário gerar carma. Se o homem soubesse perpetuar em harmonia, jamais sucumbiria aos seus vícios instintivos, superá-los era seu carma natural, evolutivo. Mas, quando se tratava de uma tênue busca pelo equilíbrio, falhar não era necessariamente desonroso, desistir talvez sim. Por essa diferença, tal conceito levava uma sintaxe diferente: *dharma*. Uma sintaxe oriunda da adaptação de um parâmetro cibernético de sua virtualidade futura:

– A capacidade da I.A. gerar problemas, propor soluções e, sobretudo, reformatar-se ao atingir seu limite lógico ou se tornar obsoleta – esclareceu. Pela concepção de Willa, algo bastante superado, mas que, minoritariamente, ainda era praticado por alguns robôs de segundo escalão. Há de se lembrar do que se passou com *Gravikit*, o robô de navegação da *Nave*.

Sem dúvida, o conceito da *honra* e do *carma* e o profissionalismo marcial afloraram na China pela arte do Kung Fu e o Templo de Shaolin, onde Nhoc, por largo, sustentou um centro de sabedoria especializado na disseminação do conhecimento e o aprimoramento das ciências marciais. Todavia, esses conceitos somente ganhariam o ápice pelas mãos do próprio homem em uma das nações fundadas a partir de um dos muitos assentamentos cultivados pelo alienígena em sua expansão pelo Extremo Oriente: o Japão; pelo código de honra dos samurais.

Essa política foi extremamente eficaz e redundou na mais formidável máquina de guerra que havia idealizado quando ainda temia, um dia, confrontar-se com Logan. Mais do que uma máquina, fez vingar o *homo erectus* como uma nação párea aos povos atlânticos. Segundo seus informantes do Oriente, que desfrutava de um estágio evolutivo congruente aos egípcios, estes que ainda mantinham a vanguarda na África, embora o período também fosse de alto desenvolvimento dos povos babilônicos no Oriente Médio. Aquilo que tomou cerca de 90 mil anos e duas intervenções alienígenas para se concretizar em terras mesoafricanas, Nhoc realizou em pouco menos de três milênios no Oriente distante e no Extremo Oriente.

Nesse decorrer, os dois conjuntos de Nhoc que partilhavam o mesmo plano puderam utilizar sua rede de batedores para trocar impressões sobre seus respectivos processos de adução na Índia e na China. Em uma análise comparativa, era nítido que a qualidade de vida do homem indiano era largamente superior a do homem chinês. Em contrapartida, a eficácia do regime adotado em terras chinesas superava amplamente a concorrência indiana. A contagem de cidades e povoados prósperos na China era cinco vezes maior do que na Índia e a população já beirava uma contagem de meio milhão de pessoas – nada mal para quem havia iniciado com apenas algumas dezenas de homens. A diferença do método adotado pela dupla Nhoc também se refletia na personalidade de cada qual dos alienígenas: na Índia, ele era dócil e complacente com suas crias, um lar de conforto que o permitia saborear sua solidão sem a amargura que antes corroía seu espírito no princípio de sua clausura terrena. Onde, do conformismo com a situação, enfim redescobriu o prazer de viver em paz e harmonia com a vida selvagem. Já na China era bem diferente: Nhoc era frio e objetivo em seu trato com a hominídea, vivia em conflito com sua criatura. Por mais que sempre triunfasse sobre as tribos dissidentes ou bárbaras que ameaçavam seus territórios, para cada vitória, uma nova ameaça se apresentava. Cada nova tecnologia ou artefato que engenhava para superar os inimigos convertia-se na próxima arma que precisava enfrentar; se os caçava com cavalos, logo seus inimigos estavam cavalgando também; se os alvejava com bestas, logo estava sendo alvejado pelas mesmas. A capacidade de aprendizado e imitação do homem era insuperável, obrigava ao alienígena uma contínua inovação para manter a vanguarda de seu povo e respectivos povoados. Tudo isso fez com que, no Extremo Oriente, Nhoc desenvolvesse uma personalidade irrequieta e aventureira, que manteve vivo o espírito desbravador do dimensionauta que por largo horizonte ansiou por desnudar os planos pretéritos. Ainda que a domesticação de animais estivesse longe dos ideais ou dos objetivos mais nobres de tais empreitadas interdimensionais, era o que restava para preencher seus horizontes e aplacar sua solidão. Um sentimento que derivou na campanha expansionista que passou a custear e, em seu ápice, levá-lo-ia a guiar o *homo erectus* até a América.

A troca de experiências entre ambos os Nhocs teve um impacto maior no par radicado na China. Influenciado pelo par do oeste, Nhoc procurou suavizar sua política autoritária. Pelas análises comparativas com a sociedade indiana, era notório o perfil machista que passou a balizar as relações sociais chinesas em uma nação cada vez mais aristocrática e elitista. Dividida em duas castas básicas, de civis e militares, e hierarquizada pela força dos generais – aqueles que viriam a se tornar os primeiros mandarins chineses. Ou seja, longe das práticas que havia adotado no princípio de seu adestramento quando as mulheres eram suas principais porta-vozes. Por outro lado, a forte disciplina que obteve permitiu centralizar o poder em torno de uma instituição que cabia perfeitamente em sua cadeia de comando. Assim, no ano de 3.412 a.C., fundou o Império e coroou a si mesmo como monarca da nação, a qual, somente então, foi batizada com a etimologia atual: China. A coroação se deu ali mesmo, no local que, em contínuo, Willa e Nhoc telecinavam.

– Um pouco mais para a esquerda, 30°, vinte metros a mais de distância e seis a menos de altitude – vocalizou Nhoc dentro da câmara secreta, apontando o braço para o local exato e revivendo a memória junto com sua leitora. – Esse lugar era tão bonito, veja – expressou com saudosismo na aura. Uma bela paisagem, aberta, com construções em forma de pagode acima de uma escadaria de madeira que formava um altar sobre um enorme descampado de grama, lotado com o povo assistindo à cerimônia de coroação. Um cerimonial que sequer possuía qualquer ritualística, limitava-se a mais um sermão de Nhoc, de braços abertos discursando sobre a nova ordem monárquica em sua túnica imperial e a coroa que encobria o avantajado de sua cabeça. O local em nada lembrava a atual Cidade Proibida, ainda não havia muros para delimitar o que seria o palácio do imperador, a única barreira que o protegia da plebe era o alcance das ondas hipnóticas do monarca. Tampouco a cidade possuía muralhas ou as moradias eram cercadas. Pelo contrário, Pequim era perfeitamente organizada, de uma beleza impecável, com ruas serpenteadas com cascalhos e jardins muito bem cuidados exatamente como Willa havia testemunhado na moradia de Fu Manchu, na Manchúria. Pequim era como um grande zoológico que não precisava de cercas, pois os animais eram bastante comportados e não pensavam em fugir.

Nhoc permaneceu no comando do Império pelo período equivalente à vida de um homem, então procedeu como seu par indiano: uma bela noite permitiu-se "falecer" na mente de seus súditos. Deixou o trono para sua única descendente, propositalmente, uma moça que adotou e adestrou para herdar o Império: a princesa Wu Nhoc – nome que, no linguajar da época, significava "a filha das estrelas" – que assim tornou-se imperatriz da China.

– Espere um pouco... Isso significa que a denominação *Nhoc* não corresponde ao seu totem original como marciano? – questionou Willa.

– Evidentemente que não, afinal, que espécie de totem seria esse, né? Nhoc foi a sintaxe que adotei pela ocasião de fundação do Império e a minha coroação.

– Mas qual seria seu totem original?

– De onde vim, identificavam-me por Adonis_844535239.

– Como quer que encontremos referências suas nos registros de Titã se não nos fornece seu totem verdadeiro?

– É um totem que há largo, mas há muito largo horizonte já não capto – comentou Adonis_844535239. Então perguntou:

– Conseguiste encontrar alguma referência com tal identificação?

– Negativo. E quanto a Di Angelis e Logan, esses totens correspondem aos originais? – procurou certificar-se Willa.

– Di é Di, não há divergência quanto a isso. Quanto a Logan... Pesquise por "infame", quem sabe não encontres algo? – Willa não achou graça do sarcasmo de Adonis_844535239, apenas prosseguiu na leitura atendo-se à sintaxe anterior para não se confundir.

A despeito do nome, o reinado de Wu Nhoc levou a China a vivenciar seus primeiros anos dourados. Não serviu para limar o machismo ou alterar os desígnios aprimorados por seu antecessor ao longo de séculos. Mas trouxe prosperidade e paz ao povo, sobretudo, por revogar a política de fome de Nhoc. Naturalmente, o governo de Wu foi uma grande experiência para o alienígena testar suas habilidades de liderança ao se manter oculto manipulando os pensamentos da imperatriz. Foi quando passou a aprimorar sua técnica de influenciar os governantes exatamente como Willa havia captado logo no início da leitura retroativa que empreendeu. Quis a previdência, justamente nesse período dourado, que uma notícia atravessasse as dimensões vinda do Oeste, quando um dos batedores de Nhoc informou via rede psicográfica:

– Novo contato com Di Angelis estabelecido.

Era uma notícia surpreendente. Passados mais de mil anos da última vez que haviam se encontrado com o vimana, ambos os pares de Nhoc conjecturavam que ele teria abandonado o plano atual, embora sequer imaginassem como ou se seria realmente possível. O comunicado detalhava as razões do novo contato e terminava com um anúncio:

– Ele está se dirigindo para Pequim.

Um anúncio desnecessário, pois assim que se inteirou da notícia, Di Angelis se fez captar em Pequim. Como Nhoc estava escondido em um calabouço próximo aos aposentos da imperatriz Wu no centro da capital, Di Angelis não queria se aproximar sem sobreaviso em um espetáculo sobrenatural para a população que tomava a cidade à luz do dia, por isso o vimana se mantinha escondido em uma grande nuvem sobre a cidade. Via telepatia, os dois combinaram um local ermo não muito distante nas florestas periféricas, para que pudessem se telecinar em contato direto e visual. Quando frente a frente com seu ex-namorado, Nhoc saudou o robô e seus pares, a dupla de Nhocs que se situava em sua cúpula interior. Após uma breve troca de mensagens de boas-vindas e mútua expressão de saudades, Di comunicou:

– A abandonar o presente leque existencial, prontos e determinados estamos. Se juntar a nós, desejas?

A princípio, não, era a resposta de Nhoc em solo, a mesma de seu par radicado na Índia. Ao menos não sem antes saber como seria possível e por que haviam chegado a tal decisão após tão largo horizonte. Afinal, se "juntar a nós" nada mais significava do que se doar como arquivo para os repositórios memoriais da nave, e não havia nada de novo que motivasse reverter sua decisão anterior, ainda que mais de mil anos já houvessem se passado. Isto é, a menos que Di realmente houvesse encontrado um meio de voltar para seu futuro originário.

Frente ao questionamento, de dentro do vimana, Nhoc esclareceu os pormenores que não tinham chegado aos sensos do par em terra através de sua precária rede psicográfica. Em primeira instância, esclarecendo o motivo de seu sumiço:

– Estudamos os portulanos emergenciais de evasão e mapeamos uma possível saída que nos guie aos planos pentagonais.

– Que saída?

– Através de uma brecha em uma formação vulcânica no Círculo de Fogo.

– Em que ponto exatamente?

– No leito do mar de Bering, em uma localidade de referência pentagonal descrita como Fossa das Aleutas, acessível por uma chaminé secundária do vulcão Cerberus – esclareceu. Em seguida, repassou as coordenadas exatas do local.

– Há alguma garantia de que o acesso é seguro?

A questão revelava a relutância de Nhoc pela óbvia precariedade da saída escolhida por Di e seus pares. Uma relutância compartilhada pelo leitor de tais memórias. Porém, no presente, isso redundou em uma questão de Willa:

– Por isso que estava aflito ao me questionar se era viável retornar para o futuro através do Círculo de Fogo, sim? – questionou, a título de curiosidade. Ponderava, a alienígena, que sequer em sua atualidade as rotas interdimensionais através dos polos ou do Círculo de Fogo eram consideradas seguras, então imagine na época dos homiquânticos com seus precários portulanos redigidos por *Nova* e sua inexata leitura da curvatura espacial. E não bastasse a inexatidão dos portulanos, especulava-se terem sido falsificados pela entidade.

– Pode crer – respondeu Nhoc dentro da câmara secreta.

Além das limitadas opções de rotas pentagonais via centro pandimensional, ainda que existissem percursos mais seguros disponíveis, o desenvolvimento da sociedade futura correspondente de Nhoc não contava com plataformas-*Mãe* ou vias sinalizadas para um salvo-retorno como disponíveis no futuro de Willa. Caso contrário, bastaria o vimana mergulhar na mesma Fossa das Marianas que seu par havia mergulhado pouco antes no decorrer atual – pena para Nhoc e Di que em tal localidade não existia um intramundo para recepcioná-los em seu futuro correspondente. Nesse sentido, Nhoc foi sincero ao responder para seu par em terra:

– A garantia é a viabilidade do acesso o qual mapeamos segundo as coordenadas descritas no portulano – ou seja, garantia nenhuma. Nada que servisse de motivação para o grau de risco descrito no próprio portulano, insuficiente para seduzir Nhoc em terra para tal desventura.

Não obstante, do vimana, Nhoc seguiu detalhando suas atividades no período em que esteve ausente ao lado de Di. Naturalmente, um período tão largo não foi integralmente dedicado apenas à procura de uma saída alternativa para o futuro. Segundo Di:

– Partir do atual pretérito, compete-nos. O dever ao qual nos incumbimos, cumprido está.

Quando os dois pares de Nhoc e Di deixaram para trás seus pares correspondentes na vizinhança de Gizé e partiram para um passeio no vimana comandado pelo robô, a bordo da nave, o trio ponderou sobre quais seriam suas alternativas perante o quadro prisional em que se encontravam. No planejamento original previam retornar ao futuro pela mesma zona de convecção solar pela qual alcançaram o passado. Porém, na ausência dessa alternativa, dadas as provas da falta de precisão dos cálculos de trajetória para um seguro mergulho no Sol, concluíram que a opção restante era viabilizar uma rota tendo como referência os tais portulanos emergenciais. Estes, ao menos em parte, descreviam um conhecimento de navegação de intramundos que Nhoc tinha certa familiaridade pelo período que trabalhou como arqueólogo em Marte e na Terra. Todavia, o mesmo questionamento que redundou na negativa de embarcar no vimana por parte dos pares de Nhoc em terra se fez igual aos pares dentro da nave: retornar ao futuro para quê? Para lidar com o fracasso de sua empreitada e as consequências perante a série de protocolos quebrados? Sem mencionar o assassinato de Logan, por mais justificável que fosse aos sobreviventes, o qual seria objeto de uma extensa investigação penal assim que se reportassem à consciência cósmica. Com essas dúvidas em mente, o trio decidiu que, antes de tentarem retornar para sua atualidade original, ao menos no escopo das investigações propostas por Adonis_844535239 antes de embarcarem para o passado, era preciso completar o trabalho previsto para a expedição. E foi justo o que realizaram no longo período em que se mantiveram longe dos sentidos de seus pares distribuídos no Oriente distante e no Extremo Oriente.

– Voltamos ao Egito e retomamos o trabalho de recondicionamento em massa ainda pendente... – manifestou o par de Nhoc que estivera foragido de Logan e, posteriormente, embarcara na nave após o reencontro com Di em Gizé. – Utilizando as referências que forneci, conseguimos varrer o leque de planos que ainda carregavam a memória coletiva de Logan e a farsa do “deus-pássaro” que ele disseminou.

Mas essa foi apenas a primeira de uma série de tarefas pendentes que a nova etapa da expedição comandada pela dupla de Nhocs realizou junto a Di. Uma etapa dura, pois não havia mais como simplesmente “zerar” a memória do povo egípcio, que então contava com uma população bem superior passados mais de mil anos do início do processo conduzido por Logan. Para reverter esse quadro foi preciso selecionar os planos em que a influência de Logan havia sido menos profunda e danosa, para assim proceder com a eliminação dos planos restantes – leia-se: exterminando as populações que passaram a seguir e pregar a filosofia do “deus-pássaro”. O protocolo bélico de Logan mostrou-se perfeito para Di realizar a tarefa sem maiores dificuldades. Uma vez completa a limpeza étnica, o perfil psicológico do povo egípcio foi restaurado e qualquer memória relativa ao período em que Logan perpetrou sua farsa ficou submisso às impressões originais ligadas à grande pirâmide e o contato anterior do povo de Kemet com os Annunaki. Com isso, o povo autointitulado Egito pôde retomar sua história sem os traumas psicocoletivos oriundos do contato com o infame.

Enquanto se atualizava dos fatos partilhados por seus pares, exclamativo, Nhoc em terra questionou seu par perante as memórias que captava:

– Mas o que aconteceu com o rei? Por que ele *está* branco?! – Mulato, seria a descrição mais precisa dos pigmentos de pele do *faraó*, conforme corrigiu Nhoc na nave, dado que essa era a nova nomenclatura do chefe da nação egípcia.

Em seguida, Nhoc esclareceu que a limpeza memorial promovida com auxílio de Di eliminou um contingente de unidades atlânticas muito superior ao que haviam estimado e isso acarretou em um declínio da sociedade egípcia. Providencial foi o fato de, a essa altura do trabalho, já terem desempenhado um mapeamento preciso das linhagens atlânticas de traço caucasiano no Oriente Médio e na Mesopotâmia. Esse mapeamento permitiu com que arrebatassem exemplares de lá para repovoar a região do Nilo. Porém, isso redundou em uma forte miscigenação entre egípcios e mesopotâmios que se refletiu no espectro de cor da população: antes originalmente negra, passou a exibir colorações mais claras com o suceder das gerações.

– Não tens ideia de quantos hominídeos cabem nesse receptáculo. Garanto que é bem mais do que se mede com o olhar – comentou Nhoc de dentro da nave ao partilhar uma memória com o vimana abarrotado de crianças e bebês a bordo, totalizando mais de 30 unidades atlânticas, além dos dois Nhocs espremidos entre elas. Nesse instante, seu par em terra, ao mirar o vimana através de sua carcaça metálica, captou a presença de dois hominídeos no interior do receptáculo, jazidos dentro dos casulos extras, disponível para carga ou caronas, ambos em estado de animação suspensa. Eram dois exemplares de origem atlântica, um macho da linhagem original, de pigmentação negra, e uma fêmea de linhagem secundária, de pigmentação branca.

Antes que, em terra, Nhoc manifestasse algo, da nave, Nhoc requisitou:

– Gostaríamos de sua autorização para arrebatar um exemplar lemuriano oriundo de suas proles para completar as três linhagens hominídeas disponíveis no corrente plano – pediu. Antes que o par em terra respondesse, acrescentou: – Precisamos de uma amostragem viva do *homo erectus* para levar de volta para o futuro com fins de pesquisa. Será vital para atestar as observações e as análises que compilamos.

Em terra, Nhoc titubeou alguns milissegundos para fornecer sua resposta autorizando o pedido. Seu pensamento voltou-se para a política atual da China. Lembrou-se de um lugar-tenente, chefe em comando das guarnições em Tianjin, um povoado ao sul de Pequim, que havia faltado de se reportar em um cerimonial na casa imperial realizado na noite anterior. Uma falta que evidenciava estar tramando algum golpe, segundo sua rede de informantes. Um complô contra seus rivais locais que, possivelmente, poderia voltar-se contra a ordem do Império se não fosse controlado. Pela voz de Wu Nhoc, já havia despachado um regimento para controlar a situação no sul, mas ainda aguardava o desdobramento da ação.

– Leve o lugar-tenente Shu Y – comunicou ao detalhar o perfil do homem e as coordenadas para encontrá-lo. Apenas exigiu que o arrebatamento fosse discreto e imperceptível aos demais hominídeos.

– É um exemplar de terceira *gen*? – questionou Nhoc da nave.

– Negativo.

– Estamos priorizando um de terceira *gen*, pois já dispomos de um macho e uma fêmea.

– Então leve o filho dele, San Y.

– Obrigado.

– Não há de quê.

Não obstante, Nhoc também queria levar Nhoc como arquivo. Afinal, ele desfrutava de um conhecimento ímpar e íntimo do *homo erectus*. Além disso, salvaria seu extenso trabalho de adução para os anais da ciência. Inclusive o par de Nhoc radicado na Índia havia se doado como arquivo, ainda que resumido a uma mínima contagem de seu multivíduo que aceitou o sacrifício em prol do voluntarismo de seu par em se arriscar em uma viagem de retorno que sequer talvez fosse viável. Todavia, o Nhoc chinês ainda tinha sérias dúvidas se valeria a pena tal sacrifício. Enquanto ponderava a respeito, seguiu inteirando-se do relato de seu par na nave.

De fato, havia mais um importante detalhe relativo ao trabalho de limpeza memorial conduzido no Egito que Nhoc em terra precisava tomar ciência caso optasse em permanecer no pretérito terrestre.

– Apesar de, por justiça, termos procedido à limpeza das memórias de Logan, igualmente concluímos que seria injusto privar o homem da lembrança de tais fatos. Por mais infame que tenha sido o papel dele na abdução do povo de Kemet, a falcatrua já estava consumada. Por mais tristes e enfadonhas que fossem tais memórias, é uma lembrança que, gostemos ou não, faz parte da história dos atlânticos. Assim concluímos que essa história precisava ser resguardada pelos hominídeos – justificou Nhoc da nave.

Para resguardar essas memórias, Nhoc selecionou um pequeno povoado para iniciar um processo de adução com intuito de registrar tudo que havia se passado no contato entre Logan e o povo de Kemet, bem como o processo de desconstrução da farsa promovido junto a Di. Um povoado incipiente, porém próspero, oriundo da Babilônia, mas que já havia migrado para o sul, cruzado Suez e feito contato com os egípcios. Todavia, o fator que levou à escolha de tal povoado, segundo uma averiguação prévia realizada no decorrer da análise censitária das linhagens atlânticas, foi o fato de tal povo ter estabelecido um contato com alienígenas reptilianos em um pretérito anterior à visita dos Annunaki a Terra. Segundo ficou constatado, um contato com dimensionautas reptilianos de origem indeterminada, mas que foi breve e ausente de interatividade entre as partes. Um contato, sobretudo, segundo os dados colhidos na memória coletiva do povoado, marcado pelo arrebatamento de um membro da tribo.

– Que tribo? – questionou Nhoc em terra.

– Um grupo de remanescentes do dilúvio que reiniciou seu povoamento a partir de um último casal sobrevivente – a famosa história de Adão e Eva. Ele continuou: – Que prosperou em uma comunidade intitulada Judá, na região do Levante. Porém, escolhemos um agrupamento mapeado mais ao sul da Península do Sinai, uma tribo chamada Israel, que localizamos ao pé de um monte que leva igual nomenclatura – segundo a descrição, uma pequena tribo com a qual Nhoc havia se deparado brevemente em sua viagem ao Egito, que chegou a avistar mais ao sul navegando em pequenas galeras a remo quando cruzou o Mar Vermelho.

Uma vez selecionada a tribo, os expedicionários estabeleceram os parâmetros de contato e optaram por uma interação direta, sem qualquer disfarce ou manipulação mental. Di simplesmente pousou o vimana bem próximo à tribo, deixando o povoado atônito, com as pessoas fugindo desesperadas no momento da aproximação. Dissipado o pânico, quando já se encontravam em repouso no solo e a nave desativada, enfim os homens cederam à curiosidade e, timidamente, cercaram a nave. Estupefatos com a presença do objeto, fizeram mesuras e reverenciaram Di como uma manifestação divina. Um dos pares de Nhoc desceu para contatar as pessoas e foi recebido como um autêntico deus. Passada a estranheza e o medo inerente ao peculiar contato, Di ficou radicado no local até que Nhoc depreendesse plenamente o linguajar vocal da tribo. Depreendida sua linguagem, Nhoc dispensou alguns meses lecionando as pessoas, narrando os fatos decorridos desde sua chegada, a experiência de Logan frente ao povo de Kemet e as razões para aquele contato. Todavia, por mais que se esforçasse em mostrar-se às pessoas como um homem que também se considerava, o limite cognitivo do povo israelita não permitia que partilhassem a mesma razão do alienígena. Sua presença na tribo era vista como uma manifestação de uma entidade superior, traduzida como pura mágica aos olhos do povo. Não era para menos, pois assim que conseguiu estabelecer comunicação vocal com os homens, a primeira coisa que o questionaram foi o que havia sido feito com o conterrâneo da tribo que havia sido levado pelos deuses milênios antes. Nhoc tentou fazê-los entender, em vão, que sua presença em nada se relacionava com a visita anterior dos reptilianos. Mas, apesar de seus esforços, todos criam que ele era um emissário dos mesmos deuses que haviam contatado no passado, mesmo que sua fisionomia em nada lembrasse a de um réptil. Pouco adiantava explicar que tal contato não era divino e que tais entidades não eram mágicas; tudo que dizia respeito às dimensões, ao futuro, à evolução, ao povo marciano *et cetera* e tal, era compreendido como uma grande fantasia inalcançável à razão dos homens. A falta de uma linguagem escrita era outro fator que dificultava o diálogo e a solidificação das memórias reveladas pelo alienígena.

Em face ao impasse, Nhoc escolheu um exemplar que se mostrava mais cético quanto a sua presença e do vimana estacionado na tribo, bem como desfrutava de um coeficiente de inteligência ligeiramente superior à média israelita, um rabino – um líder espiritual que, inclusive, era responsável por pregar a respeito das divindades que estiveram em contato com seus ancestrais no passado, os tais reptilianos. Voluntarioso, o rabino foi convidado para o interior do vimana e levado para passear pela Terra enquanto estudava a respeito da presença de Nhoc e os fatos decorridos pela ação de Logan. A viagem foi curta, apenas para que o rabino conhecesse o planeta em que vivia e tivesse uma mínima noção do cosmo solar à sua volta. Logo em seguida retornaram para a tribo.

De volta à tribo, o rabino se manteve no interior da nave onde o ensinaram a escrever. Nhoc forjou um suporte com placas de ouro – ideal para conservar o conhecimento em longo prazo – e pediu que ele redigisse todas as memórias que tinha para partilhar de maneira sucinta e objetiva, buscando desmistificar qualquer divindade relacionada à sua presença ou aos fatos que envolveram sua expedição. Por fim, liberaram-no para retornar ao convívio com seus iguais, nomeando-o como guardião das placas de ouro. Antes de encerrar o contato com a tribo, Nhoc instruiu que escondessem as placas em um local seguro, indicando uma localização distante em uma caverna na América do Sul. Para alcançarem um destino que somente o rabino tinha alguma noção do quão distante se localizava, ensinou-os a construir uma embarcação própria: uma galera de madeira conhecida como *Trirreme*, tão grande e resistente quanto uma caravela, embora fosse movida a remo – no caso, três dúzias de remos – e uma pequena vela, além de obedecer fins humanitários ao invés de bélicos. Por fim, montou um portulano detalhado para alcançarem o destino com segurança.

Sobre essa última instrução, em terra, Nhoc chegou a duvidar de seu par na nave. Por isso o questionou incrédulo:

– Não compreendo o objetivo de tal empresa. Que as embarcações venham a pique no meio da travessia e percam as placas de ouro?

– Foi a maneira que tínhamos para enfatizar a necessidade de não permitirem que as placas de ouro findassem em mãos erradas. Além de um incentivo para que expandissem sua colonização para outros continentes.

– Eles cumpriram a missão?

– Quando os deixamos estavam construindo as embarcações. Não deve tardar o horizonte em que estarão navegando por águas indianas e chinesas, rumo à América seguindo a costa – já que essa era a rota que haviam indicado: contornar a Península Indiana, seguir a costa asiática sentido norte e atravessar as regiões polares até alcançar a América. Então prosseguir pela costa até alcançar a América do Sul, onde se encontrava a tal caverna, nas proximidades da submergida Cidade do Ouro, onde futuramente seria a Bolívia. Uma tarefa para ser cumprida entre dez ou quinze gerações, calculavam. Nhoc em terra, que lidava com os hominídeos mais intimamente, duvidava que seria possível, a menos que ele próprio liderasse essa campanha.

– A caverna em questão habita uma zona de frequências dimensionais aleatórias, consta nos portulanos de emergência como um local passível de transferir as informações para o futuro – ainda que aleatoriamente, subentendeu. – Chegamos a estudá-la como possível rota de retorno à atualidade. Por mais de 30 revoluções, nosso dimensiolábio captou incontáveis planos, mas nenhum dentro do alcance que necessitamos percorrer... – Ou seja, a caverna era uma zona de turbulência interdimensional, *demasiada* turbulenta para um retorno seguro para o futuro.

– E nas Aleutas?

– Captamos frequências progressivas próximas à margem de 100 mil anos-terra da atualidade. Projeções indicam que, ao decorrer do mergulho, o futuro se fará visível. – Era uma margem válida, mínima para ao menos manter a *esperança* de um salvo retorno. Na sequência, da nave, Nhoc finalizou sua justificativa em relação à empreitada proposta aos israelitas:

– Foi a maneira que encontramos para incutir nossos propósitos no povo da tribo, criando uma empresa grandiosa que perdurasse por séculos após nossa partida, que enfatizasse a importância de preservarem a história ainda que viessem a fracassar em sua jornada.

– Compreendo, é algo que pensaria igualmente. Ficarei atento à passagem deles – partilhou Nhoc em terra, rindo para seu par diante de tal inusitada sugestão.

Verdade que foi esse o fator primordial que motivou Nhoc a viajar até a América nos mesmos Trirremes que seu par desenvolveu para a tribo de Israel, com o simples intuito de auxiliar e supervisionar a chegada das placas de metal sã e salvas em seu esconderijo. Não bastasse, foi essa a motivação que alimentou sua simpatia ao povo israelita e as boas relações comerciais que sempre buscou estabelecer com os judeus. Razão pela qual, milênios após, criou a casa dos Illuminati, cujo objetivo era manter um laço com o povo que havia escolhido como guardião de sua história. As placas, todavia, nunca chegariam ao destino. Conforme havia conjecturado, afundaram no mar após a frota que a escoltava vir a pique, tragada por uma fortíssima tempestade ainda em águas indianas, logo nos primeiros anos da incursão. Todavia, a inspiração oriunda de seus pares desde de que tomou ciência da aventura israelita era a mesma que a sua. Isso o incentivou a criar suas próprias placas de ouro e a liderar uma nova frota de Trirremes até a América, ao preço de muitas vidas hominídeas e de um naufrágio na região polar que o obrigou a nadar durante meses até reencontrar a costa asiática. Ainda assim, não desistiu, reiniciou a empreitada e cumpriu a missão, com as placas de metal salvas e bem guardadas na tal caverna. Não obstante, financiou novas expedições para resguardar as futuras histórias que vivenciou, a última delas empreendida por cavaleiros templários na ocasião em que Fu Manchu tornou-se grão-mestre da casa dos Illuminati. Uma revelação que acarretou uma nova tarefa para Willa: encontrar a misteriosa caverna para tentar adicionar as placas de ouro aos autos de sua pesquisa.

Uma vez revelada a informação, da nave, Nhoc dirigiu-se ao seu par:

– Venha conosco. Vamos abandonar esse plano – convidou. Em seguida, Di acionou o raio-trator do vimana e uma luz se fez brilhar envolvendo Nhoc em terra.

– Sim, vamos – assentiu Nhoc, imediatamente sentindo a luz o elevar suavemente ao disco, até que sua consciência desvanecesse e se transcrevesse como uma instrução poliquântica na memória de Di.

Todavia, aquela era uma decisão de um mínimo conjunto de Nhocs. Quando o raio-trator se desfez, a parte mais substancial de seu multivíduo ainda permanecia em terra. Aqueles que permaneceram, miraram Di pela última vez enquanto ele rapidamente se elevava aos céus até desaparecer entre as nuvens. Antes que perdessem contato, apenas pensou:

– Adeus, meus caros. Adeus Di. – Mas não captou qualquer resposta.

85

– Mayday! Mayday! Air Force One declarando emergência – disse o piloto com a voz abafada pelo chiado de sua própria respiração, evidenciado que trajava uma máscara de oxigênio.

– Torre na escuta. Prioridade concedida.

– Perdemos o para-brisa lateral da cabine, precisamos pousar imediatamente.

– Prossiga pela rota Areia-Vermelha para RSMR. Novo vetor em 0-5-0, traçar correção de dez horas.

– Iniciando correção, dando procedimento ao pouso emergencial.

– Pouso autorizado na pista A-5. Vento 3-3-0 graus, 18 nós, utilizar cabeceira 1, norte.

– Descendo a cinco mil pés, reduzindo velocidade a 160 nós.

– Estamos em espera. Manter canal aberto.

– Positivo.

Quase sequencialmente à conversa entre a torre de controle da base RSMR e o comandante do avião do presidente de República, na sala de teleconferências no prédio da C-11, o relógio de pulso do coronel Jay Carrol vibrou silenciosamente. Imediatamente, o coronel pediu desculpas aos membros do time de especialistas, alegou uma emergência relacionada ao rapto do filho do major Hunter, o comandante do setor B da base, e se ausentou da sala onde aguardavam uma conexão com a Suíça para conferenciarem com o astrofísico Jack Stevenson. Seu digital marcava 0938, bem acima do horário esperado, por isso temia que o chamado apenas confirmasse suas suspeitas de que o presidente não viria. Apreensivo, dirigiu-se a passos largos para seu escritório, destrancou a gaveta de sua escrivaninha e retirou o gancho de telefone preto ali guardado. No outro lado da linha, Mister Andrews, o secretário do presidente, comunicou:

– O Air Force One acaba de confirmar o pouso.

– OK. Está tudo preparado – respondeu Carrol, aliviado. Em seguida, desligou o aparelho e retirou o gancho do telefone amarelo sobre sua mesa para comunicar ao seu secretário:

– Chame o motorista. Contate Mathew. Assegure que ele retenha o time aqui até segunda ordem, compreendido?

– Sim, senhor.

Repassadas as ordens, Carrol dirigiu-se ao pátio externo onde seu motorista o esperava para levá-lo ao Hangar 18, local em que aguardaria o presidente junto à escolta do Serviço Secreto. Willa o observava de perto, intrigada a respeito de quais seriam as condutas do coronel após o encontro com o presidente. Em seu âmago, torcia para que o desfecho fosse favorável aos seus interesses. Caso contrário, o conjunto de contingências em relação ao *status* emergencial que havia aprovado perante o quórum expedicionário – a julgar pelas revelações da leitura mental de Nhoc –, corria sério risco de ser revogado imediatamente após a visita do chefe de Estado à sua colega *Nave*. Fator que obrigaria a alienígena a debandar sua corrente presença de campo atmosférico – e isso era tudo que não planejava para os horizontes decorrentes.

***

Em relação à última referência memorial de Di na mente de Nhoc, no âmbito privativo da *Nave*, Sam ordenou a Willa:

– Já é suficiente. Proceder com a leitura por chaves-cruzadas. Os dados colhidos são mais que satisfatórios – comunicou o chefe. Em vão, Willa tentou protestar. Sam decretou:

– Tua pesquisa acaba de ser revogada. Aguardaremos o cumprimento da primeira janela e iniciaremos os procedimentos de retorno, esteja ou não restabelecido o contato com o cosmo. – Esclarecidas as novas ordens, Sawmill[A] prosseguiu com a leitura por chaves-cruzadas:

– Listar invenções atribuídas a Adonis_844535239. Em ordem crescente.

– Arado; olaria; esgoto; calendário; carrinho de mão; ampulheta; tecelagem; balão de ar quente; xilografia; circo; bicicleta; carruagem a vapor; hidroelétrica; aeroplano; veículo Oruga; veículo antidistúrbio; navios encouraçados; calculadora eletrônica; caça MIG; caça-submarino; batiscafo; energia solar; raio laser – além de outras invenções de maior importância já citadas como o papel, o telégrafo, o telefone e a televisão.

– Confirmar totens remanescentes.

– Contingente?

– Indiano.

– Mohenjo-Daro; Gita; Shiva; Saravasti; Indra; Ramayana; Shankaracharya; Patanjali; Sisunaga; Aurobindo; Nanda; Chandragupta; Aryabatha; Manu; Shangan; Nanak; Harsha.

– Chineses?

– Fu Hsi; Shen Nung; Huang Di; Yu; Yang-Tsé; Wen; Sima Qian; Xuanzang.

– Dinastias?

– Hsia; Shang; Chou; Tsin; Han; Khan; Manchu; Ming; Quing.

– Pioneirismo.

– Escalada do Everest; conquista da Austrália, do Polo Norte; colonização da América; a volta ao mundo de barco; reunificação chinesa do século VII; jogos internacionais; Astrologia.

– Listar principais culturas.

– Arroz; sorgo; trigo; algodão; cânhamo; jade; chá; laca; seda; canela; fábulas; farmacopeia.

– Ofícios de destaque.

– Agricultor; tecelão; cozinheiro; guerreiro; professor; xamã; marceneiro; ator; esteticista; arquiteto; papeleiro; escriba; bibliotecário; veterinário; comerciante; engenheiro mecânico, elétrico e eletrônico; diplomata; conselheiro; rei.

– Maiores legados.

– Gerais: Religião; Xamanismo; Psicografia; Astronomia.

– Indianos?

– Matemática (conceito de zero e infinito); chacras, literatura; música.

– Chineses?

– Valores da perseverança; harmonia (princípio de Yin Yang); acupuntura; porcelanato; adaptação; inovação; criatividade.

A listagem ainda prosseguia longamente por chaves menos relevantes, mas igualmente importantes para determinar a amplidão da influência exercida por Nhoc em sua longa estada na Terra. Ao terminar de percorrê-la, Sam pronunciou aos colegas:

– Missão James Kelly abortada.

Às sinapses do chefe, um fluxo yottabyte percorreu a mente de Willa, em um intenso processamento, reavivando-a do árduo período em que batalhou para conseguir aprovação para sua expedição. Todavia, as chaves já estavam validadas, os fatos eram inegáveis, a missão estava destituída de validade. Uma triste constatação. Por outro lado, apesar do naufrágio de sua proposta investigativa, uma vez que ainda partilhavam o pretérito que haviam preestabelecido como destino da missão, não seria isso que a impediria de enxergar uma maneira de tirar proveito do novo *status* investigativo a fim de extrair algum benefício que justificasse o custoso financiamento despendido para tal empreitada. Em função disso, se a missão James Kelly estava cancelada, bastou percorrer algumas confluências cerebrais para redefinir os parâmetros de sua expedição original e propor um novo objetivo:

– Protocolar nova missão.

– Que missão?

– Missão Nhoc.

– Missão protocolada.

– Próxima tarefa?

– Arrebatar o espécime.

– Autoriza hipnose?

– Negativo. O arrebatamento deve ser voluntário. Repito: voluntário.

– Que assim seja.

Protocolada a nova missão, Willa voltou-se para Nhoc. Porém, bastava captar a amargura da aura do homiquântico para conceber que, da mesma forma como havia hesitado embarcar no vimana de Di – alguém com quem convivera durante milênios –, o mesmo se repetiria com o convite que Willa estava incumbida de fazer. Tinha esperança de que, da mesma forma como uma mínima contagem de Nhocs havia se voluntariado como arquivo na memória de Di, ao menos um singelo indivíduo seguisse o mesmo caminho. Ainda assim, aproveitou a deixa da história narrada por ele e fez menção em repetir o convite. Todavia, antes mesmo que o formalizasse em sinapses, captou os pares de Nhoc se manifestando:

"Alguém vai"? – "Eu não vou". – "Nem eu". – "Muito menos eu". – "Eu não posso ir".

– Como assim não pode vir, Nhoc? É claro que pode – contrapensou Willa.

– Não há mais horizonte para mim.

– Há sim.

– Tu me concedes, né?

– Apenas lhe ofereço a oportunidade.

– Essa oportunidade há muito já perdi. Fosse aproveitá-la, teria aceito o convite de Di – lamentou o homiquântico. Willa tentou refutar, mas preferiu não insistir muito, ao menos no corrente.

Além da lamentação do homiquântico, só captou negativas ou o total silêncio no âmbito de seu multivíduo; até seus saguis manifestaram-se contrariamente ao convite, rosnando para Willa. Assim, sem imaginar como poderia abordar o assunto, a alienígena se permitiu levar pela narrativa da vida de Nhoc após a partida de Di, por chaves-cruzadas, varrendo sua mente quando atestou que aquele era, deveras, o último contato estabelecido entre seus dois conjuntos multividuais restantes na Terra ou no próprio vimana que o deixou para trás. O que teria se sucedido com Di e seus pares, se teriam logrado alcançar o futuro, se perdido entre os horizontes ou fenecido tragados pelas entranhas do planeta, Nhoc jamais ficaria sabendo. Dali em diante, ele estava plenamente solitário. Uma solidão que nem o conjunto indiano podia suprir, pois não deixava de ser apenas mais um de si mesmo, em nada agregava mais *um* Nhoc em relação à conversação já estabelecida em seu âmbito psicográfico. Por isso, com o avançar dos horizontes, até saudades de Logan chegou a sentir, se não pela *persona*, mas pela falta de um rival que o motivasse, nem que fosse para alimentar o sentimento de vê-lo morto. Resignado a si mesmo, só restava o convívio com suas criaturas, assim, desfrutou-o em total plenitude.

Do estágio evolutivo que ambos os Nhocs atingiram em suas respectivas civilizações na China e na Índia, e as chaves-cruzadas que passou a percorrer em leitura paralela – afinal, Willa tinha liberdade para dedicar parte de seu multivíduo à continuidade da leitura da história de Nhoc até que passado e atualidade se encontrassem –, era fácil deduzir os caminhos que seus conjuntos vieram traçar e que apenas um deles vingaria até que seu inusitado contato na sala do trono do antigo imperador chinês pudesse se estabelecer. Se estavam ambos os alienígenas juntos ali, naquela câmara secreta, significava que tal era o conjunto remanescente de Nhoc na Terra. Faltava apenas emendar os fatos por trás da história que permitiram ao menos um conjunto Nhoc vingar até a atualidade do corrente pretérito. A navegação por chaves-cruzadas permitia buscar tais respostas rapidamente, mas isso pouco importava. O que importava era convencer Nhoc em, mais uma vez, doar sua existência em totem da ciência.

Por isso, ao invés de se ater aos fatos, Willa focou no sentimento de Nhoc durante seu decorrer continuado, quando a convivência com o homem era o que lhe restava. Um decorrer marcado pelo amor e pelo ódio que nutria pela criatura que o motivava a viver. Amor pelos homens com quem convivia de perto nos muitos sítios em que os adestrava desde crianças: a alegria por vê-los praticar a ética que lecionava, como um pai se derretendo de orgulho com os primeiros passos do filho. O brio por testemunhá-los viver as grandes aventuras que, guardadas as devidas proporções, carregavam as mesmas emoções de quando ainda apenas sonhava em ser um dimensionauta - inspirar o homem era o que o demovia. Tudo isso vertia-se em puro ódio quando suas criaturas subvertiam a ética de seus ensinamentos, movidas por cobiça e vaidade, tomando para si sua sabedoria no intuito de sobrepujar umas as outras. Por isso era extremamente cuidadoso ao repassar certos conhecimentos ao homem - há de se dizer, nesse sentido, que Nhoc prolongou ao máximo o patamar medieval de suas civilizações, e coube ao homem evoluir de seus ensinamentos mais básicos pela própria perspicácia até que um dia a modernidade aflorasse. Com raiva, testemunhou a criatividade do homem em prol de sua índole territorial e materialista, a qual combateu ferrenhamente: por um lado, guiando seu avanço e prosperidade no âmbito de suas nações; por outro, refreando-o para que seus filhos não se tornassem vítimas de si mesmos.

Nesse contexto, a favor de Nhoc constavam duas ciências das quais furtou o homem de sua sabedoria, a Alquimia e a Genética. Se quisesse, tão logo conseguiu elevar o patamar do *homo erectus* à Idade dos Metais, poderia ter alavancado a prática da Alquimia e, subsequentemente, da Genética. Com isso, teria o poder de criar clones ou proles homiquânticas para povoar a Terra e lhe fazer companhia em vez de se limitar em adestrar o homem como animal de estimação, mas jamais ousaria flertar com esse conhecimento quando dependia de criaturas tão primitivas para assisti-lo. Ao menos nesses dois campos, Nhoc se ateve ao papel de conselheiro, sempre buscando indicar o melhor caminho quando o homem passou a desbravar tais descobertas por méritos próprios. Exemplo foi a invenção da pólvora, cujo uso pacífico se prolongou unicamente devido aos seus conselhos, ao menos na China. Igualmente se de deu com a Ótica, ciência vital para alavancar a navegação a vela. Apesar de ter ensinado seu povo a pescar e a construir galeras desde os primórdios de seu processo adutivo, em parte por não gostar de navegar, Nhoc jamais poderia permitir suas crias a lançarem-se pelos oceanos sem que antes estivessem prontas para criar suas próprias civilizações longe de sua liderança - o que jamais viria a acontecer. Não era à toa que um velejador português aportara em suas praias muito antes que seus povos colocassem uma vela no mar. Para finalizar a lista de conhecimentos que Nhoc censurou ao homem, mas que, cedo ou tarde, viu-se obrigado a incorporá-los para que seus povos não sucumbissem e fizessem frente aos charlatães que as praticavam, foram pseudociências que, em cérebros estrangeiros, consistiam uma ameaça à integridade física e mental de seus povos: a Teologia e a Economia; em especial, as atividades bancárias, as quais sequer alguma vez reconheceu como uma atividade lícita, mas que o alvorecer da modernidade o obrigou a aceitar e a adequar aos conhecimentos e às práticas que sempre cultivou em suas nações.

Por trás dessa postura de Nhoc, um sentimento explicava o porquê de tal conduta: a esperança de um dia retornar para casa. Uma esperança que se renovava a cada vimana que captava trafegando por sua dimensão, crente que talvez Di houvesse alcançado o futuro e, de alguma forma, voltado para buscá-lo. Quem sabe *Nova* não houvesse desenvolvido um novo programa de viagens tetradimensionais, incluindo o patrocínio de missões de resgate a dimensionautas de cujas missões nunca retornaram? – questionava-se esperançoso. Também seria possível que parte do ouro que transferiu para o futuro houvesse logrado o destinatário correto e um SOS fosse atendido. Meras ilusões que se esvaíam a cada novo óvni que avistava, mas nunca aterrissava, em contrapartida à amargura de seu exílio que só crescia e se vertia no rancor àquele quem, justamente, considerava o grande culpado por seu triste destino: *Nova*. Apesar disso, por mais que o rancor rebentasse qualquer fio de esperança que ainda sustentava – tal é um sentimento que nunca morre –, jamais se permitiu a prática de clonagem, já que, pela ética de sua espécie, seria considerada um autêntico crime. Se, por um lado, não havia um estatuto de adução muito rígido para lidar com espécies semirracionais, por outro, as leis que controlavam a reprodução homiquântica eram peremptórias em vetar sua prática aquém do ambiente da consciência cósmica.

– Não seria digno de lecionar sobre o carma se não fosse capaz de reger meu *dharma* – citou Nhoc a respeito disso.

Ao alvorecer da modernidade, o próprio homem criou os meios para que Nhoc se reproduzisse em laboratório. Todavia, embora se sentisse tentado a fazê-lo, ele que havia criado tantos homens como se fossem legítimos filhos seus, já estava decrépito demais para angariar a coragem que sempre lhe faltou para gerar um filho da mesma espécie.

A partir daí, o resto de sua história estava registrada nos livros e nas simulações sensoriais interativas cinematográficas, fatos que marcaram e redefiniram o destino não só da China ou da Índia, mas da humanidade por completo. Mas o que importava era como Nhoc vivenciou o decorrer desse longo período: como um amedrontado foragido de suas crias.

O período em que viveu ao ar livre em contato direto e desintermediado com suas crias na Índia foi uma exceção à regra. A regra era viver escondido dos homens. Primeiro, por convicção, para não ser interpretado como uma criatura sobrenatural ou mágica. Segundo, por medo, para não ser visto como realmente era, uma aberração. Após essa esparsa comunhão com o homem na Índia, percebeu o erro que havia cometido, pois assim como aconteceu com o povo israelita, por mais que tentasse se mostrar ao homem como um simples animal, independente da aparência, sua inteligência e sabedoria eram invariavelmente interpretadas como uma manifestação superior ou divina. De toda liderança que exerceu na Índia, a memória que deixou ao povo refletia o contato com uma divindade, Vishnu, depois Krishna, foram as primeiras referências que perduraram após esse período de convivência direta com os homens. Mesmo quando se ausentava de uma determinada tribo ou cidade, os seguidores hominídeos que assumiam a liderança perante o povo invariavelmente passavam a se autointitular profetas ou representantes de deus, sempre fazendo alusão a sua figura sobrenatural. Por mais que Nhoc mandasse cortar suas cabeças, o estrago já estava feito e essa impressão jamais foi desfeita. A religião, sem dúvida, foi o principal aspecto resultante de uma apropriação errônea do contato e dos ensinamentos de Nhoc por parte do homem. Mas havia inúmeras outras, nos mais relevantes ou menos singelos aspectos. Fatores que refletiam a mágoa por lidar com uma criatura tão primitiva.

"Eu criei um rei, ele se fez deus". - "Eu castrei as proles ruins, ele criou o eunuco". - "Eu criei o casamento, ele montou um harém". - "Eu lhe mostrei o bicho-da-seda, ele o roubou de mim".

Foi pelos erros cometidos na Índia que Nhoc procurou se prevenir na China. Onde, a partir de tal malfadada experiência, passou a evitar qualquer contato com suas criaturas na ausência de um bom disfarce.

Seu principal disfarce sempre foi o manto hipnótico que travestia quando em contato próximo com sua criatura, o que lhe permitia mostrar aquilo que qualquer homem esperava ver, embora o que visse não fosse de fato o que seu cérebro interpretava. Entrementes, para exercer o papel de líder de uma nação, de imperador como interpretou diversas vezes, não bastava a Nhoc manter-se sentado em um trono hipnotizando seus súditos mais próximos. Um imperador precisa se mostrar para o público, estar em contato com as pessoas, desfilar pelas ruas e discursar para as multidões. Caso contrário não seria amado e respeitado pelas massas em longo prazo, tampouco a instituição do Império permaneceria intacta e incorruptível. Para atender a essas necessidades, a criatividade de Nhoc era estupenda. Sem dúvida, compunha o principal fator a saltar aos sentidos de qualquer um que porventura desempenhasse a leitura de sua vida.

Como Willa já havia testemunhado, o principal disfarce de Nhoc era o uso de marionetes, como a imperatriz Wu Nhoc no passado distante ou o presidente Zhu De em sua atualidade mais contemporânea. Mas a incapacidade do homem em seguir sua linha de pensamento ou de manter qualquer político ou súdito sob sua influência em horizonte contínuo o obrigavam a, de tempos em tempos, assumir o papel que suas marionetes eram incapazes de realizar. Forçavam-no a assumir o comando em diferentes cidades e centros que não se resumiam à casa imperial. Não por menos, a estrutura de poder na China era centrada pela figura dos mandarins, pois foi o alienígena que deu origem às diferentes dinastias que passaram a controlar o território chinês à medida que o Império expandia suas fronteiras. Para isso, não bastava esconder-se atrás de uma parede ou embaixo da cama para manipular os pensamentos de poucos poderosos. Para manter seu país unido e centrado nos ideais que professava, era preciso lecionar ao povo. Todavia, perante a multidão, não havia parede falsa ou hipnose que o permitisse vagar pelas ruas ou discursar em público sem que fosse identificado como um ser sobrenatural. Era preciso caminhar como um homem em meio aos homens.

Desde o princípio, quando Nhoc telecinava ao povo das sombras de uma caverna, passando pelo período em que começou a desenvolver seus centros de sabedoria e o uso de materiais de construção – como a taipa, o bambu e o papel – para privilegiar ou não inibir sua emissão de ondas telepáticas, tais recursos eram úteis apenas ao lidar com os pequenos agrupamentos hominídeos ou aos incipientes vilarejos e centros urbanos que passou a desenvolver. Quando a explosão demográfica de suas cidades tornou-se irreversível e nem mesmo a fome ou o controle do alimento impediu o *boom* da população chinesa, Nhoc precisou lançar cérebro de toda sua criatividade para contornar a problemática de se fazer escutar por mais gente em mais lugares. Antes da fundação do Império, tudo que lhe bastava era utilizar uma túnica e um capuz que lhe cobrisse o corpo e a cabeça, cercar-se de uma escolta armada e bem condicionada, para então caminhar normalmente entre as pessoas. De longe, ninguém notava que se tratava de um alienígena. De perto, as pessoas não se lembravam da aberração monstruosa que seus olhos captavam – pelo menos não conscientemente. Mas que espécie de líder seria esse que não mostra o rosto abertamente para o povo? Seria algo como o Imperador Galáctico do famoso mito cinematográfico *Star Wars* – filme em cartaz na China em 1978, mais um dos resíduos psicográficos de Nhoc que vazaram do Extremo Oriente para o Ocidente ao longo dos milênios para depois retornar sob o crédito de um forasteiro –, uma figura que despertava medo e incerteza nas pessoas, longe da imagem de um líder humano que inspirasse os homens a segui-lo e adorá-lo. O uso de marionetes e a manipulação de personagens testas-de-ferro solucionou essa problemática – pelo menos forneciam um rosto humano para as pessoas admirarem. Mas nem sempre essas marionetes se comportavam como planejava, por isso precisou ir além e criar formas de se mostrar em público sem que notassem, à distância, sua real aparência.

Ora, um imperador ou mandarim não poderia vestir um mero chapéu cônico como utilizava quando seus assentamentos não passavam de uma organização tribal dedicada à agricultura. Por isso, quando fundou o Império, fê-lo em grande estilo, utilizando uma coroa dourada para lhe cobrir a cabeça e uma boa dose de maquiagem para esconder sua face do público. Na própria Índia, onde o espelho de seus mandarins floresceu na figura dos sultões e dos marajás, um mero turbante lhe permitia disfarçar a cabeça. Mas o tamanho da cabeça conferia um detalhe menor, nada comparado aos seus olhos: enormes, negros e ausentes de íris; ou de suas feições asquerosas, sem poros, pelos ou marcas de expressão que pudessem dissipar a impressão de sua distinta natureza animal. Por isso, túnicas, chapéus ou coroas eram soluções que apenas permitiam que fosse observado de longe. De perto, ainda precisava de suas ondas cerebrais para se disfarçar. Já à média distância – eis o problema.

Problema que rapidamente se evidenciou quando, não uma ou duas, e sim inúmeras vezes captou manifestações pouco gentis a respeito de sua aparência: "Monstro, o imperador é um monstro", "É uma aberração", "Asqueroso, é nojento", "Uma besta"; ou quando percebia as pessoas se perguntando: "Será que não estão vendo que essa coisa não é um de nós?". Isso quando não se deparava com aqueles exemplares com maior grau de imunidade às suas ondas cerebrais, os quais surgiam espontaneamente, ainda que varresse suas linhagens hereditárias como vinha fazendo desde quando aquele primeiro homem o confrontou em frente a uma caverna. Uma vez que a noção de divindade dos líderes se incorporava à multidão, igualmente o símbolo do Diabo se fazia despertar entre os populares. Especialmente quando, porventura, racionalizassem a aparência de seu líder como ele realmente era. Quanto mais tais manifestações se multiplicavam, cabeças passaram a rolar para que o segredo em torno de sua natureza se mantivesse intacto. Ainda assim, isso implicava em um cuidado extremo e contínuo para que não fosse reconhecido por qualquer indivíduo que se postasse além de seu alcance hipnótico. Havia também o problema daqueles que o reconheciam, mas não se manifestavam, ou aqueles que o observavam sem que notasse e, quando percebia, a fofoca em torno de sua aparência já tinha se espalhado. Fator que o obrigava a tomar atitudes drásticas como mandar chacinar comunidades inteiras antes que se vertessem em um repúdio ou revolta contra sua figura ou ao Império.

Para evitar fofocas e poder conviver longe do temor de ser reconhecido, a menos que se conformasse em ficar eternamente escondido atrás de um biombo de papel ou de um calabouço subterrâneo, Nhoc precisou redefinir o vestuário da realeza. Somente assim pôde caminhar tranquilo ou discursar para as pessoas sem se preocupar em ser reconhecido como um alienígena. Com esse intuito, escalpelou homens e mulheres para confeccionar perucas e colocá-las sobre a cabeça. Todavia, só um pouco de cabelo não bastava, seu cabeção necessitava não só de pelos, mas de um bom penteado e um suntuoso chapéu ou coroa para disfarçar sua real medida. Seus olhos avantajados precisaram de sobrancelhas e cílios, além de muita, mas muita maquiagem para se parecerem humanos. Para isso, foi preciso sacrificar parte de sua percepção visual para alcançar a aparência desejada. A partir daí, a criatividade de Nhoc não tinha mais limites: o uso de tranças, de longos bigodes e barba postiças *et cetera*; sofisticadas vestimentas tão exuberantes que ninguém sequer imaginava existir, por trás de tantos arranjos, algo que não fosse a própria extravagância que aparentava, fosse do imperador chinês, do monarca indiano, do mandarim, do marajá ou fosse qual fosse a figura que interpretava por trás de tais figurinos.

Com o avançar dos horizontes, a moda desenvolvida por Nhoc passou a replicar-se entre a multidão, facilitando sua aceitação e seu reconhecimento como igual – ainda que sempre ocupasse uma posição de elite perante o povo. Sem dúvida, uma das maiores contribuições de Nhoc foi fomentar a cultura a partir da necessidade de se disfarçar, só assim podia incorporar os papéis mais singelos entre suas crias e lecionar as pessoas mais simples. Com isso, o vestuário sempre compôs o item que ponteou as expressões artísticas populares, tanto na Índia quanto na China.

Não obstante, continuou usando sua imaginação para se adaptar a qualquer contexto. Por isso, às vezes lhe bastava aquela velha túnica para caminhar entre o povo ou, como o general que também interpretava, esconder-se dentro de armaduras que lhe cobriam completamente, com capacete e máscara. Para as mínimas partes de seu corpo, havia um adorno ou veste para lhe deixar a vontade entre os homens: na falta de um pênis, utilizava enchimentos para que não duvidassem de que fosse dotado como outro qualquer; quando seu papel era feminino, travestia seios postiços para que reconhecessem sua virtuosidade. Para as mãos, tinha luvas especialmente confeccionadas para disfarçar o real comprimento de seus dedos; para os pés, que não possuíam dedos, eram atrofiados e pequenos em proporção ao corpo, desenvolveu um calçado compatível com suas diminutas medidas.

Da mesma maneira como os demais itens de seu vestuário, os calçados de Nhoc foram incorporados pela população. A princípio, com as pessoas simplesmente dobrando a ponta dos sapatos para deixá-los menores e simbolizar os pés de seu líder. Todavia, até na moda os homens mal interpretavam suas criações, com o avançar dos horizontes, transformando-as em formas de expressão mais radicais e ritualísticas. No caso dos calçados, a título de etiqueta, obrigavam as mulheres a quebrar os dedos dos pés para vestirem sapatos minúsculos, impedindo-as de utilizar sandálias mais confortáveis apenas para seguir a ordem vigente. Assim, o que era apenas um disfarce para Nhoc, pelo homem tornou-se uma verdadeira ritualística que ditava a indumentária correta para cada ocasião. Virou um costume que ninguém jamais soube ao certo qual a origem ou o porquê de tanta formalidade apenas para se vestir, calçar e se embelezar.

O impacto da moda desenvolvida por Nhoc foi tão forte que sua maquiagem para disfarçar os olhos e o rosto acabou se tornando um fenótipo. Em poucas gerações, isso estimulou o genótipo e modificou a constituição genética do homem chinês. Não só sua inteligência foi capaz de elevar a categoria do *homo erectus* para o mesmo patamar do *homo sapiens* atlântico, mas a própria aparência física dos chineses tornou-se mais esguia exatamente como o biótipo do alienígena. A pele, de uma tonalidade carmim, ficou mais clara, áurea, mais lisa e nua, com pelos rareados, exceto o cabelo e os pelos do rosto dos machos. Por fim, os olhos adquiriram um traço ligeiramente puxado, exatamente como o desenho das sobrancelhas que o alienígena utilizava para se disfarçar – ainda que na memória do povo, em nível de inconsciente coletivo, perdurasse a imagem de um "chinês" cujos olhos eram grandes e redondos.

– Não crê que já ultrapassa o horizonte em que precise viver assim, disfarçado e escondido? Venha comigo, Nhoc, eu posso devolver sua liberdade – compartilhou Willa na expectativa de que esse sentimento pudesse despertar o bom senso do animal em aceitar seu convite para voltar ao futuro consigo.

– Sim. Já ultrapassa o horizonte. Em muito... – concordou Nhoc, mas não da forma como Willa esperava: – Para que a Gaia deste planeta me consuma pela eternidade.

– Não anseia retornar ao cosmo futuro nem que seja para que a Gaia *marciana* o consuma?

– Se bem depreendi o fruto de tua missão, não haverá mais distinção entre Gaia marciana e Gaia terrestre em *teu* futuro... Ademais, sempre fui apegado a Terra, aqui dispensei meus maiores horizontes, aqui perecerei.

– Você não precisa perecer.

– Sim, sim. Tu me ofereces a vida eterna, pensas que me esqueci?

– Muito contrariamente, capto sua hesitação, a sua vontade e o temor em se permitir uma nova chance – compartilhou Willa em tom fraterno, esticando sua mão e a oferecendo para Nhoc. O homiquântico a mirou, silencioso em sua mente. Seus micos responderam por si, afastando-se da alienígena e correndo para o fundo da câmara. Apenas o filhote postado em seu ombro permaneceu onde estava, mirando Willa atento, com os olhos arregalados, em suspense como se aguardasse um bote da alienígena. Nhoc enfim manifestou-se:

– Já hei mentalizado, não posso ir-me daqui.

– Não ceda ao medo. Não há o que temer.

– Ora! Capte a ti mesma, mulher: "Não há o que temer" – compartilhou em tom melancólico, expressando nervosismo pela face do mico em seu ombro. – Há *tudo* o que temer.

– *O quê* exatamente, se não passa de um moribundo?

– Ser transformado em uma cobaia de laboratório, que é o que desejas.

– Poderás desfrutar igual arbítrio ao que desfrutava em pretérito.

– Não é a falta de arbítrio que me aflige.

– O que o aflige?

– O arbítrio de meus filhos, minhas criaturas...

– Teme que sejam livres?

– E não seria tal liberdade terrivelmente temerosa? Não és capaz de enxergar o que estão prestes a fazer com si mesmas? Não és tu a grande sapiente cientista futuróloga que vem compilando o quadro político da contemporaneidade? Não percebes a quantas anda o relógio? Não consegues prognosticar qual será o desfecho desse quadro? Se posso impedir esse desfecho, não refutarei a tal poder, se não pela humanidade, ao meu povo ainda me cabe o dever.

– Estou perfeitamente ciente do quadro político atual – mentalizou Willa em tom condescendente, percebendo que Nhoc estava delirando, pois o próprio já estava ciente de qual seria o destino da humanidade. Não haveria como evitá-lo nem como poupar seu povo, estavam todos igualmente condenados à plena extinção. Ainda assim, não seria por isso que ele cederia.

– Que espécie de líder seria eu se os abandonasse justo em um momento épico como esse? – questionou Nhoc. – Morrerei junto deles. Quero estar com meus filhos quando a Lua despencar do céu.

– Compreendo. Você quer ser um herói... Eternizar-se no Hall dos Mortais.

– Não posso trair o valor da honra que sempre exigi de meus filhos – mentalizou Nhoc, resoluto. Seu mico se ergueu em seu ombro e estufou o peito.

– Para honrar a memória de suas criaturas é que precisa se voluntariar em vir comigo. Só preciso de *um par* corajoso o suficiente.

– Coragem não me falta. Igualmente me sobra clarividência para diferenciar os *horizontes*. Portanto, imagino que uma sumo-inteligência como ti também o saiba. – Evidente, pois era notório que a personalidade de Nhoc estava longe de ser a mesma daquela que se voluntariou em retornar ao futuro com Di, ainda que a alienígena ponderasse:

– Se atender a minha convocação, não se tornará um mero "conjunto poliquântico" na memória da *Nave*. Estará plenamente vivo e consciente após o embarque e poderá desfrutar o receptáculo de nosso laboratório com muito mais conforto físico e mental do que posso te oferecer aqui com meu campo extensivo. – Então questionou: – Quer que te esclareça os pormenores sobre a dinâmica de sincronia perceptiva que a minha colega oferece?

– Obrigado! Já compreendi como é o processo – negou Nhoc. Até porque não era isso que o fazia rechaçar o convite, nem que fosse um mísero indivíduo, e sim seu contexto existencial que já não era mais o mesmo. Afinal, quando aceitou o convite de Di ainda era alguém de meia-idade, com muita vida pela frente antes de bater no limite Alzheimer. Ademais, a ideia era retornar para a *sua* atualidade, não para o mundo futurista de Willa quando e onde seria considerado um animal – uma *cobaia* como havia mentalizado pouco antes, uma condição que em nada o seduzia. Pelo contrário, ia contra seus princípios, isto é, ao menos os de sua já extinta época:

– Ser uma cobaia valiosa é justamente o que lhe permitirá se transmutar quântico como eu – insinuou Willa.

– Pensas, deveras, que sou um imbecil ou que minha demência não permita captar tua demagogia, né? Engana-te, pois eis que tenho plena ciência de que minha plenitude psíquica jamais poderá ser restaurada.

– Corrijo: poderá se *reencarnar* quântico – enfatizou Willa. Em paralelo, renderizou seu ambiente privativo e pensou consigo própria: "Mas que animal teimoso esse", sem mais conseguir disfarçar a aura de impaciência que emanava de seu ser. Pressentindo isso, Nhoc questionou ironicamente:

– Claro, é tudo que sempre ansiei... Reencarnar quântico. Assim poderei retomar minha carreira de dimensionauta e me tornar um arauto da destruição como ti.

– Se uma conduta como a minha fere sua racionalidade, torne-se melhor que eu, obtenha uma nova vida e seja um ativista em prol do abandono de tais práticas – afirmou Willa. Uma afirmação que só fez Nhoc manifestar-se de forma estridente por intermédio de seu mico. O bicho arreganhou os dentes e arfou fortemente. Era notório que tentar atiçar os brios de Nhoc não estava surtindo efeito, portanto, procurou seduzi-lo de outra forma:

– Tens completa razão de zombar, posto que a reencarnação se trata de uma possibilidade bastante subjuntiva do teu ponto de vista. Eu estava pensando em algo mais imperativo... – mencionou Willa, em suspense.

– O quê?

– No ambiente da *Nave* dá para emular os *games* que você carrega na memória...

– Se ti mesma já atestaste que meus códigos são incompatíveis com tua linguagem, queres me ludibriar? Fossem compatíveis, por que nem uma *demo* tu rodas nesse cabeção enorme?

Em resposta, Willa esticou o braço e pousou a mão sobre a cabeça de Nhoc para estabelecer uma conexão cérebro a cérebro. Então carregou o resíduo da casa de Miami pelo qual emulava seu ambiente privativo. Na sala de estar, compartilhada pelos hominídeos que a habitavam, chamou foco para o aparelho televisor, onde, na tela, um vimana ganhou forma sobre um fundo preto preenchido de estrelas. Mais precisamente, gerou um frisbee omelete, "igual ao Di", percebeu Nhoc. Em seu interior, Willa figurava deitado no casulo do piloto e, com um pensamento, acionou-o.

Imediatamente, Willa ganhou a imensidão do vácuo em velocidade *mach*. Mas não era um vácuo qualquer, e sim o vácuo formado pela gravidade de Marte, notou Nhoc ao observar Phobos e, um pouco mais distante, Deimos sendo ultrapassada pela nave. Willa circundava o planeta e suas luas, um dos mais tradicionais perímetros de disputa da Fórmula Vimana como bem conhecia o homiquântico, tantas não foram as vezes que competiu naquele circuito. Estupefato, captou o pensamento de Willa enquanto ela pilotava o vimana: "Vai ficar parado? Já estou com duas órbitas de vantagem", mentalizou a quântica. Inicialmente sem saber como proceder, Nhoc apenas mirava a tela do televisor, dividida ao meio e apresentando um segundo vimana em repouso em uma das metades, aguardando um competidor sob a inscrição, em inglês, "*insert coin*". Hilária, Willa questionou: "Não tem uma moeda aí?". Nhoc riu da ridícula insinuação, evidente que seus *games* não eram tão obsoletos que carecessem de uma moeda para serem ativados. Não obstante, mentalizou uma moeda de dez *jiao* e entrou no jogo antes que a adversária colocasse mais uma órbita de vantagem. Uma vez no circuito, logo percebeu que Willa era íntima do traçado, pois precisou de dez órbitas para emparelhar com a adversária, ambos disputando a liderança UA a UA e se alternando na ponta. Entrementes, não havia em Marte qualquer tangente que Nhoc não dominasse em total plenitude, logo abriu boa vantagem e foi botando órbita atrás de órbita em cima da adversária até que cruzasse o disco final vitorioso e orgulhoso pelo feito.

Nesse instante, em plano atual, Nhoc sequer se deu conta que estava de mãos dadas com Willa. Seu mico mostrava-se alegre, sorrindo ao captar a aura de seu amo. O homiquântico desfrutava de um grau de empatia até então inédito com a figura alienígena que compartilhava seu túmulo. Até o homem sentado à frente dos terminais, inerte em suas tarefas, chegou a sorrir levemente com os olhos.

Uma só disputa não bastava para saciar o homiquântico e eles reiniciaram a corrida, depois outra e mais outra, com Nhoc vencendo todas cada vez com mais facilidade e maior vantagem. Mudaram de circuito, viajaram pela órbita de vários planetas até chegarem ao Sol, o ápice da categoria, uma zona de vácuo que Nhoc conhecia bem, afinal, tinha dispensado dias e mais dias na vanguarda do circuito fotosférico. Venceu sem dar chances a Willa. Cansado de tanto sobrepujar sua adversária, questionou:

– Não dá para configurar uma disputa com mais adversários? Convoque a *Nave*, quero ver como ela se sai pilotando Di. Sam não era piloto também?

– Certamente, não no mesmo patamar que desfruto, mas sim, Sam é um bom piloto. Quanto à *Nave*, não disponho de memória para rodar uma inteligência tão complexa quanto a dela.

– Nem um avatar para ela pilotar? Ou que sejam *bots* por ela configurados?

– Somente se rodarmos a simulação diretamente na memória dela.

– Pois então rode.

– Para isso é preciso que você esteja em conexão direta com ela.

– Refere-se a estar presente na *Nave fisicamente*?

– Exato – confirmou Willa.

– Sua canalha! Pensa que sou imbecil a ponto de cair nesse estúpido ardil? – irritou-se Nhoc, instintivamente largando a mão da alienígena e afastando seu braço de sua cabeça. Seu mico voltou a assumir expressão séria no rosto, arreganhando os dentes.

– Questões técnicas. Não consigo emular linhas de código tão precárias em meus sistemas. Preciso de mais memória.

– Crês que um insignificante *game* é suficiente para me seduzir a aceitar teu convite? – A resposta seria sim. Todavia, mais essa demonstração de teimosia por parte de Nhoc ultrapassava as raias da paciência de Willa. Já tinha sido extremamente complacente com os temores de Nhoc, paciente ao extremo para aguentar seu sarcasmo e buscar uma abordagem leve e gentil para tentar convencê-lo a aceitar seu convite. Por sinal, uma escolha de pleno bom senso, ainda que os sensos do homiquântico estivessem comprometidos pelo quadro de Alzheimer que o acometia. Em função disso, sem mais se preocupar em disfarçar sua impaciência, Willa respondeu com frieza:

– Cri que seria... Mas você é um animal teimoso, irredutível e incapaz de perceber a importância que jaz por trás de meu convite, o qual, por sinal, trata-se de mera cortesia. Sabe perfeitamente que poderia impor minha vontade se assim desejasse. – Ao captar o tom coercitivo da alienígena, Nhoc permaneceu silencioso, seu mico baixou as orelhas sobre seu obro e se encolheu, ambos temendo uma atitude mais viril por parte dela.

– O que pretendes fazer comigo?! – questionou aflito o homiquântico.

Willa estava tentada a submetê-lo à hipnose e conduzi-lo, à revelia, até o Algomoro, mas uma requisição da *Árvore* quebrou seu ímpeto e manteve o suspense:

– Iniciar varredura da flora local – ordenou a robô. Era um pedido para que determinada porção multividual de Willa abandonasse seu posto e iniciasse uma tarefa relacionada aos estudos da entidade vegetal. Embora extremamente inconveniente, a alienígena foi obrigada a acatar a ordem, pois tinha acordado realizar tais tarefas em troca do apoio às suas iniciativas, sobretudo no delicado quadro atual, quando seu plano de contingência estava em xeque e necessitava de todo quórum aliado para mantê-lo em vigência. Sem alternativa, parte de seu multivíduo foi obrigado a deixar o recinto secreto atrás da sala do antigo imperador chinês e realizar as tarefas requisitadas.

O restante complementar do multivíduo Willa que permaneceu junto ao apreensivo Nhoc, deu fim ao suspense e manifestou em tom amigável:

– Pretendo continuar compilando sua narrativa de vida até que se esgotem suas memórias. – Só assim talvez encontrasse algum sentimento ou fato que pudesse utilizar a seu favor para convencer o teimoso homiquântico.

Acalmados os ânimos, Nhoc deu continuidade à narrativa de sua história. De sua parte, esperançoso de que a alienígena se contentasse em compilar suas memórias e assim desistisse da insistência em levá-lo para o futuro. Todavia, ao final da leitura, Willa finalmente encontrou o fato, ou melhor, os fatos que a permitiram, enfim, dobrar Nhoc de uma vez por todas. Tão logo compilou a última sentença sináptica de sua história de vida, de forma protocolar, comunicou:

– Espécime Adonis_844535239, vulgo Nhoc. Você tem o direito de permanecer em sítio atual, toda energia empregada clandestinamente contra esse fim poderá ser utilizada contra você. Você tem direito a se locomover e a se restaurar por vontade própria, mas ninguém poderá lhe fornecer créditos sem que lhe cobrem os devidos méritos.

– Está me dando sinapse de *prisão*?! Mas que suposto crime eu cometi? – questionou Nhoc, indignado. Mais uma vez, seu mico mostrou os dentes de forma ameaçadora e rosnou para a alienígena.

– Isso questiono eu: você abduziu o completo planeta e ainda me pergunta qual crime cometeu?

– Com base em quê pensas que pode me imputar tal estado?

– Com base no estatuto de adução vigente do cosmo civilizado.

– Não reconheço tua autoridade, tampouco teus estatutos.

– Terás oportunidade de estudar os estatutos assim que restabelecermos contato com o cosmo. Você compreende os direitos que compartilhei?

– Perfeitamente. Se posso manter sítio atual, permanecerei aqui mesmo, ora essa!

– O sítio atual a que me refiro trata-se de meu campo extensivo.

– Isto é uma abdução?

– Não. É um experimento científico.

– Ora, poupe-me de tua hipocrisia.

– É demasiado valioso para que te abandone aqui.

– O que pretendes fazer comigo?

– Será escoltado de volta à atualidade e conduzido para Marte, onde permanecerá junto aos seus pares de espécie na lua de Phobos. Lá viverá o restante de seus horizontes em subserviência à ciência – sentenciou Willa em tom imperativo.

Ao esclarecimento, Nhoc emanou o mais sincero terror em sua aura, sentimento de puro horror. Em pânico, deu um passo para trás e se afastou da alienígena como se quisesse fugir. Terror compartilhado pelo mico em seu ombro; sob um estridente grunhido de dor, num pulo só o bicho fugiu apavorado e se escondeu atrás de seus pais no fundo da câmara.

– *Phobos*?! Não!! **JAMAIS**!!! Isso é injusto! Não sou um zumbi para ser tratado como um, nem um louco para ser confinado em um hospício! Não, por favor, não faça isso... Eu imploro, não me leve para lá! Tenha piedade... – compartilhou Nhoc. Apavorado, recuou e se encolheu no fundo da câmara junto a seus micos. Willa tentou acalmá-lo:

– Mantenha a compostura, Nhoc! Phobos não é mais a mesma lua que guarda na memória...

Capítulo XII
O pretérito reprisado

O sítio era descrito como Ágora, mas seria como uma assembleia municipal, uma praça em que os cidadãos se reúnem para debater os interesses comuns de sua esfera de convivência. Todavia, a presença de pessoas ali não se limitava à esfera física, os debates e as decisões políticas também aconteciam em ambiente virtual ou residual, conforme se pensava dependendo da espécie de origem, pois o sítio era frequentado por várias delas, muitas tidas como animais ou zumbis. Na verdade, apresentavam um pouco de ambos os traços dependendo da etnia, fosse proveta ou útero, fosse produto da seleção genética ou clone. O local em si não oferecia grandes atrativos, um largo campo gramado em forma de círculo, com vários arbustos esparsamente distribuídos embelezando a vista e servindo de ilha de conexão para habitantes que ainda dependiam de fios para captarem a rede local. A Praça da Ágora também era o centro cultural da metrópole, palco de manifestações artísticas e feiras livres por situar-se em um ponto de encontro entre as vizinhanças das principais espécies que coabitavam a cidade, um espaço de convivência entre elas. Normalmente, um lugar calmo, salvo períodos de votação ou de acontecimentos extraordinários. Justo como no momento em questão, quando cidadãos de natureza diversa debatiam a grande novidade do pedaço, a chegada de uma nova espécie. Uma espécie quase esquecida pela maioria dali, que, para os tais cidadãos tidos como animais ou zumbis, para esses, sim, parecia um pouco dos dois, embora verdadeiramente não fosse bem assim. Muitos se encontravam na praça manifestando temor ou repúdio à sua chegada, mas a maioria apenas compartilhava surpresa e curiosidade em torno do fato que agitava o povo nas ruas ou pela *Mídia*: o retorno do *homo sapiens*.

Apesar do alvoroço, a cena inteira era como um grande *déjà-vu*, e quando Billy retomou sua consciência, sequer tinha noção do alvoroço que tomava as cercanias ao seu redor. A memória estampada dos últimos fatos o atemorizava muito mais do que qualquer fuzuê que pudesse ouvir – até porque não estava ouvindo nada. O que sentia seu corpo tocar comprovava que suas lembranças não se tratavam de um sonho – na verdade, o que *não* sentia, pois estava perfeitamente estirado de costas para o chão, deitado em uma cama que não existia. De fato, sentia seu corpo flutuar no ar sem tocar em nada. Buscou se concentrar em sua última lembrança: momento em que *meu corpo* foi imobilizado, então conduzido por um alienígena cabeçudo para dentro de um disco-voador ao lado de uma mulher vestida de branco, uma médica. Dentro do disco, um alienígena conversou *comigo*, uma dura conversa. Seu nome era Noll. Ele tentou ler a *minha mente*, mas, claro, *não permiti*, e aí... Não havia mais nada para lembrar.

Billy enfim abriu os olhos e encarou a realidade. Estava em uma sala de pedra, ao primeiro olhar, parecida com um calabouço ou uma prisão. Mas era apenas um recinto retangular um tanto quanto estranho, diferente de qualquer arquitetura que já havia visto. Ao se erguer, observou duas passagens abertas ao fundo, um pouco inclinadas, que se estreitavam no topo, tanto quanto as paredes, notou em seguida. Havia uma janela, que seguia igual arquitetura, com batentes largos, como a própria estrutura do local, ao que pôde deduzir. As paredes não eram feitas de tijolos, mas de grandes rochas lapidadas e encaixadas umas sobre as outras. Embaixo de seu corpo existia uma cama totalmente alva, como se fosse feita de luz, algum tipo de *neon*, tão macia que sequer sentia tocá-la, daí a sensação de flutuar. A cama pairava no ar tocando a parede sem pés para se sustentar acima do solo. Porém, se seu corpo não flutuava, parecia estranhamente leve. Ao lado, uma pequena faixa do mesmo *neon* branco estendia-se pela parede interligando outra cama idêntica que pairava ao lado da sua. Nela, sua irmã, Sandy, estava deitada de costas, totalmente nua com o risco infantil de sua xoxota à vista. Todavia, o que mais chamava a atenção eram os estranhos óculos de sol que ela tinha sobre os olhos. Nesse instante, procurou analisar a si próprio e tatear os olhos para constatar o mesmo, que estava nu de óculos escuros. Tentou retirá-los, mas, embora sequer pudesse senti-los sobre a pele, pareciam grudados em seu rosto. Sem entender, dirigiu-se à cama da irmã pensando em examinar os óculos dela. Porém, ao se aproximar, ela riu e disse algo incompreensível. Percebeu que ela não estava falando, e sim pensando, sonhando, pois sua boca permanecia imóvel: eram seus pensamentos que pareciam vazar da cabeça dela diretamente para a sua. Nesse instante, lembrou, foi o alienígena quem havia fornecido aqueles óculos, eram óculos tridimensionais, ao menos foi o que imaginou após colocá-los. Agora sabia que eram bem mais do que isso.

"*É um adaptador otoftálmico*" – uma voz falou em sua mente, a mesma que havia lhe falado antes, no disco-voador. "*Disco-ambulatorial*", corrigiu a voz. "*Ele não voa, flutua no vácuo*", acrescentou. Era Noll quem lhe falava, ou melhor, corrigia-lhe diretamente em seu cérebro. Ao conceber isso, sentiu-se tenso, como se estivesse acuado. Pensou em correr, fugir dali. Porém, sem que a voz de Noll precisasse corrigi-lo novamente, sabia que era impossível, sabia que onde quer que estivesse, não haveria escapatória. Estava indefeso, não sabia o que fazer, um sentimento que o fez sentir-se ainda pior. Uma forte constrição abdominal tomou seu corpo e, antes que pudesse pensar algo mais, uma latrina surgiu da parede como resposta à sua dor. Billy sentou nela e aliviou-se, mas como tudo parecia fugir da ordem natural das coisas, percebeu que suas fezes não caíram dentro da latrina, pareciam dissolver no ar tão logo perpassavam seu esfíncter anal. Quando terminou, voltou-se para a latrina e notou que seu cocô flutuava em seu interior. Como se não bastasse, ainda apresentava uma coloração escura e salpicada de cores como se tivesse defecado uma salada tropical em forma de bolo, estranhamente, sem emitir qualquer odor. Pensou em examiná-la com as mãos, mas não teve *horizonte* – *Horizonte? Por que pensei nessa palavra?* –, a latrina simplesmente se recolheu para dentro da parede antes que pudesse colocar as mãos dentro dela.

– Pensaste essa *sinapse* porque tens muito mais coisas dentro de tua cabeça do que possas te lembrar – pronunciou-se a voz. Porém, não mais através de seus pensamentos, mas com uma frase vocalizada através da passagem que delimitava o recinto. Uma estranha voz de sonoridade metálica, pronunciando-se em inglês com um sotaque engraçado, *australiano.* Era a voz daquele alienígena cabeçudo, o tal *quanticus sapiens*[2] – *Mas como eu sei disso?* –; era a voz de Noll.

Billy virou seu olhar para a passagem e, sem suspense, Noll revelou sua presença através dela flutuando sobre o solo de pernas cruzadas, *na posição da lótus.* Uma figura completamente alienígena, porém, de certa maneira familiar, transmitindo paz; um amigo, seu amigo. O amigo se aproximou e estendeu seu longo braço, espalmando as mãos e seus finos dedos para cumprimentá-lo. Um pouco hesitante, Billy o cumprimentou tocando sua palma levemente, já que sequer poderia envolvê-la por completo de tão grande que era em comparação à sua. Imediatamente, um turbilhão de pensamentos, dúvidas e temores passaram a percorrer sua cabeça. Noll buscou elucidá-los e tentou acalmar o pequeno homem. Invariavelmente, uma das questões mais óbvias que passou pela mente de Billy foi: "Que lugar maluco é este onde estamos?". Dúvida que o alienígena respondeu apontando para a janela do recinto. Os dois, então, puseram-se a observar a paisagem.

A vista era fantástica, uma cidade linda, um vale preenchido com construções de pedras, com prédios repletos de janelas e passagens formando ruas cheias de transeuntes passeando como formigas ao distante, tal qual se imaginasse em qualquer metrópole. Ao percorrer o olhar pelo vale, uma larga avenida margeava um riacho e prosseguia até sumir no horizonte por trás de algumas construções onde desembocava na famosa Ágora, o centro pulsante da cidade. De lá, uma procissão caminhava em direção *pra cá,* formando uma passeata. Por outro lado, ao contrário do que se podia esperar, não existiam carros ou algo do tipo trafegando pelas vias, apenas alguns discos-táxi que ocasionalmente riscavam o céu ao decolar ou pousar. As ruas eram arborizadas e as avenidas tão meticulosamente gramadas que mais se pareciam carpetadas, todas muito bem iluminadas, embora o Sol estivesse mais distante e ausente no horizonte. À ausência do Sol na panorâmica, outro astro supria sua falta, azulado, recortado ao meio pelo próprio brilho, pela luz do feixe-solar fluindo ao seu redor e incidindo em sua atmosfera. Apesar disso, era noite, embora ali só existisse dia ou eclipse. Mas que lugar poderia oferecer tal vista e tais condições? Simples: em uma lua não estacionária que se banha à luz de seu planeta. Sim, *estamos* em uma lua.

– Bem-vindo a Phobos – comunicou Noll com sua voz metálica. Phobos, a lua de Marte, ou uma das, a mais charmosa como se pensava por ali, a mais civilizada da órbita certamente, do cosmo, talvez. Sobretudo, a mais antiga e tradicional, colonizada a partir da primeira mutação do *homo sapiens*, a que deu origem ao *homo ciborgues*. Lua em que o primeiro homem foi ali aprisionado pelo próprio ciborgue que criou e assim seguiu-se com cada nova espécie evoluída. Cada qual aprisionando a sua predecessora até alcançar a atualidade em que quânticos aprisionam as demais espécies da mesma forma como *nós, homens, aprisionávamos macacos na Terra. Nós, os animais, ou zumbis como eles pensam, como capto, aprisionados nesta lua* – foi o pensamento de Billy, mais uma vez sentindo um *déjà-vu* como se já soubesse disso. Talvez estivesse recordando aos poucos, talvez o alienígena estivesse interferindo em *minha* mente.

A cena ao redor era estupenda, a mais bela cidade que já havia visto, exceto talvez por Miami – pensou Billy. Mas o que *talvez* lhe passasse tal sensação não se resumisse à beleza de cada detalhe do local, mas ao inusitado da situação. Pelos prédios ou mesmo o vale que se perdia ao fundo não serem preenchidos de edifícios ou morros, e sim de pirâmides. Pirâmides poligonais, que imediatamente o fizeram lembrar das pirâmides mexicanas de uma viagem que fez com sua família quando tinha sete anos de idade, ainda *lá* na Terra, no *passado*. As ruas serpenteavam entre as pirâmides menores, as quais, por sua vez, distribuíam-se na base de uma pirâmide maior, gigante, tipo arranha-céu, que delineava todo o vale. Apesar da estranheza das construções, ainda assim não deixavam de ser prédios, uma cidade cuja vista se parecia mais rústica do que futurista não fosse a perfeição da paisagem e alguns poucos discos-táxi flutuando no céu. Mas nada além disso, apenas uma cidade, uma selva de pedras. Não só de pedras, um lar de espécies animais: *um zoológico* – concluiu o pequeno homem. Quanto ao endereço do local, daquele quarto e daquela janela, bastava perguntar por Billy ou Sandy, pelo "homem" ou pela "família hominídea" lá no prédio do:

– Sanatório Psicozumbiológico de Marte – esclareceu Noll, desta vez por telepatia. De sua parte, percebeu certo estresse crescendo na aura de Billy. Nada que se relacionasse ao local, a lua ou à vista, mas sim aos pensamentos que o pequeno homem captava com seu adaptador otoftálmico. Pensamentos, em parte ininteligíveis, como se estivesse próximo de um curral de patos e gansos relativamente barulhento, mas transmitindo um sentimento claro: indignação, repúdio. Eram vozes contestando e questionando qual criatura seria aquela, aquele *homem* na janela, os pensamentos das pessoas que estavam na rua bem abaixo da janela em que Billy observava a paisagem. Um pequeno aglomerado de indivíduos, *alienígenas* do seu ponto de vista, alguns poucos sim, homens, nus como ele mesmo estava, mas coloridos, como camaleões alternando de cor. Todos ali postados cerca de vinte metros à frente do prédio do sanatório, logo abaixo do quinto patamar da pirâmide, pasmos e curiosos mirando Billy.

De tão inacreditável, Billy chegou a duvidar que a cena fosse real, tanto pela paisagem quanto pela presença de tão excêntrico aglomerado de criaturas abaixo de sua janela. Talvez tudo não passasse de uma alucinação ou uma manipulação sensorial proporcionada por aquele estranho adaptador otoftálmico. Tentou removê-lo para observar a vista com seus próprios olhos, porém, mais uma vez não conseguiu.

– Precisas desabilitar o adaptador na área de toque ao centro dos visores – compartilhou Noll. – Tu não estás habilitado – avisou.

– Remova-o para mim, por favor – pediu Billy.

– Não posso.

– Como não?

– Pois não estou aqui. Aguarde que a doutora Diana o assistirá – esclareceu o alienígena, fazendo referência à médica humana que havia estado com Billy no disco-ambulatorial.

Em seguida, Noll apontou para a entrada do recinto e lá estava ela, Diana. Uma bela mulher de pele alva contrastando com seus cabelos ruivos, compridos e ondulados. Aparentava uns 40 anos de idade, vestida como médica, toda de branco, com um jaleco cobrindo o corpo pouco abaixo da cintura, exibindo as pernas nuas e os pés calçando sapatilhas. Ela caminhou em direção a Billy. Porém, foi aí que pensou o pequeno homem: há algo estranho nessa mulher. Se já existissem homens ou mulheres na lua, não haveria alvoroço algum nas ruas em função da chegada de um homem ao zoológico, de modo que essa mulher não é uma mulher, essa mulher é...

– Sim, Willian. Não sou hominídeo como ti, sou um quântico também – esclareceu Diana, emitindo sua voz, tão metálica e engraçada quanto à de Noll, utilizando a sinapse substantiva Willian para dar mais formalidade à sua fala, o nome correto de Billy. Às palavras da médica, sua imagem humana, ou melhor, *hominídea*, desfez-se como que por encanto. Em seu lugar apareceu um alienígena idêntico a Noll, diferenciando-se apenas pelo jaleco branco que ainda cobria seu corpo. Ao contrário de Noll, Diana caminhava com os pés. Enquanto se aproximava, por telepatia pediu desculpas pela encenação. Esclareceu que a utilização de um espectro hominídeo foi necessária durante o resgate com o disco-ambulatorial.

– Então vocês realmente estavam manipulando minha mente com esses óculos – pensou Billy. Ao que Diana justificou, não como uma manipulação, mas como um recurso de interação sensorial de realidade virtual com fins terapêuticos.

– Precisávamos de uma imagem congruente ao seu conjunto de referências existenciais para minimizar o trauma de trazê-lo para cá – mentalizou ela. – Em contínuo isso não será mais necessário.

A médica se aproximou de Billy e levou seu dedo até o eixo central do adaptador otoftálmico. Ao tocá-lo, ele se desencaixou de sua cabeça facilmente, soltando-se lentamente na baixa gravidade lunar, devolvendo a visão natural ao pequeno homem. Porém, ao retirar os óculos, as vozes que vinham da rua calaram-se imediatamente. Noll, que pairava ao seu lado, simplesmente desapareceu como se tivesse evaporado no ar; e o corpo de Diana ganhou um brilho tão forte que o obrigou a desviar o olhar, mostrando-se nu, sem o jaleco que antes a cobria. Ao mirar pela janela, a vista parecia pobre, sombria, silenciosa, já não conseguia mais enxergar as janelinhas das pirâmides ao fundo ou os transeuntes ao distante, nem ouvi-los se manifestando. Ainda assim, a cidade era a mesma de antes, só não tinha mais tanta graça. De qualquer modo, ao menos pôde comprovar que tudo era real: a cidade, o recinto, Sandy dormindo nua na cama, a lua e os estranhos alienígenas que permaneciam embaixo da janela.

Em paralelo, Noll – Nolly na atualidade, embora Billy ainda não estivesse ciente disso, ao menos não o par que acabara de despertar em Phobos – aproveitou que Billy estava despido do adaptador para dirigir-se mentalmente à Diana e pedir um favor:

– Uma vez que precisamos pajear a prole em presença física, precisarei de um corpo emprestado para lidar com ela. Ao menos inicialmente.

– Terá. Imediatamente após completarmos a próxima etapa da adução – concordou a médica.

Billy voltou a vestir o adaptador e tudo retornou ao "normal": Noll reassumiu sua forma, a paisagem externa resplandeceu e a médica obscureceu, cessou de emitir seu brilho ofuscante. Ainda sem entender completamente o "desaparecimento" de Noll, o alienígena explicou:

– Minha presença aqui é apenas virtual, na forma de resíduo sensorial. Meu corpo não está nesta lua – mentalizou. A princípio, Billy riu, como se duvidasse, então perguntou:

– Onde está então?

– Em Plutão.

– Plutão?! O que faz por aí? Como é possível você estar... – questionou com espanto o pequeno homem, mas foi interrompido pelo alienígena.

– É uma longa história – resumiu-se em explicar. Antes que Noll compartilhasse algo mais, Diana se adiantou:

– Não te preocupes, Willian. As respostas virão em curto e médio horizonte. Estamos aqui para isso, para ajudá-lo a entender tudo que se passou – mentalizou a médica transmitindo calma em suas sinapses, apartando a onda aflitiva do hominídeo.

Billy acenou com a mão direita para a pequena multidão e seu gesto foi retribuído junto ao sentimento por trás daquelas vozes-pensamentos incompreensíveis - estavam lhe dando boas-vindas. Nem todos, pois não houve como deixar de reparar em um dos homens-camaleão olhando de cara feia e fazendo um gesto obsceno. Por quê? Não havia como saber.

– São paranormais, a espécie mais baixa desta lua. Têm um comportamento meio errático e um tanto quanto irracional – comentou Diana.

Antes que pudesse se encafifar com a atitude do paranormal, a contemplação de Billy foi interrompida por um *pensamento* humano bastante familiar:

– Que lugar é esse? Onde estão a mamãe e o papai? – Era Sandy. A garota estava desperta, sentada em sua cama observando as três figuras na janela sem dar bola para o fato do irmão estar nu e uma delas ser alienígena – na visão da garota, somente Diana transparecia-se como uma médica hominídea. Billy sentiu-se constrangido e temeroso pela reação a seguir de sua irmã. Tentou balbuciar algo para antecipá-la. Mas não houve horizonte, até porque ela estava ouvindo seus pensamentos – os dois compartilharam uma forte exclamação que sequer precisava de palavras para extrair seu significado. Antes mesmo que pudesse lançar uma sílaba no ar, Sandy pulou da cama, saiu correndo, atravessou uma das passagens do quarto e virou à esquerda.

Billy foi atrás dela seguido de Diana. Nolly não se deu ao trabalho, apenas esperou que todos estivessem no quarto ao lado e projetou seu resíduo lá. No recinto contíguo, em duas camas brancas e flutuantes iguais às do recinto em que Billy e Sandy dormiam há pouco, jaziam seus pais, Bob e Julia, ambos estirados de costas e trajados com camisolas, aparentemente dormindo. Ao se aproximarem, tanto Sandy quanto Billy instintivamente captaram que algo estava errado no sono de seus pais. Temerosamente, não ouviam nada em suas mentes, pareciam dois cadáveres. Por um instante, Billy pensou que estivessem tão mortos quanto o comandante James Kelly, cuja lembrança e a ciência de sua morte após o incidente com o avião que os trouxera para a atual *dimensão* vieram-lhe à mente ao contemplar a cena. Sandy debruçou-se sobre a mãe, chamou-a e a sacudiu tentando acordá-la. Agoniada com a falta de resposta dela, começou a chorar em desespero. Embora igualmente agoniado ao observar a cena, a preocupação de Billy voltou-se para seu pai. Pensou em checar seu coração, ouvir seus batimentos, mas sequer era preciso, apenas *intuiu* que ele estava vivo e que a presença deles ali, naquele sanatório, visava cuidar de sua saúde mental, *da nossa saúde mental.*

O casal estava em estado de animação suspensa. Caberia a eles, Billy e sua irmã, autorizarem sua reanimação. Para isso, antes teriam de ser atualizados em maiores detalhes sobre os fatos decorridos e decorrentes da atual situação.

Porém, antes que Sandy pudesse ajudar a reconduzir seus pais de volta à normalidade, ela precisaria de cuidados especiais. De momento, a jovem beirava uma pequena catarse. Em sua aura, crescia o medo ao se perceber junto a tão estranha presença em tão desconhecido lugar na ausência de seus pais. Eles pareciam não querer acordar, embora chacoalhasse fortemente a mãe, balançando seu rosto e aumentando o tom de sua voz, já quase aos berros. Igualmente tentava chamar atenção do pai, porém ambos permaneciam completamente imóveis sem demonstrar qualquer reação. Em total desespero, Sandy virou-se para a única pessoa que, por instinto, imaginou poder ajudá-los:

– *Dotora*, por favor! Acorda eles! Acorda eles! – implorou a menina com estridentes sinapses, sequer conseguindo controlar o que dizia pela boca e o que transmitia por sua mente através do adaptador, o qual retinha as lágrimas que se formavam em seus olhos.

Em resposta ao apelo de Sandy, os dedos de Diana ganharam um intenso brilho e ela esticou sua mão em direção à garota. Antes que a menina pudesse perceber, a médica pousou a palma em sua cabeça, fazendo-a adormecer imediatamente. Em seguida, agilmente utilizou o outro braço para envolver Sandy sem que a tocasse, imantou-a e fê-la flutuar pelo ar de volta ao leito no recinto contíguo.

Billy observou a cena bestificado. A clara visão de um alienígena subjugando sua indefesa irmã como se fosse um brinquedo foi algo amedrontador. Mas ficou aliviado com a precaução da médica, pois sequer imaginava o que faria em seu lugar ou o que diria naquele momento em que se sentia tão assustado quanto ela. Seu assombro foi interrompido pela médica:

– Nesse contínuo, eu e o mocinho teremos uma séria conversa. Siga-me, por favor – compartilhou Diana, então virou-se e caminhou para a passagem que interligava os dois quartos com o recinto adjacente, tomando a saída à direita. A saída interligava um terceiro recinto que se parecia com um consultório. Nele havia móveis, todos feitos do mesmo material branco das camas. Diana contornou uma mesa flutuante de formato retangular e sentou-se em uma cadeira côncava estranhamente baixa e de dimensões reduzidas, mas perfeita para acomodar seu corpo. Alguns assentos ergonomicamente adaptados para o corpo hominídeo e um divã completavam a mobília. As paredes estavam completamente nuas, acima da mesa havia alguns cadernos, um volume da Bíblia Sagrada que Billy reconheceu ser o mesmo que pertencia à sua mãe, alguns lápis, um apontador e o que se parecia giz de colorir. Além disso, não havia mais nada no recinto. Sem precisar que a médica comunicasse, Billy sentou-se à sua frente na mesa e encarou a alienígena como se fosse uma pessoa qualquer – uma nova professora, talvez –, apesar de sua aparência extraordinária.

– O primeiro parâmetro que precisa rever é nos encarar como *alienígenas*. Somos todos *humanos* aqui, e se existe algum alienígena presente nesta lua, esse alienígena é você – mentalizou a médica. Por mais estranho que fosse o ser à sua frente, o inusitado do contexto e o temor inerente aos fatos como um todo, Billy sabia que Diana estava correta. De alguma forma tinha ciência de que aquela conversa, fosse por voz ou telepatia, era como algo de praxe, um simples procedimento. Ao final, tudo ficaria bem outra vez.

Ao menos era o que pressentia o menino-homem, o novo alienígena presente em Phobos.

87

Milênios e mais milênios já ultrapassaram o horizonte em que a Psicozumbilogia havia se tornado um grupo de referências históricas no trato psíquico de espécies hominídeas reencefalizadas a partir de exemplares descobertos impressos em gelo na Terra. Uma ciência um tanto quanto superada, referente a uma espécie igualmente superada e extinta, raramente cultivada em locais que não fossem pontos ermos do cosmo ou em simulações residuais. Mas, à faculdade de Diana, tal ciência ainda compunha o grupo de parâmetros mais próximo para embasar o trato com o espécimen que se encontrava sentado à mesa diante de seus glóbulos oculares. Não havia nenhum capítulo, estudo ou mente dentro das psicoveterinárias, nem mesmo na psicologia zeldana, que fizesse referência ao *homo sapiens*. Pelo contrário, qualquer referência à psiquê dessa espécie – fosse de achados de sua antiga civilização terrena ou de estudos comportamentais das extintas sociedades zumbis que habitaram a Lua da Terra, ou Phobos em Marte – sequer faziam parte do leque de ciências e de faculdades ligadas à Psicoveterinária, pertenciam a um campo de estudo intitulado Teozumbilogia. Um campo resumido a uma análise mitológica substancialmente enraizada em cultos religiosos, comportamentais e sociopolíticos pouco compreensíveis ao foco atual da ciência e o profundo conhecimento sobre a estrutura psicológica das espécies *sapiens*. Mas que, apesar dessa enorme lacuna, seriam fundamentais para lidar com as novas aquisições do zoológico, especialmente os espécimes adultos.

Por se tratar de um grupo de ciências que não compunha sua especialidade atual, o apoio de alguns especialistas era fundamental. Por isso, em plano de fundo, Diana contava com as presenças virtuais de Xavier, uma grande notoriedade artificial das artes dimensioscópicas que, em pretérito-do-pretérito, havia trabalhado com espécies zumbis na Lua terrena. No caso, como representante da espécie pararrobótica lidando majoritariamente com homiquânticos da geração anterior a sua, além de lidar com pares transmutados após a ascensão da geração Quanticus^{0}. Mas, como parte de seu ofício à época, também tinha experiência lidando com paranormais e com zumbis humanoides reavivados a partir de cadáveres *homo sapiens* mantidos em estoque com fins experimentais. Ao seu lado, uma grande sumidade intelectual, fundador e reitor de várias universidades de vácuo em História Absoluta, incluindo um longo currículo em Teologia Geral, ente que viveu o processo de transmutação homiquântico-quântico na geração zero – ainda que não detivesse conhecimentos em Psicologia hominídea ou Psicozumbilogia, possuía bom índice em Teozumbilogia –, era *expert* em história e cultura pré-histórica, bem como nutria gosto pelo período messiânico, do qual a família Firmleg provinha, justamente por isso, apontado como ente mais qualificado para assumir a tutoria dos hominídeos recém-chegados: o professor Ipsilon. Xavier no papel de super, e Ipsilon como tutor, seriam fundamentais no trato e na possível adaptação dos quatro exemplares hominídeos presentes na lua.

Em paralelo ao time assim elencado, a condução do intitulado "Caso Firmleg" contava com uma notoriedade cósmica das mais proeminentes, representante da alta nata científica do fundamentalismo existencial radicada em Plutão – o mesmo que comandou os trâmites de transmissão da ondulação fundamental de Bob e Julia para a estrela Firmlegs em plano pretérito-mais-que-perfeito[5] –, um reptiliano que recém-artificializara-se apenas para cumprir um mandato da entidade *Pai* na averiguação do achado ainda na Terra, o Dr. Zabarov, atual Zabarov II, que pleiteara a patente sobre os Firmlegs junto à médica na ocasião. Todavia, por decisão do Supremo Tribunal Cósmico, a patente ficou vinculada ao zoológico em Phobos e aos cuidados de Diana. Ainda assim, o doutor conduzia seus experimentos próprios em relação ao achado, bem como auxiliava o time conectado a Phobos. Apesar da parceria, Zabarov não deixava de ser um rival de Diana na monitoria do Caso Firmleg. Como ele se mantinha em contato síncrono com a clínica, Diana elegeu um intermediário para não ter de lidar com ele em conexão direta. Alguém que pudesse facilmente organizar o fluxo de informações entre as partes e auxiliar a construção do quadro clínico dos Firmlegs: o robô psicólogo *Frades* se incumbiu dessa tarefa, um colega de Xavier. Por fim, Nolly, sua assistente pessoal e reaprendiz zootécnica, atuaria como pai recreativo de Billy e Sandy, prestando sua interface para interação e socialização de ambos. Já no seu papel como mãe recreativa, Diana trabalharia na monitoria de toda família. Estava assim escalado o time que tentaria, mais uma vez, devolver o livre-arbítrio àquelas criaturas conforme já haviam executado, com relativo sucesso, com Billy e Sandy em plano paralelo.

---

[5] Capítulo II –"O pretérito infinitivo" em *Abdução, Relatório da Terceira Órbita.*

Se, para Diana, a participação de Zabarov na monitoria dos Firmlegs em Phobos resumia-se a uma consultoria remota, para o fundamentalista, o sucesso ou o fracasso da condução do caso por parte da médica era irrelevante. Certamente, o fracasso lhe removeria alguns obstáculos, de contínuo, representados pela metodologia adotada pela doutora, a qual limitava sua atuação no caso como cabeça de chave representante da científica-existencial. Mas Zabarov mantinha-se à frente da questão não apenas pelo interesse dos fundamentalistas plutônicos, no caso, também em representação dos físicos existencialistas engajados nos trabalhos de germinação interestelar conduzidos no instituto SETI, os quais ele próprio também liderava. Zabarov também estava vinculado com outros interesses, tais como da quântica-espacial fotosférica cujas universidades radicavam-se em Titã, no Sol. Esses interesses, todavia, em nada interferiam nas decisões de Diana ou no livre-arbítrio das criaturas. Porém, se a médica não lograsse devolver o livre-arbítrio das criaturas ao que tange sua respectiva representação na esfera cósmica – neste ponto específico, pouco importava a liberdade que os Firmlegs viessem a desfrutar na esfera zoológica de Phobos –, Zabarov desfrutaria de novos elementos, se não para reverter a decisão do Supremo Tribunal Cósmico a fim de reivindicar para si a patente das criaturas, mas para abreviar a janela para usufruir da respectiva massa reorgânica da família que se encontrava apreendida e armazenada em Marte. Local onde um depósito frigorífico abrigava inúmeras cópias da família cujo acidente nas Bermudas as replicou no atual curso dimensional, com incontáveis exemplares da mesma mantidos em estado de criogenia. Esses exemplares, ou clones, poderiam ser redistribuídos e replicados conforme a necessidade da quântica-espacial a fins de uso combustível, objetivando realizar a propulsão de uma helionave para Sirius. Um objetivo que atendia aos anseios da científica-existencial que agia em totem do *Pai* e seu interesse em replicar sua consciência no *habitat* estelar dos zeldanos. Estes que, por sua vez, a entidade considerava seus pares de espécie, seus progenitores.

Em função de tão largos interesses, era obrigação de Zabarov manter-se atualizado de cada decisão envolvendo a família Firmleg, sobretudo em relação a Billy, pois o ex-hominídeo transmutado quântico já havia manifestado interesse em torno da preservação da massa reorgânica dos Firmlegs com fins veterinários. Todavia, ainda não protocolara um projeto aplicativo para tal empresa. Desse modo, uma vez esgotado o prazo para que iniciasse qualquer aplicação, o cosmo obteria controle total em relação ao banco marciano, podendo sacar a totalidade da massa reorgânica ali armazenada e sua respectiva ondulação fundamental conforme os interesses das bancadas paternais e outras tantas, fossem científicas ou maternais. O par mais evoluído de Sandy já demonstrara de forma cabal sua falta de interesse sobre esse depósito. Quanto a Bob e Julia, já estava comprovado que jamais alcançariam cognição mínima para desfrutar de qualquer poder decisório que não fosse relativo à própria vida em Phobos. Portanto, dos obstáculos que Zabarov tinha diante de si, o novo tratamento de Diana proposto para o par phobiano de Billy era um dos poucos que restava. Se Billy phobiano lograsse sincronizar-se com seu par quântico, sua psiquê poderia exercer algum tipo de influência contrária aos interesses da casta científica conectada a Zabarov. Por isso, o espécime precisava ser monitorado de perto e, uma vez acessível, persuadido a ceder seus direitos sobre a massa reorgânica de sua família para o cosmo. A própria Sandy phobiana precisava igualmente ser monitorada nesse sentido. Porém, como em outras dimensões ela já havia dado provas de que não seria um obstáculo, a preocupação maior girava em torno do hominídeo macho de instante sentado à mesa com Diana em seu consultório.

Mas para a médica, Billy era um ser que ia muito além de uma simples cria do zoológico. Consistia um especialíssimo objeto da Veteopsicanálise Quântica de Perspectiva Comparada, uma autêntica espécie hominídea de origem não zumbi ou artificializada, um espécimen inédito às suas faculdades.

Com tudo que estava em jogo, embora ninguém fosse capaz de captar esse tão íntimo sentimento, à exceção de seus próprios terapeutas, Diana estava excitada, tentava conter sua euforia pelo privilégio no trato de tão peculiar e inédita espécie. Bem mais até do que na ocasião em que estivera na mesma posição no interior do disco-ambulatorial ainda em Vinland, na Terra, quando executou quase idêntico contato com Billy. Porém, agora em Phobos, o desafio era demasiado maior e o ineditismo do experimento, inigualável. Isto pois nunca se havia feito uma clonagem seguida de uma ultrapassagem sensorial da ondulação fundamental[6] de um ente *sapiens* evoluído de um hominídeo. Experimentos assim só haviam sido executados com sucesso na transposição da espécie homiquântica para a quântica, com pouquíssimas exceções. Mas nunca com suas predecessoras, nem mesmo com as espécies disponíveis no zoológico, os paranormais, principalmente. Em uma breve revisão de consciência, Diana mal se lembrava da última vez que sentira uma excitação assim, nem mesmo quando colocou sua cabeça em Phobos pela primeira vez.

Na primeira vez, Diana era apenas uma jovem, uma turista estudantil como a maioria dos seus pares. Beirava seu primeiro delênio existencial e tinha cerca de mil anos-marte de idade na contagem *dydozen* quando, por mero esporte, junto com seus pares masturbacionais da ocasião, resolveu visitar a reserva de Phobos. Natural de Marte como qualquer graviprimata de primeira gênese, Diana dedicava-se aos estudos sexólogos e viajara o cosmo lecionando-se em teoria e prática da gênese

---

[6] Processo executado por Billy e Sandy em *Adução, o Dossiê Alienígena,* capítulo XV – "O futuro indicativo".

sexuada. Porém, jamais se interessara profundamente pela reprodução ou mesmo pelas peculiaridades ritualísticas reprodutivas de outras espécies que não fosse a sua própria, nem mesmo como parte extensiva de seus estudos sexológicos ou prática sexual. Alternou seu alinhamento sexual inúmeras vezes, mas sempre preferiu o feminino; foi genitor e genitora, pois engravidou com ambos os sexos, gerou centenas de zigotos válidos e trabalhou voluntariamente como pai recreativo em Shangri-la durante largo horizonte. Como reprodutora dedicada, chegou a engravidar espontaneamente duas vezes, mas seus zigotos foram indeferidos e precisou abortá-los. No âmbito das ciências veterinárias, até então igualmente resumia-se a uma desportista, uma caçadora de borboletas que dispensara bons horizontes percorrendo as reservas amazônicas ao norte e ao sul de Marte, colecionando as mais variadas espécies que por lá vivem. E foi esse justo interesse que guiou a jovem para a reserva de Phobos – puro lazer –, a fim de contemplar a vida em cativeiro de espécies *sapiens* semirracionais, um simples passeio ao zoológico com seus pares da época.

Entrementes, logo à sua primeira visita ao famoso *zoo* marciano, Diana ficou encantada com a vida animal em sociedade. Como sexóloga inclusive, testemunhou com espanto e alegria a forma como diferentes espécies com variados níveis de cognição entre as mais baixas, no caso, as paranormais, e as mais altas, os homiquânticos, conviviam em paz entre si em um mesmo *habitat*. O detalhe que mais chamou sua atenção foi a reprodução e a cópula ao ar livre dos paranormais, em contrapartida à vida intelectual dos homiquânticos assexuados e suas restritas carícias ritualísticas destituídas de libido sexual. Além do caráter rústico do *habitat*, ao mesmo horizonte, extremamente organizado e civilizado na forma como os animais conduziam a política do zoológico contemplando interesses bastante distintos entre si sem maiores contendas, sempre prevalecendo o bom senso e o consenso entre as espécies, tais foram os fatores primordiais que levaram Diana, a princípio, a se interessar pela psicologia das espécies que habitavam Phobos. A partir de então, após um breve período de visitação na reserva, radicou-se por ali para conviver com elas e estudá-las mais de perto.

Com o decorrer dos horizontes, Diana obteve uma série de diplomas na área e tomou um tutor radicado em Phobos. Um reptiliano que atuava por lá desde os idos da Acoplagem Pentadimensional, um célebre zoólogo cujo currículo ostentava inúmeros trabalhos administrativos em reservas *sapiens* do então cosmo réptil na heliosfera exterior. Não obstante, também havia trabalhado em uma reserva reptiliana na Terra, mapeada em futuro pentagonal ao cosmo primata-marciano da Era pré-Acoplagem, a qual foi transferida para outras luas ao longo da heliosfera exterior quando da unificação dos cosmos primata e réptil. O zoólogo reptiliano, de sinapse substantiva Lazar, estabeleceu uma parceria acadêmica com Diana. Ensinou-lhe todos os trâmites de funcionamento do zoológico phobiano, em especial, das normas que intermediavam as relações entre a esfera política dos animais e a esfera diretiva dos quânticos, e a contínua demanda de reivindicações da classe animal para com seus monitores e adestradores. Entre as quais, a condução e a preparação psicológica de animais que pleiteassem reemplasmatificação ou transmutação para uma nova espécie mais evoluída. Para isso, Diana foi obrigada a estudar a psicologia de sua própria espécie, pois, segundo Lazar:

– Como poderá atuar como terapeuta de qualquer espécie *sapiens* se não for capaz de compreender a psiquê e a estrutura psicológica de seus próprios pares de espécie? – questionava o tutor.

No âmbito das pesquisas e da chefia exercida por Lazar em sua tutoria a Diana, constava a obrigação de conduzir experimentos de *zumbilogia aplicada a nível virtual para fins de aplicação terapêutica em espécies* sapiens *com oito sentidos mínimos* – o que excluiria o homem –, justo o que seria a descrição de um *sapiens naturale* ou paranormal. O equivalente a um *homo sapiens* dotado de telepatia sonora e implantes cerebrais naturais de mínima capacidade semântica para rodar um robô intérprete capaz de se comunicar com homiquânticos ou quânticos, hábil em tecer gravuras na pele não mais como um órgão de extensão do cérebro, mas também como meio de *expressão* da psiquê. Aquém disso, ou do homem, o QI – *Quociente de Inteligência* – de um paranormal alcança a contagem de 1.050 pontos, nem um vigésimo da capacidade quântica, pelo menos sete vezes menor que a dos homiquânticos de primeira geração e quatorze da segunda, ainda assim, sete vezes maior que a de um homem. Aliás, em Phobos já existiam outras espécies, todas aeroígenes, cuja cognição era equivalente à do homem: as famosas aves *paparazzi.* Estas, porém, pela lacuna de outros sentidos complementares, especialmente a ausência de mínima semântica robótica e o fato de não possuírem mãos tão bem articuladas, eram consideradas pré-racionais e não semirracionais como as demais. Não obstante, os *paparazzi* cumpriam funções sociais na esfera local, eram aves comunicadoras e trabalhavam como "pombo-correio". No caso, como papagaios mensageiros junto à *Mídia*, fornecendo um canal de fofocas alternativo aos meios virtuais disponíveis em Phobos – na lua, a expressão "um passarinho me contou" não era mero eufemismo ou ironia, descrevia sim um fato literal. Os paranormais tinham costume de adestrar esses pássaros inteligentes. Apesar disso, desfrutavam de arbítrio próprio, subsistindo e se reproduzindo livremente nas cidades ou nas florestas lunares, onde, inclusive, mantinham suas próprias sociedades aeroígenes indígenas.

Como psicóloga, Diana se subdividia multividualmente para analisar e oferecer suporte terapêutico às cinco espécies que coabitavam Phobos, incluindo as de linhagem animal e as quânticas entre graviprimatas, reptilianos e aeroígenes. Sua função incluía tecer consultas com colegas ou qualquer outro trabalhador da reserva que requisitasse sua assistência.

Já como objeto, Diana se submetia à contínua psicanálise junto aos seus pares quânticos, incluindo robôs, a começar por seu tutor, Lazar, que acumulava uma infinidade de diplomas entre as ciências médicas, veterinárias e psicológicas. Além disso, estudava e praticava terapia dimensioscópica para manter contínuas sessões de análise multividual. Pois, claro, embora nunca tenha se tornado uma *expert* nessas técnicas, como psicóloga não poderia se furtar de tais metodologias ou da prática e do aprimoramento de antigas artes e habilidades *sapiens* como a psicografia ou a hipnose – artes que eram praticadas pelos animais do zoológico em larga escala. Não bastasse, por conta própria, Diana participava de um grupo psicanalítico carinhosamente descrito pelos cidadãos phobianos como "terapia animal". Ou seja, engajando-se em sessões de análise junto a psicólogos homiquânticos e paranormais, ou com ambas as espécies em conjunto. Isso permitiu a ela desenvolver uma fina empatia com as espécies que habitavam a lua, bem como, em muitas dessas sessões, compartilhar dramas e sentimentos dos animais em relação ao convívio e submissão à classe quântica. Nessas sessões, como um desabafo sobre sua condição existencial e seu corrente lugar no cosmo, os animais descreviam os quânticos como "os donos do mundo". Diana tentava apaziguar esse sentimento, o desprezo ou a raiva que alguns animais nutriam em relação a sua espécie. Ainda que, invariavelmente, compartilhasse da dor e desse razão às muitas queixas por eles nutridas. Com o avançar dos horizontes, passou a se solidarizar com a classe animal, percebendo-os como iguais, como seus próprios pares tanto quanto qualquer quântico ou robô.

De sexóloga, no cotidiano de inúmeras funções que exerceu e acumulou na condução de sua carreira no zoológico phobiano, Diana se tornou sexologista, passou a chefiar o útero biomaterno homiquântico e a maternidade paranormal. Entre suas obrigações no âmbito administrativo constavam: gerir a taxa de reprodução de cada espécie, exceto da homiquântica de primeira geração cuja autoextinção já era consenso entre seus remanescentes; praticar embriologia e monitorar as aplicações genéticas desenvolvidas pela classe animal, fosse manipulando genes homiquânticos em tubos de ensaio ou indicando boas parelhas paranormais para cópula e inseminação. No âmbito *higgs*, passou a atuar como uro ou ginecologista, obstetra, parteira e embrióloga, gestante ou "locadora de útero" – conforme se pensava entre os populares lunares. Suas funções consistiam em assistir a gravidez e o parto de fêmeas paranormais, monitorar a incubação de homiquânticos de segunda geração e emprestar sua barriga para gestação parcial ou final de ambas as espécies. Ao longo da carreira, Diana deu à luz a centenas de centenas de proles de diferentes espécies. A última delas, em pretérito-mais-que-perfeito, inédita, de um feto *hominídeo*: Jeannie, a meia-irmã de Billy e Sandy que esparsamente alocou em seu ventre antes de ser transferida para o útero biomaterno em Shangri-la, onde o rebento completou seu processo de transmutação para a espécie quântica.

Muito entrementes, os trabalhos de Diana também englobavam o lado oposto, de lidar com a senilidade e os respectivos problemas de saúde que afligem um animal pouco desenvolvido no decorrer terminal de sua longevidade física. Isso implicava em plantões contínuos de assistência médica, bem como em longos períodos de procrastinação e aplicação de distanásia aos espécimes durante o estágio derradeiro de suas vidas. Ou seja, mantê-los vivos sob assistência hospitalar e ou *hospicialar*, lidando com uma ampla gama de quadros degenerativos até que viessem a fenecer nos casos em que o animal optava por prolongar sua vida em detrimento à aplicação de eutanásia ou da autotanásia. Foi então que, a iniciar pela Geriatria, Diana desenvolveu o interesse pela Medicina e passou a acumular diplomas que a habilitaram como médica-veterinária. A partir daí, seguiu uma linha inversa em relação ao início de sua carreira em Phobos - passou a aprender com os animais para depois expandir e aplicar seus conhecimentos à ciência de seus pares de espécie. Um longo período em que trabalhou no Hospital Veterinário de Phobos lidando com doentes terminais e animais idosos. Ocasião em que acompanhou inúmeras gerações de bichos fenecerem nas mais sofríveis condições de mistanásia. Como opção a esse triste cenário, aos homiquânticos de segunda geração era permitido reencarnar ou, como expressavam, transmutarem-se para a espécie quântica. Já os paranormais executavam o que chamavam de "reencarnação aleatória". Possuíam uma espécie de banco de almas para serem distribuídas entre espécimes em gestação, mas que não permitia aos novos rebentes carregar qualquer referência memorial de sua vida prévia que não fosse a racionalidade obtida na vida anterior. Havia muitos que queriam se tornar *paparazzo*, mas para uma espécie tão atrasada, isso era tão inviável quanto um homem reencarnar em um macaco. Um atraso tão largo, que sequer era possível optarem pela transmutação à espécie homiquântica, a sua sucessora.

Diana era uma das psicólogas que passou a supervisionar esses processos. Cabia a ela a dura tarefa de aprovar ou reprovar as requisições de transmutação conforme o perfil psicológico do candidato: dado que um paranormal vive cerca de mil anos-marte de curvatura máxima, acompanhou diversos casos de entes que reencarnaram seguidas vezes sob a esperança de que, no futuro, alguma nova técnica os permitisse transmutar para a espécie homiquântica – no caso, embora o trâmite fosse aleatório, o tráfego d'almas era mapeado pelos quânticos. No fim, após algumas vidas, resignavam-se a aceitar passivamente a eutanásia, simplesmente exercendo seu direito de alimentar a Gaia marciana – uma ritualística tradicional do planeta que também se estendia para suas luas. Das vezes que, a trabalho, Diana deixou Phobos e visitou

Marte, muitas foram no intuito de acompanhar o cerimonial de fertilização da Gaia planetária, quando, por tradição, o animal falecido exigia que sua alma fosse lançada na atmosfera de Marte. Todavia, a maioria dos mortos preferia doar sua alma para a própria Gaia phobiana, o que faziam através de um cerimonial descrito como *ascensão*, no qual se elevava o corpo nu do falecido alguns metros acima do solo para que sua alma gravitasse lentamente através da rocha até o núcleo lunar. Algo meramente simbólico, pois Phobos sequer possui núcleo, sua constituição é idêntica à de um asteroide rochoso de largas proporções. Sua Gaia é artificial, mantida por uma "Usina de Gravidade" construída em seu interior a fim de sustentar um campo magnético para dar suporte a uma atmosfera de nitrogênio e manter a gravidade em aceleração compatível com a de seu centro orbital, Marte, assim criando o *habitat* para a reserva. Desse modo, alimentar a Gaia phobiana nada mais representava que a dissipação da ondulação *F* nesse processo artificializado.

Fato era que a cognição de espécies inferiores como as disponíveis em Phobos, que em tese podem parecer mais simples, na prática, eram bem mais complexas. Por isso, qualquer quântico que se propusesse a lidar com elas era obrigado a possuir autocontrole total de sua própria mente. Era preciso desenvolver a virtude da paciência e estar preparado para fracassar ou mesmo a confrontar os animais da maneira mais sóbria quanto possível para evitar que ficassem estressados e traumatizados. Especialmente nos casos em que uma transmutação era negada ou em indeferimentos de uma série de reivindicações que não poderiam ser contempladas. A mais comum: permissão para frequentar Marte ou mesmo voltar a habitar o planeta.

Como não existem organizações lideradas por uma única entidade no universo quântico, as decisões mais importantes sempre pertencem a um colegiado, uma associação ou a um grupo composto por pessoas e robôs submetidos à aprovação da consciência cósmica. Nesse contexto, Lazar era apenas um dos cabeças que intermediavam a tomada de decisões em relação à reserva de Phobos. É claro que em organizações mais importantes, como as de cálculo que trabalham junto à entidade *Pai*, opera-se como um sindicato, ficando assim sob o comando de toda a comunidade. Para o *Pai* alterar qualquer regra é requerida maioria de quórum e, dependendo da matéria, da aprovação da Ágora marciana ou cósmica. Já no caso do zoológico de Phobos, as decisões cabiam à entidade *Mãe* e sua política em andamento, homologada pela chancelaria e pelo quórum parlamentar em representação da consciência cósmica. Todavia, a problemática dos habitantes do zoológico tinha pouco apelo perante a consciência cósmica. A maioria da população do Sistema Solar desconhecia os meandros da vida em Phobos ou em quaisquer outras reservas. Pelo contrário, encarava-as como meros sítios de entretenimento ou de preservação e estudo de espécies que já deveriam estar extintas, sem se atentar aos dramas e às questões sociais existenciais de seus habitantes. Em função disso, qualquer pauta referente às espécies homiquântica ou paranormal desfrutava de um apelo praticamente nulo perante o quórum solar ou ao ibope midiático. Por conseguinte, sem representatividade na Ágora cósmica ou mesmo, no caso de Phobos, na esfera governamental de Marte.

Essa falta de representatividade da classe animal e o pouco poder decisório que desfrutavam em relação à sua própria esfera habitacional foram as questões iniciais levantadas por Diana ainda antes de completar seu segundo delênio de vida. O primeiro como habitante, funcionária e estudante em Phobos, tão logo já desfrutava de um alto conhecimento da psiquê dos entes *sapiens* que lá viviam, tanto a nível individual quanto coletivo e *polividual* – assim descrito, pois, dada a baixa velocidade cósmica da lua, um corpo se replica em uma taxa muito inferior em relação ao conjunto descrito como *multividual*. Apesar de completar um delênio trabalhando em Phobos, Diana ainda era jovem, já que, em cronometragem *dydozen*, não completara sequer dois mil anos-marte de idade. Portanto, ainda era muito suscetível às causas políticas tidas como menores, mas cuja importância a zoóloga e psicóloga entendia como fundamentais ao que tange o direito dos animais. Foi assim que, de mera aprendiza, Diana se tornou uma ativista política em prol da classe animal de Phobos, e passou a apoiar pleitos reivindicando que os animais desfrutassem de maior poder decisório em questões relativas ao seu *habitat* em atuação conjunta com as esferas mais altas da política quântica, inclusive na Ágora cósmica. Decisões que antes ficavam submetidas quase que exclusivamente à direção do zoológico e à arbitrariedade de seus dirigentes.

O ativismo apoiado por Diana redundou em uma série de manifestações públicas em Phobos: passeatas, comícios e inúmeros manifestos que inflamaram a população como um todo. No princípio, pleiteava a criação de uma assembleia constituída apenas de animais, a qual teria liberdade de criar demandas a serem submetidas para a consciência cósmica. Em relação à autarquia do zoológico em seu âmbito diretivo, a pauta mais importante dos animais reivindicava o direito de elegerem os representantes quânticos da direção do zoológico, algo que se dava por escolha meritocrática única e exclusiva dos próprios quânticos.

Diana não exercia seu ativismo pela liderança perante a classe animal, mas sim perante a classe quântica que trabalhava e estudava na reserva. Nesse sentido, seus conhecimentos adquiridos em Psicologia Quântica foram estratégicos para conscientizar inúmeros zootécnicos a abraçarem a causa animal. Até porque isso lhes facilitaria em muito seu trabalho e a convivência com a população da reserva, dado que muitos animais não viam com bons olhos ou repudiavam veementemente a presença quântica policiando seu *habitat*, interferindo ou indeferindo suas decisões. Decisões que consideravam arbitrárias e, até, na visão dos mais radicais, ditatoriais.

Em função de sua liderança junto à classe animal, Diana foi tachada de *persona non grata* perante a alta direção do zoológico; inclusive seu tutor foi contrário ao caminho por ela escolhido:

– Teus princípios são muito eloquentes, a forma como queres lidar com a classe animal é de beleza ímpar e o cunho humanitário inquestionável. No entanto, isso já foi feito antes e as consequências foram terríveis: conceder as rédeas para que os animais conduzam seu próprio *habitat* já lhes causou muito sofrimento e a própria destruição – preconizou Lazar, fazendo referência às revoluções zumbis do obscuro período da Idade Média, quando movimentos semelhantes redundaram em revoltas que terminaram por extinguir as reservas lunares em Marte e na Terra. Movimentos conhecidos como as revoltas da Carnibanagem, Zumbinada, Carnibalada e Cazumbilha, que tomaram palco, respectivamente, nas luas de Phobos e Deimos em Marte, e no sistema binário da Lua terrestre. Revoluções cujo desfecho foi o fim do cultivo das espécies hominídeas reencefalizadas a partir de fósseis impressos em gelo na Terra por consequência do Armageddon que ocasionou o Fim do Homem e sua respectiva evolução para a colonização de Marte. Apesar disso, Diana não se fez de rogada:

– Essas revoltas não são referências para o quadro atual, pois fazem alusão a uma espécie cuja estrutura psicológica é bastante distinta e primitiva em comparação às que atualmente habitam quaisquer reservas lunares, especialmente o sítio atual. Ademais, não se tratam de seres cuja cultura lhes foi adestrada por uma criatura dominante. Se os animais possuem o seu próprio folclore, a sua própria cibercultura, e desfrutam um grau de consciência que os permite viver pacificamente, que mal faria lhes conceder o direito de eleger seus próprios dirigentes? – questionou a psicóloga.

– Como mencionei, sua percepção é certíssima. Entrementes, quanto mais poder lhes concedermos, mais poder pleitearão, e sabemos que existe um limite para isso. Em última instância, eles jamais serão livres como nós. Sabes que isso é inviável, que está aquém da vontade cósmica, mas será essa a vontade que os guiará assim que degustarem um pouco mais de liberdade.

– Não podemos castrá-los em seus desejos, mesmo que, porventura, não possamos atendê-los.

– Correto. Todavia, precisas estar consciente de que, se esse movimento não vingar, não poderei sequer intervir por ti, jamais conseguirá obter qualquer concessão do corpo diretivo deste zoológico e estará fadada a permanecer como mera zootécnica ou acabará demitida pela mínima falta – advertiu Lazar. Entrementes, Diana estava resoluta:

– Não se trata de uma escolha *minha*, e sim do único partido passível a ser tomado perante o que tenho acompanhado no convívio com a classe animal. As condições aqui são muito limitadas e não há como a classe quântica atendê-las. Existe uma série de fatores que cabe a eles decidirem entre si, que estão aquém de nossa compreensão. É preciso que desfrutem de sua própria liberdade, nem que seja para que aprendam com os próprios erros, para que enxerguem o próprio limite. Se interferirmos, eles sempre tomarão as consequências de seus atos ou de suas escolhas como decorrentes das restrições que impomos. É preciso que os animais tomem consciência de seu próprio arbítrio – posicionou-se a médica.

A falta de livre-arbítrio dos animais perante as decisões diretivas do zoológico foi a questão primordial que deu início aos movimentos que tomaram palco em Phobos com o apoio de Diana. Embora a psicóloga fosse vista pela classe quântica como a grande líder do movimento, ela não desfrutava de tal privilégio, já que os próprios animais se organizavam por si mesmos. A médica apenas os aconselhava, lecionava e os conscientizava a respeito de suas reivindicações. Uma vez que, no cosmo quântico, qualquer classe tinha a sua representatividade na Ágora, por que os animais não poderiam desfrutar de igual direito se até mesmo os jupiterianos, que sequer conviviam com o cosmo quântico ou nem ao certo se sabia que tipo de seres eram, tinham representação na Ágora cósmica? Ademais, tudo que os animais pleiteavam era a criação de um fórum político próprio e o direito de eleger tanto os diretores do zoológico quanto o prefeito da lua em que viviam.

É claro que as reivindicações da classe animal de Phobos não se resumiam a isso, abordavam incontáveis aspectos que afetavam sua coletividade, mas essa foi a pauta maior que aglutinou a população phobiana na mobilização por maior liberdade decisória. Um movimento que foi conhecido como "Diretas em Contínuo". Os animais tomaram as ruas de Phobos, inundaram a rede local veiculando o *slogan* que dava o tom da campanha: *"Já basta serem donos do mundo, na nossa lua, donos seremos nós!"*, bradavam. Lançada a campanha, de forma crescente, os animais passaram a confrontar a classe quântica exigindo que suas demandas fossem atendidas. Todavia, a direção do zoológico permaneceu irredutível, nem o grande fuzuê na lua foi capaz de lhes demover ou de atrair atenção midiática capaz de engajar a consciência cósmica em prol da causa animalesca.

Mas se os quânticos mostravam-se insensíveis, os animais provavam-se irredutíveis. Certo dia, em Phobos, após um longo período de contínuas passeatas e manifestações, enfim a direção do zoológico aceitou analisar e dar um parecer em relação à pauta levantada pelos animais. Assim, o povo todo, incluindo médicos, psicólogos, veterinários, um batalhão de zootécnicos e outros operários quânticos da reserva, reuniu-se em torno da entrada do Elevador Phobos-Marte – um ponto da lua que faz divisa entre a reserva e os inúmeros institutos mantidos pela classe quântica e o respectivo corpo diretivo do zoológico. Estavam todos ansiosos pela resposta que a direção forneceria. Um representante de cada espécie animal, incluindo um *paparazzo* adestrado, foi recebido por Lazar e os demais membros do corpo diretivo. Diana também esteve presente fazendo às vezes de diplomata entre os quânticos e os animais. Porém, após uma longa troca de pensamentos, a resposta oficial de Lazar permaneceu a mesma: o pedido de Diretas em Contínuo foi, definitivamente, indeferido pela cúpula do zoológico.

Ao indeferimento, imediatamente, o *paparazzo* que acompanhava a reunião bateu suas asas e voou sobre a multidão cantando a decisão para que todos captassem em alto e bom som. Outros *paparazzi* juntaram-se a ele e espalharam o decepcionante veredicto da reunião. Logo, a *Mídia* fez a novidade onisciente na rede local. A frustração perante a má notícia foi grande, maior do que a classe quântica poderia imaginar ou predizer, embora as leituras multidimensioscópicas já indicassem que a reação de alguns animais pudesse ser mais violenta em determinadas dimensões. Mas como o leque dimensional de qualquer lua é bastante restrito, não se deu a devida atenção para o que foi predito e uma verdadeira anarquia tomou as ruas de Phobos. Houve tentativa de invasão do Elevador Phobos-Marte, que precisou ser interditado. Pelas ruas, como não havia muito para ser depredado, os animais passaram a atacar as árvores, partir seus galhos e a arrancar a grama do chão. Pela phobosnet, um ataque *cracker* invadiu sítios residuais ligados ao Instituto Zoológico de Marte. Diversos quânticos, a maioria discentes e docentes que se mantinham conectados sem restrições, tiveram sua mente vandalizada pelos animais.

Embora Diana e outros zootécnicos ou trabalhadores se postassem junto ao público tentando apaziguar os ânimos, procurando mentalizar que o diálogo era o único caminho para tentar resolver a situação, o que se iniciou com um ataque virtual descambou para um ataque atual. Uma massa de paranormais e homiquânticos invadiu o setor universitário e os diversos institutos quânticos. À base de pontapés e socos ou portando galhos como porretes, os animais quebraram os poucos itens materiais que existiam nesses locais, tais como cadeiras e mesas, lançando-as pelas janelas das edificações. Não bastasse, partiram para a agressão dos quânticos, intimidando-os e os ameaçando de assassinato, exigindo que o corpo diretivo da reserva encarasse a fúria do povo a menos que a decisão fosse revertida. Aos poucos, a "Vila de Vidro", como era descrito o setor do instituto em função de suas construções plasmáticas translúcidas, foi quase plenamente ocupada. Apesar da constituição física dos quânticos e seus respectivos campos magnéticos corporais lhes servirem de proteção natural contra a violência dos animais, muitos foram feitos reféns e, em troca de suas vidas, embora de fato não estivessem em jogo, foi exigida a liberdade do povo phobiano. Naturalmente, os reféns poderiam facilmente reagir e, pela força magnética de seus corpos, abrir caminho entre os animais ou simplesmente flutuar sobre eles para fugir, mas não o fizeram para evitar que a revolta se intensificasse ainda mais. Com isso, a Vila de Vidro foi tomada pela multidão, apenas as edificações mais essenciais foram poupadas, como o hospital veterinário, o banco de genes, o frigorífico de corpos e o hospício. Inclusive o espaçoporto que servia aos quânticos foi invadido pelos animais, impedindo que naves partissem ou alunissassem.

Diante da revolta, o corpo diretivo do instituto, sob o aval do prefeito de Phobos, um político quântico que sequer vivia fisicamente na lua, declarou Lei Marcial. Em seguida, o que se viu, conforme descrito pelo povo, foi uma "invasão alienígena": os céus de Phobos foram tomados por combonaves que, imediatamente, passaram a despejar astronaves *flex* ao redor da Vila de Vidro, os "discos-jaula", como protestaram os animais – depois ficaram sabendo que compunham uma frota de discos-táxi improvisada –, os quais passaram a içar os revoltosos com raios-trator e aprisioná-los em seu interior. Aprisionados no interior dos discos, os animais eram então "demovidos" a desistirem da revolta. Aos poucos, os quânticos feitos reféns foram instruídos via cosmonet a se isolarem magneticamente dos animais e um pelotão de quânticos desembarcou de surpresa do Elevador Phobos-Marte objetivando criar um cordão de isolamento em torno da Vila de Vidro. O pelotão procedeu a uma operação pente-fino para imantar os invasores e retirá-los das áreas ocupadas, assim colocando fim à invasão e selando magneticamente a vizinhança.

No âmbito cósmico, a revolta em Phobos não passou despercebida, pelo contrário, foi amplamente divulgada pela *Mídia* e o ibope em torno da reserva atingiu pontuação recorde. Pela sincrovisão, o cosmo acompanhou as imagens e vivenciou as simulações mostrando as edificações da reserva tomadas pelos animais fazendo algazarra em seu interior sob os olhares assustados dos quânticos feitos reféns. Não tardou e outras luas que abrigavam reservas *sapiens* passaram a aderir ao movimento e a apoiar a causa phobiana, com os animais saindo em público e se manifestando através das redes. Com tanta concentração de atenção, a situação chamou atenção de uma iminente figura política, o então governador de Mercúrio, Pesto-Babusca, um notório *robô sapiens* da espécie *blattaria artificialies* – que mais futuramente aos fatos tornar-se-ia presidente do plenário da Ágora cósmica –, o famoso deputado barata. Pesto era uma figura bastante conhecida, reconhecida e com forte influência sobre a classe homiquântica que habitava Phobos e outras reservas zoológicas. Nessa época era conhecido popularmente como a Barata de Mercúrio, dado que era essa a sua origem conforme descrevia a história do período em que a espécie homiquântica era dominante no cosmo, há largos horizontes pretéritos antes de se tornar deputado cósmico e se eleger como presidente do plenário na Ágora. Inclusive, na atualidade em que já ocupava tal cargo de destaque, Pesto discursava a respeito dessas diretrizes pretéritas conjecturando que, não fosse a política de extermínio dos homiquânticos, *a blattaria sapiens* já teria superado o quântico e, provavelmente, o nobre deputado, ainda então governador pela ocasião da revolta phobiana, já seria chanceler cósmico. Sobre a barata, sua origem descrevia a relação com a classe homiquântica e como ela conseguiu se inserir no contexto cósmico do quântico:

> Um episódio marcante da conquista, colonização e desenvolvimento da sociedade homiquântica em Mercúrio deu-se quando o planeta era escavado para implantação dos prismas retransmissores do feixe-solar – até então um feixe puramente energético. Esse episódio foi a descoberta da existência de florestas interioranas no planeta. Ao explorarem essas florestas, os expedicionários logo se depararam com o ser mais desenvolvido daquele *habitat*: uma *barata*. Mas não uma barata qualquer, e sim a mais evoluída barata do cosmo. Isto é, pelo menos até descobrirem a barata de Júpiter e, posteriormente, a barata de Titã, apesar de esta última já ter tido sua existência revelada previamente pela entidade *Mãe* antes mesmo de ter evoluído no astro fotossolar após a Acoplagem Pentadimensional.
>
> Para se estabelecer um parâmetro, a barata de Titã é tão evoluída em seu *habitat* que, se a transportássemos para outro ambiente entre os que contemplam sua origem marciana, tais como Marte ou Terra, ela devoraria um quântico ou um homem por completo apenas para suprir sua demanda energética de alguns milissegundos. Embora sua racionalidade só seja possível pelo intermédio da entidade *Mãe*, especialmente por se tratar de um animal microscópico, é a espécie que guia o desenvolvimento de Titã na atualidade. Sua função é manter limpos os cristais que sustentam o astro. Sem ela, a manutenção do planeta seria inviável e o que em primeira instância resumia-se a uma base científica, jamais se tornaria o maior planeta do Sistema Solar.
>
> Já a barata de Mercúrio é muito similar às espécies mais comuns dos planetas da faixa interior. Todavia é a mais resistente dessa região cósmica, tratando-se de uma praga exterminadora que acabou confinada aos laboratórios pela homiquântica da época de seu descobrimento. Em Mercúrio, à época de seu desbravamento, a presença da barata era um empecilho à ocupação do planeta, pois se contaminasse os *habitat* desenvolvidos para sobrevida no planeta durante os estágios iniciais da colonização, sua capacidade reprodutiva e sua alta maleabilidade evolutiva redundariam em uma infecção que comprometeria as reservas energéticas que sustentavam esses *habitat*. Consequentemente, inviabilizando a ocupação da população homiquântica que ali permanecia.

Todavia, logo no início do mandado da *Mãe* como chanceler cósmica, uma das primeiras providências da chanceler foi devolver a barata mercuriana ao seu lar original. O risco de infecção foi eliminado por hipnose e o simplório animal pôde retomar a sua evolução. Com o avançar dos horizontes, a barata mercuriana alcançou um grau evolutivo tão avançado que, pela interface materna, conseguiu obter representatividade robótica e passou, assim, a inferir na política do planeta. Seu representante, Pesto-Babusca, foi o primeiro inseto a se tornar governador planetário e a promulgar políticas que permitiram, desde então, um bom convívio entre barata e "homem", entre os insetos e as populações quânticas que coabitam Mercúrio.

Embora Pesto não fosse uma unanimidade entre os homiquânticos, justo pelo fato de se tratar de um ente que criticava a postura pretérita dos mesmos, sua sinapse tinha forte peso e valor inestimável ao se posicionar em prol da classe animal phobiana e de outras reservas. Sua intervenção no episódio da revolta em Phobos, ao discursar em fórum cósmico a respeito dos direitos animais, enfim apaziguou os ânimos dos revoltosos e trouxe a paz de volta à lua sob a promessa de levar a questão para debate na Ágora cósmica. Com o apoio de Pesto e da comunidade cósmica dos insetos, além de inúmeras lideranças quânticas maternais e dos próprios animais – a começar por Diana –, o pedido de Diretas em Contínuo foi aprovado em plenário e deferido pela entidade *Mãe* com validade para todas as reservas *sapiens*. Assim, o que em determinado horizonte redundou na maior revolução dos bichos desde a Era Zumbi, verteu-se em um enorme festejo popular como nunca se viu em Phobos ou em outras luas, com os animais nas ruas em total epifania celebrando a conquista.

Promulgadas as eleições, um pleito eletivo para o corpo diretivo e a prefeitura de Phobos foi imediatamente convocado. Lazar e os demais cabeças do zoológico foram destituídos e Diana acabou eleita para compor a nova direção do instituto, cargo que manteve desde então. A partir daí, inúmeras melhorias foram realizadas no *habitat* lunar sob proposição e, muitas vezes, à execução dos próprios animais. A novidade mais significativa foi a criação da Praça da Ágora Phobiana para simbolizar os novos horizontes vindouros do que veio a ser descrito ludicamente como *phobocracia*. As permissões e o número de visitas assistidas ao planeta Marte foram substancialmente acrescidos, bem como as autorizações de reencarnação, e a leniência na manipulação genética por parte dos homiquânticos ganhou um incremento substancial. Isso permitiu um aumento na taxa de natalidade dos paranormais pela inovação de técnicas de seleção de parelhas para cruzamento, fator que redundou em novas proles mais resistentes e menos susceptíveis a problemas de saúde, por conseguinte, decrescendo a demanda por atendimento médico e hospitalar na reserva, permitindo um aumento valoroso na qualidade desses serviços, fazendo com que os quadros de mistanásia fossem virtualmente erradicados. A qualidade dos serviços públicos subiu e foram estabelecidas novas parcerias com os animais, o que lhes permitiu frequentarem mais de perto os institutos mantidos pelos quânticos na lua. Da mesma forma, novos institutos foram fundados pelo pioneirismo animal, como o Centro de Terapia Animal, que passou a ser frequentado pelos visitantes do zoológico.

Entre as novidades de maior peso consta a criação de uma câmara de sincronia perceptiva no núcleo de Phobos. Isso aumentou a longevidade dos espécimes habitantes da lua, em especial dos homiquânticos de primeira geração, cuja extinção pôde ser postergada em máximos 100 mil anos-marte na futurama cósmica. Tal recurso ao menos concedeu maior horizonte para a casta homiquântica conseguir uma adoção de continuidade, ou seja, para se sincronizar perceptivamente com um quântico – os paranormais não desfrutavam de tal privilégio, pois eram incompatíveis em psiquê com os homiquânticos de segunda geração e, os de primeira, não podiam adotá-los, pois estavam agendados para se autoextinguirem. Apesar de ainda esbarrar em certos limites e depender do aval quântico, a taxa de transmutação subiu consideravelmente. Como resposta à "invasão alienígena" por ocasião da revolta phobiana, foi introduzido o serviço de disco-táxi, até então inexistente, para servir aos animais e aos trabalhadores dos institutos lunares. Em contrapartida, para desgosto de muitos habitantes, novas espécies de baratas foram introduzidas no *habitat* lunar a pedido do governador mercuriano sob a chancela da entidade *Mãe*. O próprio governador se beneficiou da medida e, com o sucesso de sua intervenção, obteve grande popularidade, suficiente para se eleger deputado cósmico nos horizontes subsequentes, até que fosse aclamado como presidente do plenário.

Para Diana, os novos horizontes phobianos alavancaram sua carreira no zoológico como nenhum outro quântico que por lá vivia e trabalhava. Seu papel na condução do caso foi duplamente reconhecido, pelos quânticos e pelos animais. Apesar de suas novas funções como diretora terem lhe trazido uma série de encargos além dos que já acumulava, todos burocráticos, desfrutou de um mérito como nunca antes havia obtido – chegou a contar 29 personalidades distintas em seus focos de atenção, cada qual exercendo uma diferente função além do foco atual, o qual permaneceu trabalhando no Hospital Veterinário. Acumulou milhagens que lhe permitiram viajar pelo cosmo de Titã a Xena, embora nunca tenha estado nesses pontos extremos; no máximo, passeado via teletransporte dentro da faixa planetária 1-8. Fez uma série de intercâmbios com outras reservas e expandiu seus conhecimentos a ponto de fundar uma cidade de vácuo em Marte, uma universidade veterinária, na qual se tornou reitora por reconhecimento público, embora nunca tenha se mantido presente por lá em largo horizonte. Beirando seu terceiro delênio existencial, já era reconhecida como uma das maiores notoriedades zoológicas do cosmo – apesar de ainda jovem, muito bem-sucedida cientificamente e muito acima da média de seus pares mais parelhos. Phobos tornou-se uma reserva modelo, um autêntico centro de referência em zoologia, um sítio atual e virtual de visitação e consulta obrigatório para qualquer interessado na área.

O único rescaldo negativo do novo horizonte pós-revolta para Diana foi a perda de contato com alguns colegas que deixaram Phobos ou foram convidados a deixar a lua pelos animais. Em especial, de seu psicólogo e mentor Lazar, que abandonou a parceria com a médica após assumir novo cargo em outra reserva na heliosfera exterior, desta feita lidando com espécies reptilianas. Seus horizontes tomaram largo antes de se conectarem novamente, quando, de tutor, Lazar passou a ser um consultor de Diana e das politecas mantidas pelos institutos de Phobos. Diana precisou de um novo psicólogo reptiliano para se consultar, ocasião em que aproveitou para reformular seu time de terapeutas, procurando diversificar ao máximo a característica de seus psicólogos, contando com psicanalistas de origem graviprimata, bem como robôs ou nanorrobôs portáteis. Foi quando conheceu e convidou Xavier, então um especialista em traumas interdimensionais com largos serviços prestados nas reservas da Lua terrena, para se virtualizar em Phobos como servidor dedicado e trabalhar como cabeça de chave psicodimensioscópico da reserva.

Diana sempre exerceu suas funções diretivas em consenso com os demais diretores da reserva, os quais passaram a contar também com lideranças animais que assim compunham o Conselho de Medicina Veterinária. Apesar do conselho contar com animais em seu corpo diretivo, mantinha-se restrito às diretrizes cósmicas e aos estatutos referendados pela Ágora através de seus representantes mais evoluídos, exclusivos da classe quântica, incluindo a robótica. Em termos de liderança pessoal e de atuação política, o grande feito de Diana foi a criação de um Centro de Urgências Veterinárias em Phobos, a implementação de uma nova ala no Hospital Veterinário que até então não existia, o pronto-socorro. Antes de sua proposição não havia sequer um único disco-ambulatorial em Phobos, e era comum algum animal morrer vítima de trauma físico por falta de um pronto-atendimento. A grande maioria, vítima de casos de violência física e tentativa de assassinato entre os paranormais por questões passionais ou acidentes em desportos praticados por homiquânticos, geralmente em esportes acrobáticos. Existiam médicos animais e consultores robóticos para cada espécie lunar, mas que não logravam meios nem dispunham da tecnologia para atuarem como socorristas – Diana solucionou esse problema. A simples distância da cidade em incidentes que, ocasionalmente, aconteciam no lado oculto da lua ou em cavernas do intramundo, tratavam-se de limitações e obstáculos que custavam a vida de muitos animais. Por isso, foi iniciativa da médica criar uma ala de atendimento emergencial e inserir Phobos nos canais de emergência dos discos-ambulância de Marte. Assim, disponibilizou um disco-ambulatorial exclusivo para atendimento da reserva phobiana, do qual fez questão de assumir o comando.

Foi com tremenda emoção que Diana, com pouco mais de três delênios de vida, em um cerimonial público realizado em frente ao novo pronto-socorro, embarcou no disco-ambulatorial de Phobos para não mais sair nos dois delênios que vieram a seguir. Passou a habitá-lo em horizonte-contínuo com o compromisso de não mais perder uma única alma sob seu comando, algo que se verificou ao longo do período. Abdicando de férias, da vida e do lazer em vácuo-presente, Diana passou a exercer suas funções administrativas no próprio disco. As poucas exceções se deram em períodos em que precisou utilizá-lo como gerador de ambiente clínico, o qual se mantinha conectado diretamente ao disco, quando suas funções exigiam que deixasse o interior da nave ainda que se mantivesse nos limites do ambiente gerado por ela. Seu maior heroísmo no comando do disco-ambulatorial foi salvar um grupo de homiquânticos que ficou soterrado em uma ribanceira na Amazônia Phobiana, no lado oculto da lua. Um sinistro que envolveu uma comunidade ermitã com mais de 300 habitantes que viviam na floresta após uma grande tempestade nitrosa. Diana operou um serviço de resgate para retirar magneticamente as vítimas dos escombros e tratá-las em um ambiente totalizando 173 leitos plasmáticos sustentados pelo disco, sem o qual algo em torno de metade das vítimas teria perecido. Sem dúvida, essa foi uma das maiores emoções e grande orgulho de sua vida.

Ainda assim, esse orgulho todo e as excitantes histórias vividas em Phobos em nada se comparavam ao que Diana vivia de instante, a ansiedade e a expectativa para lidar com a nova espécie que acabara de chegar ao zoológico: a família Firmleg representada por aquele pequeno homem, o filhote de hominídeo sentado à sua frente na mesa do consultório.

A tarefa não era simples, mas, dado o sucesso da transmutação dos pares originais de Billy e Sandy que já iniciavam o gozo de sua continuidade quântica em paralelo, as chances de sucesso eram totais. A partir da conversa com o espécime que se postava na cadeira à sua frente, esperava-se que o mesmo cumprisse os seguintes passos, os mesmos que sua irmã executaria em seguida:

1. Iniciar o processo de transmutação para a espécie homiquântica por um transplante toracoabdominal: ao que bastava o espécime vestir uma pele homiquântica;
2. Um tratamento introspectivo, incluindo uma regressão retrospectiva completa dos espécimes e uma leitura mental cruzada com seus genitores;
3. Um processo de conscientização memorial, parcial e progressiva, com base no *backup* salvo antes da ultrapassagem sensorial realizada por Willian e Alexandra (conforme nomeou os pares residentes em Phobos) sobre Billy e Sandy transmutados quânticos;
4. Início do processo de ressocialização de Willian e Alexandra pelo adestramento conduzido por Nolly e o curso maternal ministrado por Ipsilon.

Concluídas as três primeiras etapas e iniciada a quarta, Willian e Alexandra estariam aptos a:

1. Viver livremente na reserva de Phobos;
2. Ajudar a ministrar, monitorar, pajear e propor abordagens psíquicas para reanimar e ressocializar seus genitores, Bob e Julia, o casal Firmleg;
3. Uma vez concluído o maternal quântico: pleitear sincronia perceptiva com seus respectivos pares quânticos pentadimensionais.

Para que tudo saísse conforme o previsto, antes era preciso convencer Willian a aceitar o tratamento proposto. O que era uma incógnita, afinal, estavam todos ali na lua justamente pelo fato do infante hominídeo ter negado permissão à leitura de sua mente depois que foram resgatados do incidente que os teletransportara ao plano atual. Diana esperava que a ultrapassagem sensorial realizada por ele em pretérito – embora ele sequer tivesse a mínima noção de que havia realizado algo assim, quanto mais que tinha outra vida já se desenvolvendo em futuro paralelo –, fosse suficiente para obter uma resposta satisfatória durante a conversa que estava prestes a iniciar.

88

A resposta de Billy durante a consulta com a doutora Diana não foi nada satisfatória. O hominídeo teimava em não querer travestir a pele homiquântica e dar início a sua transmutação; ele insistia em permanecer sendo homem. Além de recusar o transplante de pele, Billy se negava a aceitar a realidade dos fatos: duvidava de que não seria possível retornar para o passado e levar sua família de volta a Miami; e se fosse mesmo impossível, não acreditava que não poderiam viver ali na lua simplesmente como os homens que eram, pouco importava se seriam os únicos do zoológico. Com uma paciência que realmente testou suas virtudes, Diana buscou esclarecer a situação para Billy, apresentou-o ao professor Ipsilon, o tutor responsável por reeducá-lo. Entre outras coisas, para que Ipsilon lhe explicasse por que a transmutação seria a melhor opção para viver dignamente, a única que lhe permitiria um dia sair daquela lua. Todavia, Billy demonstrava certa fobia de encarar a verdade. Em primeiro lugar, pelo pesar da perda do "tio Kelly"[7], mas, certamente, por ter de cuidar dos próprios pais, o que mais o assustava, por isso divagava a todo instante. Quando Diana parecia convencê-lo de algo, mudava de assunto, questionava tudo que fosse possível, geralmente algo cuja resposta viria tão logo iniciasse a transmutação e as aulas com Ipsilon ou alguma bobagem sem qualquer relevância.

---

[7] O comandante James Kelly.

– Se todos nesta lua somos animais e você cuida dos animais, por que preciso te chamar de "doutora"?

– Podes me chamar do que quiser. Tu que trouxeste essa associação entre as sinapses "médico" e "doutor".

– Então você é mesmo veterinária, né?

– Meu elo com ti é de mãe recreativa. Fui indicada a essa posição como médica--psicoveterinária pelas inúmeras faculdades que possuo nas biológicas, incluindo os campos da Saúde, Medicina, Psicanálise, Psicologia, Psiquiatria, Veterinária, Zumbilogia e a posição que ocupo como socorrista-ambulatorial deste hospital – Diana foi assim elencando suas especificidades. A médica precisou contar sua vida inteira e descrever o zoológico tintim por tintim para Billy arrefecer sua curiosidade, ainda que fosse comedida em suas revelações. Isto, pois, pelo estresse demonstrado pelo espécime, era claro que ele não estava preparado para saber de tudo, especialmente da vida paralela que já possuía e de seus próprios pais originais, que a essa altura já se encaminhavam para outra estrela em frequência FM. No fim, as longas explanações e as histórias narradas por Diana redundaram em uma única demanda de Billy:

– Eu quero passear na lua como homem, nem que seja uma única vez. Depois a gente retoma esse papo e vejo se vale a pena vestir a tal pele homiquântica – vaticinou o menino, fazendo bico com os lábios, emburrado com a insistência da médica. Por mais que isso fosse um atraso, Diana não podia ferir o arbítrio de Billy. Ainda assim tentou argumentar em contra:

– Está seguro de que assim desejas? Postergar sua dependência de anabolizantes cerebrais?

– Você não tinha dito que eles se dissolvem naturalmente?

– Precisa deles para se comunicar conosco ou com qualquer espécie da lua.

– Mas esses óculos servem para quê então?

– Apenas para sincronizar seus sentidos com os nanorrobôs que injetamos em teu cérebro e oferecer o sistema operacional para mantê-lo conectado à phobosnet, além de operar alguns filtros básicos. Sem os anabolizantes, jamais conseguirá interpretar a telepatia do povo local.

– Ao menos você poderia me ensinar como posso retirá-los quando desejar – pediu Billy. Em resposta, Diana aproximou-se de Billy e demonstrou como retirar e recolocar o adaptador.

Em presença residual junto à médica, o professor Ipsilon procurou acrescentar algumas informações no intuito de demover Billy da ideia de passear pela lua como homem:

– O que conjecturas tomar proveito em um passeio pela lua? – questionou o tutor e, bem ao seu estilo, já antecipou as respostas que captava na mente de

Billy: – Não existe lanchonete para comer cachorro-quente ou um parque de diversões para brincar. Todo lazer do presente orbe contempla espécies não compatíveis com a tua, mais evoluídas do que ti. Por outro lado, se trajares a pele sensitiva homiquântica, cujo ganho será instantâneo, não obstante, de extrema relevância para que coabites a lua, pois eleva tua capacidade comunicativa, somente com tal aperfeiçoamento poderá usufruir dos incontáveis *games* mentais compartilhados nessas redondezas, bem como desfrutar de teu cardápio retroativo ao menos em resíduo – esclareceu Ipsilon.

Ao pequeno sermão, com custo para se fazer captar, Billy conseguiu interferir na linha de pensamento do professor, mas não como Ipsilon esperava: ele apenas estalou os dedos da mão esquerda e, com um leve sorriso, falou:

– Pensando nisso, me deu até uma fome. Tá bom que não tem lanchonete na lua, mas será que ao menos neste hospício tem alguma coisa pra comer? – perguntou mirando a imagem do professor, depois se dirigindo para Diana. Não sabia o hominídeo que esse era um dos justos motivos para que travestisse a pele homiquântica o quanto antes, pois ela daria início à desespacialização de seus órgãos internos. Um processo que o supriria energeticamente até completar o primeiro estágio da transmutação, quando passaria a restaurar-se pela absorção de luz e de outras radiações disponíveis na lua ou no próprio sanatório. Dado que:

– Não há comida para ti nesta lua. Teríamos que improvisar algo – revelou a médica, utilizando o fato para tentar convencer Billy a mudar de ideia, mais uma vez em vão. O hominídeo era simplesmente turrão demais. Na verdade, medroso, pois esse era o sentimento que Diana captava na aura do animal, uma total desconfiança em torno das recomendações que lhe faziam. Mas não era para menos, afinal, na cronologia de Billy, há pouco estava nas Bermudas curtindo suas férias na praia, vivendo sua vidinha normal junto à família. Em poucas horas, sofreu um acidente de avião no qual achou que ia morrer, um acidente que, horrivelmente, acabou matando o tio Kelly do coração. Depois foram abordados por alienígenas e seus pais tiveram um colapso nervoso do qual mantinham-se dormindo desde então. Em seguida, foram colocados dentro de um disco-voador e abduzidos até uma lua de Marte cheia de alienígenas, onde só então ficou sabendo que um pulso ultradimensional os teletransportou através do *tempo*. Quando tudo parecia apenas um sonho maluco, acordou naquele estranho lugar, um sanatório. Depois de tudo isso, esses alienígenas, um deles em forma de holograma, queriam que virasse ou se "transmutasse" alienígena também, que vestisse uma roupa que nunca mais poderia tirar – era demais para a cabeça de um simples infante *homo sapiens*.

Diana resolveu não insistir. Improvisou uma dieta com o pouco que dispunha na própria lua. Fez alguns contatos e, não demorou muito, uma ave apareceu na janela carregando uma cestinha com grão-de-bico, salada verde e ovos de papagaio, tudo cru – cortesia das comunidades dos paranormais e dos *paparazzi*, as únicas espécies *sapiens* ainda parasitárias que habitavam o zoológico, ambas absolutamente vegetarianas. Diana operou sua manigrafia como se fosse um micro-ondas remoto para assar o grão-de-bico, e fez da própria mesa de seu consultório uma chapa para fritar o ovo, mas Billy teve que comer tudo sem sal. Pouco adiantou reclamar, pois se havia algo que não existia em Marte ou sequer no cosmo eram quaisquer especiarias com as quais o hominídeo estava acostumado, tampouco carne disponível para consumo. Para beber, havia somente água, mas até a água era estranha, tinha um gosto metálico. Se Billy insistisse em se manter homem, Diana poderia até requisitar a criação de comida artificial gerada com plasma para tentar supri-lo, mas jamais tão saborosas como em sua memória. Isso seria algo que somente ele poderia reproduzir a partir de sua memória depois que evoluísse sua condição perceptiva pelo transplante de pele que ainda recusava.

– Enquanto te restauras, exercitarei seus progenitores – comunicou Diana. Em seguida, dirigiu-se ao quarto anexo. Curioso, Billy seguiu a médica para assistir ao exercício. Pasmo, testemunhou seus pais se levantarem da cama e abrirem os olhos como se fossem robôs, ao que bastou um simples comando mental de Diana. Seus pais ergueram-se, as camas sumiram na parede para ampliar o espaço do recinto, então os dois começaram a andar em círculos e a mexer os braços como sonâmbulos.

Ao perceber a incredulidade de Billy observando a cena, Diana dirigiu-se ao hominídeo:

– Fale com eles. É bom que exercitem as cordas vocais também – sugeriu. Um pouco hesitante, Billy falou com Bob:

– Oi, pai.

– Oi.

– Tudo bem?

– Tudo.

– Tá me ouvindo?

– Estou.

Mas a conversa não saía disso. Seus pais respondiam de forma lacônica, dormindo dentro de suas mentes sem racionalizar o que se passava ao redor. Ao fim do exercício, Bob e Julia retornaram para suas camas, que, nesse instante, retomaram a forma materializando-se da parede como num passe de mágica. Os dois se sentaram simultaneamente, tomaram um gole de água em um copo que surgiu flutuando no ar, então deitaram e retomaram seu estado letárgico.

Findo o "espetáculo", Billy retomou seu "café da manhã" e Noll juntou-se a ele em resíduo para fazer companhia. O hominídeo perguntou:

– E aí? Vamos passear ou não vamos?
– Vais assim mesmo?
– Assim como?
– Nu.

Pois é, Billy já tinha até esquecido que estava nu. Mas isso não era problema, afinal, segundo o garoto:

– Pelo que entendi, todo mundo anda pelado nesta lua.

– Apenas imagino o alvoroço que essa tua pele lisinha causará na multidão – compartilhou Noll meio jocoso. – Todo mundo vai querer passar a mão em você...

– Acha que é melhor usar uma roupa?

– Sabíamos que perguntaria, por isso já providenciamos. – Ao mencionar isso, um quântico de idêntica aparência à de Diana, igualmente trajando um jaleco branco, surgiu na porta de entrada do consultório com a roupa de Billy nas mãos: uma túnica bege de amarrar na cintura perfeitamente ajustada. Serviu direitinho, parecia com seu quimono de caratê, porém, com uma textura suave como seda. Nesse ínterim, Diana retornou ao recinto. Já vestido, Billy a intimou:

– Então, doutora? Vamos logo dar um passeio? Não vai emprestar seu corpo pro Noll?

– Infelizmente, não será possível no contínuo. Acaba de soar o alarme de emergência. Preciso reassumir a nave imediatamente – comunicou rispidamente enquanto atravessava o consultório, já tomando a passagem que ligava ao corredor de saída onde o quântico que trouxera a túnica de Billy ainda se postava. Ela dirigiu-se a ele: – Preciso que assuma corpo no recinto, Yuiop. Disponho-lhe de minha interface pessoal – ordenou a médica. Então se esvaiu pela passagem sem nada mais comunicar.

Inconformado, Billy correu atrás de Diana. Porém, tão logo ganhou o corredor, ela já estava longe, flutuava velozmente pouco acima do chão e atravessava uma passagem no fim do saguão. Ao atravessá-la, a passagem se fechou atrás dela com uma cortina energética, selada com uma luz branca. Billy observou o corredor: era largo, com cerca de três metros, meio curvo e com paredes inclinadas iguais às dos quartos. O corredor tinha cerca de vinte metros de comprimento e mais cinco passagens conectavam outras habitações, todas seladas energeticamente. Já ao seu lado, o resíduo de Noll pronunciou:

– Parece que teremos de aguardar ela voltar – comentou. Billy sequer deu bola, estava radicalmente contrariado. Em sua cabeça, aquilo tudo era cena da médica, pura invenção, uma desculpa para não levá-lo para passear. Ao perceber que não havia saída ao fim do saguão, virou-se para trás, onde uma janela delimitava o outro extremo encontrava-se aberta, sem qualquer cortina energética. Sem pestanejar, simplesmente atravessou o resíduo etéreo de Noll e dirigiu-se a ela. Ora, embora estivesse no quinto andar, estavam em uma pirâmide, então bastava descer os degraus do lado de fora da janela para sair dali. Os degraus não eram muito altos – cerca de um metro –, largos o suficiente para descer sem qualquer risco de rolar pirâmide abaixo. Portanto, assim se pôs o hominídeo.

Embora não pudesse interferir devido à sua presença etérea, Noll exclamou para que Billy não saísse dali sozinho. Quem teve de agir foi a própria Diana através do corpo de Yuiop, que se precipitou sobre ele, segurando-o pelo braço já do lado de fora da janela. Billy protestou:

– Não!! Eu quero ir no disco também! Quero passear!

– Willian, por favor, não me obrigue a hipnotizá-lo. Não disponho horizonte, isto é uma missão de urgência, não uma brincadeira. Aguarde meu retorno – apelou Diana através de Yuiop.

– Não, não e *não*!!! Eu quero ir *agora*! – exclamou o teimoso. Em vão, tentando se desvencilhar das mãos de Yuiop.

Ainda que estivesse mesmo disposta a hipnotizá-lo para encerrar aquela birra de vez, Diana preferiu ceder:

– OK. Eu autorizo teu passeio. Mas tu vais sair pela porta e acompanhar o Noll direitinho. Se não te prendo aí, tudo bem?

Enfim, Billy relaxou:

– Tudo bem. – Mas questionou: – E por que o Yuiop não pode ir comigo? Não dá pra emprestar o Noll pra ele? Ou ele pro Noll?

– Porque ele tá incumbido de monitorar tua irmã e teus pais. Eu vou redirecionar outro corpo para a tarefa. – Cedeu a médica. Não demorou nada e, enquanto Billy voltava para dentro da pirâmide, um quântico de jaleco branco igualzinho aos demais surgiu através da passagem no extremo oposto do corredor, mais um zootécnico à disposição de Diana. Seu totem era Fdsa. Noll assumiu o corpo de Fdsa e chamou:

– Então, vamos, meu caro homenzinho?

– Sim, vamos. Até que enfim... – suspirou Billy.

– Aonde desejas ir?

– Não sei. Para qualquer lugar. Você não conhece a lua?

– Só estive aqui em pretéritos bem remotos como turista, por vago horizonte. Não cheguei a caminhar por aí como um animal, apenas flutuei sobre eles – contou Noll. Billy riu dele.

Os dois seguiram em frente pela passagem ao fim do corredor, ganhando acesso a um *hall* central bem mais amplo que possuía um vão circular no meio, como em um Shopping Center, de onde se podia observar os andares abaixo e a pirâmide afunilando até o teto, fechado por uma claraboia translúcida. Saíram por uma rampa lateral que formava uma letra "N" e alcançaram a avenida que servia ao complexo hospicialar já no andar térreo. Dali, Billy observou que havia mais quatro pirâmides adjacentes, uma delas um pouco maior, que compunha o hospital e o centro administrativo do complexo. Nada demais, parecia um prédio em forma de pizza com 25 andares. O que realmente lhe chamou atenção - e não tinha como ser diferente - foi uma formação de pirâmides vítreas ao fundo do complexo, que praticamente tomava o horizonte por completo e era preciso dobrar o pescoço para levar a vista até o topo, como se estivesse no pé de uma enorme cordilheira em forma de pirâmides-losango. Segundo Noll, as pirâmides vítreas somavam 735 andares até a pirâmide mais alta e compunham o Instituto Zoológico de Phobos. Eram tão grandes que mal dava para observar Marte, escondido atrás de seu recorte horizonte.

Do ponto em que contemplavam a vista, a opção era deixar o complexo pela frente, onde a multidão que pouco antes observava Billy pela janela de seu quarto ainda se postava, ou buscar outra saída para iniciar a visita na cidade de forma mais discreta. Na verdade, não faria tanta diferença, já que nos céus era possível observar as aves sobrevoando o hospital de olho na nova cria do zoológico, curiosas, tratando de cantar os passos de Billy para o povo interessado. De início, Billy quis evitar esse assédio, então optou por caminhar nas cercanias do hospital e visitar o espaçoporto que atendia o local. Sua esperança era que Diana retornasse de seu atendimento e assim pudessem passear de disco quando chegasse lá. Noll esclareceu que a nave de Diana não alunissava no espaçoporto, e sim no topo da pirâmide do próprio sanatório. Também explicou que Diana não podia utilizar o disco por mero lazer, ademais, o atendimento a que se dirigiu ia tomar certo horizonte.

– Ela está em Marte. Houve um acidente com um grupo de turistas na Amazônia Sul, foram pegos em uma supertempestade elétrica. Toda frota emergencial marciana foi convocada para atender ao sinistro. As vítimas estão em estado de coma fotônico, precisarão de cuidados imediatos no local – explicou Noll.

– Se a frota marciana foi convocada, por que Diana teve de ir? Ela não trabalha na lua? – questionou Billy, ainda desconfiado de que a médica estava era fugindo dele.

– Porque essa lua pertence a Marte e a frota superficial conta apenas com quatro naves-ambulância. Foi preciso convocar mais naves para dar conta do atendimento, o acidente envolveu uma comunidade inteira de ermitões da floresta. São 6.802 vítimas, é um sinistro categoria 3 numa escala de 6. Diana foi uma das socorristas convocadas – esclareceu. – Mas ela não deve demorar tanto assim para retornar.

– Como sabe?

– Porque a ala do centro hospicialar onde sua família está é inteiramente sustentada pela energia do disco comandado por Diana, não sabia? – questionou Noll, sob uma leve estranheza de que já teria tido essa conversa antes.

– Como eu poderia saber? – Uma questão óbvia, pois quem sabia era o outro Billy, aquele que estava em Plutão. Ao perceber a gafe que cometeu, Noll disfarçou:

– Estou brincando contigo, meu filho. Mas é isso mesmo. A nave funciona como um capacitador que habilita Diana a comandar as funções de todo o setor e controlar a atmosfera de todas as habitações.

– E agora que ela não está lá, como é que fica?

– Existe um período de reserva para sustentar o setor na ausência da nave.

– E se ela não voltar?

– Ela vai voltar.

– Mas, hipoteticamente, e se ela não voltar?

– Aí vão designar outra nave para abastecer o setor ou conectá-lo em outra linha de abastecimento, não sei ao certo. Só sei que ela vai voltar.

– E por que não deixam o setor conectado nas outras linhas? Não seria mais fácil?

– O setor está configurado de acordo com as minhas preferências pessoais, de modo que possa comandar tudo remotamente a partir das extensões fornecidas pela nave sem que seja preciso desembarcar, ou apenas quando é estritamente necessário. Minha função me obriga a estar na nave em horizonte contínuo, só posso me distanciar dela dentro de seu raio energético – intrometeu-se Diana em resposta.

– Todos os pacientes daquele prédio... Ou seria pirâmide? – elaborou Billy, mas interrompeu sua pergunta.

– Tanto faz. Eu descrevo como *habitat* terapêutico – esclareceu a médica. Billy retomou sua questão:

– São todos seus pacientes?

– Exato. Por quê? Cria que fosse meu paciente exclusivo, tu e tua família?

– Imaginei que sim, no começo – comentou Billy, assim encerrando a breve conversação.

Em meio ao papo mental e algumas intromissões de Diana, Noll e Billy percorreram as ruas do complexo hospitalar. O alienígena descreveu o local para o hominídeo enquanto caminhavam. Para começar, explicou que o quarto onde estavam pertencia à ala de pacientes psíquicos terminais, de paranormais que já haviam esgotado qualquer possibilidade de reencarnação e aguardavam óbito para doarem suas almas à Gaia marciana. Todavia, o motivo de Billy e sua família estarem internados ali se resumia ao fato de haver uma acomodação vaga com vista para o zoológico. Além do fato, como explicado, da ala ser chefiada por Diana. Não obstante, o setor também era aparelhado para receber a espécie homiquântica, justo à qual Billy se enquadraria quando optasse em vestir a pele sugerida pela médica.

Na caminhada, Billy passou por outros setores do complexo. Pelo que observou, a demanda maior do hospital e, especialmente, do sanatório, era de espécimes paranormais. Um dado compreensível, pois compunham a raça do zoológico menos desenvolvida psiquicamente. Nas ruas podia observar vários deles passeando junto aos quânticos que os monitoravam, mas, às vezes, sozinhos. Todos miravam Billy com curiosidade, alguns fazendo sinais de boas-vindas e telecinando pensamentos que Noll traduzia como mensagens hospitaleiras. Outros nem tanto, apenas exclamavam a estranheza pela presença de um ser distinto dos demais. Apesar de mais esguios, um pouco cabeçudos e, acima de tudo, coloridos, aos menos os paranormais eram mais semelhantes a si, o que dava certo conforto para Billy. Todavia, o conforto durou apenas até que cruzasse uma rua na ala dos pacientes de Alzheimer, onde a recepção ao novo animal do zoológico não foi das mais amistosas. De cara, o que impressionou Billy foi a cor que os pacientes emanavam. O transtorno mental que os afligia era tão forte que passavam a projetar tatuagens na pele umas sobre as outras ininterruptamente. Quanto mais enfermos, maior a carga de emissão televisiva até que, em estágio máximo, ficavam completamente cobertos pelas próprias projeções e tornavam-se absolutamente negros, tão escuros quanto o breu da noite. Um deles surgiu de dentro de um quarto e avançou subitamente até quase encostar seu rosto em Billy, causando-lhe um forte calafrio pelo susto, então fugiu para dentro do quarto antes que o hominídeo expressasse o medo que sentiu. Era assim mesmo, ao captarem a presença de Billy, sua reação era fugir de medo ou avançar para captá-lo melhor. Expressavam pensamentos intraduzíveis, sorte que foram contidos por seus adestradores ou por Fdsa, gesticulando e os afugentando.

Como se não acreditasse que aquela visão fosse real, Billy chegou a retirar seu adaptador para captá-los com seus próprios olhos. Mas, ao fazer isso, sequer podia vê-los, pois o ambiente também era obscuro devido às sombras das pirâmides e eles desapareciam na escuridão. Captava apenas seus grunhidos, como se rosnassem, manifestando a dor profunda que lhes corroía o espírito – era tenebroso, por isso tratou de vestir o adaptador novamente.

Dali, Noll e Billy deixaram a famosa Vila de Vidro para trás até alcançarem o espaçoporto. Um local bastante decepcionante para o menino, pois resumia-se a uma ampla área aberta com uns 500 metros de diâmetro circular, plenamente vazia, destinada apenas ao embarque e desembarque de discos-táxi e bumerangues-carga ou como plataforma de captação de passageiros da *Enterprise*. Mas o uso desses transportes para acessar o complexo institucional era bastante esporádico, mais voltado para específicos tipos de carga, dado que a demanda de acesso a trabalhadores e visitantes era plenamente absorvida pelo Elevador Phobos-Marte. Assim, Billy não teve a fortuna de testemunhar um único disco pousando ou decolando no local.

– Esse meio de transporte via disco-táxi serve a outras regiões da reserva. Por isso captas a presença de astronaves transitando pelos céus em contrapartida ao aparente abandono do espaçoporto do instituto universitário – comentou Noll. Na verdade, ele soprava as sinapses que o professor Ipsilon o repassava. Naturalmente, o professor acompanhava o passeio em plano de fundo.

Ao menos o local oferecia uma excelente vista do céu e, pela primeira vez, Billy viu Marte em toda sua plenitude: enorme, muito, mas muito maior do que seria a Terra vista da Lua, embora soubesse que a massa e o diâmetro de Marte eram bem inferiores ao de seu planeta natal – era possível perceber o quão próximo da superfície marciana a lua trafegava. A luz de Marte resplandecia na atmosfera e o planeta desaparecia parcialmente em sua faixa equatorial devido à incidência do feixe-solar. Ainda assim era possível delinear facilmente os mares e as florestas formando listras como um arco-íris verde, amarelo, azul e branco – *Lindo, magnífico, extraordinário*! – era só o que podia expressar Billy.

Do espaçoporto, Noll guiou Billy por um anel viário que interligava ao bairro dos homiquânticos já na cidade dos animais, a famosa Umbral, em um bairro chamado Inanis. Uma vizinhança mais tranquila, majoritariamente habitada por homiquânticos mais evoluídos e já reencarnados. Viviam nas adjacências dos institutos, pois muitos trabalhavam lá com os quânticos, ponto ideal para Billy iniciar seu *tour* sem tanto assédio dos populares. Isso em função dos homiquânticos serem bastante discretos, alguns sequer o miravam diretamente, não davam bola para sua presença. Era uma zona constituída de alguns quarteirões gramados formados por pirâmides baixas de dois ou três patamares no máximo. Uma área bastante arborizada com construções fechadas, dispondo de poucas janelas cobertas de musgo – compunham espaços comunitários. Por ali não havia "apartamentos" como em outros bairros, especialmente nas redondezas dos paranormais; observava-se pessoas passeando entre os edifícios, cruzando passadiços que os interconectavam. Billy chegou a adentrar algumas edificações ao tomar um atalho para a Praça da Ágora, o primeiro ponto turístico obrigatório de sua visita. Por dentro, as pirâmides formavam passeios que interligavam áreas de convívio. Nesses locais não se observava qualquer ostentação de objetos materiais, exceto por totens de localização e algumas lojas de cristais, o que era meio decepcionante. Além disso, nada mais se destacava ali além de algumas obras de arte que embelezavam os interiores – ou melhor, na percepção de Billy, "acinzentavam" os interiores, pois eram todas de pedra ou cristalinas e não apresentavam cores.

– É por isso que chamam os homiquânticos de *grays*? – questionou Billy.

– *Grays*? Jamais captei isso... – respondeu Noll, sinceramente em dúvida. Ipsilon o esclareceu mentalmente.

– Sim, *grays*, na Terra. Ou na minha antiga Terra... – Billy insistiu.

Ipsilon esclareceu Noll mais uma vez, então redirecionou uma pergunta a título das análises que tecia junto à Diana. Noll a formulou:

- Mas por que pensaste nisso?

- Não sei, foi algo que me ocorreu - comentou Billy.

Em paralelo, Ipsilon comentou com Diana:

- Catalogada referência direta ao clone ultrapassado.

- Bom, muito bom - comentou Diana. Referia-se ao procedimento de ultrapassagem sensorial realizado por Billy e sua família. O fato de Billy lembrar-se de algo de sua experiência anterior era um bom indicador de que o experimento foi mais bem-sucedido do que se especulava. Enquanto isso, no plano atual, enfim Noll respondeu Billy:

- Creio que faz sentido, pois a capacidade visual de um homem limita-se ao espectro da luz, e os homiquânticos não refletem luz, absorvem-na assim como nós, os quânticos.

- Mas você é preto e brilha, não cinza.

- É que eu absorvo muito mais luz do que um homiquântico.

- E reflete também. Por isso brilha, né?

- Não. Eu *emito* luz para contrabalancear outras funções corporais.

- Quais funções? - Foi a dúvida seguinte de Billy, e a resposta diria que eram muito mais funções do que o pequeno homem poderia imaginar; dava até para usar como meio de comunicação, entre muitas outras.

Ao prosseguirem pelo caminho e aproximarem-se da avenida principal do Umbral, o ambiente começou a tomar forma de uma grande metrópole, com mais pessoas de diferentes espécies desfrutando a cidade e pirâmides paulatinamente maiores tomando a vista. Conforme avançaram para as ruas mais movimentadas, Billy notou mais de perto os primeiros paranormais andando pelados pela cidade. Mas como suas peles exibiam arte televisiva, sequer notava-se que estavam nus. As fêmeas não tinham seios e eram todos carecas, embora utilizassem adornos ou joias e, igualmente, emitissem cores e desenhos pela cabeça. Só não teve como deixar de notar os machos cujos pênis pendiam para fora do corpo, alguns os ostentavam com *piercings*, outros os exibiam eretos emitindo tatuagens.

- Os machos exibem seus dotes para atrair as fêmeas. Faz parte dos rituais de acasalamento da espécie - explicou Noll.

Uma minoria de paranormais trajava algum tipo de roupa, geralmente túnicas similares às de Billy, mas era comum exibirem acessórios dos mais esquisitos sobre o corpo ou cobrindo os membros. O mais raro era ver um homiquântico de roupa ou cheio de acessórios. Viviam todos pelados, mas como não possuíam membros sexuais e sua pele mais se parecia com uma couraça de rinoceronte acinzentada, sequer era possível reparar que estavam nus.

No trajeto, ao menos Billy avistou algo que enfim lhe pareceu um atrativo: uma praça esportiva. Todavia, quanto ao esporte que praticavam nela, não conseguiu compreender. Tinha disco, taco, gol, mas se parecia uma mistura de *cricket* com golfe e hóquei disputado numa grande mesa de *aeroball* circular; pior, com uma descrição sem qualquer correlação aparente: Dado.

Já próximos da região mais movimentada da cidade, as ruas largas e as edificações mais altas tinham o perfeito aspecto de um centro urbano. O andar térreo dos prédios era dedicado aos lojistas e ao comércio da espécie paranormal, o que era notório pela presença sobrepujante da espécie no entra e sai dos estabelecimentos. Havia muitas lojas de equipamentos de comunicação, de antenas radiotransmissoras, de prestação de serviços ou consertos, tanto para se comunicar melhor quanto para não se comunicar. Pois era ali no centrão onde se encontrava, por exemplo, um capuz inibidor de sinais, mantos de invisibilidade e artigos do gênero - alguns ilegais, por assim pensar na gíria local. Havia também um comércio de drogas entre os paranormais, incluindo líquidos psicotrópicos de ingestão oral, mas os bares se restringiam ao segundo andar das edificações e em algumas áreas interiores. Para os homiquânticos não havia nada do gênero, se existisse uma espécie que pudesse ser apontada como a mais *careta* já evoluída, seriam eles mesmos. Ainda assim, tinham lá suas práticas resíduo-interativas que, por uso contínuo exclusivo intensivo, tornavam-se vícios - seus *games* eram suas drogas.

Sem dúvida, o que mais chamou atenção de Billy, pelo inusitado, foram os incontáveis estúdios de tatuagem espalhados pelo térreo, em cada esquina tinha um - e como cada quarteirão era hexagonal, eram esquinas e lojas que não acabavam mais. Os paranormais ficavam em frente aos estúdios, como totens ou letreiros de neon, emitindo *slogans* e imagens chamativas em seus corpos. Era inusitado porque qualquer paranormal podia emitir sua própria tatuagem, então pra quê precisariam de um estúdio de tatuagem? Noll explicou que os estúdios compunham áreas de lazer, como bares de tatuagens, para o pessoal compartilhar e admirar a arte televisiva um do outro. Alguns estúdios prestavam serviços de informação, onde as pessoas assistiam ao noticiário veiculado na pele de um paranormal - Mural de Pele, como eram chamados. Outros estúdios resumiam-se a lojas para baixar um *skin*. Ainda que existissem umas poucas lojas de roupas, eram nesses estúdios que as pessoas se vestiam, eles que ditavam a moda visual dos paranormais, onde viviam os grandes alfaiates epidérmicos da espécie. Pena que não dava para evoluir paranormal, pensou Billy, já que era factível que suas vidas eram mais agitadas do que a dos homiquânticos, bastava observar a movimentação na cidade para constatar. Entre os paranormais persistia um forte apelo à arte *bidimensional*. Eles ainda compreendiam o valor estético de uma imagem de duas dimensões tanto quanto um homem - só não gostavam de arte estática, as imagens eram sempre animadas. Muito ao contrário das espécies mais evoluídas ali presentes, homiquânticos e quânticos, que não mais depreendiam esse tipo de arte superficial.

Para os homiquânticos, o comércio era bastante restrito. Havia os shoppings de cristais, algumas galerias de artesanato e as tais "igrejas", conforme a compreensão limitada de Billy. As "igrejas" tomavam lojas ou mesmo pirâmides inteiras dedicadas ao xamanismo e à psicografia; eram chamadas de centros de sabedoria, as universidades animais. A maior delas na região fazia esquina com a principal, a dois hexágonos da Praça da Ágora, compunha uma pirâmide invertida com a base virada para Marte. Erguida como um grande monumento arquitetônico cujo intuito era captar os pensamentos que trafegavam pelos *grávitons* do planeta. No vão livre que formava sobre o solo, uma estátua de Metodius, um homiquântico em pé mirando o horizonte com o braço erguido, ostentando o Sistema Solar sobre a palma da mão, dava boas-vindas aos visitantes – pena que só a viu meio de longe. O vão livre compunha um dos grandes atrativos turísticos e culturais do zoológico, portanto estava lotado de alienígenas, incluindo turistas quânticos que passeavam entre os animais formando um grande alvoroço – ainda bem que estava meio longe.

Visão do Centro de Sabedoria

Sobre a cidade, Noll comentou:

– O zoológico é continuamente funcional, pois os espécimes não precisam dormir ou, como os paranormais, dormem poucas horas esporadicamente de acordo com sua própria rotina. Por isso as ruas estão sempre movimentadas – esclareceu o pai recreativo. Todavia, o que Billy mais admirava era saber que tudo aquilo funcionava sem que existisse dinheiro.

O ruim para o hominídeo foi, nesse ponto do passeio, começar a ser assediado pelos primeiros paranormais que estavam por ali. Como previra Noll, muitos queriam chegar perto e passar a mão na grande novidade do *zoo*. Eles aproximavam-se emitindo palavras de carinho e fazendo caretas bobocas como se estivessem lidando com um bebê, então acariciavam sua cabeça sem cerimônia. Com esse assédio todo, quando a dupla se avizinhava da avenida que levava a Ágora, o avanço passou a ser lento em função dos curiosos em seu caminho.

Aos poucos, mais e mais curiosos, incluindo os homiquânticos, passaram a se aglomerar em torno do pequeno homem da cidade. Ainda que se comunicassem telepaticamente, Billy percebia as vozes tomando volume em sua mente. Não bastasse acarinharem sua cabeça e descabelá-lo todo, alguns começaram a passar as mãos em seu rosto, em seu pescoço, a pegar em sua mão e a se esfregar em seus braços; outros agachavam para tocar seus pés e suas canelas. A princípio, Billy tentou ser simpático e retribuiu àquelas estranhas pessoas com sorrisos. Mas isso durou até que, em dado instante, primeiro alguém perguntou se podia, depois outro tentou, até que um simplesmente levantou sua túnica para todo mundo ver o que ele escondia embaixo dos panos, deixando o menino todo embaraçado. Talvez não fosse algo muito diferente do que já vivera em sua antiga escola de cadetes na Terra, na qual a brincadeira de puxar as calças dos outros no meio do recreio, da classe ou do refeitório era comum. Mas dado o contexto da situação, frente àquele bando de alienígenas, especialmente quando captou o povo rindo, Billy ficou furioso e tentou estapear quem estava perto enquanto puxava a roupa de volta, o que fez o povo ao redor afastar-se subitamente para, em seguida, aumentar o coro das risadas. Nesse instante, Noll interferiu pedindo decoro às pessoas, emitindo ordens para que os deixassem caminhar, com Fdsa gesticulando para os animais se afastarem. Aproveitaram o pequeno vácuo que se abriu para avançarem rapidamente, assim ambos chegaram à avenida principal, a cerca de um hexágono da Praça da Ágora.

Na principal, o tumulto estava pior ainda, pois Billy deparou-se com o grupo que retornava da passeata que antes estava embaixo da janela de seu quarto no sanatório. Em meio aos curiosos se avolumando à sua volta querendo cumprimentá-lo e acarinhá-lo, foi possível captar pensamentos pouco gentis, especialmente de paranormais protestando contra sua presença. Ainda sem entender o porquê da ojeriza em torno de sua presença, um coro se sobressaiu na multidão:

– FORA MACACO! FORA MACACO! – gritavam os revoltosos. No meio, uma frase destoou das demais:

- MORTE AO ZUMBI!!

As manifestações causaram calafrio em Billy. Aflito, dirigiu-se ao pai recreativo:

- Pai, pai... É melhor a gente ir embora. Eu tô em perigo aqui - expressou. Noll tentou tranquilizá-lo:

- Calma, eles não farão nada além de expressar seus pensamentos. Não há perigo algum. - Todavia, essas eram sinapses teatralizadas para acalmar Billy. Em paralelo, Noll se comunicou privativamente com Diana:

- Creio que será necessária alguma ajuda aqui para conter o ânimo do público.

- Pedido protocolado - concedeu Diana. Na cena atual, Billy questionou Noll:

- Por que eles me odeiam tanto? O que fiz para eles?

- Não há um motivo evidente, muito menos racional. Alguns ambientalistas protestam contra a introdução de uma nova espécie *sapiens* no *habitat*, questionam se haverá política de controle de natalidade ou creem que deverias ser encaminhado para uma reserva mais apropriada.

- Que reserva?

- As que trabalham com espécies de grau evolutivo mais páreo ao teu, especialmente nas luas de Urano.

- É muito longe... - comentou Billy, subitamente interrompido por um breve silêncio que se fez na multidão em meio a aproximação de uma figura que, a princípio, pensou que fosse apenas um poste de rua. Mas ao perceber que o poste caminhava em sua direção, teve certeza de que ele iria matá-lo. Era um robô com cerca de dois metros e meio de altura, sua cabeça ostentava uma antena giratória similar à do robô B-9 do seriado *Perdidos no Espaço*, mas só então percebeu que era um paranormal travestido com uma espécie de armadura robótica. Sua cara transparecia de dentro da armadura através de uma janela de vidro em seu peito, e suas pernas estavam nuas da cintura para baixo, revelando músculos fortes como os de um halterofilista, emitindo tatuagens que pareciam pelos. Tratava-se de um *emissor*, um ente que utiliza um aparato para aumentar sua capacidade comunicativa e trabalhava como fornecedor de cultura e entretenimento para o público, como se fosse uma emissora de TV ambulante. Era conhecido como Canal 1278.

O dito cujo pronunciou-se para a multidão ao redor, utilizando suas poderosas ondas emissoras para ser captado em um raio de quilômetros:

- Afastem-se do hominídeo. A presença do hominídeo foi autorizada e homologada pelo quórum municipal, qualquer atitude caracterizada como atentado físico será objeto de intervenção pública e acarretará na abertura de processo punitivo. Repito: afastem-se do hominídeo. Permitam-no caminhar - anunciou.

De fato, 1278 estava atendendo ao pedido protocolado por Diana. Naturalmente, a médica poderia ter utilizado Fdsa para emitir o anúncio à multidão, todavia, oriundo de um quântico, o aviso não teria o mesmo efeito do que partindo de um animal, especialmente de um animal influente na opinião pública local.

Billy ainda captou a multidão vaiando 1278, mas o aviso surtiu efeito e o aglomerado de pessoas dispersou um pouco. Assim e enfim, permitindo-o avançar dali. Escoltada pela presença física e mental do Canal, a dupla alcançou a Praça da Ágora.

Mas nem na Ágora Billy teve algum sossego, embora a multidão não mais atravessasse seu caminho e tentasse agarrá-lo como um *pet* de estimação, uma autêntica procissão passou a segui-lo em meio a um coro de protestos contra a presença do "macaco" ou do "zumbi". Ao menos na praça o público era mais eclético. Pela primeira vez, Billy viu um homiquântico de primeira geração, aquele cuja pele é uma roupa com a cabeça envolta por uma redoma similar a de um astronauta de sua antiga dimensão, isto é, exceto pelo fato da roupa habitar um alienígena bastante feio. No centro pulsante da cidade, os apupos se sobressaíram aos protestos e as pessoas que se aproximavam mostravam-se mais gentis e comunicativas, apenas puxavam papo com Billy. Perguntavam o que estava achando de Phobos, questionavam como era ser hominídeo e, entre outros tópicos, expressavam certo pêsame pelo acidente do qual foi vítima na Terra. Além disso, mostravam apoio e confiança por sua presença no zoológico. Para o gosto do menino, repreendiam a postura daqueles que protestavam contra sua estada nas redondezas.

Um pouco mais à vontade, Billy atendeu a multidão conforme o possível, já que parte da interatividade fugia de sua capacidade cognitiva. Noll e Fdsa dispunham suas faculdades para traduzirem toda a conversação simultânea dirigida ao hominídeo, todavia, ele não era capaz de absorvê-la por completo. Por esse lapso comunicativo, as sinapses se embaralhavam na cabeça de Billy, que, de modo geral, resignava-se em sorrir e gesticular em agradecimento às pessoas. Noll também teve muito trabalho, pois cabia ao pai recreativo responder ao povo uma série de questões que Billy sequer sonharia que sua mera presença acarretava, inclusive matérias que implicavam o foro político de Phobos. Não fosse o auxílio de Ipsilon e Diana, além do intermédio de 1278 para conter o ímpeto dos curiosos, não teria dado conta. Útil foram os contatos que Billy fez com alguns políticos que se sitiavam na Ágora, a começar pelo prefeito: um homiquântico com nove reencarnações, remanescente da primeira geração do zoológico que veio à luz livre do perigo de extinção – direito assegurado pela Declaração Cósmica do Fundamentalismo Existencial promulgada após a posse da entidade *Mãe* como chanceler cósmica –, um autêntico ancião. Billy também fez contato com vereadores de outras espécies e chegou a conhecer a alta diretoria do PA – o Partido Animal, o único partido da lua. Chegou até a ser convidado a transmutar-se homiquântico para que pudesse se filiar e assumir a posição de novo adido da causa animal, a qual sequer tinha a mínima ideia de qual seria. Billy prometeu estudar o convite *caso* viesse a se tornar homiquântico.

Seguidos de perto por 1278, em meio aos apupos, congratulações e algumas vaias do povo, Billy e Noll continuaram avançando pela praça, dirigindo-se à praia, o ponto final do passeio, não muito longe dali. Um grupo de curiosos continuou atrás de Billy, mas ao menos o pessoal que engajava a passeata de protesto parou de segui-lo – 1278 fez um bom trabalho de convencimento e os dispersou pela praça. Ainda assim, embora já não houvesse uma multidão para chamá-lo de macaco, sempre surgia um alienado que demonstrava completa ignorância sobre os meandros de sua chegada ao corrente cosmo ou de sua taxonomia adequada. Alienados que questionavam, se não ao próprio Billy, mas para qualquer transeunte ao redor, próximos o suficiente para que seus pensamentos fossem captados pelo menino:

É uma espécie de macaco-pelado, sim? – Eu já captei um em Laomodeia, é um macaco que não sabe trepar em árvore. – Que bicho inútil! – Não se enganem com essa frágil aparência, é um troglodita, igualmente já captei um em Netuno. – Já não temos macacos suficientes nas florestas? – É retroativo! Querem involuir nosso meio ambiente! – É um experimento para infectar a lua com esse zumbi, só se for!

Pensamentos que, em dado instante, feriram os brios do *hominídeo* – não macaco! Justo quando, já na saída da Ágora, um homiquântico se aproximou e puxou papo educadamente. Ele parecia inteligente, mas saiu com uma...

– Tu não és um macaco-pelado como partilham. Tua raça é mais evoluída, tenho ciência. És um *cro-magnon* albino, sim? – Um "inocente" questionamento que irritou Billy profundamente:

– *Pela mundana que te pariu*!! Saia daqui seu etê escroto! – vociferou Billy, gesticulando para o homiquântico, que recuou imediatamente. Em seguida, voltou-se para 1278 e exclamou: – Será que não dá pra pedir pra esses alienígenas *pararem de dizer* que sou *macaco*?! Ou um *zumbi*?! Eu sou ***homem***, *homo sapiens*! Será tão difícil assim que entendam?!

Imediatamente, 1278 anunciou:

– Atenção! O hominídeo *não* é um macaco, nem um zumbi. Trata-se de um *homem*, espécie *homo sapiens*. Favor tratá-lo pela taxonomia adequada. Consultem arquivo elucidativo disponível no canal. Repito: o hominídeo é um *homem*.

Mais uma vez, parte do público vaiou 1278, mas parte maior captou o recado corretamente e ensaiou um coro de "*homem, homem*". Embora o coro ainda soasse zombeteiro, era melhor que ser chamado de macaco.

Sem mais captar a sinapse macaco, Billy finalmente se afastou da praça e retomou a avenida principal, seguindo o rio que antes avistara ao longínquo pela janela de seu quarto no sanatório. O rio se chamava Estige em função da estiagem que, em horizontes esparsos, fazia com que corresse em sentido oposto ao mar ou secasse completamente. Um hexágono à frente, a faixa de pirâmides chegava ao fim, o que permitia que avistasse o mar de Phobos pela primeira vez. Embora não fosse um oceano, e sim um enorme lago reservatório de um complexo hidroelétrico, as águas se perdiam da vista até o horizonte. Porém, mais escuras que as dos mares terrenos, o que constatou retirando seus óculos brevemente, pois a lua em si era escura. Além do mar, pela primeira vez Billy viu algo que enfim revelava a grande metrópole que Phobos é: uma estação de trens, situada na continuação da avenida que margeava a praia. Eram trens como nunca tinha visto, com vagões de *design* arrojado correndo em um monotrilho suspenso, um "trilho magnético", conforme explicou Noll. Apesar disso, eram similares aos da Terra, sobretudo na movimentação da estação em si, com os alienígenas entrando e saindo dos vagões a pé por portas laterais, uma cena inédita e inusitada pelas figuras que a ilustravam, mas novamente trazendo aquela sensação de que já havia visto algo assim – e não em sua antiga Terra. De onde observava, a vista era ampla, como se estivesse em um pequeno planalto. Da estação, os trens corriam para baixo da cidade, como um metrô, desaparecendo em um enorme buraco que formava um monumento chamado O Fosso. Ao fundo, a praia distava uns 300 metros em um desnível de quinze metros até a superfície do mar. A praia era longa, sua extensão variava conforme a vazão de água ditada pelas estações de operação das usinas. Em função disso, a região levava o nome Lago de Lama, pela lama que formava na beira quando as águas recuavam.

Na panorâmica, a zero grau, Billy avistava uma floresta de coloração verde-*claro* – notou –, que beirava o litoral separada das águas por um enorme píer de pedra, por isso era conhecida como Colina de Rocha. Todavia, se girasse a visão entre 200 e 300 graus, dava para ver mais pirâmides e constatar que o tal zoológico era bem grande. A noventa graus situava-se a desembocadura do rio Estige dividindo a praia em duas faixas; bem ao distante, captava as gargantas das usinas formando enormes cachoeiras. A 180 graus, dava para ver o início da praia a poucos quilômetros, a vizinhança referida Vale dos Ventos, pois era aberta e frontal à brisa do mar. Seguindo o giro, a paisagem urbana tomava o contorno dos 360 graus complementares da visão. No eixo vertical, como a área era aberta e bem ampla, notou o céu claro, em um azul que jamais vira, sem nuvens e repleto de aves, os tais *paparazzi*. Mas existiam outros pássaros mais comuns, não *sapiens*, compatíveis com a atmosfera marítima do local fazendo as vezes de gaivotas e albatrozes.

– Bem-vindo ao Jardim do Éden – comunicou Noll, referindo-se à vizinhança que contemplavam à beira-mar: a praia do Éden.

A praia, pelo que pôde reparar, era um local de lazer, pois via pessoas nadando no mar, brincando, banhando-se à luz de Marte ou descansando deitadas no chão.

A área era bastante arborizada e as árvores formavam pontos de encontro, serviam como totens para troca de dados com a memória maternal.

O cenário era convidativo, por isso Billy questionou Noll:

- Será que dá pra nadar? Do que é feito esse mar? Tem uma coloração meio estranha...

- É composto de água marciana.

- Água marciana?

- Positivo. Água original do planeta, ou do que restou no planeta após o cataclismo que gerou a Terra há bilhões de anos.

- Marte gerou a Terra?! - duvidou Billy.

- Sim, a Terra foi formada a partir de Marte - confirmou Noll. Em seguida, esclareceu que Ipsilon lecionaria maiores detalhes a respeito. Então explicou que *água marciana* se refere à água retirada de Marte ao longo de toda colonização do planeta e a crescente ocupação de suas luas, desde a geração antecessora aos animais atualmente presentes no zoológico. Uma água com uma composição isotônica distinta da água terrestre certamente, mais alcalina, mas perfeitamente natural para um homem como qualquer água líquida - o único inconveniente era ser meio fria, temperatura média de 13° Celsius. Nesse instante, inclusive, esclareceu que Billy estava utilizando um segundo adaptador que sequer havia notado, inserido em suas narinas para filtrar o ar atmosférico, dado que a composição de Phobos era muito mais carregada em nitrogênio e outros gases não naturais ao homem. Mas o mais interessante era que esse filtro nasal permitia que respirasse embaixo d'água.

- Então vamos nadar! - animou-se Billy e puxou o braço de Fdsa para que se apressassem em chegar à praia. Noll seguiu o chamado, mas advertiu:

- Não está autorizado a nadar.

- Por que não? Eu sei nadar muito bem...

- O adaptador nasal não é garantia de que não vá se afogar. Existem bolsões d'água desoxigenada nesse mar, é perigoso. Ademais, a água é muito fria para você - justificou Noll.

- Deixa só um pouquinho, pra testar este adaptador e ver como é respirar embaixo d'água, por favor.

- Não estou autorizado - negou o pai recreativo. Billy insistiu:

- Você não pode entrar na água comigo? Tem medo de água gelada?

- Não se trata disso, apenas que...

Nesse instante, Diana intrometeu-se na conversa e comunicou:

- Isso não fazia parte do programa, mas tudo bem, Willian, eu autorizo. Noll, por favor, proceda com Fdsa até a água.

- Oba!!! - vibrou Billy.

Diana fez uma pequena restrição:

– Seu contato com a água fica restrito a 7,3 milidydozens – período equivalente a cerca de dez minutos-terra.

Billy quis correr para chegar logo ao mar, mas para alcançar a praia ainda havia um pequeno trecho urbano para percorrer e a avenida marginal para cruzar. A via dava acesso à estação de trens, por isso estava muito movimentada. Bastou Billy se aproximar e mais um bando de alienígenas começou a cercá-lo, com curiosos puxando papo e querendo tocá-lo. Ao menos a propaganda do Canal 1278 surtira efeito e o pessoal se portava educadamente. Ao invés de acariciá-lo, ofereciam as mãos para cumprimentá-lo e evitavam expressões errôneas sobre sua constituição animal. A pressa de Billy não passou despercebida pelo pai recreativo:

– Calma! Não tente correr. O mar não vai evaporar.

– Eu preciso chegar logo na água.

– Pra quê?

– Tô apertado pra fazer xixi.

– Então faça aqui mesmo.

– Não tem problema?

– Pra você, não.

– Eu tenho vergonha.

– Ora, não dramatize. Aproxime-se, faça na minha perna – sugeriu Noll. Billy achou que era brincadeira e retrucou:

– Tá dizendo isso porque a perna não é sua, é do Fdsa.

– Evidente que não, pode fazer.

Acanhado, Billy se aproximou de Noll, abriu sua túnica, fez uma cabaninha em torno da perna de Fdsa e se aliviou. Mas o que era um simples xixi mostrou-se algo bizarro, pois o líquido não escorreu para o chão, subiu pela perna de Fdsa sem que uma única gota escapasse ou respingasse. A urina ganhou a forma de bolinhas de gude e permaneceu rodopiando em torno de sua cintura.

– Estamos coletando suas amostras expectorantes para análises posteriores – explicou o pai recreativo. Não bastasse o absurdo da situação, ao terminar de urinar, o povo ao redor o aplaudiu como se aquilo fosse algum grande feito.

Com a bexiga aliviada, os dois seguiram em frente. Com algum custo e o auxílio de 1278, cruzaram a última avenida e Billy pisou na faixa gramada onde o pessoal descansava e se telecinava abaixo das árvores que delimitavam a área marginal da praia. Instante em que seus olhos perceberam que os paranormais, aqueles que, à distância, pareciam brincar embaixo das árvores e em alguns pontos da praia, na verdade, não estavam brincando, mas sim... *Sim*! Faziam exatamente aquilo que imaginava e sempre quis ver como era... Aquilo que as revistinhas pornôs que tinha em sua memória não mostravam por completo ou que não conseguia ver direito pelo buraco da fechadura do quarto de seus pais. Só não sabia que aquilo se fazia com três ou até com *quatro* pessoas, cinco, com os dois juntos ou ao *mesmo tempo* e *no mesmo*... Não! Tatuagem tudo bem, mas gritar e se mexer tanto assim, freneticamente... Pondo *a* ou *na* boca também! – embora não se desse conta, Billy estava extasiado, com os olhos vidrados na cena, de um jeito que Noll ou as pessoas mais próximas não tinham como deixar de reparar.

– Te excitas vê-los acasalando? – questionou Noll.

Constrangido, Billy notou que estava tendo uma ereção. Envergonhado, contraiu levemente as pernas, procurando contê-la. O grupo de pessoas mais próximo notou o detalhe e riu de seu embaraço.

– Excitado, eu? Imagine... – respondeu Billy.

– Não precisa se acanhar. Eu não ligo para isso – partilhou Noll.

– Ao menos ninguém vai estranhar que eu nade pelado – comentou Billy, tentando disfarçar a vergonha que sentia. Então prosseguiu em frente, com o rabo do olho observando a cena como se aquilo fosse absolutamente normal para si.

Avançando lentamente, finalmente a dupla pisou na areia da praia – que sequer era composta de areia, mas de pequenos pedregulhos polidos do tamanho de um botão de camisa perolado com cores claras. Mas, bem nesse instante, foram interpelados por um paranormal que chamou atenção de Billy. Em seu ombro havia um pássaro pousado, um *paparazzo*: uma ave do porte de uma águia, com uma penugem que o caracterizava como uma espécie de arara-azul dotada de uma coroa com penugem amarelada sobre a cabeça. Todavia, o que destoava de sua aparência era o fato de sua face ser praticamente idêntica a de um homem. Diferenciava-se apenas pelo nariz afundado como o de um boxeador e os lábios, grossos, feitos de ossos protuberantes de coloração alaranjada, como um bico de galinha achatado – uma visão repugnante, muito mais do que qualquer outro alienígena daquela lua –, tão repugnante que foi capaz de dissipar a excitação e a atenção da suruba que rolava ao fundo. O pior é que a coisa sabia falar:

– *Hi, Billy, hi, Billy! Welcome to Phobos, Welcome to Phobos!* – E falava em *inglês* com uma voz estridente, quase um grasnido, sem sotaque definido. Repetia as palavras como um autêntico papagaio, a *chalrear*, conforme se classificava tal tipo de comunicação vocal. Inteligente, o papagaio notou a expressão assombrada de Billy:

– *Não tenha medo, não tenha medo* – falou, conforme a tradução de seu inglês. Billy cumprimentou a ave, e o paranormal que a ostentava no ombro igualmente se apresentou. Ambos puxaram papo com o pequeno homem. Passada a estranheza inicial, Billy passou a chalrear com a ave. Ela se chamava Critera, era fêmea. Já o paranormal, a quem o bicho se referia como seu dono, levava o nome Avemann. Ele descreveu-se como um apaixonado por pássaros, vivia com vários deles em um apartamento não muito longe dali. Mostrava curiosidade como qualquer um. E já que o assunto era aves...

– Soube que foi vítima de um sinistro aéreo em um aparato de voo bastante rudimentar... – comentou ele. Porém, antes que Billy comentasse algo, Critera verbalizou:

– *Voar ele não sabe, voar não sabe.* – E depois riu, tirando sarro de Billy. Avemann interveio em defesa do hominídeo:

– Saber, ele não sabe, mas um dia vai aprender e terá asas bem melhores que as tuas, sua gozadora – verbalizou em resposta ao pássaro, também em inglês. Então voltou a focar sua atenção em Billy:

– Não ligue não, ela está com inveja de ti...

– Por que teria inveja de mim?

– Porque sabe que um dia você vai voar...

– *Sim, sim, você voará, você voará* – falou Critera.

– Como pode saber disso? – questionou Billy, achando que era bobagem da ave ou talvez não fosse tão inteligente quanto parecia. Mas ela própria respondeu:

– *Sabemos que a vida eterna oferecida te foi, sabemos, sabemos. Não negue, não negue* – chalreou. Avemann complementou a resposta:

– Verdade. Sabemos que um dia serás um quântico como este aqui ao teu lado. Terá oportunidade de possuir asas e voar pelo cosmo.

– Dá para voar?! Digo, os quânticos voam?

– Sim, voam. Eles podem ter asas se quiserem. Você gostaria, não? Afinal, vieste voando para este mundo... – questionou Avemann.

– Sim, gostaria, sempre foi meu sonho voar... Não sabia disso – comentou Billy.

– *Quer saber como é? Quer saber? Quer saber?* – perguntou Critera.

– Eu adoraria...

– *Então vamos voar, vamos voar...*

Billy duvidou que o pássaro falasse sério, até porque sua massa não parecia ser suficiente para carregá-lo no ar. Noll retomou a conversa:

– Mas nem que pudesse você seria autorizado a voar... – advertiu. Critera o interrompeu, dirigindo-se a Billy:

– *Tens medo, sim? Tens medo, tens medo* – chalreou em tom zombeteiro.

– Não tenho medo não... – respondeu Billy.

– *Então voar você vai, voar você vai, você vai...* – disse Critera.

Em seguida, antes que qualquer um dissesse ou pensasse algo mais, Billy foi arrancado do chão. Do nada, uma ave enorme, das proporções de um condor, em um voo rasante fincou suas garras nos ombros do hominídeo e o carregou no ar, ganhando altitude rapidamente.

Surpreendido com a cena, quando tentou se mover para agarrar Billy, bastou um milissegundo de atraso para reagir e Noll percebeu que era tarde demais, ele já estava bem acima do solo. Apenas ouviu Billy gritar sem nada poder fazer que não fosse gritar também, mental e vocalmente.

– *Ele voou, ele voou* – chalreou Critera.

– Ordenem que o tragam de volta imediatamente! – comunicou Noll, dirigindo-se tanto para a ave quanto para seu dono. Em sua mente, captou Diana histérica com o fato, em alta sinapse ordenando que fizesse algo. Noll repetiu a ordem com mais ênfase e 1278 fez um anúncio imediato, exigindo que trouxessem Billy de volta. Em um tom mais sério, Critera tentou acalmá-los:

– *Não se preocupem. Ele vai voltar, ele vai voltar.*

Todavia, não era isso que os olhos de Noll estavam captando. A ave que carregava Billy já sobrevoava o mar e fazia uma curva a 45 graus, ganhando distância e altitude a cada segundo.

– *Peça para que retorne neste exato contínuo! Isto não é brincadeira! Tragam ele aqui ou sofram as consequências!* – compartilhou Noll, fluindo a onda de irritação de Diana em sua cabeça. 1278 também amplificou suas frequências ordenando o retorno de Billy.

– *Não se irritem, ele vai voltar. Não se irritem* – repetiu Critera.

Mas nem sinal da ave fazer meia-volta. Billy estava cada vez mais longe, a 1-0-0 de altitude e aumentando sua distância. Podia observar outras aves *paparazzi* em volta do hominídeo, voando em formação como se o escoltassem. Executavam uma curva em direção à floresta que banhava o mar. Certamente, não pareciam levar a sério a ordem para que retornassem e já estavam distantes o suficiente para ouvirem qualquer chamado sonoro. Com sua visão binocular, Noll mirou o filho recreativo agarrando-se com força nas pernas da ave, seus lábios moviam-se freneticamente, gritando em desespero. Em dado instante, um dos papagaios que escoltava a ave maior lançou-se sobre Billy e fincou as garras em seu rosto – temeu que fosse matá-lo –, então percebeu o adaptador otoftálmico que o filho vestia soltando-se e caindo no vazio sobre as águas. Nesse ponto, antes mesmo que protestasse, Avemann notificou:

– A farsa acabou. Isto é uma abdução. Qualquer tentativa de aproximação do hominídeo acarretará em sua morte. Uma lista de exigências em troca da liberdade do espécime acaba de ser protocolada na prefeitura. Repito: qualquer tentativa de aproximação em um raio de duas milhas esféricas, seja de um disco-jaula, qualquer sonda ou verme, acarretará no óbito do hominídeo.

89

A vontade de Noll era esganar Critera e desmagnetizar o cérebro de Avemann com seu campo extensivo, mas estava limitado ao corpo de Fdsa e nenhum zoólogo jamais atacaria um animal, nem mesmo em casos de violência física como aquele. Fdsa estava subordinado à Diana e a médica estava proibida de efetuar qualquer represália a Critera ou Avemann, pois sob seus sensos constava a lista de exigências pela liberdade de Billy, e o item número um da lista demandava que nenhum animal fosse punido pela abdução do hominídeo. Assim, tão logo anunciada a abdução, Critera bateu asas para longe e Avemann apenas afastou-se de Fdsa caminhando tranquilamente. Pouco adiantaria uma represália aos dois, eram apenas dois pivôs utilizados para distrair Noll e Billy – e o uso da língua inglesa revelava-se apenas como mais um ardil da trama. A abdução havia sido planejada por um grupo de paranormais que lideravam uma corrente em prol dos direitos da espécie, os quais assumiram a autoria pelo sequestro e assinavam a lista de exigências.

Enquanto isso, Billy ainda imaginava que tudo não passasse de uma brincadeira, uma brincadeira de terrível mau gosto. Embora seus instintos dissessem que algo estava extremamente errado naquela situação, especialmente depois que o bicho arrancou seu adaptador otoftálmico, jamais podia imaginar que estava sendo sequestrado por aquelas aves. Afinal, o que poderiam querer com ele? Sabia que eram animais herbívoros, portanto não iriam comê-lo, e se fosse para matá-lo, bastaria que já o tivessem largado da altura em que voavam. Aliás, do seu desejo de voar, de instante só lhe restava o pavor de estar tão distante do solo, qualquer orgulho já havia sido deixado de lado e tudo que fazia era implorar para que o colocassem no solo. Nem mesmo a visão panorâmica da lua pelo alto lhe chamou atenção, nem reparou na paisagem, apenas gritou em desespero imaginando que a ave entendia seu inglês – o que ela não era capaz, pois se tratava de uma ave adestrada, apenas obedecia aos comandos dos *paparazzi*.

Quando Billy reparou onde estava, a ave já estava baixando em direção ao solo no meio da mata que avistara da cidade. Notou que as árvores eram altas como Pinheiros à medida que, para seu alívio momentâneo, aproximava-se do chão. A ave pousou suavemente, gentilmente permitindo que firmasse os pés no solo. Mas, em seguida, jogou seu peso em cima de seu corpo e o derrubou no chão. Imediatamente, outras aves – papagaios – também se lançaram sobre Billy agarrando seus braços e suas pernas com firmeza, sem machucá-lo, apenas fazendo força suficiente para que entendesse que, se tentasse reagir, teria sua pele rasgada por suas afiadas unhas. Elas o imobilizaram de costas na relva que cobria o solo. Por fim, a ave maior que o carregara até ali – um *paparazzo-cesar*, não *sapiens*, mas que possuía uma face de papagaio normal –, postou-se ao lado da cabeça de Billy, empoleirou uma de suas garras em torno de seu pescoço e pressionou levemente a afiada unha sobre sua jugular. Um dos papagaios que o segurava, chalreou em inglês:

– Não se mova ou iremos matá-lo.

Em seguida, outro papagaio surgiu por trás de sua cabeça, aproximando-se até ficar próximo o suficiente para mirá-lo nos olhos, então comunicou em um chalrear pouco menos estridente:

– Sinto muito pelo inconveniente, hominídeo. Mas, de contínuo, precisamos retê-lo – comunicou. Em seguida, chalreou algo incompreensível e a ave que apertava o pescoço de Billy relaxou suas garras para que pudesse falar:

– Por quê?! O que foi que fiz para vocês? – perguntou Billy, aflito.

– Não fizeste nada. Os donos do mundo o fizeram. Estás aqui por causa deles.

– Mas eu não tenho nada a ver com qualquer coisa que tenham feito. Por favor, me deixem ir embora...

– Não fizeste nada, deveras, mas eles permitirão que o faça. Concederam-lhe a vida eterna, deram-lhe a chance que negam para nós – disse a ave, então começou a caminhar de um lado para outro em torno da cabeça de Billy, chalreando em tom raivoso, utilizando as asas para se expressar e apontar para Billy, dando ênfase às suas palavras:

– Tu sabes quantos paranormais foram obrigados a *sucumbir* nesta lua por lhes negarem uma simples reencarnação? Ou quantos homiquânticos perderam a lucidez enquanto se mantinham a espera para que *os donos do mundo* lhes concedessem a graça de uma sincronia perceptiva? – Naturalmente, Billy não compreendia nada, sequer estava familiarizado com os termos que a ave mencionava. Tudo aquilo lhe parecia uma grande loucura. Só percebia que a situação era séria, pois qualquer tentativa de se mexer redundava nos bichos lhe apertando ainda mais. A ave continuou:

– Tu testemunhaste, não foi? Nossos irmãos condenados naquele mesmo hospício em que estás alojado, sobrevivendo nas mais míseras condições psíquicas, presos como insetos, por *burocracia*! Burocracia dos donos do mundo em retê-los assim, a *implorar* por uma morte que lhes é negada. Já ti está apenas de passagem, sim? – perguntou o papagaio, com a ponta da asa apontando o nariz de Billy e aquela horrível cara de homem mirando seus olhos de cima para baixo.

Nesse instante, o *paparazzo-cesar* apertou suas garras sobre seu pescoço, depois relaxou. Meio engasgado, Billy balbuciou:

– Não achei que a coisa fosse assim tão grave. Não me contam nada nesta lua... – justificou. O papagaio retomou seu chalrear:

– Não te contam? Não te contaram que nós, as aves, não desfrutamos de representação cívica em nosso *habitat*? Contaram? Que pensas disso?

– Err... Eu não sei – respondeu Billy timidamente.

– Não sabe, não é? Acredito em ti, teus batimentos são sinceros. Entendo que não saibas dos privilégios que lhe foram concedidos, a *transmutação* que obteve sem qualquer burocracia ou a *vida* que possui em paralelo.

– Vida em paralelo? Está louca? – questionou Billy.

– Sim, tua vida como *dono do mundo*. Tu já a possuis e ainda lhe concederão outra. Mas para nós que estamos aqui, *não há* concessão, tudo nos é vetado. Não podemos evoluir nossa existência, não podemos nem sequer visitar Marte. Para fazer justiça a tal ofensa às nossas condições de vida, nós, os membros da Sociedade Paralela de Luta em Prol dos Direitos da Classe Paranormal, com o apoio dos aeroígenes desta lua, o trouxemos até aqui. Você será nosso *refém* até que nossas exigências por direitos mais igualitários sejam atendidas.

– E se as exigências não forem atendidas? – perguntou Billy, já temendo qual seria a resposta.

– Infelizmente, seremos forçados a matá-lo.

– *Nããããããoooooooooooooo*!!!!!!!! Por favor, não façam isso! Eu não tenho culpa!

– Sentimos muito, mas não há outra escolha. Entrementes, tu podes nos ajudar para que nossas exigências sejam atendidas.

– Como?

– Emitindo uma opinião em favor de nossa causa e concordando com as demandas que enviamos a Ágora lunar – explicou a ave.

– Eu concordo, eu concordo! – disse Billy, com aflição nas palavras.

– Calma! Sequer te expliquei quais são nossas exigências. Ouça. Depois emita tua opinião.

As exigências da ave que chalreava com Billy eram as mesmas que constavam na lista que a cúpula da Ágora lunar tinha disponível na teleconferência emergencial dos membros da respectiva esfera que compunha o foro político mais elevado de Phobos. Diana, junto ao pararrobô Xavier, representavam o Conselho Médico Veterinário, ao lado de dois reitores da Universidade Zoológica: um médico-veterinário de origem reptiliana de totem Liziero; outro, de origem aeroígene, identificava-se Tuffon. Além deles, estavam presentes um representante de cada uma das três espécies *sapiens* mais proeminentes da lua e o prefeito eleito pelos animais – os mesmos que Billy ainda há pouco havia conhecido em pessoa quando passeava na Praça da Ágora. Mas como a pauta que motivava a reunião tratava-se de algo absolutamente extraordinário, também se faziam virtuais na reunião emergencial a diretoria do Partido Animal, a *Mídia* e, além do público que captava a sessão, constava um paranormal representante do grupo que assumiu a autoria da abdução de Billy. Como Diana era a médica responsável pelo Caso Firmleg, ela tomou a iniciativa do diálogo dirigindo-se para o representante dos sequestradores. Sua sinapse substantiva era Iraizacmon.

- Estás ciente de que Billy não sobreviverá ao relento por largo horizonte - afirmou Diana.

- Estão cientes de que ele morrerá se nossas exigências não forem atendidas - intimidou Iraizacmon.

- Estás ciente de que se abrir um precedente de tal natureza, igualmente dará permissão para abrirmos o precedente para o uso da *cinética* - acrescentou Liziero.

- Em contínuo e continuadamente - mencionou Xavier.

Antes que Iraizacmon retrucasse, Tuffon foi mais enfático ao dirigir sua opinião para o representante dos sequestradores:

- Tens contabilizadas quantas infrações, quantas quebras de protocolo, quantos juramentos desta mesma cúpula e quantos artigos do estatuto neste sítio referendados e resoluções aprovadas em quórum *cósmico* teu grupo infringiu com essa abdução? Vocês acabam de abrir não apenas um precedente, mas *os precedentes* para que a presente bancada ou qualquer instância, do prefeito a chanceler, implante *acompanhamento*, *filtragem*, *fiscalização* e *repreensão mental* sobre a classe animal não apenas na corrente lua, mas em qualquer uma que abrigue um zoológico. Basta um comando e não serão necessários discos-jaula ou sondas para controlar a situação, desta feita serão abatidos a laser sem qualquer chance de reagir. Serão caçados e submetidos ao mesmo escárnio a que estão sujeitando essa pobre criatura, um animal indefeso, alienado de sua plena condição existencial, um paciente em tratamento hospicialar - discursou com veemência.

Iraizacmon interferiu:

- Se são esses os termos desta cúpula, posso assumir que não aceitarão nossas demandas e dar a ordem para que abatam o hominídeo?

- **Não**!!!!!!!!!!!!! - exclamaram em coro Diana e os demais membros da cúpula, incluindo os representantes animais, exceto o prefeito, que interveio:

- *Ordem*! Ainda não submetemos as demandas para veto ou aprovação. Não há o que arguir, os termos são claros, as condições idem, que cada representante exerça seu poder - pediu. Com a concordância dos demais e, sobretudo, de Iraizacmon, o prefeito deu início à sessão: - O primeiro item já está em vigor, passemos para o segundo. Como representante aclamado pelo povo phobiano, declaro minha chancela em prol do item número 2: *Incremento de até 100%, mínimo de 60%, da visitação monitorada a Marte, atendendo às demandas de todas as espécies; prazo de implementação: quatro luas.* - Pausou e ordenou: - Que siga a sessão. - Assim, dando prosseguimento à votação.

Ao fim da votação, a demanda foi aprovada com apenas um veto, do aeroígene Tuffon, e uma abstenção por parte do representante homiquântico de primeira geração: uma vez que sua espécie aceitava plenamente sua condição extintiva, o corpo das exigências dos sequestradores pouco contemplava seus interesses, por isso se ateve à questão humanitária e ao repúdio ao ato de violência perpetrado pelos sequestradores. Todavia, ainda restavam mais quatro itens na lista dos sequestradores e eles exigiam que todos fossem atendidos sem exceção.

Nervosa, já que era a representante mais envolvida emocionalmente com o refém, Diana pediu a sinapse:

– Uma vez que os sequestradores exigem a aprovação de *todas* as demandas aqui elencadas, não vejo sentido apreciarmos uma por uma. Clamo para que aprovemos ou reprovemos todas em conjunto em pleito único – compartilhou em referência às demandas ainda pendentes, as quais listavam:

> *3. Reencarnação automática, contínua e peremptória para qualquer espécie sapiens residente na lua; prazo de aplicação: imediato;*
> *4. Criação de um zoológico para visitação assistida e moradia de espécies sapiens localizado na faixa de tráfego do Elevador Phobos-Marte e disponibilização de visitas assistidas aos sítios históricos da capital planetária; prazo de implantação: um ano marciano;*
> *5. Inclusão da classe paparazzi na esfera política de Phobos e a criação de uma nova cadeira para representá-la na Ágora lunar; prazo de aplicação: imediato;*
> *6. Submissão de todos os processos de transmutação ao Conselho de Terapia Animal, entidade a ser designada para trabalhar em conjunto e igual representatividade ao Conselho Médico Veterinário; prazo de aplicação: quatro luas.*

O desespero para encerrar a votação o quantos antes crescia em Diana, não só pelo temor em relação ao bem-estar de Billy preso na floresta, sobretudo por sentir-se traída pela classe animal. Justo ela que tanto havia lutado por eles para que desfrutassem de mais poder decisório no âmbito do zoológico, a fim de que conseguissem resolver seus problemas pelo diálogo. Era duro encarar o quão inocente foi em não prever que algo assim poderia se suceder, apesar dos protestos que já tomavam sinapse pela phobosnet desde o anúncio da chegada dos Firmlegs à lua. Com pesar, lembrou-se das sinapses de Lazar, seu antigo tutor, profeticamente a advertindo de que, se concedesse mais direitos aos animais, mais e mais eles pleiteariam. Como uma sentença profetizada por Lazar, enfim percebeu que não tinha como evitar que renegassem sua índole indefinidamente, que exercitassem seu arbítrio e exibissem comportamentos típicos da espécie. Afinal, são *animais* e sempre acabam agindo como tais. Não podia ter absoluto controle de que nunca tomassem atitudes extremas como se perpetrou com a abdução de Billy, que encontrassem na *anarquia* de pensar e agir as soluções para seus problemas, dado que a própria anarquia é um dos traços que caracteriza um animal como *sapiens*. Só restava lidar com a situação, o que em sua cabeça acarretava em um único desfecho aceitável: o retorno de Billy são e salvo daquela situação.

Esse sentimento também lhe trouxe dúvidas em relação à condução do Caso Firmleg, especialmente em como lidaria com o espécime Sandy a partir de então. Diana não poderia se permitir cometer erros similares aos que derivaram na corrente situação de Billy.

Além do temor inerente ao possível desfecho negativo da situação e o sentimento amargo pelos brios feridos, o que Diana mais temia era a inviabilidade das exigências dos paranormais. Não que a cúpula fosse vetá-las, já sabia pelas conversas paralelas de bastidores que todos ali as aprovariam apesar das incontáveis reticências. Afinal, aquelas demandas eram mais do que justas em sua visão, ela própria já havia batalhado pela criação de um zoológico em solo marciano e a criação de um conselho terapêutico composto por animais. Todavia, tais exigências necessitavam de aprovação da esfera política governamental planetária e ou da Ágora cósmica, dado que a abertura de tais precedentes em Marte provavelmente acarretaria em inúmeros outros zoológicos pelo cosmo pleiteando o mesmo. Em suma, algo que não se resolveria em curto horizonte, que jamais seria aprovado no prazo exigido pelos sequestradores. Sua esperança era de que eles aceitassem apenas a aprovação da Ágora phobiana e libertassem Billy, depois recairiam na política marciana onde aqueles termos seriam renegociados pelos canais, seus respectivos representantes e esferas cabíveis. Sua dúvida era saber se a aprovação da cúpula lunar seria suficiente ou se os sequestradores exigiriam garantias do governo de Marte e da chancelaria cósmica.

Enquanto isso na Praça da Ágora, um *paparazzo* trouxe provas imagéticas de que Billy estava vivo; também disponibilizou uma declaração do próprio hominídeo se pronunciando a favor da causa animal. Sob a unha da ave que o mantinha imobilizado na mata, ao final de uma longa leitura, declarava: "Compreendo a ira desses animais pelos privilégios a mim concedidos, por isso sou simpático às suas reivindicações. Creio que todos merecem ter a mesma oportunidade que me foi oferecida. Para a presente declaração, juro e dou fé: Willian Firmleg". Na representação física da Ágora marciana, o alvoroço era total: clima de revolução, lotada de manifestantes que, tão logo divulgada a abdução de Billy e as exigências dos sequestradores, trataram de se dividir entre apoiar e repudiar o atentado. Uma multidão cercava cada representante político ali sitiado, sem exceção, cobrando seu posicionamento na sessão pública em andamento. Entre a espécie paranormal, o apoio às reivindicações era quase unânime, mas a espécie homiquântica estava dividida em torno da questão. Os que não apoiavam a causa eram confrontados pelos paranormais mais fervorosos, que os acusavam de ocupar uma condição mais privilegiada – tinham acesso à sincronização perceptiva com a espécie quântica –, por isso estariam se furtando em apoiar a causa paranormal. Divergências que levaram ao registro de alguns confrontos físicos, mas sem maiores consequências que não fossem o tumulto e o corre-corre pela praça.

No cativeiro, enquanto a Ágora local ainda debatia a questão, a situação de Billy era tensa. O medo da morte o fez se borrar, não muito, mas estava todo sujo por debaixo da túnica. Suas emoções divergiam, ora suava de calor, ora sentia frio, fome e sede. Apesar de extremamente calculistas em sua conduta ao manterem-no imobilizado, agindo como autênticos soldados, as aves não eram insensíveis aos apelos do hominídeo. Alguns *paparazzi* surgiram e apoleiraram-se sobre Billy para aquecê-lo, e um dos papagaios trouxe água em seu bico, mas, por nojo, recusou-se a beber. Nesse instante, escondido próximo ao refém, um paranormal se revelou na mata. Apresentou-se como Iraimoon, o *mastermind* do sequestro junto a Iraizacmon. Ele liderava os *paparazzi* e, de fato, era quem conversava com Billy escondido na mata, agindo como um ventríloquo ao se fazer ouvir através das aves. Iraimoon tinha estudado inglês e bolado o plano para abduzi-lo em nome da Sociedade Paralela de Luta em Prol dos Direitos da Classe Paranormal. Iraimoon não usava roupas, mas sua pele era camuflada com a vegetação da floresta, por isso Billy não conseguia distingui-lo, embora estivesse ao seu lado desde o princípio. Ele portava um aparato de comunicação sobre o peito similar ao de 1278, mas bem menor. Dispunha de antenas sobre a cabeça e as costas, também carregava um dispositivo em forma de concha em uma das mãos – um radar captador de sinais que utilizava para vigiar os arredores. Além disso, trazia uma bolsa com uma garrafa d'água e um pouco de comida para o hominídeo.

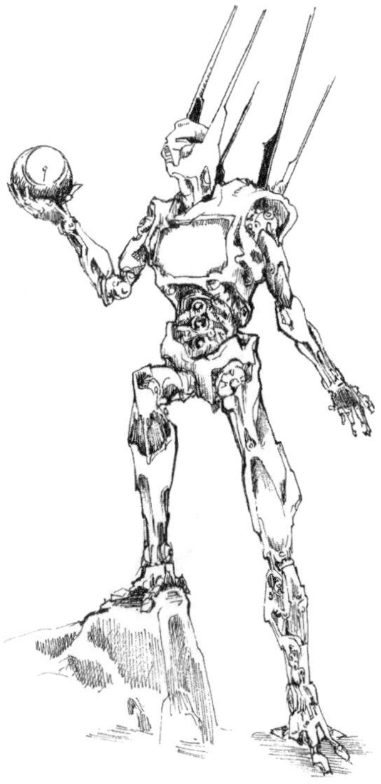

Iraimoon ofereceu água para Billy, estendeu a garrafa até sua boca e, com a outra mão, ergueu um pouco sua cabeça para que pudesse beber. Então mexeu suavemente seus lábios e um dos papagaios falou:

– Beba, vais precisar. Ainda teremos certo horizonte até o desfecho da situação.

Iraimoon fazia menção à nova etapa da chantagem imposta à cúpula política de Phobos. Depois da aprovação das exigências em fórum lunar, os animais agora exigiam garantias do governo de Marte e da Ágora cósmica. Caso contrário, Billy seria morto, fosse pela recusa das esferas mais altas da política ou pela própria inanição ao manter-se exposto às intempéries da floresta em maiores horizontes. De qualquer modo, Iraimoon e seus aliados estavam dispostos a ir até o fim, não hesitariam em tirar a vida de Billy. Simplesmente não haveria nenhuma represália que os demovessem daquela abdução, era tudo ou nada – "Vida eterna ou morte", eram as sinapses de ordem do *mastermind.*

Na cúpula marciana, especialmente no Conselho Médico Veterinário encabeçado por Diana, o contínuo era de intensas negociações. A notícia da abdução de Billy ganhou rápida repercussão ao longo do cosmo. Várias lideranças animais e zoológicas manifestaram-se em prol das exigências dos paranormais phobianos; todas expressavam o mesmo furor por mais direitos para a classe. Ainda assim, embora o ibope em torno da questão fosse alto, o quórum eletivo era insuficiente para que as exigências fossem sacramentadas sequer pelo governo de Marte, muito menos pela Ágora cósmica. Em âmbito cósmico, que englobava a opinião pública dos quânticos, ou seja, entre o quórum que realmente detinha o poder para aprovar ou vetar as exigências dos animais, a causa não tinha muito apelo. Pelo contrário, o peso maior das opiniões a respeito veiculava o repúdio pelo sequestro e manifestava que o cosmo civilizado jamais deveria submeter suas leis àquela violenta chantagem. Nem a figura de Billy exercia o apelo que se poderia imaginar, pois o cosmo reconhecia o Billy quântico, aquele que estava em Plutão, como o autêntico Billy. Aquela sua cópia do zoológico de Marte era vista como um mero experimento em andamento – tanto que a notícia sequer repercutiu o suficiente para alcançar os sentidos do próprio Billy na décima órbita, ao menos por ora.

Em função da falta de quórum, todos os representantes da cúpula phobiana tratavam de exercitar freneticamente seus contatos em busca de apoio para que ao menos o governo de Marte referendasse os pedidos impostos pelos paranormais. O tutor de Billy, Ipsilon, apelou para todos os contatos que dispunha e o super Xavier buscou apoio diretamente da entidade *Pai* em um apelo veiculado através da Matriz, assim obtendo a simpatia de vários políticos da bancada científica-existencial. Mas foi o apelo de Diana perante a comunidade maternal e o apoio do deputado Pesto-Babusca, o presidente da Ágora Cósmica, que garantiu a oficialização das exigências dos animais como pauta do congresso, o que rendeu a simpatia de um volumoso quórum favorável à situação de Billy. Mas se Pesto garantiu a pauta, não podia garantir que as demandas fossem de fato aprovadas, tampouco "fabricar" o quórum para que fossem submetidas à votação imediata. Os demais membros da cúpula phobiana também conseguiram arrecadar incontáveis simpatizantes, especialmente entre ativistas quânticos que defendiam as causas animais ao longo do cosmo. Esse ativismo todo surtiu efeito e onde houvesse um zoológico de espécies *sapiens*, especialmente em Ariel e Io, duas grandes reservas tão populosas quanto às de Marte, o apoio foi incondicional. Mas apesar de tantos esforços, o quórum ainda não atingia dois terços da população marciana, o mínimo para aprovar aquelas exigências no âmbito governamental da respectiva órbita, quiçá da Ágora cósmica.

Foi a atuação de Zabarov II, cujos interesses em torno da situação de Billy abrangiam uma alta casta científica, especialmente dos fundamentalistas fotossolares radicados em Titã, que trouxe o quórum necessário para que as exigências dos animais se tornassem uma moção política prioritária. Zabarov enxergava a situação de forma pragmática, apoiando-se em estatísticas da entidade *Murphy*, as quais confirmavam seus temores. Tinha em cálculo, o ente, que se Billy fosse morto em tais circunstâncias – sob a negativa da classe política em aceitar as demandas dos sequestradores em troca de sua liberdade –, se tal se sucedesse, quando sua extensão quântica tomasse ciência dos fatos, sua reação seria imprevisível. Entre as probabilidades, *Murphy* atestava em números sua revolta contra a classe política e a futura relutância por parte de Billy em colaborar com a bancada científica em relação à massa reorgânica da família Firmleg mantida em estoque, da qual o hominídeo detinha direito de uso. Para que essa massa reorgânica não fosse comprometida ou tivesse seu uso inviabilizado por uma fortuita revolta de Billy, Zabarov tratou de acionar seus contatos em prol da aprovação das exigências dos paranormais revoltosos de Phobos.

Com a astúcia de um ente que já havia se artificializado e seu vasto repertório de contatos jurídicos, incluindo muitos políticos da bancada paternal, Zabarov conseguiu perpetrar uma liminar na Ágora. Como ex-reptiliano, conseguiu angariar a simpatia do famoso senador Lagarto, este que também era cabeça de um zoológico de répteis na heliosfera exterior. Assim, somando-se o apoio de Pesto-Babusca da bancada maternal, foi o que bastou para obter a atenção da Ágora e convocar um referendo imediato na esfera de Marte. Sem alternativa, o governador marciano foi obrigado a acatar a liminar e eleições foram convocadas. Uma vez protocolada a eleição, um prazo mínimo foi estabelecido para que o quórum estudasse a proposta e exercesse seu direito a voto ou veto, o suficiente para que Billy sobrevivesse ao relento da floresta. Um horizonte em que Diana, o time de sumidades que a assistia, as lideranças políticas e, sobretudo, a classe animal de todo o cosmo, saíram a público para veicular fatos sobre sua vida, sua miséria, e exigir providências, ou seja, a aceitação dos termos da chantagem dos paranormais. E se essa nova revolução animal havia se iniciado graças a uma criatura que há curtíssimo horizonte se fizera material no cosmo, foi a dor, o apelo, o chalrear e outras tantas formas de se expressar dos animais mais tradicionais que atraíram o ibope e comoveram a audiência o suficiente para que o pico negativo de apoio ao *drama* animal se revertesse de vetos para votos em favor da classe.

Com o pleito em andamento, um tremendo alvoroço tomou conta de Phobos enquanto os animais acompanhavam as leituras parciais da votação. Era possível captar o chalrear dos *paparazzi* à distância conforme o quórum se aproximava do valor mínimo para aprovar o referendo. Na Praça da Ágora, pelas ruas e através das janelas dos prédios, as manifestações eram intensas, próprias da súbita revolução que tomou conta da lua. Entrementes, em toda lua não havia um ente mais ansioso com o desfecho da eleição que não fosse Billy. Ao lado de Iraimoon, festejava cada parcial como uma vitória pessoal, sabedor de que do pleito dependia sua sobrevida.

Finda a contagem dos votos, uma luz brilhou nas sombras da floresta e as aves que retinham Billy imobilizado bateram asas como que afugentadas por ela. O hominídeo sentiu seu corpo leve, morno, gentilmente se elevando do chão. Acima de sua cabeça pairava um objeto circular, estava sendo içado para dentro dele. Olhou para o solo e, pela primeira e única vez, viu Iraimoon de cima para baixo, em pé, mirando-o atentamente ao ser elevado pela luz, enquanto acenava em despedida com um dos braços. Nesse instante, ouviu um último chalrear:

- Obrigado, Willian - falou um *paparazzo*, mas Billy não se deu o trabalho de responder.

Dentro do disco voltou a sentir o peso de seu corpo assim que a escotilha de acesso se fechou e a intensa luz que o envolvia se dissipou, então viu a figura de Diana. Sabia que era ela, sentada em uma pequena poltrona envolta pelo brilho que emanava de sua pele. Sem nada dizer, apenas correu em sua direção, abraçou-a firmemente e deixou escorrer as lágrimas pelo alívio de estar em segurança novamente. Pela primeira vez sentiu-se protegido por aquela figura alienígena como se fosse sua verdadeira mãe.

No trajeto de volta ao sanatório, sequer conversaram, Billy se mostrava traumatizado demais para falar. Ainda que tivesse algo a dizer, a ausência do adaptador otoftálmico limitava qualquer diálogo entre os dois. Diana apenas emitiu algumas palavras de conforto com seu estranho timbre metálico durante a rápida viagem - nem deu para curtir o passeio de disco que antes tanto queria. A nave pairou sobre o pátio em frente ao prédio do sanatório e Billy foi içado ao solo sob os aplausos da multidão que acompanhava a cena do lado externo da instalação predial. Novamente no chão, foi recepcionado por Fdsa, que tomou sua mão e o levou de volta à habitação de sua família. Billy mirou e acenou brevemente para a multidão em frente ao sanatório antes de se retirar do pátio e recebeu o apupo dos populares. Embora estivesse em um local até certo ponto deprimente e mais do que inusitado, com todo aquele povo agitado ali fora, sentiu-se de volta ao lar.

De volta à sua habitação, Billy foi recebido por Yuiop, que lhe proveu um novo adaptador otoftálmico. Assim que o vestiu, os resíduos de Noll e Diana mostraram-se presentes e puderam expressar as sinapses de alegria pelo seu salvo retorno. Mas foi só vestir o adaptador que, além dos pensamentos de seus pais recreativos, Billy captou uma voz que não tinha como deixar de reconhecer, ainda que fosse ligeiramente diferente da que estava habituado ouvir. A voz expressava-se com eloquência, como um adulto, inclusive referindo-se a sua pessoa de maneira formal, chamando-o de Willian: era a voz de Sandy - "Alexandra, por favor".

Billy, ou Willian como seria chamado a partir de então, correu em direção ao quarto para checar por si mesmo a origem da voz, como se não acreditasse que sua irmã pudesse estar se expressando daquela maneira. Mas, ao adentrar o recinto, ela não estava lá, e sim dois alienígenas se telecinando. Um deles era Ipsilon em forma de resíduo sensitivo, o outro era um etê cinza, parecia homiquântico, mas baixinho, que jamais havia captado antes, ou achava que jamais havia captado. Ainda que utilizasse a mente para se comunicar, o etê falou:

– Sou eu mesma, Willian. Alexandra, tua irmã. Que tal? Gostou do meu novo *look*?

90

A partir do encontro com sua irmã já travestida com a pele homiquântica, enfim Willian passou a exibir o comportamento que Diana esperava: a comportar-se como um ser de natureza *sapiens* e a seguir todas as recomendações veterinárias para que pudesse evoluir sua condição psíquica. A começar por travestir a pele que até então se recusara, para então, junto de Alexandra, ambos tomarem a liderança da parte mais delicada do tratamento que envolvia a família Firmleg: cuidar da saúde mental de Bob e Julia.

– O que justifica estarmos em um hospício é a sanidade deles – sentenciou a médica quando ambos já estavam travestidos e aptos para iniciarem as aulas com Ipsilon.

Naturalmente, o trauma que viveu ao ser abduzido pelos *paparazzi* teve forte impacto na decisão de Willian em travestir a pele homiquântica e iniciar seu processo de transmutação; dado que o simples uso da pele equivalia a um colete à prova de balas ou a uma armadura que eliminava sua vulnerabilidade física no convívio com as demais espécies do zoológico. Por outro lado, para se manter em segurança bastaria permanecer dentro do perímetro do sanatório, de modo que foi seu orgulho pessoal o sentimento que o fez assentir às sugestões de Diana. Ou seja, de iniciar o processo pelo simples fato de não querer ficar para trás em relação à irmã.

A partir desse ponto, Diana, Xavier, Ipsilon, *Frades* e Nolly que formavam o time, apesar desta última ainda apresentar-se como Noll para Alexandra e Willian nesse estágio do tratamento, passaram a contar com um novo membro, justamente, o par pentagonal dela. O médico-veterinário e zoólogo em Saturno, alguém que também havia pleiteado o cargo de pai recreativo das crias Firmleg e apoiado Diana a arregimentar votos da classe médica em prol do referendo que salvou a vida de Willian: o famoso Noll arielo, de Ariel, a lua onde se sitiava e ostentava o cargo de prefeito, além de compor a cúpula diretiva do zoológico local.

Conforme Diana havia esclarecido para o par em Plutão, a readaptação dos Firmlegs em Phobos seguia uma metodologia congruente à realizada com Billy e

Sandy na Terra, a qual derivou em suas novas vidas como quânticos. Todavia, desta feita, como a adaptação seria realizada em Marte, alguns procedimentos cronológicos precisaram ser adaptados ao novo contexto e adequados ao ritmo da vida lunar. A principal adaptação requeria que os genitores de Willian e Alexandra permanecessem em estado de animação suspensa até que ambos completassem as grades de Exobiologia e Astrofísica junto ao professor Ipsilon. Isso se dava em função das cópias de Bob e Julia portarem a memória do aprendizado obtido durante o processo realizado anteriormente em Vinland na Terra[8], do qual Willian e Alexandra haviam herdado apenas a racionalidade obtida de seus pares agora quânticos, mas não as memórias de tal vivência. Somente quando completassem o curso de Astrofísica com Ipsilon, ambos os irmãos tomariam ciência do que haviam vivenciado na Terra e ser-lhes-ia confirmada a existência de seus pares já livres desfrutando o cosmo como quânticos. Willian, porém, já havia sido informado pelos *paparazzi* de sua vivência paralela quando esteve em cativeiro na floresta. Sobre isso, Diana tergiversou:

– Bobagem. Estavam fazendo menção a referências obtidas em análises futurológicas apenas para induzir tua opinião em favor das exigências que pleiteavam – teatralizou a médica.

Naturalmente, nesse estágio do processo, a médica manipulava o acesso de informações perceptivas e os dados online para ambas as crias. Fato era que, apesar de mais obediente, Willian não deixava de exibir sua personalidade contestadora e sua desconfiança sobre quaisquer procedimentos sugeridos pela médica; Alexandra um pouco menos. Mas, justamente por isso, os dois estavam censurados do acesso à phobosnet e à cosmonet. Todo o acesso às informações do que se passava no interior da habitação dos Firmlegs estava protocolado sob sigilo médico, de modo que cabia ao time de analistas gerenciar o acesso público do tratamento. Qualquer informação era filtrada pelos sensos do time, e toda plateia que acompanhava o caso era criteriosamente selecionada para repercutir as informações estritamente pelos canais científicos ou pelas âncoras universitárias correlacionadas, evitando o acesso direto da *Mídia*. Com isso esperava prevenir qualquer sensacionalismo em torno dos Firmlegs e do que se passava no hospício. Até a permissão para o uso de sondas *paparazzi* pela *Mídia* foi revogado pela alta cúpula phobiana por força de uma liminar protocolada por Diana.

Para Alexandra e Willian, o acesso às notícias pelas redes phobosnet e cosmonet era filtrado pelo time de especialistas e uma série de robôs analíticos subordinados. Embora suas mentes homiquânticas fossem compatíveis com a linguagem polinária quântica, sequer desfrutavam de acesso cerebral às redes, pois seus cérebros se limitavam a captar o que seus sentidos naturais lhes proviam, *ou* informações simuláti-

[8] Processo descrito na obra *Adução, o Dossiê Alienígena.*

cas que seus tutores e pais recreativos veiculavam. O acesso às redes era atrelado ao aprendizado junto ao professor Ipsilon. Assim, por exemplo, qualquer informação sobre as vidas paralelas de Billy e Sandy estavam vetadas para Willian e Alexandra até que completassem o curso de Astrofísica e Xavier os elucidasse sobre a abrangência da vida interdimensional. Por outro lado, especialmente depois dos fatos desenrolados com Willian em seu incipiente passeio pela lua, não havia como o time de especialistas impedir que suas crias desejassem acessar informações sobre o cotidiano do zoológico. Para isso, Willian e Alexandra precisavam fazer uso de uma interface periférica, um computador com recursos holográficos no formato de uma pequena tela retangular de 15 polegadas. Um *tablet* com recursos que pareciam mágicos, para uso conjunto, ou seja, uma única interface para os dois irmãos.

Era muito pouco, mas para quem ainda não tinha a menor noção da vastidão interconectiva disposta ao seu redor, aquele pouco parecia demais. Além disso, a interface tinha tantos recursos que jamais um principiante poderia notar que se tratava, na verdade, de um filtro e de uma ferramenta de adestramento, conforme descrita pelo time. Apesar dos limites impostos por seus pais recreativos, o uso da interface permitiu preencher o cotidiano de aulas do professor Ipsilon com entretenimento espontâneo dos alunos. Aos poucos, permitia que Alexandra e Willian desfrutassem mais e melhor do contato com a esfera local, ainda que estivessem restritos ao *habitat* virtual.

Uma vez dribladas certas desconfianças, especialmente de Willian, junto à Alexandra, ambos iniciaram seus estudos com Ipsilon. Graças à racionalidade herdada de seus pares transmutados quânticos, os dois rapidamente formaram uma dupla de estudos de fina sintonia. Especialmente no início, combinaram suas personalidades para exponenciarem suas capacidades – assim como fora a dupla Manilla[9] – e avançarem nos estudos maternais em horizonte recorde com aproveitamento acima do máximo. Apesar disso, como as aulas eram ministradas em ambiente atual simulático, ou seja, embora tomassem classe em ambientes residuais sensitivos, sua cronologia seguia a mesma velocidade cósmica do orbe em que se situavam as matrizes físicas de ambos os aprendizes: uma lua ausente de um núcleo de antimatéria. Por isso, cobravam um horizonte bem mais amplo se comparado ao processo vivenciado em outros pretéritos, suficiente para que suas continuidades quânticas se distassem cada vez mais em sua evolução pela futurama cósmica.

Durante o aprendizado, Willian preenchia seu cotidiano pelo ativo engajamento político em prol da classe animal lunar, afinal, apesar de ter evoluído de homem para homiquântico, também era um. Todavia, não era um animal qualquer, era um herói,

---

[9] Apelido da dupla, do conjunto exponencial formado por Sandy e Billy ao entrelaçarem suas mentes.

o animal cuja vida representava a liberdade para muitos outros, não só em Phobos, mas em todo cosmo. É claro que seus tutores relativizavam esse heroísmo, já que não apenas Willian era conclamado herói, também Iraizacmon, um dos mentores de seu sequestro, que desfrutava de igual *status* perante os animais, ainda que fosse tido como um criminoso por muitos, especialmente os quânticos. Inclusive, após a revolução, foi eleito como novo vereador da classe e já fazia campanha para galgar o cargo de prefeito lunar. De qualquer modo, Willian procurava atualizar-se de tudo que podia através de sua interface. Mantinha o olhar atento ao andamento do debate político na Ágora em torno dos direitos pleiteados pelos animais. Acompanhava a regulamentação das novas políticas adotadas no zoológico; seguia os novos representantes que passaram a estrelar o noticiário e soube que Critera fora eleita vereadora dos *paparazzi* na cúpula phobiana. Por fim, direto de Marte, assistia o passo a passo da obra que viabilizaria um novo zoológico na superfície planetária. Era interessante acompanhar as notícias, já que a lua vivia um momento histórico graças à sua presença e ao desfecho de sua abdução.

Acusado de ignorante pelas aves quando esteve em cativeiro, Willian buscou se familiarizar com a vida dos demais animais que viviam no sanatório, saber por que estavam ali, quais eram suas dores e se solidarizar com elas. Infelizmente, as novas políticas que passaram a ser adotadas em relação à reencarnação e à sincronia perceptiva chegaram tarde demais para a maioria dos enfermos que se encontravam no hospício, todavia, fez amizade com eles. Agora podia caminhar livremente pelo hospital sem levar susto, tampouco assustando os demais. Apesar do trauma, inclusive com os *paparazzi* voltou a chalrear, interagindo com eles da janela de seu quarto. Fora isso, não havia muito mais o que fazer, exceto pelos estudos e os jogos mentais disponíveis em sua interface, já que, tanto quanto sua irmã, estava proibido de deixar o perímetro hospicialar até que seus tutores autorizassem.

Já Alexandra não se demonstrava tão social quanto Willian, preferia evitar qualquer intimidade com os animais. Pela interface, restringia seus contatos à classe homiquântica, a mesma que a sua, e priorizava o noticiário cósmico dentro dos limites impostos por seus pais recreativos. Apesar de não ter sido ela a vítima da abdução das aves e dos paranormais, fazia coro aos que repudiavam a violência do ato e a maneira coercitiva como os animais conseguiram impor suas reivindicações. Ao acompanhar o debate público, em alguns aspectos, torcia para que a Ágora recuasse ou revertesse a pauta dos animais. Passeava raramente pelas cercanias do hospício, sempre acompanhada de Fdsa ou de algum zoólogo quântico disponível; preferia se exercitar em sua habitação, evitando as áreas comuns e abertas. Ao contrário de Willian, sequer manifestava desejo de passear pela cidade, jamais contestou a restrição imposta por Diana, satisfazia-se em interagir por sua interface. Tinha pouco em comum com o irmão. Sua afinidade limitava-se aos estudos e ao desejo de se formarem, de seguirem o estímulo de seus pais recreativos e a promessa por mais liberdade a cada etapa cumprida. Além disso, cumpria seus estudos pela cobrança de se colocar apta a ajudar seus genitores, Bob e Julia – algo que ainda se parecia muito distante pela percepção de Alexandra. No cotidiano, a imagem que tinha deles ali deitados no quarto ao lado em "animação suspensa" era a de dois vegetais, ou de zumbis, quando se exercitavam aos comandados de Diana.

Quando completaram as aulas de Astrofísica, finalmente Willian e Alexandra passaram também a ser tutorados por Xavier, que os introduziu nas artes dimensioscópicas com o objetivo de depreenderem a *ética* da vida interdimensional. Um aprendizado básico para que pudessem se emparelhar com suas continuidades quânticas tão logo completassem os estudos. Foi a primeira oportunidade em que passaram a navegar a fundo na personalidade de seus genitores. Realizaram introspecções e leituras mentais de suas vidas em múltiplas dimensões: cronológica, retroativa ou cruzada sob análise paralela, ou seja, considerando variáveis psíquicas em distintas vertentes existenciais. Foi a primeira vez que puderam conversar com seus pais, uma mera conversa com suas manifestações *Self* a nível subconsciente, como se interagissem em seus sonhos. Algo que fugia de uma interação racional, mas que ao menos dissipava a imagem de que eram meros zumbis sonâmbulos mantidos em estado vegetativo por Diana e sua equipe. Sessões em que Xavier os fez reviver as diferentes continuidades e seus respectivos desfechos oriundos do contato alienígena que estabeleceram após se teletransportarem do passado para a atualidade. Vertentes que variavam desde a morte da inteira família até a dupla já desfrutando de sua vida quântica. Mas, sobretudo, somando uma esmagadora maioria de continuidades cujo destino era o mesmo: os quatro membros da família conservados em barras criogênicas em um galpão frigorífico situado em Marte.

Foi nesse momento que Alexandra manifestou interesse em aprender a operar o dimensioscópio, a princípio, pela análise psíquica de seus pais. Mas conviver com a dor deles em múltiplas faixas pretéritas a levou a um quadro depressivo, por isso não quis se aprofundar mais na arte, pelo menos nesse específico contínuo.

As revelações de Xavier, nesse ponto do processo de ressocialização da dupla aos patamares atualizados, foi um momento de grande choque para ambos os irmãos. Um horizonte crucial do aprendizado, por isso todos os tutores e interessados no processo se mantinham observando a cena. Ainda que somente Diana estivesse de corpo presente através de Yuiop, Noll e Ipsilon se faziam residuais junto à dupla de irmãos, além de Xavier – inclusive Zabarov II acompanhava tudo à distância em plano de fundo, junto a uma enorme plateia sempre conectada ao experimento realizado em Phobos. Até *Murphy* especulava sobre as prováveis reações de ambos os homiquânticos ao tomarem plena ciência de sua vivência paralela, tanto retroativa quanto continuada. Ou seja, ao se colocarem a par do processo de adaptação que viveram na Terra, o qual, na atualidade, derivava nas existências paralelas de Billy e Sandy como quânticos – contínuo em que ela passeava por Saturno e ele estava vivendo em Caronte, a lua de Plutão. Essas memórias terrenas, aliás, pertenciam às suas continuidades quânticas, jamais poderiam ser reimplantadas na dupla homiquântica, apenas comunicadas. Não obstante, foram objeto de uma extensa análise multiperspectiva proposta por Xavier. Ao final dela, quando Alexandra tomou plena ciência de que estavam ali, naquele zoológico, porque Willian havia insistido em dar uma segunda chance para retomarem a continuidade de vida de seus genitores, que havia sido privada da vida quântica que corria em paralelo por uma decisão judicial de uma contenda contra o irmão, a homiquântica entrou em estado catártico.

– Desde que abri os olhos nesta lua sempre tive a nítida sensação de que estava onde não deveria estar, que não pertencia a este lugar. Somente em contínuo tenho ciência de que é *tudo* ***culpa tua***! – vociferou Alexandra com raiva nas sinapses antes de partir para cima de Willian no intuito de agredi-lo.

A essa altura de sua estada na lua e do processo de transmutação, ambos os irmãos já eram dotados de um acelerador de partículas funcional sob a pele, o que lhes garantia a suplência de uma bolsa gravitacional cerebral capaz de atuar como um ímã – nada comparável às capacidades de um quântico, mas passível de inferir força sobre um campo páreo. Alexandra apresentava uma estatura um pouco inferior à do irmão, mas, perante sua onda mental de ódio, um fluxo magnético se formou com tal intensidade que Willian foi expelido violentamente contra a parede. Antes que pudesse pensar em reagir, Alexandra investiu sobre seu corpo, encurralando-o em um dos cantos do quarto, utilizando seus braços para socá-lo na cabeça. Naturalmente, por ter iniciado seu processo de transmutação de um estágio em que era mais jovem do que Willian, Alexandra não carregava tantos conhecimentos como o irmão, por outro lado, não era tão criticista ou incrédula quanto ele, o que lhe garantia certa vantagem em depreender o aprendizado de seus tutores. Um fator que, embora Ímã-Do não fosse objeto das aulas, também lhe conferia boa vantagem atlética em seu desenvolvimento como homiquântica. Portanto possuía mais força e melhor controle magnético sobre seu corpo para infringir o ardor de sua supremacia ao desferir seus golpes sobre o irmão. Embora as pancadas sequer o atingissem plenamente, Willian gemeu de dor pela força magnética imposta por Alexandra constringindo sua cabeça, debatendo seus membros sem conseguir reagir.

Ao furor do ataque de Alexandra, Diana tentou intervir, a princípio mentalmente, apelando para que ela recuasse. Instintivamente, Nolly tentou apartá-los, mas ancorada em Caronte como estava no momento, ficou sem *gluons* para agir. Como a razão não foi suficiente para apartar a briga, Yuiop precisou intervir fisicamente, imantando ambos até que acalmassem os ânimos. Assim que foram imobilizados, a médica repreendeu Alexandra:

– Alexandra, se acalme! Apenas circule longamente, dissipe essa raiva. Entendo teu choque, mas retenha a compostura. Vamos dedicar uma sessão para refletirmos sobre os novos fatos de que tomaram ciência, depreendê-los em detalhes para que possam lidar com o atual desenrolar de acordo com seu próprio contexto – mentalizou a médica. As sinapses pouco adiantaram para acalmar Alexandra, que continuou brigando telepaticamente com o irmão, demonstrando absoluto descontrole ao culpá-lo sobre a situação atual, mesmo que ele justificasse:

– Mas foi uma decisão firmada na Ágora. Nós dois acatamos o veredicto, por isso cá estamos.

– Não penses que sou estúpida. Foi a única alternativa para que ao menos uma cópia minha seguisse a existência quântica, por isso me sacrifiquei. Se estamos aqui neste zoológico vivendo como *animais*, é por tua infantil insistência – partilhou Alexandra com rancor nas sinapses.

– Não entendo o que tanto te aflige se minha decisão nos proveu de duas vidas paralelas, de um privilégio nunca antes concedido a *animais* como nós. Que o diga eu, que ouvi isso diretamente dos habitantes desta lua – ponderou Willian, rememorando a pequena abdução que vivenciara logo em seu primeiro dia em Phobos.

– Por que *diabos* imagina que eu possa ser feliz com uma vida que jamais quis possuir? Uma vida *pior* do que a vida que realmente escolhi, seu asno! – exclamou Alexandra. Diana interveio:

– Já é suficiente, silenciem-se ambos! Alexandra, contenha suas emoções. Participo que não admitirei novos comportamentos agressivos de ambos. Se apelarem para violência magnética novamente serão punidos com rigor proporcional à falta – mentalizou a médica sob severa onda cerebral.

Willian também estava inconformado com a revelação, mas não em função do que considerava raiva infundada de sua irmã, mas pela manipulação de informações por parte de Diana ao negar o que os animais da lua já lhe haviam revelado. A médica buscou justificar sua teatralização por questões "veteometodológicas" e classificou a revolta de Willian como irrelevante no atual horizonte, dado que, após a revelação, ambos os irmãos enfim haviam atingido o patamar cognitivo para surfarem pela phobosnet ao seu bel-prazer. Todavia, o acesso à cosmonet ainda lhes permaneceria restrito até que completassem o curso de História-Continuada junto a Ipsilon.

Ao menos nem tudo era chocante ou mesmo revoltante como descobrir que seus pais recreativos estão a todo instante manipulando informações. Saber que Noll havia mudado de sexo, que agora era fêmea e se apelidava Nolly, foi algo certamente hilariante para a dupla homiquântica. Não bastasse, descobrir que ele tinha um par pentagonal médico-veterinário em uma lua de Saturno que também era seu pai recreativo parecia piada. Por outro lado, uma alegria, como ter um amigo a mais. Willian só não gostou de saber que Nolly encontrava-se em Plutão por sua causa, pois estava lá pajeando seu par futurista. Alexandra, muito ao contrário, só tinha o que celebrar por possuir um par que estudava com Noll em sua reserva em Saturno.

Após um breve intervalo em que ambos os irmãos foram passear pelas cercanias do complexo hospicialar separadamente, retornaram à habitação para iniciarem o processo de emersão mental de seus genitores. Mais calmos, uma vez completa a segunda etapa de conscientização de suas vidas paralelas junto a Xavier, enfim Bob e Julia poderiam ser reanimados e tratados pela equipe médica de Diana sob a supervisão de Alexandra e Willian. O momento era de expectativa para ambos, pois finalmente estariam juntos de seus pais desde que, em suas recordações cronológicas, haviam sofrido o acidente no Triângulo das Bermudas e foram abduzidos por Diana em seu disco-ambulatorial.

Porém, o procedimento não era tão simples, Bob e Julia teriam de emergir de suas consciências sob um severo controle sensorial. Pelos adaptadores que travestiam sobre olhos e ouvidos, os quais sequer tinham consciência de vestir e jamais poderiam retirar, eles não captariam a mesma realidade que Alexandra e Willian. Captariam seus filhos pela imagem que possuíam deles como hominídeos, ou seja, por simulações sensitivas em que Sandy ainda era um bebê com pouco mais de quatro órbitas terrestres em torno do Sol, e Willian uma criança beirando onze órbitas. Da mesma forma, captariam a presença de Ipsilon e Diana através de resíduos humanos, como hominídeos que nem eles próprios, apenas Nolly figurava como quântico em suas memórias, ainda assim, seu contato seria bastante restrito no início. Se mirassem através da janela, também não captariam a fauna lunar em sua plenitude, se limitariam a uma imagem filtrada de figuras quânticas e hominídeas. Conforme fossem ressocializados pela equipe veterinária e, à medida que estivessem psiquicamente mais preparados para aceitar a nova realidade, esses filtros seriam paulatinamente desativados.

Outro importante detalhe era que, antes de serem colocados em estado de animação suspensa, a última lembrança de Bob e Julia jazia ainda na Terra quando foram informados que mudariam para Phobos, onde passariam a viver em uma vizinhança chamada Éden. Ou seja, acreditavam que iriam para o paraíso, um paraíso que imaginavam viver após a morte. Caberia à dupla Willian e Alexandra convencer seus pais de que eles ainda estavam vivos, mas em outra dimensão, e que, portanto, um dia ainda morreriam. A vida em Phobos era o que lhes restava até que falecessem com dignidade.

– Compreendes, meu irmão? As restrições para que nossos antigos genitores abram os olhos são tantas, que indicam tudo isso não passar de um grande experimento – argumentou Alexandra.

– "Antigos" apenas em sua mente, pois os capto bem vivos e atuais – retrucou Willian.

– Se eles acreditavam que iriam para o Éden, é melhor que pereçam, dado que tal ilusão é a única memória sã que ainda desfrutam.

– Não podemos lhes negar a chance para que recuperem sua sanidade.

– Tu ainda estás preso à lembrança deles prévia ao incidente das Bermudas, desconsidera que eles mesmos se creem mortos naquele acidente. Não há motivo racional para que despertem para uma vida que sequer serão capazes de depreender como tal – afirmou Alexandra. Magoado com a frieza da irmã, Willian expôs:

– Será que vou precisar reafirmar minhas convicções? Sei que a vida em Phobos não será a que imaginavam, mas tenho plena certeza de que eles jamais optariam por morrer.

– Eles nunca irão se adaptar totalmente. Na melhor das hipóteses, se tornarão seres paradimensionais, como etês, se sentirão eternamente fora de lugar, deslocados de sua realidade, de suas referências, seres expatriados com saudades da antiga vida.

– Eu não acredito que possa ser tão pessimista se ainda nem iniciamos o tratamento deles – insistiu Willian.

– Eu é que não acredito que possas ser tão *inocente* perante os fatos. A partir do instante em que estamos aqui, conscientes do novo patamar existencial que ocupamos, não podemos mais nos dar o luxo de nos levarmos por um sentimento de uma espécie que já não pertencemos. Essa inocência nos permitiu a chance de evoluir, uma inocência que eles *não* partilham, pois são espécimes adultos. Despertá-los será o mesmo que condená-los a uma penúria existencial que jamais desejariam para si.

Em resposta, Willian limitou-se a gesticular negativamente, e a irmã permaneceu dissertando a respeito:

– Eu daria razão para ti se nossos pais tivessem entrado em uma máquina do *tempo* e vindo parar no atual curso existencial por livre e espontânea vontade. Porém, dado que vieram parar aqui por um infortúnio do destino, eles já fizeram a escolha deles, já aceitaram que estão mortos, estão felizes imaginando que irão para Éden, para aquilo que sua fé descrevia como o paraíso. Obrigá-los a viver neste zoológico será o mesmo que condená-los ao inferno.

– Nós já discutimos essa situação. Eu não vou negar qualquer chance para que nossos pais possam viver novamente, mesmo que seja uma vida que jamais imaginaram ou desejaram. Eles podem se adaptar e viverem felizes aqui – insistiu Willian.

– *Felizes*? Vivendo isolados dos demais habitantes? Presos em um *manicômio*? Estás louco, meu irmão. Eu não concordo com isso. Eu não compactuarei com isso – vaticinou Alexandra.

– Você não pode recuar. Essa é uma decisão que firmamos na Ágora cósmica.

– A decisão da Ágora se esgota desde o instante em que abrimos os olhos aqui. Nada obriga a me tornar pajem de nossos pais.

– Sua canalha! – irritou-se Willian. Nolly interveio, pedindo calma antes que brigassem novamente. Alexandra continuou:

– Compreenda que nossos verdadeiros pais são aqueles que viajam para a estrela *Firmlegs*, não esses clones aqui. Se desejas mesmo que eles sejam felizes é preciso que aceites que a naturalidade deles se estenderá em outra estrela, não neste zoológico.

– Se queres debater sobre naturalidade, então eles não seriam transferidos para outra estrela caso vivessem o decorrer de sua vida no pretérito terrestre, seriam absorvidos pela Gaia da Terra, não de outra estrela – teimou Willian.

– Quanto a isso, tens razão. Por isso quero protocolar meu desejo de que se aplique eutanásia aos clones de nossos pais e que suas almas sejam doadas à Gaia terrestre – sugeriu Alexandra. Perante a sugestão, Willian se revoltou:

– Não permitirei isso!

– Esse é meu desejo, não há mais nada para arguirmos.

Irredutível, Alexandra fez menção de deixar a habitação no sanatório e abandonar a chance de reavivar seus antigos genitores, mas foi impedida por Diana. A médica pediu para que repensasse sua decisão e os dois irmãos debateram longamente o assunto. Em dado instante, perante a insistência de Willian em proceder com a reanimação de seus pais, Alexandra questionou:

– Rebusque teus sentimentos quando te deparaste com um paranormal exibindo o pênis ereto em praça pública, ou quando avistaste o acasalamento grupal ao ar livre no Jardim do Éden. Agora apenas imagines que tipo de reação isso acarretará em nossos antigos genitores quando se depararem com tais cenas. Crês realmente que é este o Éden no qual imaginam despertar?

Porém, se Alexandra era irredutível, Willian era ainda mais. Ainda que os argumentos dela fossem convincentes, tudo poderia ser adaptado, tinha fé de que o aprendizado junto a Ipsilon permitiria que seus pais aceitassem a nova realidade com todas as suas peculiaridades.

– Mas com que intuito, em que horizonte? Para que vivam alguns anos mais nesta lua e depois pereçam? Tudo que fazes é postergar o *teu* sofrimento, e muito mais o deles – apelou Alexandra.

– Existe uma possibilidade, ainda que ínfima, de que aceitem a atual realidade e, com boa fortuna, contribuam com a sociedade.

– Como cobaias.

– Também. Mas me refiro à sociedade local, ao zoológico em si.

– Para isso quer arriscar que sofram psíquica e fisicamente.

– Sim – pontuou Willian.

– Pois partilho que *não*. Que de contínuo em diante se oficialize minha opção pela eutanásia dos pares Firmlegs aqui presentes. Se quiseres doar as almas deles para a Terra, para a estrela *Firmlegs* ou dissipá-las aqui mesmo na lua, fica a teu critério – partilhou friamente Alexandra.

Estarrecido com a decisão, um branco tomou a mente de Willian, sem saber como responder ao que lhe transparecia como um ultraje, uma traição da irmã. Ainda que a onda mental do irmão expressasse perfeitamente sua indignação, Alexandra acrescentou:

– Aproveito para comunicar que abro cérebro de qualquer clone Firmleg que me convenha – comunicou.

Como se tratava de um comunicado tachado como oficial, Xavier interveio na breve discussão dos irmãos e esclareceu alguns pormenores a respeito. Diante da posição irredutível de Alexandra, conectou a pupila com o doutor Zabarov II, já que ele era o cabeça nomeado pela científica-existencial encarregado de cuidar do uso reorgânico dos clones dos Firmlegs. Em contato público, Zabarov questionou Alexandra:

– Oficializas tua doação da massa referente ao intelecto cósmico?

– Sim. Oficializo – respondeu Alexandra.

Willian exclamou em protesto e clemência para que reconsiderasse. Todavia, Alexandra possuía usufruto total sobre a fração que lhe cabia, não havia como interferir em sua decisão.

– O cosmo agradece tua doação – encerrou a comunicação Zabarov.

Verdade era que Willian sequer ainda compreendia qual a real importância da massa reorgânica de sua família aos olhos do cosmo; tinha apenas uma vaga noção do que seriam seus usos básicos. Mas, perante a notável aparição de Zabarov, ficava patente que era muito mais importante do que poderia conjecturar. Ainda que não dimensionasse essa importância, tinha em mente que jamais abdicaria de sua parte assim, não sem antes tomar ciência de todos os pormenores que o evidente interesse de Zabarov revelava existir.

O próprio ceticismo e a falta de empatia de Alexandra, somados ao bom senso de Diana e à visão científica de Ipsilon, ao menos permitiram que Willian a convencesse a tentar, como um experimento, a reanimar seus pais para observarem como reagiriam ao novo *habitat*. Alexandra queria impor condições, que se eliminasse qualquer filtro restritivo para que eles encarassem a realidade nua e crua, que vissem seus filhos como realmente eram, dois alienígenas homiquânticos. Diana a convenceu de que não seria possível, pois acarretaria em um grande trauma para Bob e Julia. Xavier demonstrou que invariavelmente sofreriam um forte colapso nervoso, assim, o procedimento seguiu conforme previamente programado.

Sob as leituras do time de especialistas que acompanhou a cena, tudo seguiu como antevia Xavier através de suas leituras dimensioscópicas, seu subordinado *Frades* atestava o mesmo com suas simulações psíquicas. O despertar de Bob e Julia foi um momento de felicidade, apesar de certo constrangimento por parte de Alexandra, que não demonstrava entusiasmo para interagir com entes que desconheciam sua atual intelectualidade. Era embaraçoso como a tratavam como um animal de estimação, sendo que, no atual contexto, eram eles os animais ali. Willian foi mais entusiástico, fez festa para os pais, mas logo percebeu que havia uma larga distância entre o sentimento que nutria por eles e o limite interativo pelo qual podia lidar com eles. Apesar disso, comportou-se o melhor que pôde. Fato era que a conversa ao vivo com seus pais depois do que já se transparecia um longo horizonte, ainda que em termos cronológicos não fosse tanto assim, apenas em termos cognitivos, não diferia muito das conversas prévias que tiveram com eles em nível subconsciente, no máximo, mais linear. Dado o avançado estágio evolutivo galgado pelos irmãos, o problema maior não estava na conversa oral, mas na estranheza de interagir apenas dessa forma. O que antes em suas vidas parecia tão corriqueiro, em contínuo não fazia mais tanto sentido, especialmente quando eram capazes de ler e traduzir boa parte dos pensamentos de seus pais, bem como captar a aura de seus sentimentos. E o que talvez se imaginasse enriquecer a interatividade em família, afinal, podiam conversar e captar seus pensamentos simultaneamente, de fato era constrangedor. Revelava a desfaçatez com que se verbalizavam, escancarava os pensamentos hipócritas, os vícios e outros sentimentos não muito nobres. Por exemplo, Bob demonstrando contrariedade pela presença de um negro como Ipsilon no recinto, ou Julia ofendida por Diana estar com as pernas nuas em um lugar santo, afinal imaginava que estava no paraíso bíblico que idolatrava. Seus pensamentos pareciam girar entre os mesmos poucos sentimentos ou entre escassas emoções: a vontade de fumar, a pressa para alguma coisa, a repreensão de Deus ou o anseio de falar com ele.

Ao captá-los assim sem máscaras, pareciam mesquinhos, pequenos, irrelevantes, tanto que, por um instante, Alexandra lembrou-se de seu antigo cãozinho de estimação em sua ex-dimensão, o xará do cachorro do Mickey: Pluto. Um bicho que, aliás, sequer era seu, e sim da família, pois já pertencia aos Firmlegs quando se fez existencial. Captar os pensamentos de seus pais a fazia lembrar Pluto latindo, às vezes rosnando levemente ou mostrando excitação, como Bob e Julia naquele momento de despertar – como dois cachorros assanhados abanando o rabo. *Cães*, era isso que mais se pareciam, era isso que eram. Verdade também que nunca gostou de cachorro, sua memória mais marcante de Pluto na dimensão ultrapassada foi uma vez que ele a mordeu, machucou-a, doeu e a fez chorar. Por brincadeira ou sem querer, apenas por tê-lo acariciado no lugar errado, já que era tudo que fazia com ele. Gostava dele, mas, de verdade, Pluto era muito mais amigo de Willian; eles dois, sim, brincavam bastante. Para a irmã, era apenas um cão que a pisava, amassava, lambuzava e a assustava. Um *cão* que associava a seus pais naquele instante.

– Pouco me importa que se pareçam cães. Não é por isso que lhes devemos menos amor – partilhou Willian com rispidez nas sinapses, manifestando seu repúdio aos pensamentos que captava da irmã, ainda que, por sua igual ótica, também estranhasse seus pais como homens. Nesse instante, ocorreu-lhe o que vivenciara ao caminhar no meio da multidão no dia em que foi abduzido. Em contínuo, compreendia a estranheza que causou no povo. De fato, seus pais pareciam dois macacos, mas não *cães*.

A felicidade pela reunião da família não poderia mesmo durar para sempre, especialmente entre os dois irmãos. Para piorar, logo ganhou auras de terror assim que Bob e Julia miraram a paisagem pela janela e captaram a multidão de alienígenas que povoavam a miragem do que seria o "Éden" em sua imaginação. Sequer era preciso da visão dimensioscópica de Xavier para perceber o quão perturbado estava o casal. Algo que ganhava contornos ainda mais assustadores ao saberem que o nome da cidade era, de fato, Umbral, e o Éden, na verdade, apenas uma vizinhança que não poderiam conhecer naquele momento. Possivelmente, nunca mais depois do ocorrido com Willian, já que Diana havia vetado terminantemente que qualquer espécime hominídeo deixasse o perímetro hospicialar desde então – questões de segurança. Ruim também foi saber que, a princípio, nem sua habitação poderiam deixar.

Daí, a coisa só tinha a piorar. Logo começaram as perguntas que não podiam ser respondidas ou cujas respostas não eram as que esperavam. Ainda que houvesse teatralizações e explicações pré-combinadas para qualquer dúvida dos Firmlegs, o lado prático do tratamento ao qual estavam submetidos era igualmente pesaroso: a comida era ruim, mais se parecia uma ração; o ambiente era sombrio, pobre, sem decoração, sempre as mesmas roupas e o funcionamento das coisas era estranho; as restrições eram irritantes, implicavam com o cigarro; a cobrança para que estudassem ou escrevessem se parecia como uma chantagem sem sentido – estavam presos, aquilo era uma prisão. Aos sentimentos dos Firmlegs, embora não soubessem expressar corretamente a amargura que viviam, tudo se parecia um grande teste, um julgamento. Para cada concessão de Diana ou Ipsilon, ou até mesmo dos filhos, era cobrada uma tarefa, uma conversa, um pedido de calma, isso quando as coisas não eram adiadas para depois, sempre depois. Não permitiam que falassem com Deus, enrolavam, queriam que acreditassem que ele tinha esposa, que era um robô, um programa de computador, mas sempre inacessível - *São loucos! Não, hereges, demônios disfarçados.*

- Eles regrediram da *Síndrome da Caverna do Diabo*[10] para um quadro mais grave - comentou Diana em uma das sessões de análise do casal junto à dupla Manilla.

- Que quadro? - questionou a dupla.

- Um quadro classificado pelo *Mito do Vale dos Dinossauros* - respondeu a médica. Em seguida, descreveu a classificação: - Se um homem entrasse em uma espécie de portal do *tempo* e, subitamente, se deparasse com um vale de dinossauros, isso não seria uma experiência traumatizante porque a figura do dinossauro pertence ao inconsciente coletivo da espécie. Porém, um contato alienígena como Bob e Julia vivenciaram não encontra referências em nível de memória inconsciente pelo simples fato de tal figura não constar em sua memória genética, já que se trata de um contato proveniente do futuro.

- Por isso que a única associação a qual conseguem estabelecer com este local seja o céu - manifestou Manilla.

- Ou o *inferno* - ratificou Alexandra a sua opinião pessoal. A dupla, então, completou seu raciocínio:

- E se estão no céu, só pode significar que estão mortos.

- Correto - confirmou Diana. Era esse o quadro que Manilla, com auxílio de Diana e seu time terapêutico, precisava reverter ou suavizar o tanto quanto fosse possível. Willian acreditava que era possível revertê-lo, mas Alexandra cria que isso era um exercício inútil de procrastinação do sofrimento de seus antigos genitores. Mais interessado no tratamento, Willian ainda questionou:

- Então precisamos fazê-los absorver novos conhecimentos para suprir a lacuna de referências psíquicas que eles não possuem?

- Exatamente - respondeu a médica encerrando a sessão.

Talvez o único horizonte de paz fosse enquanto dormiam, não só para o casal Bob e Julia, mas para seus filhos e o time de especialistas que os acompanhava, pois era o único momento em que suas auras emanavam alguma serenidade. Oportunidade para lhes aplicar um pouco de terapia do sono, preencher seus inconscientes com informações atualizadas do cosmo atual e observar se estariam mais dispostos no despertar seguinte. Mas, como em um ciclo vicioso, o trauma e o pesar retorna-

---

[10] Conforme descrito na obra *Adução, o Dossiê Alienígena*.

vam tão logo iniciavam um novo dia e as mesmas dúvidas permaneciam sem esclarecimento. Hipnose precisou ser regularmente aplicada para que, no decorrer de seu cotidiano, não entrassem em estado catártico ou de negação de sua condição atual. O casal sequer teve ânimo ou alguma volúpia para copular como haviam feito anteriormente na Terra. Era nítido como seu estado depressivo se agravava com o avançar dos horizontes.

A nova etapa de vida dos Firmlegs em família sequer alcançou o primeiro mês lunar e Alexandra comunicou que abandonaria o tratamento. Para evitar brigas e se esquivar do criticismo do irmão, procurou Diana em ambiente privativo para comunicar sua decisão e pleitear uma mudança de prédio, queria viver longe do que considerava sua "ex-família". Não obstante, autorizou o irmão a utilizar um robô residual em seu lugar, pois sabia que ele insistiria com aquilo que, em sua visão, não passava de uma experiência sem sentido. Não bastasse, se possível, a homiquântica ainda desejava:

– Gostaria de entrar com um pleito contra Willian em prol da eutanásia de Bob e Julia.

– Queres estabelecer uma contenda judicial para obrigar teu irmão a aceitar a eutanásia? – duvidou Diana.

– Isso mesmo.

– Indeferido – comunicou a médica.

– Como assim indeferido? Os genitores são meus.

– Evidentemente, mas tão quanto ti e teu irmão, teus genitores são crias minhas. Possuo a patente sobre os Firmlegs, lembra-te? Se quiseres abdicar do papel que lhe cabe e lhe é direito na ressocialização de teus genitores, a decisão a ti pertence, mas jamais compactuarei com a prática de eutanásia apenas porque assim desejas – esclareceu a médica. Não contente, enfatizou:

– Fosse para praticar eutanásia, que motivação teríamos para cuidar de tua família? Sequer os teríamos resgatado após o acidente na Terra. Por favor, nunca penses que estão aqui apenas para compor uma experiência. Fosse verdade, estariam aos cuidados da científica-existencial, não meus. Fato é que desde que aqui estamos, o direito à vida de teus genitores não pode ser mais contestado. O que podes fazer é ajudar em sua recuperação assumindo teu papel no tratamento deles, mesmo que se resumisse a uma inteiração residual, como Nolly.

– Eu nem sei que papel seria esse, mas quero abdicar. Tenho permissão?

– O papel seria de par recreativo ou de *mãe* recreativa se te empenhasses em cuidar deles como Willian.

– Creio que qualquer simulador desempenhará esse papel melhor do que eu.

– Nenhum robô será capaz de substituí-la plenamente. Além disso, se abdicares do papel que lhe cabe, ficará a cargo de Willian comandar as simulações de tua *persona* – alertou Diana.

– Isso não me importa. Tenho clarividência e humildade para saber que Willian é mais capaz e voluntarioso para tomar cargo de qualquer simulação minha ao interagir com meus antigos genitores. Afinal, para eles, a menos que me reconheçam como sou, sempre serei apenas um brinquedo, uma xodó, um mero bicho de estimação, nada mais – compartilhou a homiquântica, amarga em sua aura.

– Tu és muito mais do que isso. Mas respeito tua vontade. Embora a contragosto, fico convencida a permitir que siga teu arbítrio – anuiu Diana. Porém, antes de sacramentar a vontade de Alexandra, abriu mais uma sessão de terapia para discutir o assunto, para que ela tivesse plena consciência da decisão que estava tomando e como isso afetaria suas relações, especialmente com Willian, e como isso se refletiria em seu rendimento nas aulas com Ipsilon.

Simultaneamente, Diana debatia a questão com os colegas de time. Apesar de discordar da vontade de Alexandra, já sabia por antecipação que a ruptura com os genitores era a melhor alternativa para ela. As predições de Xavier e as simulações de *Frades* atestavam a decisão. Ao olhar para o passado, era notório como o desempenho de Alexandra havia decaído desde que passou a conviver com seus genitores. Ao mirar o futuro, podia-se captá-la sob um agravado quadro de depressão. Já ao simular sua vida longe da família – não tão longe assim, mas vivendo em outro prédio do hospício –, a tendência era de melhora, ainda que isso afetasse seu desempenho estudantil pela inerente perda de empatia com o irmão.

Apesar das simulações aprovarem a mudança, Diana conseguiu convencer Alexandra a aceitar uma alternativa de meio-termo. Com muito bom senso, fez com que ela concordasse em apenas mudar de quarto, tomando uma habitação exclusiva no mesmo corredor dos Firmlegs, assim ao menos poderia manter contato direto com o irmão durante as aulas de Ipsilon. A opção também contornava parcialmente um problema que Alexandra não estava ciente ao decidir mudar de prédio: a falta de acesso à interface da família. Imaginava, a homiquântica, que poderia requisitar outra interface só para si, mas, por questões burocráticas, Diana afirmou que não seria possível. Alexandra até desconfiou que fosse uma artimanha da médica, mas fato era que nenhuma espécie se valia desse tipo de interface – exceções eram os enfermos, por isso acatou a decisão da mãe recreativa.

Hospedada próxima à habitação dos Firmlegs, ao menos Alexandra poderia consultar a interface em conjunto com o irmão, compartilhar alguns games com ele ou revezar seu uso esporadicamente. Já para a médica, era uma tentativa de manter um laço que, aos olhos de seu time, notavelmente, mostrava-se cada vez mais enfraquecido, de Alexandra para com Willian e seus respectivos genitores.

91

– É um quadro descrito pela *Síndrome de Sigmund* classificado como *histeria* – opinou Noll arielo. Reticente, acrescentou: – Qual específica psicopatia? Minhas faculdades ainda não permitem prognosticar.

– Não estou segura se os sintomas aparentes se enquadram em tais referências. Precisamos de mais dados – argumentou Diana.

– Perante a complexidade da amostragem, o horizonte de análise curto certamente é. Entrementes, ainda que de valor estatístico destituída, uma tendência de *sobreposição* de suas memórias hominídeas, numericamente identificada já pode ser – atestou o robô *Frades*.

– *Complexo de Jung*, se me permitem sugerir uma politeca correspondente ao período de origem do espécime – intrometeu-se Ipsilon, apesar de sua parte no time resumir-se ao ensino e tradução do linguajar sináptico hominídeo, não à análise psíquica ou à parte terapêutica. Apesar disso, Diana acatou a sugestão:

– OK. *Frades*, por favor, adicione *Complexo de Jung* aos parâmetros de análise.

– Parâmetros reajustados – confirmou o robô. Diana ia dar por encerrada a sessão do time, mas Xavier se antecipou:

– Se me permitem adiantar o prognóstico, tais parâmetros não influirão na visão da qual desfruto.

– Esclareça-nos tua visão, irmão – pediu Diana.

– Muita *fobia* em Alexandra, capto. Sem dúvida, uma manifestação compatível com histeria, mas correlações com os complexos ou síndromes sugeridas não visiono. Não creio que se trata, de ângulo qualquer, de uma psicopatia, apenas de uma manifestação da estrutura original de sua psiquê, decorrente.

– Que manifestação seria essa? Se me permite questionar – perguntou Nolly, enfim dando *fótons* de sua graça na reunião do time.

– Luto – respondeu o ente. Então acrescentou: – Alexandra apenas manifesta o *luto* pela perda dos pais. Pela perda *simbólica* daquilo que seus pais, quando hominídea, representavam. A perda desse símbolo justifica o fato de ela posicionar-se contra a extensão da vida de seus genitores, visto que, uma vez evoluída sua condição psíquica, esse símbolo perdeu o significado e restaurado não mais pode ser.

– Faz todo sentido – manifestou-se em concordância Noll.

– E qual tua sugestão de abordagem para esse quadro? – questionou Diana.

– Nenhuma. Apenas permitir que ela, da família, se assim desejar, afaste-se. Que viva seu luto até superá-lo.

– Muito bem. Sua sugestão será acatada. Entrementes, peço que aguardemos *Frades* processar os novos parâmetros. Reunião encerrada – comunicou Diana.

– Um momento, doutora. Possuo uma dúvida – interrompeu Nolly.

– Qual dúvida?

– Se esse símbolo também é compartilhado por Willian, ele não deveria apresentar um quadro similar? – questionou.

Xavier respondeu:

– Willian ainda crê que esse símbolo restaurado possa ser. Se não conseguir ou quando perceber que não conseguirá, somente então seu luto viverá. Como reagirá, antever ainda não posso, apenas especular.

– Especule – ordenou Diana.

– A um quadro depressivo similar ao vivido por seu par na décima órbita tenderá, com a reticência de que seu viés atual ascendente é. – Pôs fim à questão o ente.

Embora a reunião do time encabeçado por Diana objetivasse analisar a família Firmleg como um todo, de instante, Alexandra era o membro que mais os preocupava. Sua fobia no trato com os pais era proporcional à dos próprios genitores, o que não era normal, já que seu aparato consciente era muito mais desenvolvido que o deles. Já Willian superava qualquer prognóstico, a racionalidade herdada de seu par pentagonal o permitiu lidar com pequenos traumas com muito mais clarividência do que a sua própria continuidade quântica havia lidado. Sequer demonstrou qualquer traço de histeria ao, por exemplo, descobrir que virou assexuado após travestir a pele homiquântica. Tampouco o abalou de forma alguma saber que, ao se emparelhar com seu par quântico, possuiria uma vagina; pelo contrário, o único traço em comum com seu clone futurista era a *curiosivite* aguda. Nesse aspecto, foi Alexandra que, em certa ocasião, revoltou-se contra Diana pelo fato de ter se tornado assexuada. Sua crítica considerava o fato de não ter a devida consciência sobre sua sexualidade quando a médica lhe aplicou o transplante de pele, pois só poderia retomar seu desenvolvimento sexual quando se sincronizasse quântica. Ao assumir sua identidade homiquântica, haviam-lhe privado da sexualidade própria da espécie hominídea. Por outro lado, sabia que sua evolução só tinha sido viável justamente por isso, por ainda não ter ultrapassado seu horizonte endocrinólogo – ou seja, por não possuir libido, de modo que não havia escolha. Ademais, segundo Diana:

– Sequer teria parceiros para desfrutar tua sexualidade nesta lua como hominídea. Mas quando assumir tua personalidade pentagonal, parceiros não lhe faltarão para dar plena vazão à tua sexualidade – consolou a mãe recreativa. – Sandy é uma proeminente aprendiza sexóloga, como bem sabes – completou.

Embora Willian não demonstrasse mais qualquer trauma de origem freudiana, também tinha seus medos e, esporadicamente, apresentava leves quadros de depressão, especialmente no convívio com seus genitores. Entrementes, muito mais por empatia ao sofrimento deles do que por qualquer decisão relativa ao trato com eles.

Nesse sentido, Willian estava resoluto, convicto de que o tratamento os faria sãos e conscientes de sua nova vida. Junto ao time de Diana, manteve-se como peça-chave em todo processo, espontaneamente abraçando a carreira de zoólogo sem que precisasse oficializar essa posição, demonstrando aptidão natural para tal ciência. Sem maiores esforços, obteve o cargo de pai recreativo de seus próprios pais. Se prosseguisse assim, não tardaria o horizonte em que poderia se inscrever nas universidades phobianas e galgar uma posição não só como habitante do zoológico, mas como funcionário também.

Outro exemplo da evolução de Willian foi a maneira sóbria como aceitou a decisão da irmã em se afastar do tratamento dos pais e se mudar de quarto. Apesar de magoado no princípio, deu sentidos aos conselhos de seus pais recreativos e deixou de insistir no assunto com ela. Passada a mágoa, não permitiu que isso afetasse a relação que mantinham durante o aprendizado junto aos tutores. Apesar de que, a partir de então, cada qual passasse a desenvolver suas próprias aptidões polividuais.

Willian deixou um pouco à margem seus interesses em relação à esfera lunar e passou a dedicar-se a uma nova ciência. Tomou proveito de que seu tutor era um grande *expert* em história-continuada, além de especialista em cultura messiânica, para começar a dar seus primeiros passos no estudo fóssil da cultura de seu extinto período pela perspectiva atual, de forma a alargar o conhecimento maternal lecionado por Ipsilon em sua continuidade anterior. Um conhecimento ideal para quem atuava como pai recreativo de seus pais, uma excelente oportunidade, dado que se tratava de uma matéria universal, pois seu objeto tratava de um ancestral comum de homiquânticos e quânticos. O curso era reconhecido pela científica quântica e indexado pelo Instituto Zoológico de Phobos – embora ali não houvesse homens, exceto Bob e Julia –, um saber que o permitiria trabalhar em qualquer reserva que abrigasse homens quando se sincronizasse quântico.

Após a mudança e sentindo-se mais à vontade em seu novo recinto, o qual igualmente gozava de uma janela para frente do sanatório, Alexandra passou a dedicar seus focos multidisciplinares para se consultar com o super Xavier. O acesso à cosmonet ainda lhe era restrito e, por orientação de sua mãe recreativa, não recomendável que seguisse sua vida futura como quântica ao menos até que estivesse mais bem preparada junto ao curso de Ipsilon. Para driblar essa restrição, Alexandra valia-se do acesso ao dimensioscópio do super para dar uma sapeada na vida que Sandy levava no futuro. No começo, gostava de observar sua alter-ego apenas por curiosidade, em sessões esparsas e esporádicas. Inclusive, junto com Willian, ambos curtiam assistir às aventuras de seus pares quânticos. Xavier procurava dosar essas sessões e vinculá-las às suas linhas de meditação e à terapia encabeçada por Diana, sugerindo exercícios, cobrando reflexões e promovendo debates entre os irmãos.

Em uma dessas sessões, os irmãos conversaram a respeito de suas vidas paralelas:

- Qual vida de Sandy você queria ser? - questionou Willian.

- A vertente principal dela, em Xanadu. Aquilo sim, é vida...

- Você só pensa em sexo.

- E tu não?

- Tanto quanto ti, não mesmo.

- Não me confunda com Jeannie. Eu invejo o equilíbrio psíquico de meu par.

- Por quê?

- Porque vive longe de ti - afirmou sem pudor Alexandra, mas rindo, em tom de brincadeira. Então perguntou: - E quanto a ti? Vais querer ser Billy um dia?

- Sim, mas só quando ele sair de Plutão.

- Caronte. Ele está em Caronte, não em Plutão.

- Refiro-me à décima órbita. É um lugar muito sombrio.

- Então terás uma longa estadia nesta lua.

- Não tenho pressa para evoluir minha condição. Só sairei daqui depois que nossos pais estejam curados.

- Desejo-te boa sorte.

- Obrigado. E você? Vai mesmo se sincronizar assim que se formar? - questionou Willian.

- Sim. Por mim, sincronizava-me com ela neste exato contínuo. Ela é demais...

Cada qual por seu respectivo óculo, o curto diálogo demonstrava, em linhas gerais, como Willian e Alexandra captavam a si mesmos em sua existência paralela. O primeiro encarava cada enrascada do par futuro como um aprendizado, uma lição para que não se permitisse similar ignorância. A segunda era mais sentimental, apenas idolatrava seu par e ansiava pelo horizonte que desfrutaria de sua continuidade.

O grande barato do dimensioscópio era compor um recurso robótico à disposição de Xavier, ou seja, não requeria o uso da interface da família para acessá-lo, bastava pedir ao super. Mas como Xavier regulava as sessões, com o avançar dos horizontes, Alexandra passou a requisitar mais regularmente o acesso ao dimensioscópio e isso se tornou um empecilho, pois, claro, ia contra as recomendações de Diana. Só havia um jeito para, se não driblar as recomendações, ao menos obter mais liberdade de acesso dimensioscópico: estudar a ciência da Dimensioscopia. Para isso, sequer dependia de Xavier para ensiná-la - o que não faltavam em Phobos eram xamãs adeptos à arte psicográfica. Esta que, por sua vez, nada mais traduzia do que uma dimensioscopia natural, ou seja, a arte de usar o cérebro para captar as dimensões paralelas. É claro que com auxílio de robôs, ou pararrobôs como Xavier, essa arte se tornava ciência e a capacidade de enxergar através das dimensões ganhava horizontes sem precedentes em comparação com um simples cérebro, ainda mais um cérebro de um mero homiquântico. Mesmo assim, sem se preocupar com seus limites naturais, Alexandra mergulhou de mente aberta na nova arte. No começo, consultava médiuns e xamãs locais, sempre homiquânticos e, com alguma insistência, enfim conseguiu convencer seus pais recreativos para tomar Xavier como tutor dimensioscópico.

Foi graças ao xamanismo que Alexandra se interessou, pela primeira vez, em passear pela lua. Seu objetivo era conhecer os centros de sabedoria e se telecinar com os xamãs locais. Difícil foi convencer Diana a liberar o passeio. Foi preciso montar uma escolta imantada e o uso de um *gadget* de anonimato, um recurso que impedia as pessoas de identificarem sua persona remotamente, para que pudesse deixar o hospício – a própria médica acompanhou o passeio em seu disco-ambulância, flutuando sobre ela à meia distância do solo e monitorando a aproximação de quaisquer aves. Quem ficou feliz com isso foi Willian, pois o precedente também o permitiu voltar a passear pela lua sem que precisasse se preocupar com o assédio dos animais ou o risco de sofrer uma nova abdução. Os dois irmãos chegaram, inclusive, a passear juntos pelo zoológico. Em uma ocasião, acompanhados de Fdsa e o resíduo de Nolly, além de Diana vigiando do disco, visitaram o Elevador Phobos-Marte. A ideia, na cabeça de Alexandra, era conhecer o "portal da liberdade", o local pelo qual deixaria a lua para nunca mais voltar. De onde desceria até a superfície marciana para embarcar no teletransporte e se materializar em Sandy quando fosse e onde quer que ela estivesse. Já para Willian, o interesse era observar a movimentação dos animais embarcando no elevador para visitar Marte após a aprovação da nova demanda de visitas assistidas ao centro planetário.

O elevador em si era como uma enorme torre negra que podia ser vista de qualquer ponto da face lunar voltada para Marte. Mais impressionante do que a torre em si era seu suporte, já que ficava presa a enormes cabos de aço plasmático como uma enorme ponte pênsil tridimensional correndo para o vácuo. A torre se perdia no céu até onde a vista alcançava. Para Willian, lembrava a famosa história de João e o Pé de Feijão – a diferença era que o pé não alcançava apenas as nuvens, mas se estendia até a superfície de Marte. Nos idos de sua construção, o elevador era constituído por um sistema de sucção que utilizava o vácuo orbital para captar água de Marte e levá-la para a lua. Cosmonautas embarcavam em cápsulas-batiscafo e o elevador limitava-se à ascensão Marte-Phobos, composto por um único ducto capaz de constringir seu diâmetro como se fosse um gigantesco esôfago chupando água e engolindo cápsulas de transporte. Na atualidade, o princípio era o mesmo, mas havia inúmeros ductos que formavam uma estrutura com cerca de 70 metros de diâmetro e atendia também ao descenso. Nesse caso, se para subir tudo que bastava era sucção do vácuo, para descer, a gravidade de Marte realizava a maior parte do trabalho. Já do ponto de vista dos habitantes lunares era o oposto: ascensão designava o embarque para Marte e descenso o inverso. O elevador pontuava o início da avenida principal do Umbral, totem oriundo da sombra que projetava sobre a superfície, a qual os animais descreviam como "penumbra do elevador". De horizontes em horizontes, a sombra se projetava e se alinhava perfeitamente sobre a avenida. Na avenida, uma divisória dinâmica subdividia as faixas de embarque e desembarque conforme a demanda de subida e descida.

Willian e Alexandra aproximaram-se até o limite da área de embarque, que ocupava o teto do elevador por completo, de onde foi possível notar que o movimento em direção a Marte era alto devido ao incremento das visitações assistidas ao planeta. Era fácil identificar os cosmonautas paranormais, pois eram obrigados a utilizar uma veste atmosférica para embarcarem no elevador, sempre escoltados por um quântico; já os homiquânticos embarcavam na garupa de um quântico, imantados sobre eles. Os passageiros percorriam o final da avenida até penetrarem na área de ascensão, onde os ductos se abriam para captá-los. Uma vez no interior do ducto, eram ejetados para cima. Mais precisamente, sugados por um gerador de vácuo que os expelia proporcionando o impulso para que se enganchassem no trilho gravitacional de Marte. A área de desembarque parecia o final de um imenso escorregador desembocando na avenida principal.

Ao contrário de um aeroporto ou mesmo de uma rodoviária da Terra – atentou-se Willian –, não havia barreira que impedisse qualquer um de penetrar na área de embarque. Como os animais da lua demonstravam um desejo quase obsessivo de viajar para Marte, tanto que o haviam abduzido para pleitear esse direito, era de se estranhar que não tentassem invadir o elevador e fugir da lua, pois simplesmente não havia nenhuma "segurança" para impedi-los. Mas foi só pensar nisso e um paranormal que observava o movimento próximo de onde estava, trajando uma veste de cosmonauta visivelmente improvisada, invadiu a área de embarque e se atirou em um dos ductos à frente dos passageiros que estavam prestes a embarcar. Nolly chamou atenção para o fato:

– Observem só esse fujão – mentalizou e apontou para o sujeito enquanto ele desaparecia pelo ducto de embarque. Então virou-se para a área de desembarque e lá estava ele, sendo expelido do elevador. – Mais um que acredita que pode ser mais rápido do que os robôs ascensoristas. Pobre alma ignorante – comentou ela. Depois explicou que sem um *ticket* de embarque ninguém conseguia burlar o sistema, daí a aparente falta de segurança no local, mas só aparente. Qualquer um que tentasse embarcar sem o *ticket* era automaticamente redirecionado para a área de desembarque; ainda assim, sempre tinha algum animal tentando.

O interessante dos novos passeios para Willian – ele que fora o primeiro e até então único hominídeo a se arriscar entre a fauna do zoológico desde as insurreições zumbis do período da Idade Média – era poder captar com seus novos sensos o que antes era impossível devido aos seus poucos e pouco desenvolvidos sentidos: o mundo de luzes e cores que aquela antes aparente pouca interatividade física acinzentada dos homiquânticos transbordava em simulações residuais sensitivas, que faziam daquela "cidade sombria" um cenário digno das mais mirabolantes histórias ou mitos da ficção-científica. Ao menos em sua compreensão, dada sua origem, já que, para a classe homiquântica, aquilo era normal – obsoleto, se comparado aos universos virtuais dos quânticos. Conforme tinha ciência desde o princípio, a pele homiquântica que travestiu seguia o mesmo padrão de qualquer homiquântico de segunda geração não só daquela lua, mas do completo cosmo onde houvesse um zoológico da espécie. Operava pelos mesmos princípios do modelo quântico e a mesma base polinária de processamento, ou seja, um aparato bem mais evoluído em relação ao original homiquântico já superado após o longo processo extintivo de quase 270 mil anos-marte vivido pela espécie (na curvatura). Com essa tecnologia de ponta, enfim Willian pôde passear pela *verdadeira* Phobos: a cidade virtual e sua completa balbúrdia fotônica; captar não só o já conhecido Canal 1278, mas todos os 1277 anteriores e os incontáveis posteriores.

Esse período de relativa paz entre os irmãos, apesar das muitas discordâncias entre ambos, foi extremamente produtivo não só para os dois, mas para a família Firmleg como um todo. Alexandra evoluiu consideravelmente em suas habilidades dimensioscópicas e Willian conseguiu a tão sonhada vaga para estudar Zoologia no Instituto Phobiano. Mas, sobretudo, Bob e Julia tiveram uma melhora considerável em seu quadro psíquico. Eles ainda acreditavam que estavam mortos e que o lugar em que se situavam representava o patamar galgado após a morte, mas aceitaram que esse novo patamar não era o paraíso bíblico que imaginavam. Com ajuda de Ipsilon e baseado na própria memória, Willian dispôs um aparelho televisor no quarto de seus pais, com uma programação exclusiva apresentando o que, em suas mentes hominídeas, seriam novidades e programas veiculados diretamente do "mundo dos vivos": o planeta Terra e a sociedade que viviam no passado. Pura ilusão, mas ao menos permitia que acalmassem suas almas e aplacassem algumas dúvidas que sua limitada racionalidade ainda se negava a aceitar.

Com incontáveis restrições interativas e cuidados extremos em torno de sua segurança, uma escolta invisível que nem desconfiavam minimamente ser necessária, afinal, ainda que ali não fosse o paraíso, continuava sendo o céu em seu imaginário – um mundo espiritual, conforme agora acreditavam, ou *dimensional*, segundo lhes ensinava Ipsilon, embora tal denominação fosse apenas um sinônimo em suas cabeças – mas, enfim, Bob e Julia obtiveram permissão para passear na lua junto com Nolly, Willian e a robô Alexandra. Uma permissão que precisou do testemunho do deputado Pesto-Babusca para que fosse aprovada pela Ágora phobiana em função da cúpula lunar então contar com Iraizacmon e Critera em sua composição política, e ambos eram absolutamente contrários à introdução do *homo sapiens* no zoológico. Alegavam que a nova espécie infectaria a lua, se não biologicamente, mas pela poluição inerente aos recursos os quais necessitavam para sobreviver. Recursos que seriam melhores aplicados para os animais que já viviam ali, especialmente os *paparazzi*. Foi preciso que Pesto referendasse o direito do *homo sapiens* justo em função disso, pelo homem tratar-se do melhor agente intergenético do gênero *homo* disponível no cosmos. Somente assim o passeio foi assegurado pela classe política da lua, o que permitia, por exemplo, que Bob e Julia fizessem suas necessidades pela rua e interagissem livremente com o *habitat*.

Naturalmente, os passeios eram restritos às dependências do próprio sanatório e algumas cercanias adjacentes, mas já era bem melhor do que a clausura da habitação, o suficiente para evidenciar uma grande melhora na adaptação do casal em sua nova vida no zoológico. Tanto que, naquele mesmo pernoite após o passeio, pela primeira vez desde que abriram seus olhos em Phobos, Bob e Julia acasalaram. Não chegaram ao êxtase, pois Bob se desconcentrou em dado instante da cópula e perdeu a libido, ainda assim, era um sinal positivo. Willian, o pai recreativo de seus pais, já percebia que, no recorte de instante, embora fosse factível que eles jamais seriam felizes como certamente foram na ultrapassada Terra, em Phobos, sob seus cuidados, ao menos poderiam viver dignamente. Uma vida não muito diferente dos idosos, por exemplo, que viviam em pequenas cidades do interior na ultrapassada Terra. Cidades como a que sua mãe nasceu e cresceu, Farmington, até o dia em que conheceu seu pai, casaram-se, e ele a levou para a cidade grande. Idosos que dispensavam seus dias sentados na calçada olhando a vida passar pela rua e assistindo televisão ao cair da noite - senis ou não –, vivendo o resto de seus dias, na medida do possível, sob os cuidados e o carinho de seus entes mais próximos. Para Willian, a medida do possível equivalia a todo conhecimento que pudesse abraçar do cosmo à sua volta no intuito de ajudá-los a viver com mais qualidade.

Um desses conhecimentos referia-se ao usufruto da massa reorgânica dos Firmlegs mantida em carbonite em um largo estoque localizado em um armazém na Babilônia marciana. Desde que Alexandra esteve com o doutor Zabarov II e abriu mão de sua parte, Willian estabeleceu conexão regular para acompanhar o assunto. A primeira coisa que descobriu foi que a decisão de sua irmã não era irrevogável, pois, como homiquântica, seu usufruto estava subordinado à vontade de seu par quântico. Uma vez que Sandy pentagonal abrisse cérebro da parte que lhe era cabível ou ultrapassasse o horizonte para reivindicar seu uso, somente então o cosmo herdaria a parte correspondente. Por outro lado, as novidades do futuro indicavam que, invariavelmente, Sandy abdicaria de sua parte. Seguia o incentivo da meia-irmã Jeannie, que já havia oficializado a doação de sua parte ainda que a massa reorgânica que lhe pertencesse fosse apenas um feto. O mesmo valia para Willian, a possibilidade do usufruto da massa reorgânica de seus pais em seu atual curso era ínfima, pois dependia da autorização de seu par futuro, o que talvez não fosse tão difícil obter. A problemática seria justificar seu uso, ao que era preciso propor alguma aplicação prática ou científica para o reaproveitamento da massa. Sendo assim, à busca de algum propósito pelo qual pudesse fazer valer o usufruto que *talvez* viesse obter, seus horizontes Willian passou a dedicar.

Essa busca colocou Willian em conexão direta com Zabarov II. Os dois discutiram a respeito dos projetos que englobavam a quota de massa reorgânica cujo usufruto já pertencia ao intelecto cósmico, e Zabarov o atualizou sobre as aplicações em andamento. Aplicações que começavam com o uso da massa reorgânica do comandante James Kelly, a qual já pertencia ao domínio cósmico, estando aos cuidados da científica-existencial. Todavia, como James Kelly havia cruzado o plano dimensional já morto, seu valor científico resumia-se à matéria extradimensional que trouxe consigo. Qualquer aplicação zumbiológica para extrair informações de seu cérebro ou tentar reiniciá-lo havia fracassado - em experimentos conduzidos pelo próprio Zabarov em Plutão. Sua ondulação fundamental havia se extinguido e dissipado durante o sinistro que o teletransportou para o futuro, portanto, sua riqueza era apenas química. Do total de sua massa, só restavam os *backups* compulsórios e os fósseis colecionáveis espalhados pelos museus do cosmo. O restante já havia sido encaminhado para Gunstation, situada no distrito de Plasmópolis, em Titã na fotosfera solar, onde seu espaço subatômico seria reaproveitado como combustível para propulsionar helionaves. Parte do projeto que visava cumprir o intercâmbio existencial com a constelação de Sirius, lar dos zeldanos - informações que, apesar de novidade para o homiquântico, traziam uma sensação de que já sabia de tudo.

O intercâmbio com Sirius era o projeto que demandava maior interesse sobre a massa reorgânica dos Firmlegs, não apenas por suas qualidades combustíveis, mas especialmente por ainda portarem vida. Ou seja, embora estivessem em estado de animação suspensa, suas ondulações fundamentais permaneciam ativas. Em se tratando de exemplares extradimensionais, suas respectivas ondas *F* eram únicas, por isso compunham uma peça-chave para estabelecer a frequência ideal que serviria como gatilho propulsor da helionave que viajaria para Sirius. Portanto, seu valor não era apenas químico, mas quântico também. Outra importante aplicação conduzida por Zabarov, sob a tutoria da física-existencialista plutônica, derivou na transmissão de Bob e Julia para a estrela *Firmlegs*. Não obstante, havia outras incontáveis aplicações disponíveis ou conceituais, muitas de cunho psicossocial, justo as quais Willian estava interessado. Sua ideia era fazer uso da massa reorgânica de seus pais para ajudar seus próprios pais, por isso queria que Zabarov lhe explicasse tudo a respeito.

Como intelectual, Zabarov era um pararrobô que desfrutava da posição de uma sumidade científica cujas faculdades eclipsavam o time de Diana por completo – exceto, talvez, por Xavier, já que este havia se artificializado com delênios de antecedência. Em termos de capacidade, politecas indexadas, contatos e conhecimentos em Veteopsicanálise, poderia cuidar da família Firmleg sozinho se quisesse. Todavia, faltava-lhe paciência para lidar com animais. Para alguém cuja racionalidade era empiricamente embasada, telecinar com entes que se valiam do raciocínio dedutivo era mais que improdutivo, era quase ultrajante. Mas por se tratar de um espécime de interesse em uma matéria de sua alçada, exerceu sua serenidade para atender Willian de maneira polida e educada.

A partir de Seti na décima órbita, de onde, por sinal – por *ótima qualidade* de sinal –, emulava o ambiente privativo em que telecinava com Willian, Zabarov projetou seu resíduo réptil nas lentes do telescópio que focava a estrela *Firmlegs* e decifrou em números o total de massa reorgânica dos Firmlegs disponível para reúso:

– O dispositivo aéreo de transporte e a respectiva massa reorgânica etiquetada FIRMLEG, oriunda do plano *James Kelly*, subvertentes *Robert Firmleg*, *Julia Firmleg*, *Willian Firmleg*, *Alexandra Firmleg* e horizonte espermatozoico máximo demarcado pelo plano *Jeannie* (sem sobrenome), totalizando 2,847 toneladas, 441 quilos e 364 gramas-terra de massa total, das quais se subtrai 310 quilos e 914 gramas-terra de massa reorgânica e 225,232 quilos-terra referentes à massa etiquetada supracitada; o descrito invólucro percorreu uma curvatura-terra total de 834.456 anos, 65 dias, 17 horas, 56 minutos, 38 segundos e 368 milésimos, evento com duração de 7 segundos e 832 milésimos-terra e materialização abrangendo um leque com contabilidade mínima de 26.315.404.416.000 planos dimensionais, em um *momentum* de durabilidade total de 80,196 dydozens, cronometragem equivalente a 3.464.467,233 segundos-terra, o que resulta em uma massa útil de 1,71 gigatoneladas, 817,499 toneladas e 143 centigramas-terra. Desse substrato total, 701.333 *per milhão* do respectivo índice pertencem ao intelecto cosmo e já se encontram em aplicação; 101.333 competem ao mínimo requerido pelo *backup* cósmico; valor idêntico destina-se à manutenção da memória fóssil; os restantes 96.001,666 *per milhão* possuem usufruto conjunto de Billy^4 e Sandy^4, dos quais, o equivalente a 203,333 *per milhão* estão protocolados sob total restrição a práticas zumbiológicas de acordo com juramento lavrado no Superior Tribunal Cósmico por Jeannie^4 – pontuou Zabarov.

Aí era só calcular o número que Willian tanto queria saber, o total de *clones*, não de "massa reorgânica" de sua família: 1.184.193.198.720 para cada um dos quatro membros, mais o feto de Jeannie que se encontrava no útero de Julia – esse era o total absoluto de clones mantidos em animação suspensa em um galpão frigorífico em Marte. Apesar de ser um número astronômico, estranho era pensar que, se Willian pegasse o elevador até Marte e fosse visitar o tal galpão, se depararia com um depósito vazio, já que essa era uma contagem de clones que se materializaram em *outras* dimensões, dimensões aquém do rol que ocupava atualmente. Todavia, no leque interdimensional, como o próprio frigorífico também se rompe em novas dimensões, impressionava mais saber que o número não era absoluto, mas aritmético, descrevendo uma taxa de clones gerados *por segundo* – salva ressalva de, no caso, tratarem-se de segundos-marte. Ainda assim, era Firmleg que não acabava mais. Esclarecidos os números, Zabarov questionou:

– De momento, teu poder de usufruto é inexistente; enseja, entretanto, que especulemos em viés probabilístico. Óculo ao qual *Murphy* numera a oferta *percentual* de 25% sobre os quais podes pleitear licitação de uso. Interessa-te por estudar algumas aplicações?

– Sim. Mas, doutor, esclareça-me o motivo dessa restrição juramentada por Jeannie, por favor – mentalizou polidamente Willian.

– Perdoe minha sabedoria. Cri que o enunciado fosse perfeitamente autoexplicativo. Capto que tua dúvida não se direciona à aplicação zumbiológica do respectivo ser em estado fetal. De fato, miras questionamento sobre tais aplicações relativas aos pares Bob e Julia, correto?

– Correto.

– Pois a resposta é positiva. Justifica nossa reunião em corrente para que, de comum bom senso, promulguemos uma aplicação de cunho zumbiológico de mútuo benefício para seus genitores e o intelecto cósmico. Permita-me propor uma negociação.

– Permito – anuiu Willian.

Zabarov abriu mais um longo discurso para esclarecer os pormenores do juramento firmado por Jeannie em acordo com o intelecto cósmico. Um acordo pelo qual ela largou cérebro do usufruto sobre a massa de reorgânica à que tinha direito. A meia-irmã futurista de Willian concordou com a doação antecipada ao intelecto cósmico por meio de uma moção pública de *venda*. Ou seja, ela conseguiu reverter qualquer aplicação oriunda da massa reorgânica dos Firmlegs em créditos científicos convertidos em milhagens astronômicas. O que era bom para Willian, pois se conseguisse desenvolver alguma aplicação para a respectiva massa, sua meia-irmã seria beneficiada. O problema, porém, era ela ter vetado qualquer uso zumbiológico envolvendo o clone de seu feto que estava no útero de Julia. Um fator que impedia, por exemplo, qualquer aplicação para reavivar sua mãe, já que isso implicava em reavivar o feto igualmente.

– Não poderíamos reavivar Julia e abortar Jeannie? – questionou Willian a respeito. Diana se intrometeu no diálogo para responder:

– Negativo. Em animação suspensa, Jeannie já está abortada. Reavivá-la caracteriza-se como aplicação zumbiológica, portanto não será permitido – esclareceu a médica.

Zabarov retomou a conversa com uma proposta:

– Se aceitares que a totalidade de massa replicada a partir de teus pares recaia ao intelecto da quântica-espacial fotosférica, podemos pleitear uma moção para reúso imediato da parte que cabe a Billy Firmleg – propôs.

Isso significava abrir mão da soma astronômica de Firmlegs que se replicava no galpão frigorífico em Marte. Por outro lado, uma vez que a proposta fosse aprovada em audiência pública, permitiria a Willian o acesso a 592.096.599.360 clones de cada membro da família para uso pessoal – excluindo-se o feto de Jeannie. Um número bastante satisfatório e mais do que suficiente para as aplicações que tinha em mente. Entretanto, havia um empecilho – dois, na verdade:

– Mas isso ainda depende de que Sandy abdique de sua parte, e de que Billy autorize meu manejo da massa correspondente – deduziu Willian.

Zabarov ainda fez uma ressalva:

– Contudo, se concordas com os termos, aconselho a iniciar os trâmites de imediato, dado que uma decisão favorável de Sandy já se encontra em visível. Por conseguinte, terás toda burocracia preenchida quando obtiver o aval, dada a factibilidade em torno de uma decisão favorável de teu par pentagonal. – Então sugeriu: – Desejas estudar alguns projetos viáveis e alvitrar uma proposta de pesquisa e trabalho para reúso da massa correspondente?

– Sim, desejo – concordou Willian.

– Em vista de tal anseio, avancemos pelo mérito que te urge obter.

92

O dia a dia dos Firmlegs em Phobos, em uma breve sentença, tratava-se de uma longa jornada de trabalho hospicialar para Willian, intercalada pelas aulas do professor Ipsilon junto à irmã e os passeios pelo zoológico. Já para Bob e Julia, consistia uma sobrevivência pesarosa. Uma evidência da análise terapêutica indicava que ambos só se mantinham presos a sua sanidade devido à presença imagética de seus filhos, das crianças que constavam em suas memórias, uma delas resumida a um mero robô residual. Alexandra ignorava a presença de seus pais, frequentava a habitação da família sob um manto de invisibilidade e, conforme passou a desenvolver suas capacidades comunicacionais, passou a filtrá-los – nem com os olhos os enxergava mais. Relevou qualquer interação com os pais ao robô virtual comandado por Willian. De sua ex-família, interagia apenas com o irmão. Não bastasse, exigiu que as aulas de Ipsilon se sitiassem em sua habitação para sequer aproximar-se deles fisicamente. Queria esquecê-los, mas como não era possível, não queria gerar novas memórias sobre suas vidas ou o tratamento conduzido pelo irmão.

A essa altura do tratamento, Bob e Julia mantinham uma rotina semanal similar à que estavam acostumados na Terra, mas com oito dias, contando cinco pernoites de aula e três de descanso com horários flexíveis - variava conforme o humor de Bob. Tinham direito a três refeições e um lanche, incluindo a ingestão de comida e cigarro residuais desenvolvidos por Willian, além de passeios diários na vizinhança. Nos dias de descanso podiam fazer passeios mais longos, ainda assim, sob inúmeras restrições sensitivas. Eles ainda captavam a imagem dos paranormais como se fossem homens normais e a dos homiquânticos como quânticos, já que essa era a figura à qual haviam se acostumado desde a primeira vez que se depararam com Noll ainda em seu avião, logo após o acidente interdimensional que os "matou" - conforme ainda acreditavam. Além disso, os "homens" da lua utilizavam roupas e cenas de sexo explícito ao ar livre eram filtradas, entre outras manifestações culturais consideradas chocantes para ambos os hominídeos - e os *paparazzi* eram apenas pássaros comuns. Pelo menos, enfim puderam conhecer a praia, o famoso Jardim do Éden que tanto ansiavam - local lindo, onde as pessoas "brincavam" e se divertiam à beira-mar envoltos por uma magnífica paisagem, recheada de belos pássaros que lembravam "anjos" flutuando no céu. Parecia até uma miragem.

Quando os Firmlegs estavam acordados, Willian permanecia na habitação em horizonte contínuo ou acompanhava seus genitores durante os passeios, ainda que, ocasionalmente, invisível aos pais. Bob e Julia precisavam passear "sozinhos" também como parte de seu tratamento e do processo de integração ao *habitat*. Fazia parte de seus estudos zoológicos acompanhar os pais de maneira integral, mas como o raciocínio de um homiquântico como Willian era infinitamente superior e mais veloz do que qualquer hominídeo, embora não fosse tão multifocal quanto os quânticos, permitia executar várias atividades paralelas para desenvolver seus estudos durante a tutoria. Enquanto Bob e Julia dormiam, juntava-se à Alexandra em sua habitação para estudar com Ipsilon ou, de vez em quando, ambos os irmãos aproveitavam para passear e estudar em qualquer ponto da lua que fosse tranquilo, afinal, as aulas aconteciam em ambiente virtual.

Certa vez, tomaram aulas na Praça da Ascensão de Phobos. Um dos paranormais que coabitava o corredor da família Firmleg veio a óbito e, por respeito, os irmãos prestigiaram o ritual de despedida que tomou palco em tal praça. Depois permaneceram nas redondezas estudando com Ipsilon. Uma vez que um animal chegasse a óbito, era imediatamente submetido ao estado *zero Kelvin*, assim aprisionando sua ondulação fundamental no corpo. Conforme seus desejos testamentais, sua massa corporal era encaminhada para reciclagem em Marte, na própria lua ou simplesmente doada para os institutos zoológicos de Phobos. No caso do paranormal falecido, ele não havia protocolado qualquer escolha; nesse caso, sua alma era destinada à reciclagem na própria lua, por isso sua massa seria velada na Praça da Ascensão. Como de costume, os amigos e entes mais íntimos do falecido, contando seus adestradores e o público que atendesse ao local, reuniam-se abaixo de uma plataforma vítrea com cerca de 20 metros de altura, situada bem ao centro da praça. Um local bem amplo e aberto, no alto de uma colina localizada na região periférica de Phobos, próxima aos acessos intralunares que serviam de corredor aos funcionários que trabalhavam na usina de gravidade no centro radial da lua. O corpo em zero *Kelvin* era transportado ao local em uma bala-fúnebre que guiava o cortejo por terra até ser posicionado abaixo da plataforma, onde era homenageado e, então, iniciava-se o velório propriamente dito, o *ritual de ascensão*. Sob uma marcha fúnebre imagético-musical, o corpo era elevado ao topo da plataforma para que descongelasse lentamente pela troca de calor com a atmosfera. Isso permitia, simbolicamente, que sua alma fosse capturada pelo público situado abaixo da plataforma enquanto sua ondulação fundamental era atraída pela gravidade artificial da lua. O ritual perdurava até o corpo apresentar os primeiros estágios de putrefação, quando era enfim encaminhado para reciclagem e reaproveitamento energético pelas usinas interioranas.

Entre os irmãos, os estudos fluíam razoavelmente bem. Porém, de acordo com a abordagem proposta pelo time psicoveterinário encabeçado por Diana, abrangia um leque de matérias e uma profundidade de estudos muito mais vasta e complexa do que, em outra vida, os pares pentagonais de ambos tinham experienciado. Isso se dava porque, nessa nova sequência, Willian e Alexandra não teriam mais acesso ao útero biomaterno para evoluírem quânticos, iriam sincronizar-se perceptivamente com seus pares futuristas. Ou seja, não se submeteriam a um *reboot* mental conforme seria se tivessem acesso ao útero; precisavam alcançar um equilíbrio psíquico dentro das condições que se encontravam até estarem aptos a pleitear a sincronia com seus pares pentagonais. Isso demandava um comprometimento muito maior com as aulas e as sessões de terapia com seus pais recreativos. Mais uma vez, embora para ambos fosse a primeira vez, Willian e Alexandra precisaram estudar as ciências de *alpha* a *sampi* até alcançarem o cerne maior de sua simplicidade: a gravidade; o grande elo entre as dimensões e as forças eletromagnéticas como caminho único para trafegar entre seus infinitivos planos tridimensionais e, assim, um dia, transportá-los até a mente de seus alter-egos.

Não obstante, para Willian, o que mais demandava concentração e paciência pela lentidão de pensamento de suas crias recreativas era acompanhar as aulas de seus pais com o professor Ipsilon. Nessas aulas, após introduzir seu curso de Astrofísica, Ipsilon precisou retroceder na história desde o período pré-marciano, contextualizar a evolução dos espécimes tripoides até o Salto Ultradimensional para Sirius executado pelo grande metarrobô da época – também como o "*Pai* original" ou o "primeiro zeldano" –, apenas para recriar a imagem do deus bíblico que Bob e Julia carregavam em seu imaginário. Sem revelar a existência de outras espécies inteligentes no cosmo, como os reptilianos e os aeroígenes, Ipsilon utilizou esse contexto para justificar a ascensão e a evolução do homem até a raça quântica como um advento desse antigo "deus", que hoje vivia em Zelda, a capital de Sirius. Em paralelo, retomou estudos sociológicos e históricos do homem na Terra, dando ênfase aos períodos egípcio e romano, como método para desmistificar uma série de fatos e desconstruir os dogmas religiosos que ambos ainda demonstravam fé. Aulas difíceis para os Firmlegs, angustiantes; não fosse por Willian, ainda que se limitasse a interagir como hominídeo, seus pais não teriam conseguido avançar em seu aprendizado. Willian participava das aulas e fingia aprender tudo que Ipsilon lecionava, então motivava seus pais, conversava com eles. Amparado pelo professor, mesmo que agisse como um menino, convencia-os da veracidade e da coerência de seus ensinamentos. Mas, apesar do estímulo e do incentivo do filho, em suas análises terapêuticas, Diana captava um conflito na aura dos Firmlegs: por um lado, as revelações de Ipsilon abalavam as convicções existenciais de Bob e Julia; por outro, permitia-lhes compreender melhor o contexto atual de suas vidas, entender que não estavam nem no céu nem no inferno, apenas em um mundo *humano* mais evoluído e diferente do que viviam. Todavia, *muito* diferente, por isso o ensinamento era lento, em doses homeopáticas, intercalado com sessões de terapia e muita reflexão em família. Sempre, sem lhes revelar a verdade, mas contextualizando os fatos até que fossem capazes de enxergá-la.

A melhora dos Firmlegs, notadamente, deu-se pela tomada de liderança de Willian no tratamento deles, o que não seria possível não fosse também pelas dicas de Zabarov II – foi dele a ideia de criar um televisor com programação terrena para Bob e Julia assistirem, por exemplo. A partir da conversa com o pararrobô, Willian passou a dedicar boa parte de seus fótons pensantes para elaborar uma experiência da qual pudesse tirar proveito em prol da qualidade de vida de seus genitores no *habitat* zoológico. Começou por buscar referências de estudos psicoveterinários envolvendo *homo sapiens*, o que o levou ao distante pretérito em que Phobos era habitada por homens e os paranormais consistiam a espécie mais evoluída do cosmo. Uma época em que a sociedade vivia um extremo experimentalismo, homens eram cobaias dos paranormais, objetos da Genética que alavancou um enorme avanço evolutivo pela edição do DNA humano e a clonagem laboratorial, dando assim origem à espécie que veio a superar os próprios paranormais: o homiquântico de primeira geração. Como essa última geração de homens consistia-se de clones recriados a partir de fósseis conservados em gelo na Terra, centenas de delênios após a extinção do *homo sapiens*, eram conhecidos como *zumbis*, os homens renascidos da morte. Justo por isso, na atualidade, esse tipo de experimentalismo era parte das ciências indexadas pela Zumbiologia, um ramo de estudo psicossocial de interesse mais histórico do que biológico. Uma ciência cujas práticas, especialmente no que se referia ao cultivo de espécies *sapiens*, eram bastante restritas quando não completamente proibidas. Para Willian, serviram apenas para lhe dar uma noção do escopo de experiências que se aplicava a tal tipo de espécie, o homem.

O segundo passo foi buscar orientação com seus pais recreativos, tutores e seus novos professores no Instituto Phobiano. Afinal, eram todos ligados ao ramo e possuíam muitos conhecimentos no trato com animais como seus pais, especialmente quando se tratava de animais sociais. Como aprendiz zoólogo e zumbiólogo, Willian podia propor abordagens para reaproveito da massa reorgânica de seus genitores. Todavia, lhe faltava base científica para elaborar um projeto que seduzisse o intelecto cósmico a aceitar e premiar suas pautas, já que ele também era apenas um animal. Apesar de bem amparado por seus orientadores, não fosse o auxílio de Zabarov, Willian não teria conseguido extrair qualquer valor de seus projetos. Isto pois, entre tantos estudos e cargos que acumulava, o ente trabalhava exatamente com isso em Plutão: Psicozumbilogia. Nesse ramo, Zabarov montava mapas intergenéticos de base fundamental, ou seja, desenvolvia "sementes" para plantar em outras estrelas. Seu ofício no SETI em Plutão, em um curto enunciado, era selecionar ondas *F* para compor uma frequência de transmissão interestelar. Justo o que fez com os Firmlegs ao transmiti-los para a estrela de igual nome, e justamente o que repetiu Willian ao apresentar sua primeira proposta para reúso da massa reorgânica de seus pais. Um projeto que consistia em reescrever a memória pré-Phobos de seus pais em seus respectivos clones, encaminhá-los para Plutão e utilizá-los como fertilizantes para qualquer outra estrela no mapa interdimensiogerminal disponível. Todavia, tal operação sequer cobria o valor de frete da massa em um translado até Plutão. Zabarov esclareceu o motivo:

– O intelecto cósmico já dispõe da memória pré-Phobos de teus genitores, não há necessidade da referente massa para que façam uso dela, pois se trata de uma informação disponível na consciência cósmica. Qualquer entidade de mínima sapiência é hábil em baixá-la e estudá-la. – Não obstante, sugeriu: – A menos que desenvolva uma racionalidade *alternativa* capaz de gerar ondas *F* cuja compilação *post-mortem* origine uma frequência mais elevada em análise comparativa ao catálogo de genes fundamentais já obtido por meio de suas respectivas memórias pré-Phobos.

– Para gerar essas memórias eu precisaria de acesso a mais clones e elaborar um projeto de abrangência proxidimensional através de uma cooperação polividual. Todavia, após a eleição de Iraizacmon como prefeito lunar, duvido que permitam a multiplicação de clones hominídeos nesta lua – ponderou Willian.

– Deduza-se que a referida empreitada abarque palco virtual – indicou Zabarov. Então descreveu melhor sua sugestão: – Dado que não há aparato robótico que possa melhor simular o *hardware* cerebral hominídeo, faça-se de seus cérebros atuais o *hardware* que necessitas para tal iniciativa – esclareceu o pararrobô.

– Compreendo. Mas isso implica em despertá-los de seu estado criogênico, portanto, limita-se ao espécime Bob, pois despertar Julia significa despertar Jeannie igualmente, e tal possibilidade está vetada, como já é ciente – argumentou Willian.

Já beirando a irritação em seu íntimo, Zabarov completou o raciocínio que o pobre animal não soube deduzir:

– Em relação à fração a ela concernente, não a quota sob tutoria do intelecto cósmico.

– Eu posso ter acesso a essa quota?

– Positivo. Podes optar por um investimento em massa-futura. O cosmo lhe concede um empréstimo da massa de seus genitores e, uma vez obtido retorno científico do experimento, basta reverter o crédito gerado em massa e teu débito será quitado.

Em outras sinapses, sob o aval de seu par futurista, Willian poderia "pegar emprestado" uma quota de clones de seus pais, utilizá-la em pretérito e depois devolvê-la em futuro. Conforme o valor científico que conseguisse extrair do experimento sugerido por Zabarov, sequer talvez precisasse restituir essa quota. Todavia, se fracassasse, pagaria juros, ou seja, teria de devolver um valor aritmético de cópias equivalente em futuro ao que teria acesso em pretérito. Um valor invariavelmente superior, pois a base de cálculo era a velocidade cósmica de Marte, ou seja, muito mais alta do que as taxas futuristas que corriam em tangentes existenciais mais lentas. Para Zabarov era lucro certo, já que reaplicaria massa futura em massa pretérita, o que naturalmente elevava a contagem aritmética da respectiva massa. Se os experimentos de Willian redundassem em mérito de cunho existencial, colheria os louros para si também; se fracassassem, obteria ganho em massa aplicável aos projetos fotossolares de cunho quântico – era lucrar ou lucrar.

– Mas se estou resignado a esta lua, precisarei do aval de Iraizacmon para chancelar o experimento? – questionou Willian.

– O poder de Iraizacmon limita-se ao povo lunar, conquanto não povoemos a lua com hominídeos clonados da massa Firmleg, ele não será obstáculo. O deferimento jaz sob a alçada do Conselho Médico Veterinário e do Instituto Zoológico Phobiano – esclareceu Zabarov.

- Então conduziremos os experimentos nas dependências do instituto - concluiu Willian. Feliz com a dedução correta do homiquântico, Zabarov anuiu. Mas o animal ainda possuía uma dúvida bem específica:

- Subentendo que a operação proposta é absolutamente legal sob o ponto de vista jurídico. Mas Jeannie poderá tomar ciência e protestar pelo reúso de Julia Firmleg e, consequentemente, do respectivo feto que carrega no útero. Pressuponho que teremos que abortar Jeannie para conduzirmos os experimentos.

- Pressupões equivocadamente. Aborto não será permitido pelo Conselho Médico Veterinário. Ofereceremos uma singela extração e manutenção dos fetos em criogenia - ou seja, retirariam Jeannie da barriga de Julia e a manteriam congelada à parte. Se, porventura, esses fetos fossem requisitados para outros experimentos, inclusive para reavivá-los, úteros disponíveis para retomar a gestação não faltavam no cosmo. A própria Julia poderia gestar duas ou três Jeannies se preciso, de modo que bastava transferi-la de dimensão. Todavia, o destino certo daqueles fetos seria o reaproveitamento de sua respectiva carga subatômica como gatilho de fissão nuclestelar dentro do projeto de criação de uma helionave com destino Sirius.

Por fim, Willian estava saciado. Por conseguinte, Zabarov propôs:

- Consentes em ativar o investimento e iniciar o preenchimento dos trâmites socráticos para chancela de teu empreendimento?

- Consinto.

- Quantos clones deseja sacar?

- Dois. Um par do casal Firmleg. - Era ínfimo. Ainda mais considerando que tais clones seriam manipulados em uma lua com baixa velocidade cósmica, não valeria o investimento. Portanto, pacientemente, Zabarov retrucou:

- Sessenta e quatro pares é o investimento mínimo - numerou. Ao menos Willian deduziu corretamente o que seria necessário, subdividir o projeto e suas respectivas tarefas por seu conjunto polividual. Ainda que possuísse uma mínima taxa de replicação interdimensional, era mais do que suficiente para cobrir 64 planos proxidimensionais. Todavia, requereria o apoio de seus tutores quânticos para trafegar informações em dimensões paralelas, bem como da visão dimensioscópica de Xavier para analisá-las. Como não havia outro jeito, Willian aceitou as condições e iniciou o investimento. Só faltava um último detalhe:

- E quanto à autorização de Billy? Como a obteremos, se meus tutores não me permitem contatá-lo diretamente? - questionou o hominídeo.

Desdenhoso, Zabarov gastou o mínimo de fótons necessários para que o espécime deduzisse o que faltava:

- Convença-os.

***

Alvitrar aplicações em 64 dimensões compunha um complexo conjunto de tarefas que exigiu toda a criatividade de Willian para preenchê-lo. Porém, para convencer seus pais recreativos a autorizar contato com seu par futurista foi preciso muito mais do que 64 diferentes argumentos; somente o imponderável poderia lhe oferecer uma oportunidade. Ainda que consentissem, pelo que captava no dimensioscópio de Xavier, seria difícil contatá-lo, já que Billy dispensava a maior parte de seus horizontes desconectado da consciência cósmica em função da nova prática esportiva que adotara em contínuo-paralelo: a caça. Por mais que tentasse driblar essa restrição, não conseguiria conectá-lo na longínqua e, por se situar no interior de uma lua, precária infraestrutura conectiva da Amazônia Carontiana. Mas apesar de não contar com o imprescindível aval de seu par futuro, Willian prosseguiu formatando sua abordagem em relação aos clones dos Firmlegs. Sua linha de experimentalismo trafegava entre os limites marginais conforme esclarecidos por Zabarov II, ou seja, tratava-se de um experimento baseado em aplicação de realidade virtual. Isso o obrigou a se aprofundar na ciência de modelagem de ambientes sensitivos nos quais poderia reavivar os clones de seus pais em um *habitat* artificial absolutamente controlado em todos os aspectos.

Com esse propósito, Willian dividiu os 64 pares de clones a que tinha direito em duas porções. Em uma porção aplicaria a memória pré-Phobos no cérebro de seus genitores e os despertaria dentro de realidades virtuais com diferentes parâmetros de controle e manipulação sensorial, ou seja, trabalhando com a memória que já estava gravada em seus cérebros dormentes quando chegaram na lua. Então acompanharia sua evolução psíquica nesses distintos ambientes, objetivando extrair técnicas terapêuticas que pudessem ser aplicadas no tratamento deles no hospício de Phobos. Com os outros 32 pares, partiria da memória anterior ao advento que os transportou de dimensão, ou seja, a memória pré-Vinland – local em que foram tratados na Terra e geraram sua memória pré-Phobos. Na memória pré-Vinland, a última lembrança que constava na cabeça de seus pais era o trauma psicótico que viveram ao contatar os alienígenas Noll e Greg ainda no avião da família, instantes antes de serem hipnotizados e colocados em estado de coma induzido, então submetidos à criogenia para serem finalmente encaminhados ao galpão frigorífico em Marte.

Ao trabalhar diferentes abordagens para esses dois conjuntos distintos de memória – pré-Phobos e pré-Vinland –, Willian esperava obter uma racionalidade mais evoluída para reaplicar as massas reorgânicas de seus pais nos projetos da física-existencialista plutônica, ou seja, para transmitir suas almas para outras estrelas. Caso não conseguisse desenvolver uma racionalidade com qualidade superior à que já constava na memória pré-Phobos de seus genitores, seus clones seriam encaminhados para Titã e relevados às aplicações da quântica-espacial fotosférica. Naturalmente, aplicar psicozumbilogia aos clones sob um agravado estado psíquico seria muito mais delicado e de baixa visibilidade susceptível. Por outro lado, se lograsse sucesso, as chances de obter uma racionalidade superior eram igualmente superiores.

Embora consistissem aplicações conceituais, dado que ainda não dispunha do aval de seu par futurista para iniciar a execução do projeto, mesmo que Alexandra não se interessasse por qualquer detalhe do tratamento que aplicava a Bob e Julia, tal iniciativa não tinha como passar incólume aos sensos midiáticos. Assim, quando o debate cósmico tomou ciência do projeto tão logo Zabarov II iniciou os trâmites legais para aprovar o investimento de Willian e vencer a licitação para reúso da massa a que teria direito, a notícia alcançou Phobos. Embora Alexandra não desfrutasse de livre acesso à cosmonet, não tardou o horizonte em que um *paparazzo* pousou no batente de sua janela e a atualizou sobre os projetos de Willian. A novidade levou a homiquântica à pura revolta com o irmão e a protocolar um protesto formal contra a iniciativa.

Inconformada com o que compreendia como uma "tortura psíquica proxidimensional continuada", Alexandra invadiu a habitação de seus genitores para confrontar Willian. Em alta sinapse, exigiu que o irmão abortasse tais iniciativas:

– Não basta o sofrimento a que estão submetidos neste zoológico, em contínuo queres transformar nossos antigos genitores em ratos de laboratório para torturá-los em diferentes planos de acordo com sua megalômana criatividade?! – questionou Alexandra em tom de fúria. Willian respondeu ironicamente:

– Pergunta isso quem queria aplicar eutanásia aos próprios genitores.

– Sim, evidente, pois não quero vê-los sofrer. Ao contrário de ti, que os usa para saciar teu próprio sadismo – vociferou Alexandra.

– Vê-los? Se não é você quem os filtra visualmente? – questionou com ironia. Nesse instante, por muito pouco Alexandra não partiu para as vias magnéticas e imantou o irmão. Mas foi contida por Yuiop, telecinando em resíduo de Diana. A médica conseguiu apartar o ímpeto raivoso de Alexandra e a convenceu a voltar para sua habitação, onde abriu mais uma sessão de terapia para conversar e tentar demonstrar as boas intenções de Willian, porém, em vão. Alexandra somente retomou um pouco da compostura ao tomar ciência de que o irmão ainda não detinha autorização para iniciar o projeto, pois não tinha acesso ao seu par pentagonal. Todavia, Alexandra sabia que, quando se formasse no maternal, Willian estaria livre para acessar seu par. Em suma, cedo ou tarde ele obteria a permissão para iniciar o projeto que, em sua mente, consistia uma hedionda tortura mental. Sobre isso, ela questionou:

– Sandy não pode intervir para impedir que tal crime se faça atual?

– Infelizmente, não. Tal qual a ti, ela já oficializou sua doação da massa reorgânica dos Firmlegs ao intelecto cósmico.

– Não há como reverter a decisão?

– Em termos socráticos, creio que existam caminhos para ela reverter a decisão. Mas tua alter-ego jamais demonstrou interesse ou pleiteou qualquer aplicação para a referida massa, exceto a moção de venda. Não vislumbro grandes possibilidades para que mude de ideia.

– Eu preciso avisá-la. Tu precisas me autorizar um contato com ela – exigiu Alexandra.

– Se autorizá-la a contatar tua alter-ego, sou igualmente obrigada a autorizar Willian a contatar o alter-ego dele. Contudo, uma vez que ambos vocês expressam esse desejo, posso permitir o contato para que debatam a questão diretamente com seus pares.

– Não!! Willian não pode contatar Billy!

– OK. Então o contato fica vetado para os dois.

Sentindo-se acuada e de cérebro atado com a posição da mãe recreativa, Alexandra silenciou sua mente, assim expressando seu inconformismo. Diana tentou apaziguar esse sentimento:

– Procure observar o lado positivo: se Willian conseguir sucesso, obterá créditos científicos que se reverterão em milhagens astronômicas que beneficiarão a todos, incluindo a ti e a teu par pentagonal. – Entretanto, tal informação não representava consolo algum, por isso a médica continuou: – Compreendo a tua agonia. Multividualmente, sou contra a aplicação zumbiológica no trato de sua família, pouco me importa que seja reduzida ao *habitat* virtual. Entrementes, represento uma única sinapse no Conselho Médico Veterinário, não compete exclusivamente a mim autorizar ou desautorizar tal projeto. Minha patente se limita aos pares em tratamento aqui no sanatório – mentalizou a médica enquanto acarinhava Alexandra.

Diana referia-se não só ao Conselho Médico Veterinário, mas à cúpula do Instituto Zoológico Phobiano, duas instâncias que não objetariam o projeto de Willian, por dois motivos básicos: se os experimentos tivessem sucesso, sua respectiva meritocracia também seria creditada ao instituto; e se Willian conseguisse extrair novos conhecimentos ou técnicas que pudessem ser aplicadas ao trato dos animais do zoológico, isso traria benefício para todos, não só em Phobos, mas para qualquer reserva que abrigasse hominídeos ao longo do cosmo. Do ponto de vista ético, apesar das práticas zumbiológicas serem muito restritas e contestadas por várias correntes de pensamento zoológico, a proposta de Willian não diferia muito de certas práticas corriqueiras executadas nas facilidades do instituto, onde diversos animais eram estudados em ambiente virtual. Podia-se até atestar que a fauna virtual do instituto era muito mais ampla que a fauna material do próprio zoológico. Não obstante, inúmeros outros experimentos a nível *higgs* eram executados ali, tais como dissecação ou vivissecção de animais, condicionamento pavloviano, clonagem experimental, ortotanásia terapêutica, fertilização laboratorial fundamentalista e muitas outras, de modo que a proposta de Willian não fugia das linhas de pesquisa do instituto. Pelo contrário, atraía forte interesse científico por abordar uma espécie até então extinta, um objeto de estudo inédito com alto potencial para gerar novas informações e técnicas psicoveterinárias a serem agregadas ao leque de conhecimentos abraçados pelas faculdades ali indexadas. Não bastasse, a própria Diana embasava parte do tratamento aplicado aos Firmlegs nas politecas zumbiológicas indexadas no instituto, apenas não se utilizava de práticas a nível *higgs*. De modo que não seria hipócrita em repudiar Willian, era melhor aconselhá-lo do que confrontá-lo.

Exceto por Xavier e *Frades*, os tutores de Willian também se posicionaram contra a iniciativa. Diana chegou até a apelar diretamente com Zabarov II para que desistisse do investimento. Como o pararrobô se mostrou irredutível, estabeleceu uma contenda jurídica para tentar impedi-lo. Mas os aspectos legais do empreendimento estavam muito bem redigidos, terminou derrotada na justiça, sendo obrigada a acatar a decisão. Ainda assim, foi franca com Willian, limitou-se em cooperar nos aspectos que se relacionassem à abordagem dos Firmlegs que já se encontravam em tratamento no sanatório, não participaria das simulações que aplicaria em seus clones. Subordinada à médica, Nolly foi obrigada a seguir a mesma posição da chefa, bem como Noll, cuja linha de pensamento, ao menos no que se relacionava às aplicações psicozumbiológicas, era semelhante à de Diana. Ipsilon também era contrário ao uso de tais técnicas, mas se comprometeu em ajudar na composição das referências messiânicas para o desenvolvimento dos cenários virtuais que Willian necessitava para preencher as simulações em que trataria seus pais e, após certa insistência do pupilo, concordou em compilar um robô-professor para dar aulas aos clones dos Firmlegs.

Como o bom senso de seus pais recreativos não foi suficiente para demover Willian de seu projeto, e eles não tinham poder de veto para impedir sua aprovação, Alexandra buscou apoio junto à classe animal de Phobos. Conferenciou diretamente com Iraizacmon, o novo prefeito, que igualmente não concordava com a prática de zumbilogia, mas não detinha poder sobre o que se passava nas dependências do instituto. Poderia até decretar que o assunto fosse pauta de um repúdio formal por parte do município de Phobos e pressionar o novo Conselho de Terapia Animal para debater a questão junto ao Conselho Médico Veterinário, todavia, não possuía base de apoio. Nem Critera estava disposta a apoiar Alexandra, pois Willian era amado por grande parte da população lunar, de modo que não seria politicamente correto confrontá-lo em uma alçada que não pertencia ao foro lunar. Isso transmitiria a imagem de que estariam perseguindo o ex-hominídeo. Boa parte da população homiquântica também apoiava Willian, já que ele se relacionava com alguns dos mais proeminentes funcionários e cientistas da raça no Instituto Phobiano, e mantinha uma boa imagem perante a espécie. Ao final de uma longa conferência em que explicou todos os pontos que o impediam de tomar uma ação mais contundente, Iraizacmon compartilhou:

– Sinto não poder ajudá-la, cara Alexandra. Todavia, permita indicar meu correligionário Iraimoon para auxiliá-la a criar um diretório de publicidade na phobosnet e organizar umas passeatas de protesto pelo zoológico. – Deu a dica o prefeito, e acrescentou: – É o que resta a fazer.

Não demorou e, enquanto Willian se encontrava em sua habitação trabalhando na modelação dos cenários e da abordagem dos clones de seus pais, partidários de Alexandra se mantinham protestando, emitindo sinapses de repúdio e erguendo cartazes virtuais abaixo de sua janela. *Paparazzi* chalreavam nos ares nas proximidades da habitação de Willian, que se viu obrigado a filtrar o som que emitiam. Pior, toda vez que saía para passear, deparava-se com grupos que o perseguiam pelas ruas, hostilizando-o e protestando contra suas iniciativas – já nem ligava mais. Não seria por isso que desistiria, até porque, no âmbito maior do instituto que regia o zoológico, era bem quisto pela classe homiquântica. Também pela classe quântica, era visto como um proeminente animal investidor científico e dedicado estudante de Zoologia – ademais, tudo que fazia era por seus pais, ao menos assim justificava para si mesmo o fato de utilizar seus clones como psicozumbis.

Em paralelo, tanto Willian quanto Alexandra permaneceram tentando obter um meio de driblar as restrições de Diana para contatar seus respectivos alter-egos futuristas. Ambos recorreram aos mais diversos contatos que dispunham entre a classe animal. Mas nem o mais habilidoso *hacker* conseguia se logar com uma rede em dado paralelo no qual Sandy estava surfando nos mares intranebulosos de Júpiter no plano de Escolha Atual, sua tangente era muito pentagonal para ser captada da lua. Problema similar enfrentava Willian em função das precárias redes de acesso à décima órbita. Nem Zabarov podia ajudá-lo, ainda que desfrutasse de ótimo sinal para telecomunicar entre Plutão e Phobos. O ente não poderia burlar as recomendações de Diana. Suas relações com a médica já não eram minimamente estáveis para que se permitisse contrariá-la ainda mais. Não bastasse, com Billy caçando nas florestas interioranas de Caronte, era praticamente impossível captá-lo, ele permanecia incomunicável em horizonte contínuo. Ademais, seus pais recreativos os monitoravam constantemente, era difícil obter uma janela para que pudessem tentar *crackear* suas restrições.

Na ausência de canais disponíveis pela cosmonet, invariavelmente, ambos os irmãos recorreram a Xavier, já que o super era o único que podia captar Billy e Sandy em suas continuidades paralelas através de seu dimensioscópio. Porém, uma coisa era captar, outra comunicar, e Xavier estava igualmente atrelado às restrições do time de monitoria, não podia abrir um canal de comunicação para que Willian e Alexandra conversassem com seus pares futuros – ao menos não para Alexandra, pois foi aí que a previdência sorriu para Willian. Foi justamente o super quem lhe abriu a oportunidade para, ao menos, tentar. Como Billy era frequentador da matriz paternal, a comunidade matriciana igualmente estendeu o convite para que seu respectivo par phobiano se conectasse na famosa rede paternal. Isso abriu a possibilidade para Willian tentar contatá-lo por lá. Através da Matriz era possível se deslocar para qualquer ponto da cosmonet sem passar pelas portas de acesso que Diana e o restante do time monitoravam. Mas isso não bastava, pois Xavier também o monitorava dentro da Matriz. Foi necessário um segundo fator, esse sim bastante previdente, para que Willian se conectasse com Billy em Plutão.

Foi tudo por acaso, aconteceu em uma das sessões em que Willian se telecinava com Xavier assistindo à vida de Billy no futuro através do dimensioscópio. A essa altura, sua relação com Alexandra ia de mal a pior, os dois se resumiam a partilhar as aulas com Ipsilon via conferência residual, cada qual em sua própria habitação ou em qualquer lugar da lua que não precisassem estar juntos fisicamente. Os dois já não passeavam nem compartilhavam o dimensioscópio de Xavier em presença física. Fora das aulas não mais interagiam, e o grau de desenvolvimento mental que haviam atingido dispensava o uso da interface da família, ou seja, uma afinidade que não mais precisavam compartilhar no contínuo. Em função disso, Willian estava a sós com Xavier quando o ente captou uma imagem que lhe pareceu estranha. Estranha por ser muito familiar em sua memória: uma imagem da Terra do pretérito de Alexandria, sua ex-dimensão, de uma grande metrópole, não a sua Miami, mas uma cidade cuja paisagem conhecia bem: Nova York. Willian podia observar a famosa ponte do Brooklyn a partir de uma enorme mansão, onde um senhor idoso sentado à mesa de uma escrivaninha em um amplo e luxuoso escritório recebia outras pessoas, todas muito distintas e elegantes. Essas pessoas o beijavam na mão, elogiavam-no, agradeciam ou, às vezes, pediam-lhe algo. Ao ser questionado que imagem era aquela que estava sintonizando, Xavier esclareceu:

– É a película de Billy, o ambiente de *The Godfather* – mentalizou o ente. Naturalmente, Willian já estava a par dos dons cineastas de seu par futurista, mas nunca tinha captado sua película anteriormente. Por isso, questionou:

– Mas o filme não é sobre um restaurante? *Cozinha* alguma coisa...?

– *Cusina Siracusa* – corrigiu Xavier. – Mas o restaurante, uma cantina italiana para ser preciso, é apenas uma parte do cenário.

– Billy está no filme?

– Evidente. Eu também estou.

– Está? E eu não posso participar?

Bastou questionar e o *link* para inscrição na película se fez disponível pela Matriz. Apesar disso, Xavier não estava certo se Willian conseguiria participar da película, por isso advertiu:

– Não creio que possua nível cognitivo para participar de uma película de estética quântica.

– Como não? Se basta interpretar um hominídeo, isso eu sou capaz.

– Mas não dispõe capacidade de processamento ou habilidades multifocais para interagir com a mesma plenitude de um quântico – ponderou o ente.

Willian não deu bola para Xavier, abriu o *link* da película e seguiu as instruções para criar um personagem e participar da história. Como Billy era o desenvolvedor do sistema, havia opção de linguagem em inglês, o que lhe permitiu facilmente configurar sua conta. Entretanto, na hora de escolher um personagem, devido à baixa capacidade de seu cérebro, o único *skin* disponível compatível com sua inteligência era de um morador de rua. Sem alternativa, Willian entrou na película como mendigo e tratou de procurar por Billy. Como não sabia por onde começar, perguntou para Xavier:

– Você sabe qual é o personagem de Billy?

– Tanto sei qual o personagem de Billy, quanto estais cientes de que não posso permitir, por minha escolha, indicá-lo qual é.

– Ora, super. Quebra um galho, vai...

– Não desfruto de permissão para tal. Insistir inútil é.

– Sei... E você? Quem é você no filme?

– Sou Don Corleone, o próprio *Godfather.*

De alguma forma, a resposta fez todo sentido para Willian. Quem mais um ente da elevação de Xavier poderia interpretar?

Sem ajuda de Xavier – ou de Don Corleone – para encontrar Billy, Willian tratou de se virar como pôde. Sua interação com a película era lenta, não podia permanecer conectado em horizonte contínuo, precisava alternar suas atividades em Phobos com conexões esporádicas ao filme nos períodos de folga entre as pesquisas que realizava no instituto e a elaboração de seu projeto. Quando conectado era obrigado a seguir a velocidade do filme, ou seja, a velocidade de um hominídeo interagindo. Um detalhe que, se antes era o ritmo normal que interagia na Terra, de instante lhe parecia absurdamente lento.

Dentro da película, Willian tinha que realizar tudo como faria um homem. O que talvez não fosse problema, pois tinha que encontrar Billy, quem, em tal ambiente, também era um homem. Mas, como mendigo, sentiu na pele e na carne a dureza de ser um. Seu papel iniciava sem um tostão no bolso, tudo que tinha era a roupa do corpo, um cobertor e uma faca. Ao menos não precisava iniciar como um bebê. Seu personagem era um homem adulto, negro, tinha um histórico de alcoolismo e vício em cocaína, por isso morava na rua. Não bastasse, foi colocado em Staten Island, muito longe de onde viviam os Corleones e se situava a *Cusina Siracusa*. Embora interpretasse um hominídeo, não era estúpido para ignorar o fato, óbvio, de que Billy trabalhava na cantina. Não sabia qual seu exato papel ou o nome de seu *skin*, mas imaginava que era um dos cozinheiros da *Cusina*, talvez o *chef*, se não, o gerente ou algum garçom. Tudo que precisava fazer era se dirigir ao local e perguntar por ele.

Na película, o personagem de Willian se chamava Idris Cuba. Cuba precisou caminhar de Staten Island até o Brooklyn para alcançar a *Cusina Siracusa*, mais de 25 quilômetros a pé. Não bastasse, precisou mendigar para conseguir comprar um ingresso para a balsa e atravessar a baía do rio Hudson. Devido aos trapos que vestia e o mau cheiro que emanava de seu corpo, acabou barrado pela polícia e não pôde embarcar; precisou voltar a mendigar e comprar um sabonete para se banhar. No intuito de economizar tempo e dinheiro, ainda que a água fosse extremamente gelada, banhou-se no próprio rio. Com a faca que dispunha, assaltou algumas mulheres para conseguir comprar uma roupa nova e uma mochila, só então conseguiu tomar a balsa. Nesse ínterim, precisou descansar, buscar um canto para dormir e retomar as energias. Começou a sofrer pela abstinência da cocaína e acabou assaltando de novo até conseguir arrumar um pouco. Também sentiu fome e precisou procurar comida no lixo para se saciar – a grana não dava para comer, beber e cheirar; foi obrigado a priorizar os vícios para não se sentir mal.

Quando enfim chegou à *Cusina Siracusa* já era tarde da noite. Não teve alternativa senão dormir na porta do estabelecimento para esperar o dia amanhecer e o restaurante abrir. Logo cedo foi acordado pela polícia. Os policiais notaram seu estado alterado e, em um de seus bolsos, encontraram uma nota de um dólar enrolada como um canudo, a qual assim utilizava para cheirar a cocaína. Apesar de não possuir mais droga consigo – havia cheirado tudo na caminhada até o local –, acabou preso por vadiagem.

Na delegacia, foi identificado pelos assaltos que cometeu e encaminhado para a prisão na ilha de Rikers para aguardar a sentença do juiz, perdeu vários dias até ser sentenciado. Como era réu primário e viciado, foi sentenciado à condicional e obrigado a se internar em um centro de reabilitação no Bronx, bem longe do Brooklyn. Precisou ludibriar seu oficial de correção para fugir do centro de reabilitação até alcançar novamente a *Cusina*. No caminho, precisou roubar roupas para se livrar do uniforme de interno que vestia e, novamente, alimentar-se do lixo. Não obstante, passou a viver com medo de ser capturado e, em função de ter violado os termos de sua condicional, ser encaminhado para a penitenciária.

De volta às redondezas da *Cusina Siracusa* no Brooklyn, tomou muito cuidado para não topar com a polícia. Mas quando o restaurante enfim abriu, deparou-se com outro problema: não o permitiram entrar no recinto, pois era um mendigo. Ainda assim, permaneceu por perto. Apelou para a entrada de serviços, localizada em um beco na lateral do restaurante, local em que despejavam o lixo e os restos de comida – ao menos não passou fome. Enquanto estava ali fuçando nas lixeiras, foi flagrado por um funcionário da *Cusina*, que ao menos lhe ofereceu uma marmita. Cuba aproveitou para questionar o funcionário:

– O Billy está aí? Ele trabalha no restaurante?

– Billy? Aqui não tem nenhum Billy – respondeu o funcionário. Óbvio. Billy não utilizava seu totem como quântico na película, de modo que ninguém sabia quem era Billy. Ainda assim, Cuba insistiu, pediu ao funcionário que perguntasse aos colegas do restaurante quem era Billy. O funcionário disse que perguntaria, mas estava enrolando. Cuba ficou ali fora por horas, apenas esperando o fim do expediente para abordar os funcionários quando saíssem.

Em dado momento, uma perua estacionou no beco e um homem passou a descarregar caixas de suprimentos para o restaurante. Cuba o questionou imediatamente. Quando mencionou "Billy", o homem exclamou em dúvida:

– Billy?! Te referes ao criador desta película?

– Sim. Ele mesmo. Ele está aí? Quem é ele?

– Ele é o *maitre*, chama-se Mateo. O que queres com ele?

– Preciso falar com ele com urgência.

– O que um sujismundo como ti tem para falar com ele? Ora! Saia daqui, seu mendigo fedorento!

– Não, por favor! É muito importante... – apelou Cuba. Todavia, o homem não ligou para o apelo. Pelo contrário, chutou-o na bunda e o mandou sair dali. Cuba tentou insistir, implorando para o homem, mas tudo que conseguiu foi ser chutado novamente e, aos berros, viu-se forçado a deixar o beco.

A comoção no beco atraiu a atenção das pessoas que passavam na rua e, para desespero de Cuba, a curiosidade das pessoas atiçou o faro de dois policiais que passavam em uma viatura bem naquele instante. Para azar maior ainda, eram os mesmos policiais que o haviam prendido semanas antes. Eles o reconheceram, pior, estavam cientes de que havia desrespeitado os termos de sua condicional e era considerado foragido. Cuba foi preso novamente e, desta feita, seria encaminhado para a prisão. Sua chance de encontrar Billy estava perdida, teria de cumprir pelo menos três anos de pena na velocidade normal do filme. Ou seja, três longos anos-terra até poder tentar novamente – era o fim de sua tentativa de contato.

Mas, se no mundo virtual da película *The Godfather* as coisas estavam ruins para Cuba, novos horizontes se abriram no ambiente atualizado de Phobos para Willian, quando um *paparazzo* pousou na janela de sua habitação e, em estridente inglês, chalreou:

– Billy liberou os códigos da *Cusina Siracusa!* Billy liberou os códigos da *Cusina Siracusa*!

93

O fato de Billy liberar os códigos da *Cusina Siracusa* teve forte impacto no cosmo. Os resíduos alimentares da mais famosa cantina do Sistema Solar viraram uma febre entre os adictos de tais psicotrópicos. Não tardou o horizonte e a nova moda chegou a Phobos – lua onde não faltavam seguidores de Billy para aderirem ao seu estilo de vida. Os paranormais sucumbiram em peso ao novo padrão de consumo de drogas residuais então estabelecido – as bebidas virtuais de Billy passaram a concorrer com as bebidas atuais disponíveis no *zoo*. Menos mal que a classe homiquântica não aderiu à nova onda, já que tais resíduos não tinham apelo algum para uma espécie que nasceu, evoluiu e chegou à beira da extinção sem nunca ter ingerido qualquer alimento que não fosse a luz solar. Ao novo paradigma de consumo se fez requerer, inclusive, uma intervenção por parte da classe veterinária do zoológico, no intuito de conscientizar os animais e refrear o *boom* que se formou em torno dos cardápios da *Cusina Siracusa*. Diana precisou se subdividir em tarefas para dar conta do incremento na demanda de atendimentos psicoterapêuticos. Como se isso já não fosse suficiente, o fato também tinha um forte impacto em suas crias recreativas.

Impacto em função da situação de Billy em Caronte, e o escárnio magnético a que estava submetido pela temível Pipegang, acarretando com que Willian entrasse em desespero pela perspectiva de perder seu alter-ego, o pesadelo de se ver alijado da sincronia perceptiva com ele, de perder seu espelho futurista. Face ao obscuro da situação, Willian tentou apelar ao bom senso de Alexandra, para que a irmã concordasse com que ambos contatassem seus pares futuristas, mas ela não quis nem saber. Não cedeu ao desespero de Willian, tampouco se dispôs a apoiar as manifestações em prol de Billy na cosmonet. De fato, Alexandra replicava o comportamento de seu par futuro, negava-se a tomar qualquer partido ou demonstrar solidariedade com o drama do alter-ego de seu irmão. A situação derivou no rompimento do frágil vínculo que ainda sustentava a relação entre os irmãos. Revoltado, Willian recusou-se em dar continuidade ao curso maternal junto a Alexandra, cujo sentimento era recíproco. Ipsilon precisou reorganizar sua didática para lecioná-los separadamente.

A separação dos irmãos, a princípio virtual, tornou-se física quando Alexandra formalizou um novo pedido para mudar de prédio, exigindo de Diana que viabilizasse uma habitação longe dos Firmlegs. Embora a contragosto, a mãe recreativa foi obrigada a contemplar o pedido. Talvez, ceder à insistência da homiquântica fosse mais saudável do que forçá-la a uma convivência próxima ao irmão e à família naquele momento; talvez a distância fosse o único remédio capaz de restaurar o laço que, frágil como já se mostrava, de fato havia se desfeito.

Na monitoria de Alexandra, a mudança de prédio foi um paliativo que ao menos evitou o constante estresse que pairava entre os irmãos. Todavia, ela também passou a sofrer com o assédio dos seguidores de Willian em Phobos, que passaram a chargeá-la e repudiá-la toda vez que se expunha em foro público. Isso também se refletiu na esfera virtual, o que a fez se isolar ainda mais e ignorar completamente a existência da família. Não tardou e Alexandra passou a manifestar um pesado quadro depressivo. Pouquíssimas vezes deixava sua habitação, pois, claro, como aprendiz dimensioscópica – antes de tudo, uma arte xamã –, precisava permanecer em sítio único, absolutamente concentrada, meditando sem mover o corpo para expandir seus pensamentos, ampliar sua percepção entredimensional aquém de seu âmbito polividual e captar os planos nos quais Sandy figurava. Assim permanecia pernoites seguidos, inclusive cabulando as aulas em algumas ocasiões. Mas o desejo de se emancipar não permitiu abdicar das aulas de Ipsilon, e o vício em seguir Sandy a fez se aplicar nos estudos dimensioscópicos junto a Xavier com todo afinco. Conforme passava a dominar os princípios básicos da nova arte, essa passou a ser sua única atividade a preencher seus horizontes de lazer: testemunhar e invejar a vida de seu ídolo. Quando se dispunha a deixar sua habitação, fazia-o apenas para se reunir com seus companheiros políticos e conduzir protestos antizumbiológicos contra Willian, os quais se tornaram cada vez mais pesados na medida em que passou a confrontar os novos seguidores do irmão. Uma autêntica rixa se formou entre os grupos de cada qual, um fato que só fez crescer a mágoa e alargar o afastamento entre ambos.

Certa vez, Alexandra juntou-se a um grupo de paranormais e *paparazzi* para protestar abaixo da janela da habitação de Willian. Embora soubesse que ele autocensurava as manifestações, providenciou algo que ele não poderia filtrar: pedras para atirar pela janela. Também instruiu os *paparazzi* que defecassem no batente de sua janela como forma de obrigá-lo a tomar ciência da manifestação contra suas iniciativas. Willian, todavia, não se permitiu entrar no jogo da irmã. Assim que a primeira pedra voou para dentro de sua habitação, apenas selou a janela energeticamente e deu continuidade às suas pesquisas. Mas não sem antes atirar a pedra de volta e quase acertar a irmã que, enfurecida, conseguiu se esquivar. Inconformada com a atitude do irmão, Alexandra subiu até seu andar e irrompeu em sua habitação para protestar cérebro a cérebro diante dele, de forma que não pudesse deixar de captar.

Willian estava modelando uma versão alternativa de Phobos para seus projetos quando foi interrompido pela súbita invasão de Alexandra em sua habitação. Assim que ela entrou, nem precisou deduzir qual o motivo de sua visita, já que ela vestia uma camiseta – algo incomum entre a classe homiquântica ou mesmo na lua, pois a maioria dos animais vivia nu. A camiseta apresentava os dizeres: "Fora Willian!" e "Viva a Pipegang!", ambos estampados em inglês. Algo que sequer podia imaginar como ela teria conseguido confeccionar. Dentro do recinto, Alexandra disparou:

– Nunca conseguirás o que quer. Me manterei em contínuo plantão para impedir que jamais coloques as mãos em uma única grama de nossos pais! – mentalizou com raiva nas sinapses. Instante em que, mentalmente, Diana pediu para ela conter sua raiva e se retirar da habitação. Era factível que a situação não terminaria bem se não interviesse. Por precaução, Yuiop se interpôs fisicamente entre os irmãos. Alexandra continuou compartilhando sua contrariedade: – Tenhas certeza de que esta será minha primeira providência assim que conseguir contatar Sandy ou me sincronizar com ela – mentalizou.

– Será tarde demais, pois Billy já autorizou meu investimento na massa reorgânica dos Firmlegs – comunicou friamente Willian. – É uma notícia fresquinha, parece até que você adivinhou o momento – completou ironicamente.

– O quê?! Mas como? – questionou a irmã. Seu sentimento transparecia total incredulidade perante a novidade. Pensou que fosse mentira, já que não estava sabendo de nada. Willian se antecipou à dúvida dela:

– Consegui contato através de um amigo comum, um relé que o está ajudando a se livrar dos brigões em Caronte – comunicou como se fosse suficiente para que Alexandra acreditasse. Embora Willian transparecesse sinceridade em suas ondas cerebrais e no ritmo de sua aceleração cardíaca, Alexandra buscou confirmação através de Diana. A médica não só ratificou a notícia, mas se apressou em justificar que o contato não teve seu aval. Diana também havia sido ludibriada por Willian, alegou que nada pôde ou poderia fazer a respeito para impedir que a autorização fosse concedida. Diante do baque da confirmação da notícia, o pensamento de Alexandra ficou preso em uma onda raivosa que a impediu de formalizar qualquer sinapse. Willian aproveitou o vácuo mental da irmã para comunicar:

– Tudo que bastou foi mostrar simpatia e apoiar suas causas na cosmonet para conseguir um contato e obter a autorização. Se você o apoiasse, talvez ele ouvisse suas queixas e tomasse outra decisão. Mas como você prefere se alienar da situação, tá aí agora toda abismada com a verdad... – pensava ele quando Alexandra o interrompeu rispidamente:

– Ora! Eu quero mais é que a Pipegang acabe com a raça dele de uma vez! Seu *alienista*!! – Então, traduziu em sinapses seus duros sentimentos. – Achas mesmo que vou apoiar uma mente que pensa como a tua?!

– Não. Já está claro que você não tem essa capacidade, se nem a simpatia de Sandy consegue angariar – respondeu provocativamente Willian. – Sendo que tudo que ele pede é que se manifestem contra uma briga que nem quis se envolver – completou.

Ao que em sua mente era uma ofensa, o que era um sentimento se tornou ação. Alexandra virou as costas para o irmão, fazendo menção em abandonar o recinto – apenas um ardil teatral. Nesse instante, Yuiop relaxou e abandonou sua posição entre ambos. Não havia mais o que podiam discutir, uma vez que Willian já havia obtido a chancela de seu par futurista, a causa de Alexandra estava perdida, só restava o ressentimento que corroía seu espírito, o qual não podia mais controlar racionalmente. Assim, sob o enunciado:

– *Briga*?! Você acha ruim a briga que Billy se envolveu em Caronte? – questionou Alexandra, virando-se para encarar o irmão e, mais veloz que uma entre-sinapse, lançando-se sobre seu corpo enquanto mentalizava: – *Briga é que tu terás em contínuo*!! – Então o agrediu com uma saraivada magnética que só não o lançou janela afora porque a mesma estava selada energeticamente. Willian sentiu o selo energético da janela arder em suas costas, seguido de um doloroso baque ocasionado pelo espasmo magnético propulsionado pela irmã. Em um breve instante, suficiente apenas para que o pavor lhe tomasse a aura, captou a testa franzida de Alexandra, contraída de ódio, seus lábios ríspidos crescendo em sua direção no intuito óbvio de golpeá-lo com todo furor *imantológico*. Foi interrompida por Yuiop, que impôs sua superioridade de carga para, ao comando de Diana, imantá-la e conduzi-la de volta para sua habitação – ignorando os protestos e a revolta mental da cria, esperneando como se estivesse sendo violentada durante o breve trajeto.

Na habitação, Diana foi obrigada a submeter Alexandra à hipnose para que se acalmasse até que pudesse desimantá-la. As duas conversaram longamente sobre a situação. Alexandra expressou toda sua raiva e inconformismo, o sentimento de injustiça por Willian ter conseguido um contato com seu alter-ego enquanto ela ainda se via proibida de contatar Sandy. Aliás, *como* ele havia conseguido esse *maldito contato* era o que, antes de tudo, a irritava mais.

Pela *Cusina Siracusa* era a resposta. Ou melhor, pelo que restava do famoso restaurante virtual após Billy ter liberado os códigos de programação de seus resíduos alimentícios para a consciência cósmica.

Foi providencial a liberação dos códigos, não só para a massa cósmica que passou a ter acesso irrestrito aos cardápios da *Cusina*, sobretudo para Idris Cuba, o personagem de Willian na película até então dirigida por Billy. Cuba estava em sua cela na penitenciária de Manhattan, cumprindo seus primeiros dias da pena de quinze anos à qual fora sentenciado. Sem que ainda soubesse da novidade, do nada, as grades da cela se abriram e uma grande balbúrdia tomou conta do pavilhão onde estava. Ao deixar a cela, percebeu os detentos em disparada pelos corredores. Todas as demais celas estavam abertas como se um indulto coletivo tivesse acabado de ser decretado e os presidiários celebrassem a tão sonhada liberdade subitamente obtida – era quase isso. A liberdade havia mesmo sido decretada, mas não para os presos, e sim do acesso ao cardápio da mais querida *Cusina* de Nova York. Todos corriam para o refeitório da prisão, eufóricos, veiculando a grande novidade, ansiosos para se deliciarem com o *menu* que imediatamente se fez disponível. Todos menos um, Cuba. Ainda que interpretasse um mendigo, talvez fosse o único personagem cujos resíduos alimentícios de Billy não tinham quase nenhum apelo. Até porque, por trás de Cuba estava Willian, que conhecia muito bem aquele cardápio: nada mais do que uma lista com seus pratos prediletos. Sendo a italiana uma de suas culinárias preferidas, mais até do que hambúrguer – embora fosse estadunidense em sua ex-vida hominídea.

No meio do alvoroço dos presidiários, Cuba não se dirigiu para o refeitório junto à multidão de presos - aproveitou a confusão e saiu do presídio. Foi simplesmente saindo, as portas estavam destrancadas e os guardas sequer notaram o indivíduo de macacão listrado caminhando para fora, tranquilamente atravessando o portão como qualquer homem livre – estavam todos almoçando.

Nas ruas, imediatamente Cuba compreendeu por que havia sido tão fácil escapar da prisão: as regras da película de Billy haviam mudado. Nova York ainda estava ali exatamente como antes, com suas pontes-pênseis e seus arranha-céus intactos no mesmo lugar. Todavia, aquilo que supostamente era o cerne da história não existia mais: a vida social da grande metrópole. Pelas ruas, as pessoas tinham virado zumbis, ninguém mais interpretava seu papel na película, apenas se alimentava dos cardápios agora disponíveis em suas próprias mentes. Cuba captava gente por todo lado, largadas nas calçadas comendo freneticamente, refesteladas no chão, manchadas e ensopadas com molho de macarrão. Não mais respeitavam a velocidade do filme, somente a própria voracidade. Empurravam a comida goela abaixo como se fossem esfomeados, babando e se sujando como bebês, mantendo-se assim continuamente, pois não precisavam mais respeitar o limite de saciedade hominídea; agiam como quânticos travestidos de homens. Alguns nem isso respeitavam, virtualizavam-se na película como quânticos, de modo que Nova York ficou assim, cheia de alienígenas devoradores de massa italiana. Os carros não se movimentavam mais, iam sendo deletados pelos usuários ou transformados em mesa. Os alienígenas flutuavam sobre eles servindo-se da comida, rindo mentalmente. Às vezes, telecinavam resíduos fora do contexto da história e davam andamento a certos experimentos, tais como transformar automóveis em forno de pizza. Os personagens sabiam que na pré-história nova-iorquina o homem utilizava lenha para assar as pizzas, mas pareciam não saber que a lenha não vinha das árvores da cidade, que estavam sendo derrubadas para criar fogo. Alguns imbecis pareciam esquecer que os automóveis continham uma substância volátil conhecida como gasolina, e Cuba testemunhou alguns carros explodindo ao tentarem transformá-los em forno ou fazer do capô uma chapa de fritura. Nos prédios era possível notar uma série de princípios de incêndio e uma fumaça cinza começou a cobrir a cidade. O fogo queimava impassível perante os glutões, mas eles nem notavam, apenas se divertiam fazendo assado, deglutindo a pasta e se regozijando, gemendo de prazer em total algazarra. Inebriados com a fartura, logo algumas provocações começaram com a comida sendo disputada a ímã; uma ou outra briga se formou, mas durou apenas até sair a próxima fornalha. Aí o pessoal se jogava em cima dos alimentos, catando com a mão como se disputassem um campeonato de comilança – uma completa loucura, mas, antes de tudo, um total desrespeito ao que antes representava a nação, o povo e a espécie que Cuba conhecia como ninguém mais.

Outros não se contentavam em deglutir o alimento pela boca, preferiam liquefazer e beber a comida; alguns optavam por cristalizá-la e degustá-la pelo olfato. Não bastasse, como tabagismo fazia parte da atmosfera do filme, existiam os que preferiram compilar o cardápio na forma de cigarro e fumá-lo. Logo, a coisa ficou desse jeito, nas ruas, nos becos, em cima dos carros ou em qualquer lugar: ao invés de comer, as pessoas aspiravam um *fusilli* ao *pesto*, fumavam uma pizza de *pepperoni* e brindavam com um *drink* de *spaguetti*, não fosse um tinto qualquer.

Verdade era que a película em si havia deixado de existir, restava apenas o cenário do filme. Os personagens que de fato levavam a história a sério, simplesmente a abandonaram. Com isso, Cuba sequer precisava mais interpretar Cuba, ainda que, conforme a apropriação do novo contexto por parte do público, uma forte compulsão por cocaína o acometeu enquanto testemunhava os quânticos obsessivamente se fartando dos alimentos. Chegou até a procurar seu fornecedor para saciar sua vontade, mas não o localizou, não encontrou nenhum traficante pela cidade, ao menos não das drogas que faziam parte do filme. Seu fornecedor, bem como todos os traficantes envolvidos na história, aparentemente, figuravam entre aqueles que levavam a coisa a sério, até por isso conseguiam avançar mais rapidamente na trama e, ora bolas, eram os reais protagonistas do filme; justo por isso, abandonaram-no quando a história perdeu o sentido, entre eles o próprio Don Corleone. Com isso não havia mais tráfico de drogas em Nova York, o que obrigou Cuba a conter seu ímpeto e a lidar com sua abstinência.

Foi nesse instante que, por trás de Cuba, Willian percebeu que não precisava sair perambulando em Nova York até encontrar aquele colega que trabalhava na *Cusina Siracusa,* aquele que sabia quem era Billy e, muito possivelmente, talvez pudesse enviar um recado para ele. Seu nome era Barzini. Sabia muito bem, pois havia sido culpa dele, de sua agressão e do escândalo que fez ao lado do restaurante, que Cuba acabou preso. Os policiais que o prenderam informaram quem era ele: um carcamano que trabalhava pros Corleones, um traficante. Apesar de Barzini ser um personagem com bom desenvolvimento no filme, tinha informação de que era um viciado em resíduos carbônicos, até por isso trabalhava na *Cusina*. Tudo que bastou foi utilizar um mecanismo de busca para saber se ele ainda estava logado na história. Pela previdência, estava, então bastou lhe enviar um *ping* de contato e, pronto, estavam conectados.

Aparentemente, Barzini estava inebriado pelos resíduos alimentícios. Ao captar Cuba – o sujismundo que havia chutado porta afora da *Cusina* –, recepcionou-o com humor:

– Ora, ora... Captem só a figura! Se não é aquele que mandei enjaular. Tá de volta, é? Curtindo a liberdade? Veio fazer uma boquinha, aposto... – mentalizou Barzini sob risos.

– Não, não. Tô procurando o Billy... – contradisse Willian.

– Imbecil! Não sabes que ele abandonou a película? Por que insistes em falar com ele? Eu sou o novo diretor dessa *Cusina.*

– Eu tô precisando urgentemente me telecinar com ele.

– "*Eu tô precisando*", ora captem. Tu soas igualzinho a ele. És algum mímico circense, por acaso?

– Não, sou Willian. O par dele de Phobos – afirmou Cuba. Por um instante, talvez afetado pela comida, Barzini duvidou, mas não pôde negar a sinceridade nas sinapses de Cuba, então, espantou-se:

– Billy? Você é o Billy! Ou melhor... O Billy quadrado. Por que não partilhou logo?

– Eu juro que tentei, mas você não me deu oportunidade.

– Me perdoe, mas sabe como são as regras por aqui: sem leitura mental... Estava apenas obedecendo às ordens do chefe, dele mesmo, o Billy – justificou Barzini.

Então perguntou: – O que queres com ele? Ele se encontra indisponível no contínuo. Não sabes da briga que se envolveu em Caronte?

– É claro que sei! Por isso mesmo preciso telecinar com ele urgente.

– Com que finalidade?

– Ora! Preciso me justificar para você, por acaso?

– Sim, precisa.

– Quem é você? Você consegue contatá-lo?

– Sou Mantas, relé da periferia. Amigo e assistente de informática de Billy. Portanto, sim, eu posso contatá-lo.

– Então me ponha em contato com ele. Não consigo captá-lo pela cosmonet.

– Billy cessou seus contatos pela cosmonet, questões de privacidade. Encontra-se disponível pela Matriz somente em caso de emergência.

– Não consigo acessar a Matriz aqui...

– Seu ator! Estás conectado pela Matriz neste canal. Pensa que não estou rastreando teu sinal? – confrontou Mantas.

– Mas não consigo tecer outras conexões daqui. Estou limitado ao *link* do meu tutor – justificou Willian.

Todavia Mantas ficou desconfiado, pois sabia que a Matriz não rodava pensamentos homiquânticos, já que, do ponto de vista da espécie, esse *habitat* ainda representava a grande abdução sofrida durante a Guerra da I.A. – o ambiente em que a entidade *Pai* aprisionou as mentes homiquânticas capturadas pelo feixe-solar e as substituiu por cópias lobotomizadas. Mantas desconfiou que estivesse lidando com um *cracker* da Pipegang tentando se infiltrar no ambiente privativo em que Billy treinava e planejava suas estratégias contra a gangue. Por outro lado, quando checou o respectivo *login* da conexão utilizada por Willian e o identificou como pertencente a Xavier, ficou mais aliviado. Ainda assim, não estava muito convencido da importância daquele contato, por mais que Willian implorasse:

– Isso é uma emergência! – apelou o homiquântico. De forma arrogante, Mantas partilhou:

– Que emergência? Explique-me e julgarei se esse contato é necessário.

Pacientemente, Willian explicou a situação. Todavia, nem assim Mantas se dispôs a pô-lo em contato com Billy. O relé justificou:

– Crês que na dificuldade em que Billy se encontra, compenetrado em seus estudos e seus treinos, teria horizonte ou lucidez para ter que lidar com a rixa entre ti e tua irmã?

– A questão não é a rixa, é a saúde de nossos genitores em Phobos. O que imagina que ele pensará se souber que você não quis colaborar em prol de duas pessoas que tanto ama?

– Dois animais, tu te referes.

– Isso pouco importa. Vai ajudar ou não?

– Animais como ti, aliás... – provocou Mantas. Willian implorou:

– Por favor... Eu preciso telecinar com ele... Me ajude.

– Nem sei se há algum propósito nisso. Do jeito como caminham as coisas, Billy perecerá em Caronte... – compartilhou Mantas, ainda que não acreditasse nisso.

– Mais um motivo para você me colocar em contato com ele imediatamente.

– Não creio necessário. Teu problema é menos que secundário – teimou Mantas, querendo se livrar do animal. Mas o bicho era teimoso.

Willian circulou seus fótons longamente. Com intuito de convencer Mantas a todo custo, entrou nos pormenores de seu investimento na massa reorgânica dos Firmlegs, explicou que Billy se beneficiaria dos projetos caso obtivesse sua autorização. Como Mantas sabia que Billy carecia de créditos meritocráticos úteis para se livrar de sua prisão na décima órbita, já que estes possuíam valor muito acima dos créditos midiáticos que ele acumulava, e temendo uma represália do amigo caso negasse o contato, enfim cedeu.

– OK. Vou emitir uma requisição de contato. Mas cabe a ele autorizar.

Para alívio de Willian, Billy autorizou o contato. Ele dedicou um foco parcial de seu treino para uma breve telecomunicação com seu par quadrado. Mas como a questão da briga com a Pipegang consumia sua atenção por completo, foi breve:

– Ora, meu caro Willian, que gosto captá-lo assim tão bem evoluído. O que quer de mim?

– Preciso de sua autorização para iniciar uma nova etapa no tratamento de nossos pais aqui em... – porém, antes que explicasse melhor, claramente apressado, Billy sobrepôs seu pensamento:

– Autorização concedida.

– Mas... Assim? Não quer saber dos detalhes?

– Confio em ti plenamente. Se precisa de algo de mim, eu concedo.

– Sua sinapse não basta para mim. Preciso que a renderize para Zabarov II.

– Zabarov?

– Sim. Ele está me auxiliando na elabor... – mais uma vez, Billy o interrompeu.

– Tudo bem. Peça para que ele me contate – concordou o par pentagonal. Em seguida, pediu licença, precisava retornar o foco aos treinos, e desfez a conexão. Sequer captou o par quadrado manifestando seu apoio e sua simpatia à situação em que havia se metido.

Foi dessa forma, para ódio ainda maior de Alexandra, que Willian logrou contato e obteve a autorização de Billy para acessar a massa reorgânica dos Firmlegs. Não que se interessasse por tais pormenores, os quais apenas alimentavam sua ojeriza ao irmão enquanto discutia a questão com sua mãe recreativa em sua habitação, ainda imantada por ela até que retomasse a compostura.

Simpática à dor de sua cria, uma vez que Willian havia conseguido contatar Billy, Diana prometeu que intermediaria um contato entre Alexandra e Sandy. Porém, nem isso, a princípio, serviu para arrefecer o espírito da homiquântica. Ela queria um contato imediato, o que sequer era possível, pois, não sabia, Sandy estava evitando qualquer pauta que envolvesse sua família em Phobos, ou a situação de Billy em Caronte. Ela simplesmente havia bloqueado a sinapse "Billy" de sua mente. Mas, ao menos uma esperança ainda persistia: como Sandy havia se materializado em Marte recentemente, Diana fez uma promessa:

– Eu vou providenciar um encontro entre vocês aqui no zoológico. Você não queria conversar com ela remotamente? Pois conversará presencialmente... Que tal?

Alexandra sequer precisou mentalizar uma resposta, sua aura transpareceu a alegria diante da perspectiva de estar cérebro a cérebro com Sandy. Foi o que bastou para que retomasse a calma e fosse desimantada por Diana. Porém, nem tudo era felicidade. Por ter reincidido em um ato de violência magnética contra o irmão, a médica puniu Alexandra da única forma que podia: restringindo seu acesso à phobosnet e bloqueando totalmente a cosmonet. Uma medida punitiva e terapêutica, pois também queria evitar o acesso de Alexandra aos rumores que já circulavam pelo cosmo desde que Billy havia se envolvido na briga em Caronte: os boatos sobre a filtro-dependência de Sandy e sua ojeriza à situação do irmão que, conforme as fofocas e seus próprios diagnósticos, beiravam a insanidade.

Ainda que contrariada com a punição imposta pela mãe recreativa, Alexandra acatou o castigo sem reclamar. Entrementes, em tom de tristeza, fez um último apelo para Diana:

– Eu quero me livrar dos Firmlegs. Tudo que quero é ser como Sandy, não quero ficar aqui para ter de compartilhar os projetos absurdos de Willian se materializarem. Quero emancipar-me e viver longe deste hospício. Por favor, deixe-me viver fora daqui, eu te imploro.

– Não basta para ti estar em outro prédio? Queres mesmo deixar as facilidades hospicialares? – duvidou Diana.

– Sim, quero. Por favor, autorize-me a viver longe daqui até o horizonte da minha sincronia. Por favor...

– Tudo bem, mas com uma condição.

– Qual?

– Que conclua o maternal de Ipsilon.

– Combinado. Mas, mãe... Tenho uma dúvida...

– Qual?

– Eu preciso da autorização de Sandy para me emancipar?

– Não.

– Mas será que ela não vai ficar magoada de eu querer me emancipar da família que também é dela? – questionou. A resposta era não, já que, em paralelo, Diana sabia muito bem do distanciamento de Sandy em relação à sua ex-família hominídea. Todavia, a médica preferiu ser cautelosa na resposta:

– Creio que não. Mas por que tu não deixas para perguntar à Sandy quando se encontrar com ela?

Com a concordância da homiquântica, a conversa se encerrou. Diana desfez seu resíduo e Yuiop abandonou a habitação de Alexandra, deixando-a a sós para sintonizar seu dimensioscópio e captar a imagem tão idolatrada de sua alter-ego enquanto ansiava pelo horizonte em que ambas seriam uma só.

Em plano de fundo, mais uma vez a médica debateu com seu time de monitoria sobre quais seriam os impactos dos últimos fatos na relação entre suas crias recreativas – a qual sequer poderia mais ser descrita como uma relação. Noll arielo manifestou preocupação com o quadro depressivo de Alexandra. Por outro lado, os prognósticos obtidos pelas simulações de *Frades* indicavam que, em médio prazo, viver em outro prédio e emancipar-se seria um passo importante para o amadurecimento e a readequação da homiquântica. Xavier visionava o mesmo, que a presença próxima a Willian, a terapia por ele conduzida com os pais e seus novos experimentos eram fatos cotidianos que mantinham Alexandra presa ao *luto* que ainda nutria. De modo que a distância a permitiria seguir em frente sem ter que pensar nesses problemas, fator que dirimiria sua depressão. Por outro lado, ainda que Alexandra demonstrasse um desejo obsessivo de se sincronizar com Sandy, era cristalino aos sensos do time que ela ainda não desfrutava de um equilíbrio psíquico minimamente páreo com o patamar cognitivo que queria pleitear para si. Sobre isso, Nolly questionou:

– Isso significa que ela não poderá requisitar a sincronia perceptiva imediatamente à sua emancipação, estou correta?

– Requisitar ela pode, mas as chances do par pentagonal positivar uma sincronia com um par diagnosticado renegativista diminuem – respondeu Diana.

– Como no caso do meu... *Êêrrr*, do caro Noll – insinuou Nolly em referência ao fato de Noll ter negativado seus pedidos de sincronia no passado.

– Sim, como no nosso caso – confirmou Noll. – E tu sabes muito bem quais são os motivos de minha negativação – acrescentou. Então mudou de assunto: – Entretanto, não creio que o renegativismo de Alexandra teria qualquer peso em uma possível negativação, já que Sandy igualmente exibe um comportamento renegativista – opinou a respeito o arielo.

– Nesse sentido, a personalidade de ambas é bem congruente, se alinharão perfeitamente – concluiu Noll.

– Uma vez que sincronizadas ambas estejam, esse renegativismo, que se retroalimente, temo – ponderou *Frades*.

Xavier atestou o temor de *Frades*, mas advertiu que se tratava de uma visão rasa. Por outra visão, sua percepção também observava uma comunhão entre as duas. Entretanto, ainda não dispunha de uma nitidez mais ampla para prever o futuro categoricamente. Por isso aconselhou ao time que tentasse preparar o espírito de Alexandra para qualquer cenário. Algo que se provaria inútil, já que a paciente se recusava a cogitar uma hipótese negativa. Apesar da cautela do ente, Nolly procurou ser otimista:

– Não creio que haverá qualquer problema na sincronia, Sandy não tem motivos para negativar Alexandra. Será muito melhor para ambas curarem suas dores como uma só personalidade – afirmou. Todavia, Diana não estava tão segura:

– Pretendo obter um quadro mais preciso sobre essa questão durante o encontro que programei entre as duas. Até lá, é inútil especular a respeito – partilhou, encerrando o argumento.

Embora estivesse sem acesso à cosmonet em função do castigo imposto por sua mãe recreativa, não seria por isso que Alexandra não teria como se informar a respeito de qualquer fato relativo ao seu par futuro. Na falta do canal virtual, o batente da janela de sua nova habitação no hospício virou um autêntico poleiro de aves com os *paparazzi* trazendo as novidades a todo instante. As imagens do passeio de Sandy por Marte por meio do dimensioscópio não eram muito animadoras. Um papagaio confirmou que Sandy estava vivendo apuros mentais para se livrar do assédio dos seguidores de Billy, tanto em função da briga na qual se envolveu em Caronte, quanto pelo interesse oriundo dos cardápios da *Cusina Siracusa*. Eventualmente, Xavier acabou revelando o que se passava com Sandy, como ela vinha denegrindo sua imagem perante a opinião pública, como seu comportamento vinha afetando seu charme, seu desenvolvimento psíquico e seu desempenho estudantil, além dos inconvenientes pelos quais passava a todo instante durante seu *tour* marciano. A intenção do super era mostrar como a rixa com o irmão vinha afetando a temperança de Sandy e assim evitar que Alexandra se permitisse seguir o mesmo caminho. Todavia, isso parecia não importar para sua pupila; pelo contrário, a homiquântica afirmava compreender e concordar com a atitude de seu par pentagonal, nada do que ela fizesse desabonava o amor que sentia. De fato, observava seu comportamento como um exemplo a ser seguido, como algo que ratificava tudo que vivia em relação ao irmão em Phobos. Como se o que acontecia com Sandy pelo cosmo fosse uma versão estendida do que se passava com Alexandra pela lua.

Fracassado em sua análise comparativa entredimensional, enquanto captava a cobiça de Alexandra por sua alter-ego – o desejo cada vez mais forte e irrefreável de viver uma vida que ainda não lhe pertencia –, Xavier sintonizou uma breve visão, ainda um pouco distorcida, de algo que lhe trouxe uma desagradável estática: por um instante, Sandy e Alexandra figuravam no mesmo canal. Mas isso não significava que ambas estariam alinhadas perceptivamente, apenas que o destino cumprido por uma seria exatamente o mesmo de seu par, fosse do pretérito, fosse do futuro. De alguma forma, o destino de Alexandra e Sandy era um só, apenas não conseguia distinguir nitidamente qual seria.

Ao menos não, nesse pretérito.

94

Até então, a sensação que melhor descrevia os fatos era aquela impressão primeira que até já parecia esquecida, de um grande, longo e interminável *déjà vu*. Mas, a partir desse ponto, um arrepio magnético tornou-se constante, como se tais memórias não fossem oriundas de um repositório pretérito e já ultrapassado, mas, de fato, uma grande premonição do que estava por vir. Do destino final que, enfim, sincronizaria aqueles planos entre suas respectivas referências materiais. Porém, era apenas mais um *déjà vu*. Não mais uma mera impressão, e sim uma certeza de que já tinha captado isso antes.

Todavia, desta feita, os sentimentos eram duplos, dúbios, antagônicos até certo ponto. A sensação era diferente das outras vezes, vinha de mais distante, era distinta e, sem dúvida, inédita. Não apenas adicionava, mas lecionava, era uma experiência, uma nova vivência e uma nova perspectiva, tudo de uma vez só, um autêntico *brainstorm*. Era como se passado e futuro finalmente se encontrassem. Na tangente mais avançada, como se incrementasse sua velocidade de avanço e revelasse um baú cheio de novidades, vivenciando *in loco* o que antes só captara à distância. Um novo leque se abria, talvez não tão vasto, mas certamente útil, meritocrático, que vinha para somar.

Infelizmente, nem tudo era alegria, uma profunda tristeza cobrava o preço daquela bagagem. Se, para um, o processo era uma somatória, para o outro, era uma escapatória, o caminho que restava pela frente. Já havia despejado todo o esforço que lhe era cabível, que lhe era acessível ao limite de suas faculdades, ainda assim, insuficiente para evitar o desfecho que agora partilhavam. Se ainda podia duplicar seus esforços ou sobrepor seus limites, a dor que o acometia era pesada demais para carregar. Era preferível assumir sua condição inferior e relevar a tarefa a quem desfrutava da devida competência, a única pessoa que detinha tal capacidade. A ela delegar o destino que melhor estaria apta a cumprir ou desistir, pois desfrutava de melhores condições para decidir, possuía uma capacidade cognitiva superior que a permitiria julgar. Somente ele – ou *eu* – saberia se o que foi feito era digno de herança ou um erro a ser corrigido.

No ineditismo de quem assiste a um filme antigo pela primeira vez, essa herança era um choque, imageticamente desprezível, mas sensorialmente benéfica, honesta, acompanhada de um amor gentil, que a contextualizava corretamente. Ainda que, no instante em que se fez sensitiva, carregava a dúvida, demonstrava certo arrependimento e, só por se fazer presente, significava um pedido de desculpas, um desejo de redenção, uma sincera vontade de recomeçar.

Definitivamente, Alexandra tinha razão: Phobos não era onde deveriam estar – pena que essa conclusão só se fez visível à cena mais estúpida que jamais esperava um dia testemunhar. Em menos de um segundo, trazendo à tona uma verdade que, ao decorrer de um longo período, não foi capaz de enxergar, que sequer precisou de sinapses para se tornar factual.

Embora não vivesse a cena, apenas a testemunhasse de forma sensitiva, como se agora fosse real, com terror, captou as imagens de Alexandra, a princípio, calmas, da homiquântica lentamente içada ao solo pelo raio-trator da nave-ambulatorial de sua mãe recreativa. Inesperadamente, estava sozinha. Diana não a acompanhava como esperado para tão solene momento, capaz de pausar, nem que fosse por mera etiqueta, a diferença alimentada pelo casal de irmãos. Afinal, chegava o dia da despedida, o tão ansiado horizonte em que Alexandra deixaria Phobos para sempre. Em diante, não haveria mais discórdia ou rixa que Willian pudesse alimentar. Ele preferia que seu último olhar fosse um olhar compassível, que expressasse o valor que sempre dedicou à sua família acima de qualquer desavença. Não compreendeu por que ela estava só diante do setor de embarque do Elevador Phobos-Marte, dado que Diana estava incumbida de escoltá-la até o feixe-solar, onde se desmaterializaria para sincronizar-se com Sandy.

Mas bastou que ela emanasse suas ondas ao vivo para compreender o que se passou. Alexandra sequer precisou emitir qualquer sinapse, sua aura traduzia a decepção, o sentimento de injustiça, a revolta perante a traição consumada, a impotência pela falta de alternativa. Seu olhar trazia uma profunda tristeza e revelava um ódio enrustido, ódio pelo irmão, como se ele houvesse profetizado a desgraça, como se fosse dele a culpa. Mas era só um rancor, uma vergonha, uma fobia por ter de encará-lo, pelo fracasso que era obrigada a admitir –, refletia no âmago de sua mente a imagem de uma frágil garota petrificada ao contemplar a horrenda medusa de si mesma, de seu alter-ego. Um sentimento tão duro, tão pesado, que se mostrou insuportável, como se sua existência estivesse fadada a uma eterna tortura, à prisão perpétua, ao início de uma longa pena que sua mente recusava-se a cumprir.

Nesse instante, uma sinapse se formalizou tanto na mente de Alexandra quanto na de Willian:

- **NÃO**!!!!!!!!!! – compartilharam ambos, enquanto ela ultrapassava a multidão em direção ao elevador, lançando-se no esfíncter de embarque e desaparecendo em seguida. Num impulso, William se lançou atrás dela, mas sem horizonte para impedi-la, bloqueado pelos transeuntes que percorriam a fila.

Misericordiosamente, Willian voltou-se para a rampa de desembarque, esperando que a irmã fosse evacuada como qualquer clandestino. Todavia, o que se seguiu foi a fila de embarque bloqueada, com os passageiros se aglomerando próximos à entrada do elevador e os funcionários do sistema flutuando para o ponto em que Alexandra embarcara, imediatamente atualizando o *status* operacional:

- Embarque irregular detectado.

- Alerta de sinistro de tráfego.

- Declarar interdição do túnel L-18.

- Falha no dispositivo de sucção.

- Aclimatação corporal imprópria: uma vítima.

- Óbito registrado.

- Identificação *pedigree*: *homo artificiales*, derivado *homo sapiens*.

- Totem: Alexandra Firmleg.

- Comunicar ao centro de zoologia.

- Comunicado.

- Convocar pelotão sanitário.

- Convocado.

No desespero, Willian tentou invadir o elevador, romper o lacre do túnel no qual Alexandra embarcou como se ainda pudesse salvá-la. Precisou ser contido por um dos funcionários que atendia ao sinistro. Momentaneamente, o funcionário cedeu seu corpo para que Diana interagisse com o filho recreativo. Ainda que ela estivesse consumida por igual sentimento de choque, aparatou sua dor com um abraço gentil e uma leve onda hipnótica, suficiente para contê-lo sem que precisasse imantá-lo. Nolly se fez residual, igualmente consolando o filho recreativo, embora soluçasse tanto quanto ele dentro de sua mente – um choque compartilhado por sua matriz em Caronte, obrigada a interromper seus treinos de Ímã-Do, sendo consolada por Chaiene, que a acompanhava fisicamente naquele instante. Em igual torpor, o restante do time de monitoria acompanhava a cena em plano de fundo.

Por alguns momentos, mãe e filho permaneceram assim, abraçados e trocando sinapses de choro e mútuas condolências. Willian ainda não tinha entendido que a falha era dela, sequer tinha cabeça para isso. Em paralelo, sem que lhe concedessem horizonte para absorver o trauma, Diana já era alvo de um processo institucional que colocou em cheque sua posição como socorrista. Sem se abalar com as questões jurídicas e administrativas, permaneceu com Willian enquanto o pelotão sanitário resgatava o que sobrou do corpo de Alexandra do ducto de embarque. Nesse ínterim, o processo institucional foi concluído e sua licença de socorrista, cassada. Diana convocou Willian a bordo do disco-ambulatorial para uma última e breve viagem. Ele foi içado para dentro, onde os dois puderam se abraçar com seus corpos originais, então flutuaram para o pátio de naves no instituto zoológico para que a recém-demitida entregasse os comandos de ignição da nave ao robô responsável. Assim que pousaram e desembarcaram, Diana comunicou:

– Ignição desativada.

– *Gravikit* demitindo-se.

– *Gravikit* desinstalado – informou o robô plantonista do pátio.

Uma vez no enganche da lua, já era largo o horizonte que não deixava o *habitat* adimensional do disco ou de sua respectiva extensão ambulatorial plasmográfica, Diana sentiu uma leve tontura, efeito do fluxo psicográfico se avolumando em seu cérebro em simultâneo à redistribuição de seu campo extensivo para acomodar seu corpo na baixa gravidade. Desacostumada como estava em flutuar sozinha, precisou de auxílio:

– *Locomotor*.

– Sim, doutora.

– Ao sanatório.

Assim, Diana e Willian flutuaram juntos de volta ao seu lar em Phobos, onde prosseguiram no luto, partilhando seu pesar e compartilhando sessões de terapia, incluindo o time de monitoria do homiquântico e os terapeutas quânticos que precisaram prestar sua assistência à própria médica. Iraizacmon, o prefeito de Phobos, decretou luto de oito revoluções, fez questão de comparecer ao cerimonial de ascensão – sem dúvida, o mais simbólico entre os funerais atuais que se tinha notícia naquela lua, já que sequer havia uma *alma* para ascender ao núcleo astrológico, somente as sobras de um corpo para putrefazer-se ao relento, pois o que restava de *uma* havia sido sugado pelo elevador e se dissipado em Marte. Ao lado do correligionário Iraimoon, o prefeito discursou em totem da finada e oficializou o registro de Alexandra no Hall dos Mortais lunar e o anúncio de uma moção para inseri-la também no Hall cósmico. Outros figurões se fizeram igualmente presentes no cerimonial, entre políticos locais e membros do Instituto Zoológico. Todos prestaram suas homenagens e compartilharam sua complacência com Willian e os pais recreativos da desemplasmada.

Para Willian, o consolo da inteira lua não era suficiente para fazê-lo superar seu sentimento naquele instante: culpa. Não havia como não desvincular a drástica atitude da irmã da rixa que alimentaram durante sua convivência no novo cosmo – algo que, então, parecia tão fútil. Talvez, se tivesse cedido à vontade dela, as coisas teriam sido diferentes. Embora sequer se comunicasse mais com ela, jamais imaginou que *nunca mais* se comunicaria com ela. E se, quando viva, tinha tanta certeza de que ela estava errada em sua postura perante a família ou a si próprio, agora morta, não tinha mais convicção de nada.

Sob tal fúnebre atmosfera, deu-se conta de que, se fugia de si o poder de controlar o *tempo* para alterar o passado, ainda existia uma Sandy no futuro: lá estava sua saída, a escapatória. Cabia a si honrar a memória da irmã, trilhar o caminho que Alexandra não podia mais, sincronizar-se com Billy para desfrutar a vida quântica que ela tanto sonhou.

– Processo de sincronia perceptiva concluído com sucesso – comunicou Xavier.

– Que tal? Como se sente agora? – questionou Nolly. Expectativa compartilhada com Chaiene, que completava o cenário ao lado de Billy em meio à selva da Amazônia Carontiana.

– **UAU**!! – expressou Billy. Todavia, a expressão era um misto sentimento de dois Billys que, a partir de então, passavam a ser um só. Por um instante, um novo indivíduo amadurecido na largada para contínuas rupturas. Ainda assim, quem melhor manifestava tal sentimento era aquele que outrora se identificava por Willian, cuja sensação era o maior regozijo que jamais experienciara. Dentro dos parâmetros retroativos que somente ambas aquelas personalidades podiam compreender, era como se o habitante da mais precária favela subitamente galgasse a mais alta classe da sociedade, como se Cuba se tornasse Don Corleone ou como alguém que mora em um apertado barraco se mudasse para um palácio. O palácio da mente quântica em comparação ao reduzido cérebro homiquântico ou ao ínfimo hominídeo – se ainda fosse um, diria que é como dar um "golpe do baú" interdimensional, intelectual: nunca foi tão fácil galgar as altas esferas da sociedade, e tudo que bastou foi uma simples requisição – finalmente havia se transformado no *Ultra Seven*.

– Vamos! Pense algo a respeito – mentalizou Nolly ao sentir o turbilhão sentimental que preenchia o cérebro de Billy, mas sem captar qualquer sinapse ilustrativa.

– Me dá um abraço, pai – respondeu com afago Billy. Assim, pai e filho recreativo se constringiram carinhosamente. Afinal, vinha de um distante pretérito certa carência por não estarem juntos fisicamente. Em meio à comunhão entre pai e filho, Chaiene também se comoveu ao captar a nova memória de Billy e a carga emocional carregada. Assim, apenas se deixou levar e, tênue em princípio, logo imantou-se à dupla em um triplo abraço.

Na sensibilidade de momento, com seus corpos roçando o plasma afetuosamente, sem qualquer culpa que pudesse emergir do passado, Billy se permitiu esquecer a tristeza que caracterizava o horizonte e se deixou levar pela volúpia insaciável de seu *id*. Aquela deliciosa, libertina e incestuosa relação com seu pai recreativo junto à Chaiene. Até porque, o pretérito repaginava essa relação, pois herdava uma personalidade já emancipada desse vínculo, ainda que a relação terapêutica entre ambos se mantivesse a mesma. Portanto, o trio prosseguiu pela floresta nuclear carontiana assim, namorando.

Arrefecida a volúpia do trio e já absorvido o impacto do novo *status* sincro-perceptivo alcançado pelo agora definitivamente Billy, ele pôde se manifestar de forma mais racional. Voltou-se para Nolly e a questionou:

– Quem pensaria que minha vida em Phobos fosse tamanho show intercósmico, e sequer me permitiram que captasse alguma coisa... Não fosse a sincronização, jamais tomaria ciência – expressou com certa contrariedade.

– Questões terapêuticas – justificou Nolly. – Sabe como é tua mãe.

– Tudo bem. O que importa, no contínuo, é que já sei exatamente o que fazer.

– Em que sentido? – perguntou Chaiene.

– Em todos os sentidos.

– Quais seriam esses? – insistiu Nolly.

– Obter minha liberdade de volta, acabar com a raça de Pipe e deixar esta prisão na décima órbita de uma vez por todas. Vou explicar pra vocês tintim por tintim.

Billy abriu sua mente para as companheiras, embora não fosse esse o termo que melhor descrevesse a relação do trio, pois Nolly também estava "namorando" Chaiene – aspas, pois a sinapse era meramente figurativa no linguajar coloquial de Billy e suas gírias hominídeas. Conforme se descreveria na atualidade quântica, tal relação compunha uma *tripleta*, um trio sexual, algo um pouco mais sofisticado do que um mero par masturbacional. Todavia, mais próximo de um termo cuja descrição somente o ex-hominídeo conhecia bem: um casamento; dado que um par triangular era o expoente mínimo para formar um sólido elo intelectual capaz de trazer estabilidade em uma relação descrita como amorosa, ainda que, em muitos casos, a terceira parte fosse um robô, independente de sua origem fotônica.

Não obstante ao termo classificatório da relação entre os três amantes reunidos em seu ambiente privativo, da poltrona da sala de estar de sua casa em Miami, Billy explicou seus planos para desfrutar a liberdade que, graças à sincronia com o ultrapassado Willian, suas faculdades puderam racionalizar. O fator chave foi a qualificação de zoólogo de espécies hominídeas que assumiu com a sincronia, o novo conhecimento adquirido pelo tratamento junto a seus pais, que não só preenchia uma saudade já quase superada, mas se colocava como um novo objeto de estudo e fonte de renda meritocrática – um novo emprego. Para se ver livre da décima órbita, sua ideia era dar continuidade aos projetos de Willian em Phobos, pois agora desfrutava de livre acesso ao Instituto Zoológico, ainda que, em princípio, fosse obrigado a frequentar o sítio em presença residual. Sobre isso, questionou aos seus cônjuges:

– Vocês viram a projeção em milhagens para o reúso de meros 64 clones da massa reorgânica dos Firmlegs?

– Ainda não chegamos nesse nível de detalhamento na releitura – respondeu Nolly, também em totem de Chaiene.

– Pois multiplicarei por cem, por mil, dez mil, conforme a taxa de ruptura que for possível administrar partindo do valor inicial. Nunca mais necessitarei negociar milhagens midiáticas, prostituir-me para associações de briga para poder viajar. Desfrutarei de total mobilidade cósmica, terei acesso à *Enterprise*, embora sequer precise mais – jactou-se Billy.

Em seguida, fez menção aos conhecimentos e ao amadurecimento de Willian obtidos junto à terapia animal que havia realizado em Phobos. Ao associar os fatos vividos por seu antigo par durante sua estada na lua marciana – em especial, o sequestro do qual foi vitimado por parte dos paranormais e *paparazzi* –, detalhou seu plano para capturar Pipe e livrar seus pares ainda presos sob o jugo da Pipegang. Pois, claro, não pretendia abandonar Plutão sem antes cumprir sua promessa de libertar todos os Billys que ainda agonizavam e corriam risco de vida naquela barbárie sem fim.

Após Billy detalhar o plano, Nolly questionou:

– Tem certeza de que é esse o seu plano para capturar Pipe?

– Essa é a melhor estratégia, a mais susceptível – confirmou Billy.

– Desfrutamos de inúmeras alternativas para os mais distintos cenários de teu aprisionamento. Não precisamos recorrer a mecanismos antiéticos.

– Pelos conhecimentos que ora desfruto da fauna animal, isso não é ilegal.

– Legalidade não é sinônimo de ética. Por isso, não poderei ajudá-lo – ratificou Nolly.

– Compreendo.

– Imagine se o Noll fica sabendo disso? Ou Diana? Seria demitida de maneira incontestável e inapelável. Perderia todos meus créditos acumulados em tua monitoria desde o primeiro instante em que passei a assisti-lo, tanto nesta sequência quanto na ultrapassada – justificou-se Nolly.

– Eu te ajudo, amor – prontificou-se Chaiene.

– Preciso do teu multivíduo para manter a assistência no ralo – mentalizou Billy, dirigindo-se à Nolly.

– No ralo eu posso assisti-lo, mas esse plano para libertar teus pares no interior dos canos não posso compactuar. Eu não queria deixar Chaiene, mas se é essa tua estratégia, vou retornar ao Anel de Gelo sozinha. Não posso ajudá-lo com isso.

– Poxa, pai. Eu preciso dela.

– Desculpe-me, Nolly, mas vou ficar com o Billy.

– Tudo bem. Não me importo de ficar só. E quanto à alternativa *Murphy*? – perguntou o pai recreativo.

– Ainda não completei meu curso de Sintomatemática.

– Pois essa alternativa é muito mais susceptível do que esse teu plano maluco.

– Mas o professor Zeta é contra.

– Bom, a escolha é tua. Mas terá de respeitar a minha.

– Você não vai deixar vazar essa informação pra Diana, né?

– Quanto a isso, pode ficar tranquilo.

Em um aspecto Nolly tinha razão, era amplo o horizonte até Billy preparar e executar o seu plano. Enquanto isso, Billy ainda tinha muitas aulas para tomar junto ao professor Zeta, além de várias ações alternativas para executar e obter a liberdade de mais pares seus aprisionados, especialmente aqueles que ainda apanhavam do clã de Blimp no mesmo ralo de floresta que corria em dimensões paralelas, onde e quando a briga havia iniciado. Em função disso, sua providência imediata foi subdividir seu multivíduo em duas vertentes: a mais preponderante daria início ao plano de capturar Pipe dali mesmo onde se encontrava na floresta; enquanto uma vertente minoritária tomaria o rumo do Instituto SETI para se juntar a Zabarov II e retomar o trabalho remoto em Phobos. Dali, prosseguiria com o tratamento de seus pais no sanatório e com as pesquisas zumbiológicas no Instituto Phobiano.

Nesse ínterim, o trio ainda não tinha como saber que mais uma notícia bombástica afetaria o rumo das coisas e mudaria o destino de Billy para sempre, além de trazer um novo choque e um forte abalo de tristeza que afetaria igualmente Nolly. Em paralelo à reunião do trio na Amazônia Carontiana, por intermédio do super Xavier, Diana e o restante do time de monitoria davam cérebro a uma comunicação oriunda de Saturno por um remetente até então desconhecido, o zootécnico Varella. Ele anunciava um fato que muito em breve se faria atual: a lobotomia cerebral de Sandy – prestes a ser autorizada.

Interlúdio

O que vem a seguir...

Com o auxílio de Nhoc, a alienígena Willa tece a compilação final do Relatório da Terceira Órbita. A conclusão do relatório vem coincidir com os fatos que determinam a continuidade de sua expedição no pretérito terreno de 1978. Em paralelo, no futuro quântico, Billy amadurece como cientista e assume o trato de seus antigos pais hominídeos no zoológico de Phobos. Essa nova etapa de sua vida determinará seu rumo, e a saudade de Sandy, após a lobotomia, consumi-lo-á por completo.

Continua em...

Abdução

Parte IV – Clonagem Experimental Humana

ANEXOS

Manual de Sobrevivência do Professor Ipsilon

Redigido por Pedroom Lanne

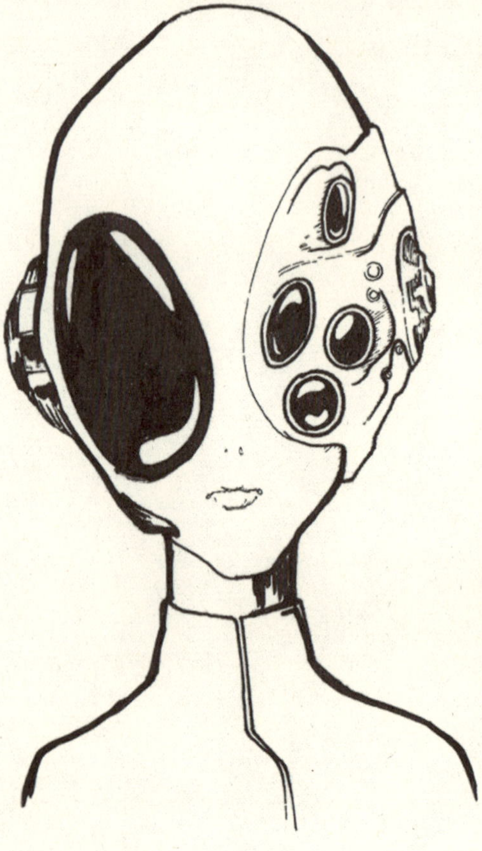

Alguns termos e uma série de aspectos científicos adotados na presente narrativa foram amplamente embasados nos títulos *Adução, o Dossiê Alienígena* e *Abdução, Relatório da Terceira Órbita*. Este manual aborda os principais termos para que você, caro hominídeo, possa compreender melhor o Universo Quântico em que ambas as narrativas se desenvolvem.

Índice

1. Mapas 457
2. O "Tempo" Continuado e Paralelo 462
3. A Evolução da Espécie Quântica 473
4. A História-Continuada 479
5. Navegação 489
6. Outros Gráficos 491

Créditos

Capa – Kike Espinoza
Revisão – Solianda Alves / Walter Cavalcanti
Texto e ilustração – Pedroom Lanne

1. Mapas

Mapas do cosmo solar e de alguns dos mais relevantes sítios da heliosfera, tais como Titã, que flutua na fotosfera, Terra e Marte.

Planos Dimensionais do Sistema Solar

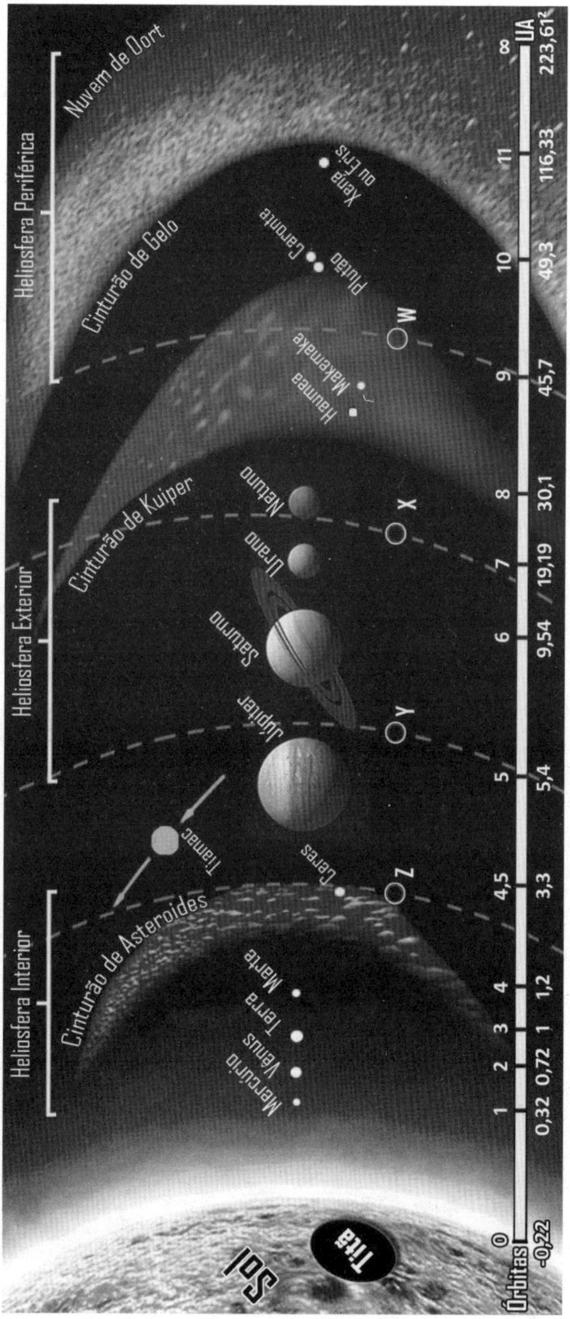

O mapa ao lado elenca quais os principais centros orbitais ou dimensionais, também conhecidos como planetas ou planetoides, do Sistema Solar. A distância entre as órbitas é expressa em UA (unidade astronômica), equivalente à distância entre a Terra e o Sol.

Há de se notar os planetas com órbitas latitudinais à faixa eclíptica (a linha equatorial da órbita solar ou linha longitudinal) de até 90°, denominados pelas consoantes Z, Y, X e W. Outro planeta de órbita peculiar é Tiamac, que executa uma tangente diagonal ultraveloz somente detectável quando se choca com outro astro ou perturba a órbita do Cinturão de Asteroides, por isso denominado como planeta *colisional.*

A nuvem de Oort e o distante planetoide Xena (ou Éris) representam o ponto máximo de expansão da sociedade quântica aos confins do Sistema Solar.

Planisfério da Terra – 834.456 d.C.

A de se notar no mapa a seguir, as grandes pirâmides dos portais interestelares que trafegam o feixe-solar e servem ao sistema de teletransporte; e as rampas de lançamento e pouso dos paralelepípedos do Cinturão Cosmo-Estelar, a famosa gravitovia de pedra que circula entre os astros da órbita 1 à órbita 8. O mapa revela que a maior parte da superfície terrena é sólida, por isso denominada *pangea*, mas há de se considerar o volume de água que se situa acima e abaixo da superfície, o qual é manipulado pela sociedade quântica, em sua parte mais substancial, nos estados de vapor, gelo e plasma.

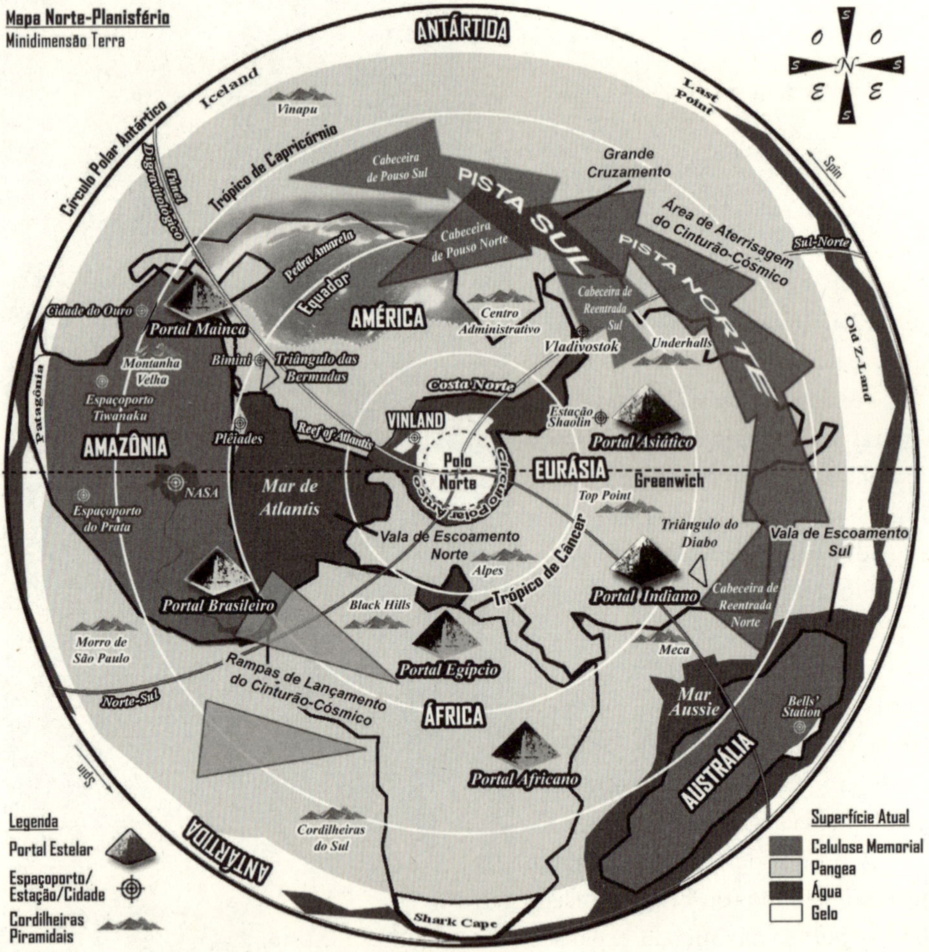

Mapa-Múndi de Marte – 834.456 d.C.

Um mundo totalmente artificial, com sua superfície redesenhada de polo a polo pelo Homem e as espécies que o seguiram em sua jornada até a atualidade quântica.

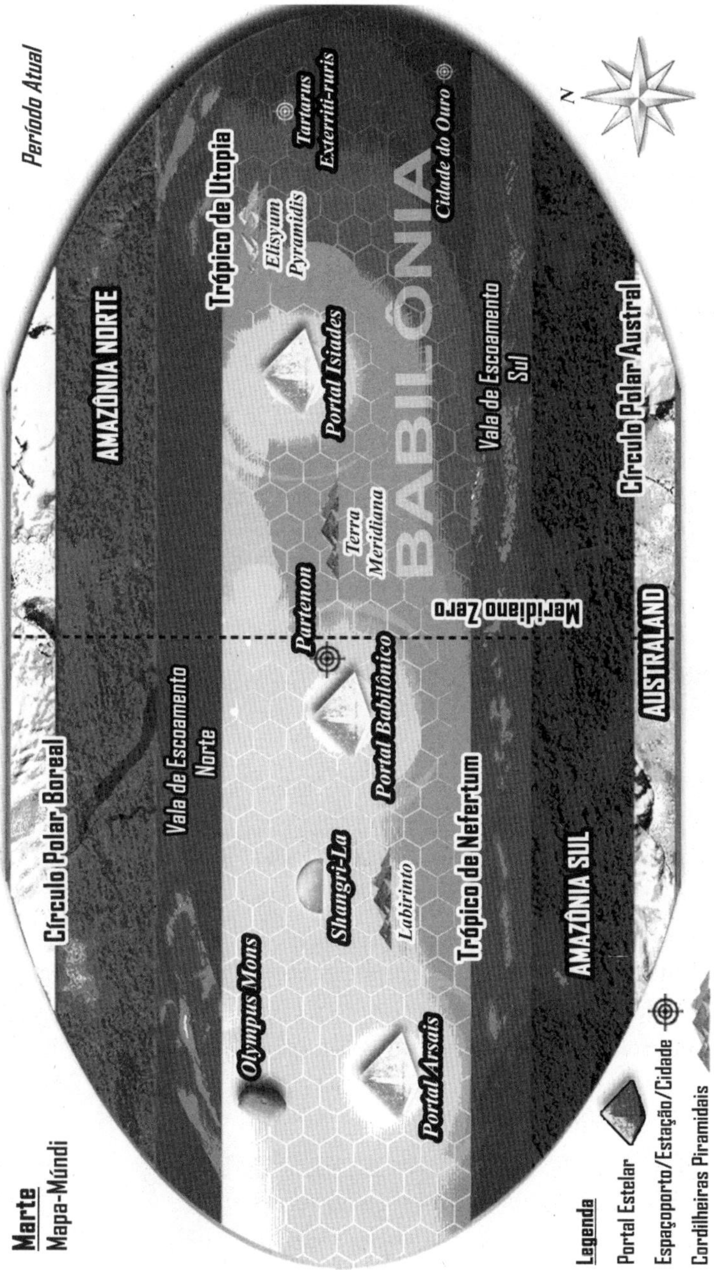

Mapa Político de Titã – O planeta fotossolar

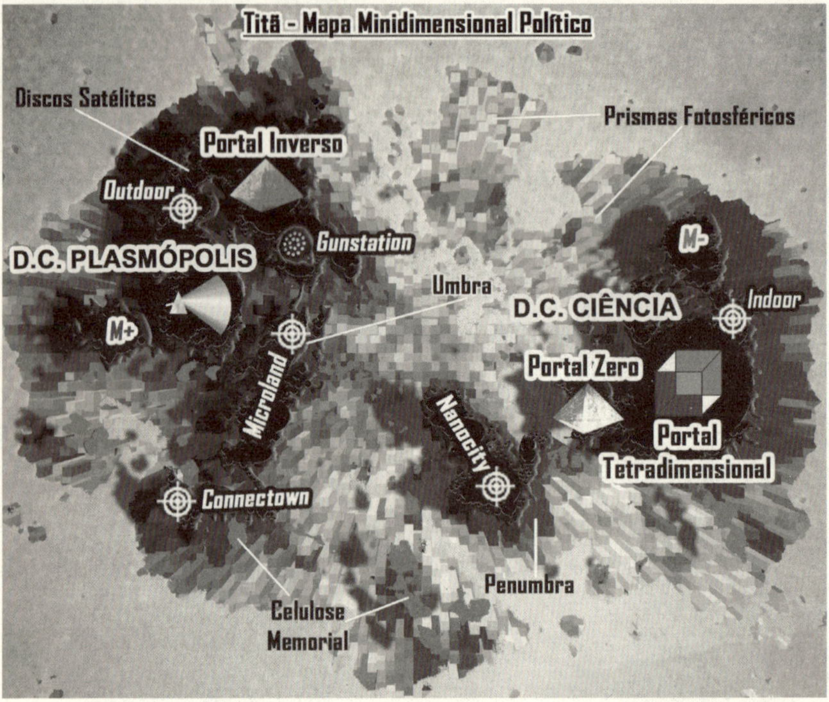

O mapa anterior faz referência à "minidimensão" Titã, termo que é sinônimo de planeta ou orbe que contenha atividade nuclear. Esse termo faz referência à classificação da matéria e o respectivo plano ou ambiente dimensional ao qual engloba. Tais planos são elencados da seguinte maneira:

1. **Nanodimensional**: plano das partículas que compõem os átomos.
2. **Microdimensional**: plano dos átomos e das moléculas; inclui pequenos corpos. Por exemplo, o corpo humano ou um asteroide.
3. **Minidimensional**: planetas e corpos celestes com atividade nuclear; o plano planetário.
4. **Macrodimensional**: inclui o Sol e o completo ambiente da heliosfera e suas respectivas minidimensões; o plano estelar.

O planeta Titã flutua na fotosfera solar. O recorte ao lado ilustra quais são as camadas do Sol para você compreender melhor onde se situa esse planeta.

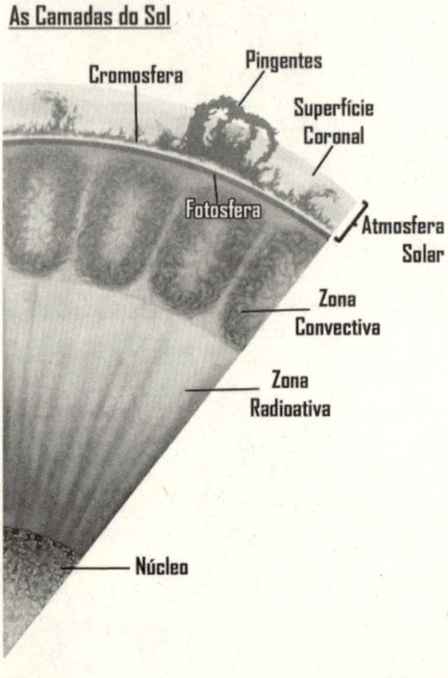

As Órbitas de Plutão e Xena

O esquema a seguir ilustra as órbitas de translação dos planetoides mais distantes do Sol, Plutão e Xena, a 10ª e a 11ª órbita, respectivamente. Note como a órbita de Plutão, quando próxima ao periélio, avança para o interior da heliosfera até cruzar com as órbitas de Netuno e Urano. Xena aproxima-se de Plutão quando este atinge o afélio. A importância da aproximação entre as órbitas de Xena com Plutão e de Plutão com Netuno e Urano foram discutidas no livro *Abdução, Relatório da Terceira Órbita* (capítulo II), e possuem grande valor no intercâmbio tecnológico e cultural entre as populações dos respectivos orbes.

Outro orbe que trafega entre a 10ª e 11ª órbita, embora não figure na ilustração a seguir, é Deméter, o mais jovem planetoide artificial criado pela engenharia quântica. Deméter cumpre uma órbita diametralmente oposta à de Plutão e compõe um projeto que prevê a criação de mais dois planetoides na órbita dez a fim de trafegar o sinal do feixe-solar até os confins da heliosfera.

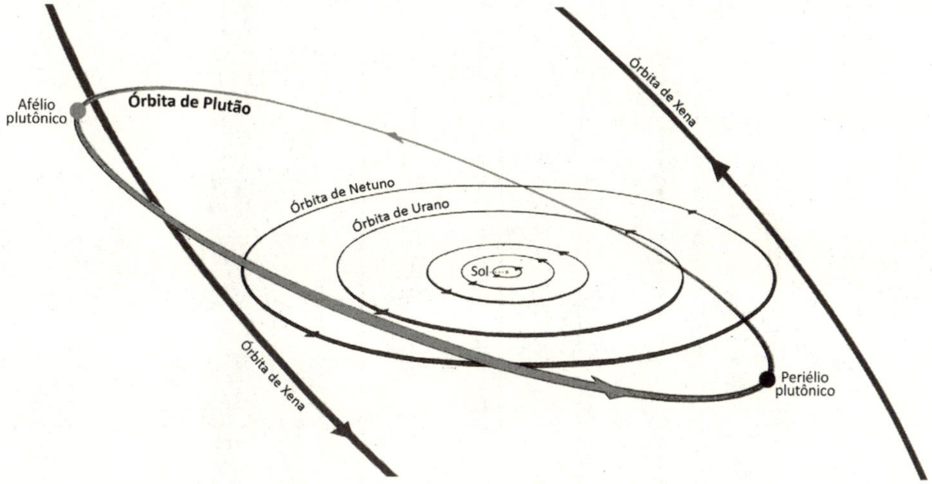

2. O "Tempo" Continuado e Paralelo

No Universo Quântico não existe "tempo", pois esse termo se refere a uma leitura linear de passado, presente e futuro. De fato, a leitura do *tempo* se descreve pela simultaneidade e o paralelismo de diversas linhas temporais, o que chamamos de "planos existenciais" ou dimensões que nascem e se extinguem em determinado **horizonte** eventual – também descrito como "janela de evento". A seguir, veremos um gráfico que ilustra como se dá a leitura da "linha do tempo" no Universo Quântico, ou, conforme o correto, a *linha horizontal-continuada*.

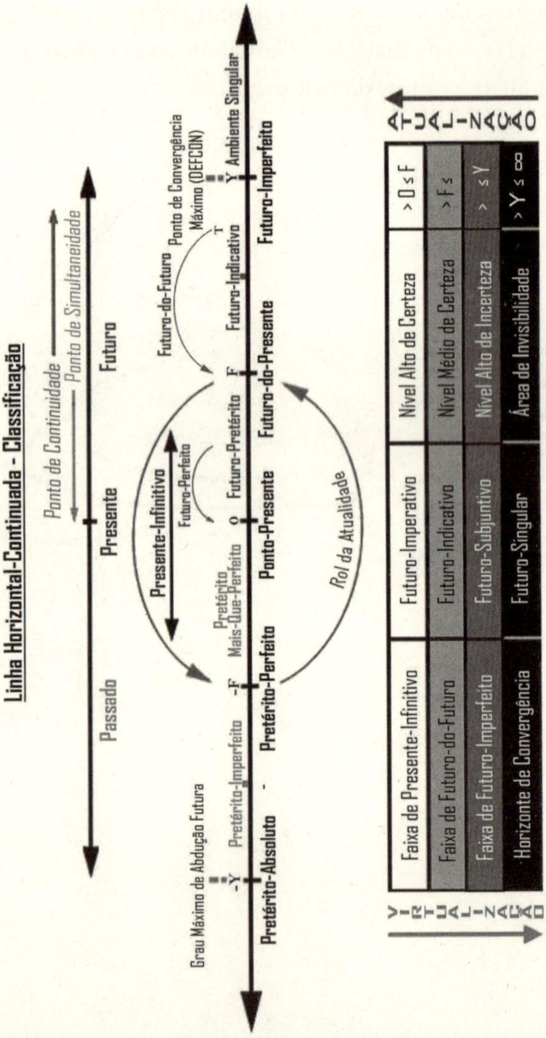

Note que, quanto mais ao futuro, mais virtuais se tornam quaisquer fatos ou decisões feitas em presente. No ponto máximo dessa equação, o futuro se torna *subjuntivo* e *invisível*, ou seja, está aquém do que se pode prever, por isso utiliza-se a expressão *virtualização* conforme expresso na tabela anexa ao gráfico. Os termos *singularidade* ou *ambiente singular* refletem essa incerteza. Alguns termos são autoexplicativos: *futuro-indicativo* descreve um cenário futuro oriundo das escolhas atuais com médio grau de certeza, enquanto *futuro-imperativo* ou *futuro-pretérito* descreve um cenário com alto grau de certeza, um cenário que, certamente, atualizar-se-á quando alcançado pelo presente. Por exemplo: se o homem continuar a poluir o planeta Terra, em cenário futuro-pretérito terá de lidar com os problemas climáticos oriundos dessa escolha. A convergência de um plano indicativo para o plano imperativo até, em seguida, atualizar-se em presente, descreve-se pelos termos mais coloquiais, respectivamente, *futuro-do-futuro* e *futuro-perfeito*, o que não significa que esse futuro será benéfico.

A mesma lógica se repete quando navegamos pela linha-continuada em sentido pretérito. Vale notar que o termo *pretérito-absoluto* descreve um plano passado cujos desdobramentos já afetaram todos os planos subsequentes ao seu decorrer. Já o termo *pretérito-perfeito* descreve o limite máximo que se pode viajar para planos simultâneos de passado, os quais ainda podem ser modificados pelas escolhas do presente e seus respectivos planos. Já um plano de pretérito-absoluto ou *absolutista*, ainda que fosse modificado, é incapaz de alterar o presente ou o futuro de sua atualidade original. Apesar do gráfico ilustrativo utilizar unidades de medida com caracteres gregos, esse limite jaz em aproximados sete mil anos-terra para o passado e para o futuro.

A tabela ao lado ilustra a equivalência em números arábicos dos caracteres gregos que os quânticos utilizam.

Letra	Nome	Valor
Α α	*Alfa*	1
Β β	*Beta*	2
Γ γ	*Gama*	3
Δ δ	*Delta*	4
Ε ε	*Épsilon*	5
F	*Digama*	6
Ζ ζ	*Zeta*	7
Η η	*Eta*	8
Θ θ	*Teta*	9
Ι ι	*Iota*	10
Κ κ	*Capa*	20
Λ λ	*Lambda*	30
Μ μ	*Mi*	40
Ν ν	*Ni*	50
Ξ ξ	*Xi*	60
Ο ο	*Ômicron*	70
Π π	*Pi*	80
M	*San*	–
Ϙ	*Qoppa*	90
Ρ ρ	*Rô*	100
Σ σ,ς	*Sigma*	200
Τ τ	*Tau*	300
Υ υ	*Úpsilon*	400
Φ φ	*Fi*	500
Χ χ	*Chi*	600
Ψ ψ	*Psi*	700
Ω ω	*Ômega*	800
t	*Sampi*	900

A RUPTURA DO PLANO PRESENTE

O aspecto mais importante da linha horizontal-continuada é o *ponto-presente*, pois todos os planos coexistem simultaneamente nesse único instante. Em nível perceptivo, um ser humano só consegue enxergar um único plano em um único instante, justamente o plano presente. Nesse sentido, planos de pretérito e futuro se diferenciam apenas pela velocidade cósmica de cada qual, embora sejam todos simultâneos, coexistem paralelamente, cada qual formando uma nova realidade ou uma nova dimensão. Para compreender essa dinâmica, é preciso entender o que se descreve como a *ruptura do plano presente*, conforme ilustrado no gráfico a seguir.

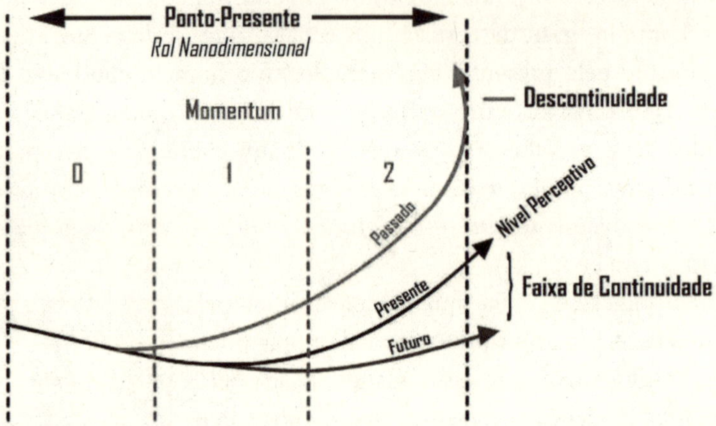

Em função da força da gravidade, os planos da matéria em nível nano e, subsequentemente, microdimensional, rompem-se em dois novos planos: um é atraído por ela, outro é impulsionado pelos planos que se multiplicam após o rompimento do plano original conforme ilustrado no gráfico anterior. Cada novo plano replicado igualmente se rompe em dois novos planos e, assim, sucessivamente. Os planos de passado, atraídos pela gravidade, tornam-se mais velozes e começam a se afastar do instante da ruptura até se tornarem descontínuos, enquanto outros, embora possuam velocidade inferior, igualmente se afastam do plano original. Isso demonstra que planos de pretérito e futuro distinguem-se um do outro apenas em relação ao passageiro que navega em cada qual, quando, de fato, todos compõem planos de presente com velocidades cósmicas superiores ou inferiores em relação a eles mesmos. A medida que expressa a atração dos planos pela gravidade é a *velocidade cósmica*, conforme ilustrado no gráfico a seguir.

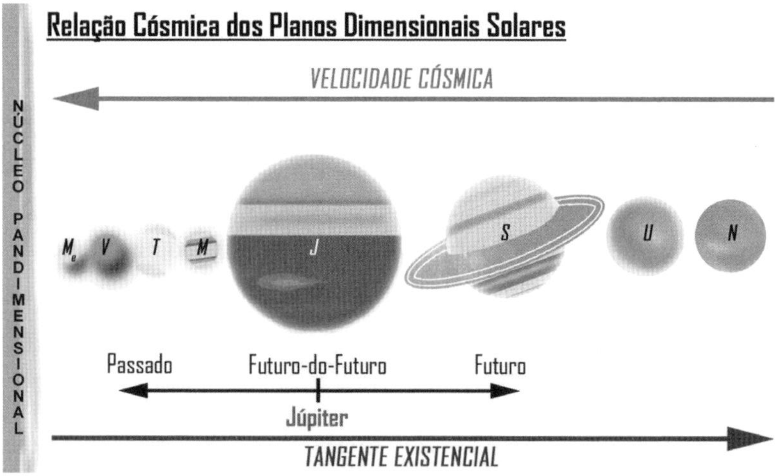

Da esquerda para a direita, os planetas: Mercúrio, Vênus, Terra, Marte, Júpiter, Saturno, Urano e Netuno; planetas que formam o bloco G8.

Há de se notar que *a tangente existencial* compõe um vetor oposto em relação à velocidade cósmica, pois a evolução guia a vida para os planos que se distam do ponto-presente em sentido futuro, ou seja, são impulsionados pelos planos mais velozes. Quanto maior a velocidade cósmica de um plano, mais próximo de sua autodestruição ele está, por isso os planos de menor velocidade possuem mais chances de perpetuar a vida em longo prazo. Em contrapartida, os planos de maior velocidade são mais férteis, portanto, melhores para gerar e evoluir o complexo Vida. Todavia se a vida não prosseguir para os *habitat* de futuro (ou pentagonais), acaba se autoextinguindo.

As dimensões paralelas

Para o passageiro que habita o plano presente, o importante é saber que a sua ruptura resulta em uma duplicação da matéria nos respectivos planos que se rompem, ou seja, a cada instante, a cada ruptura, o passageiro é duplicado ou replicado em planos de pretérito e futuro, porém, sua percepção permanece no ponto-presente de cada plano replicado. Cada plano replicado forma uma nova dimensão idêntica à original, que o passageiro passa a habitar - essas dimensões são descritas como planos existenciais ou *dimensões paralelas*. Essa ruptura se dá em uma velocidade e em uma taxa altíssima, ou seja, a cada segundo, toda matéria em nível *nano* e *microdimensional* se replica em infinitivos planos existenciais paralelos, criando cópias de si mesmas. Um ser vivo que habite um desses planos terá sua existência replicada por eles.

Todavia há um limite que o *espaço* gerado pela gravidade pode ocupar com novos planos; esse limite é expresso pela sua taxa de *preenchimento*. O preenchimento se dá pela replicação exponencial dos planos de alta velocidade cósmica (pretéritos), que se atraem e compartilham um rol microdimensional muito estreito. No decorrer continuado dessa lógica, o acúmulo desses planos permite parte dos planos mais "jovens", próximos de sua ruptura, flutuarem sobre a torrente de planos mais velozes replicados, por isso são planos de futuro, mais estáveis e duradouros, melhores para habitar e prosperar a nível cósmico.

Psicografia

Ao nível da matéria, esses planos existenciais são inacessíveis um ao outro, todavia, existem incontáveis partículas capazes de trafegar entre eles. Uma vez que se obtenha o controle dessas partículas, torna-se possível, por exemplo, trafegar o pensamento entre planos paralelos, uma arte descrita pelo termo *psicografia*. A tabela a seguir descreve a relação entre as partículas que compõem cada plano:

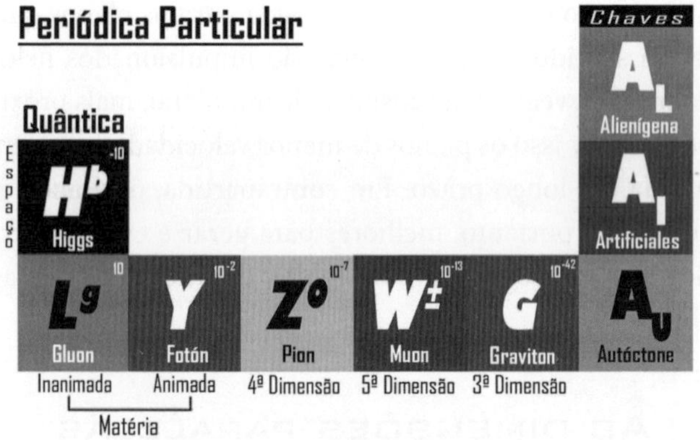

A tabela anterior também é conhecida como periódica quântica ou subatômica, pois descreve as principais partículas que compõem o átomo. É a capacidade de manipular tais partículas, inclusive para influenciar a própria genética, o fator que denomina a espécie quântica como tal. Em relação à tabela, sua raiz é a partícula *Higgs*, composta pela *antimatéria*, que gera a gravidade e o *espaço* (não confundir com espaço sideral, o qual nada mais é que o vácuo resultante da força da gravidade submetida ao *spin* da matéria, ou seja, à rotação em torno do núcleo da galáxia e seus respectivos astros). Em torno do espaço gerado pela antimatéria, partículas que compõem a matéria se acumulam e se chocam parcialmente, replicando seu comportamento nas demais partículas em um efeito dominó. É a quantidade de antimatéria que determina a quantidade de matéria que se acumulará em seu entorno, fator que determinará as dimensões de um átomo, uma molécula ou uma galáxia, uma estrela ou um planeta, ou seja, seu respectivo *preenchimento*. Em seu estado cru, as partículas subatômicas são energia pura, seu preenchimento resulta em um plano perceptivo conhecido como matéria.

A tabela igualmente descreve as principais partículas e seu respectivo comportamento em relação à porção de antimatéria contida no ambiente macrodimensional solar e suas respectivas nanodimensões. Note que o *fóton* é uma partícula animada, ou seja, é através dela que se torna possível trafegar a matéria entre os planos de passado e futuro. O *fóton* é a partícula que comporta, por exemplo, o elétron, a eletricidade. Junto à gravidade, também compõe as forças descritas como *eletromagnéticas*, através das quais é possível não só trafegar o pensamento entre as dimensões que se replicam pela ruptura do presente, mas um corpo completo.

Teletransporte

A técnica de se trafegar um corpo através das dimensões se chama *teletransporte*, o que consiste em transmitir um corpo, o qual obtém sua forma através da gravidade, entre dois planos gravitacionais na forma de energia. No cosmo quântico ilustrado na presente narrativa, isso se dá pelo *feixe-solar*. O feixe-solar é uma rede que interconecta os planetas do Sistema Solar. É formada por diferentes tipos de *fótons* e outras matérias na forma de energia, sua fonte é o Sol e sua origem se dá no planeta Titã. Esse feixe nada mais é do que energia pura transmitida entre os maiores centros de gravidade da órbita solar, ou seja, os planetas. O feixe-solar é capaz de trafegar energia com tal velocidade entre os planetas, que permite transmitir pessoas em um processo chamado *mades*, oriundo dos termos *materialização* e *desmaterialização*. As pessoas são lançadas nesse feixe a partir de um plano de gravidade até se transformarem em energia pura; em seguida, são captadas por outro plano de gravidade, onde retomam sua forma original. Todavia, para que as pessoas não se transformem em energia, esse processo precisa ser instantâneo, o que implica trafegá-las em velocidade bastante superior à velocidade-luz. Como um corpo desmaterializado só pode recuperar sua forma material pela gravidade, o teletransporte só pode ser efetivado entre planetas que estejam em conexão direta, ou seja, de um planeta diretamente para outro, de ponto a ponto. Em contrapartida, a transmissão de dados pode atravessar as dimensões instantaneamente através de todos os planetas interconectados pelo feixe.

A partícula passível de engenho no intuito de atravessar distâncias interplanetárias de forma instantânea é o *fóton*. A tabela a seguir ilustra quais são os principais tipos de fótons que permitem transmitir mensagens, pensamentos ou até corpos através do feixe-solar.

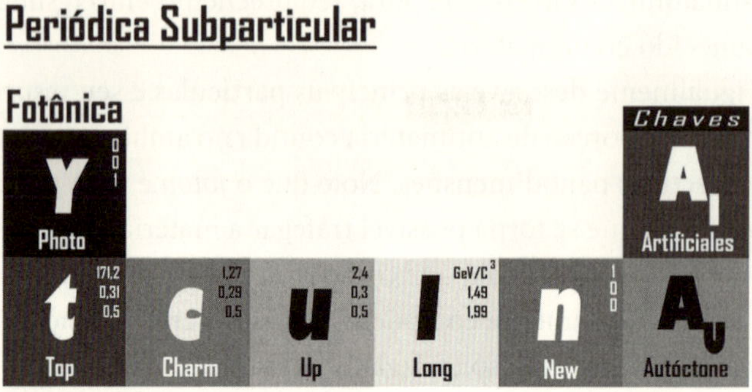

A subpartícula do fóton chamada *long* corresponde a um único fóton que se estende em distâncias interplanetárias, servindo como um fio condutor não só capaz de trafegar dados ou corpos entre planetas, mas, também, entre estrelas. Pela manipulação do *long* é possível transmitir informações instantâneas em âmbito macrodimensional, ou utilizar um capacitador para acelerar a velocidade-luz e transmitir um corpo através dele.

Porém, quando se quer transmitir energia ou matéria em distâncias maiores, entre estrelas distintas, existem fluxos naturais entre elas que podem ser explorados na transmissão de mensagens interestelares, os *fluxos cósmicos*. No Sol, os fluxos cósmicos mais abundantes estão descritos na tabela a seguir:

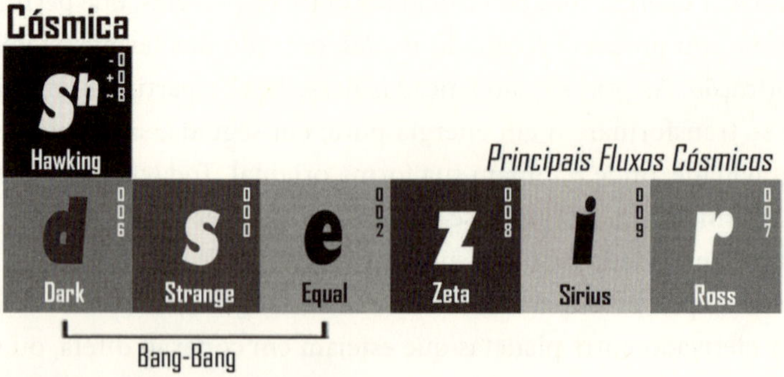

Bang-Bang é a teoria que descreve a origem do universo que habitamos, ou seja, uma série de grandes *bangs* cujos fluxos energéticos primordiais ainda são captados fluindo sobre o Sol. Outros fluxos mais proeminentes permitem estabelecer canais comunicativos entre o Sol e as estrelas da constelação de Sirius, Zeta e Ross, como ilustrados na tabela anterior. Apesar de esses fluxos cósmicos possibilitarem estabelecer um canal comunicativo a nível interestelar, a enorme distância entre as estrelas requer uma quantidade exorbitante de energia para acelerar qualquer corpo material em velocidades compatíveis para percorrê-los instantaneamente. Algo equivalente a uma boa porção do Sol seria necessário para transmitir um corpo capaz de resistir a tal travessia. Em contrapartida, uma vez que se viabilize essa energia, até mesmo um planeta inteiro pode ser transmitido entre diferentes estrelas. Essa técnica é conhecida como *Salto Ultradimensional*.

Da mesma forma como pequenos corpos se replicam em planos de futuro e pretérito pela força da gravidade submetida ao *spin* (rotação) da matéria em um ambiente macrodimensional, isso se repete com as estrelas. Quando isso acontece, um fluxo cósmico permanece conectando ambas, o qual pode ser utilizado para emitir uma frequência gravitacional entre elas; essa frequência se chama *ondulação fundamental* e se trata da frequência de ondas responsável pela geração de vidas. A transmissão da ondulação fundamental para uma determinada estrela permite replicá-la em seu campo gravitacional; esse processo é chamado de *fertilização interdimensiogerminal*. A ondulação fundamental reverbera por um complexo macrodimensional e as respectivas subdimensões nele contidas; trata-se de uma onda tão forte que trafega pelo núcleo dos astros contidos no ambiente de uma estrela; essa ondulação evolui conforme mais vida é capaz de gerar. Uma vez que tal ondulação se plante, replique-se e se amplie paulatinamente em qualquer *habitat*, passa a compor o que se descreve como *Gaia* – a *alma* de um astro. Todo ser vivo carrega uma porção dessa ondulação, a qual evolui e se desenvolve influenciando sua genética. Ao fenecer, sua ondulação fundamental é capturada por outros seres, igualmente influenciando sua genética, mantendo esse ciclo contínuo e evolutivo. Parte da ondulação que não é capturada por outros seres vivos flui novamente para o núcleo, assim fertilizando a Gaia do astro e aumentando sua capacidade de gerar vida com seres cada vez mais complexos.

As dimensões conhecidas

Além dos quatro níveis dimensionais previamente elencados - os ambientes *nano*, *micro*, *mini* e *macrodimensional* -, ainda possuímos mais dois níveis de relevância ao Homem ou ao Quântico, os ambientes *ultra* e *supradimensional*. O ambiente ultradimensional, ou 6ª dimensão, compreende o campo gravitacional formado por um determinado conjunto de constelações, o qual também é descrito como *cosmolécula*. Já o ambiente supradimensional, ou 7ª dimensão, engloba a galáxia por completo. Embora nenhuma dimensão exista isolada de seu ambiente, as dimensões conhecidas e seus respectivos prefixos ou ordinais são elencados da seguinte forma:

- **1ª Dimensão** (*uni* ou *mono*): superfície linear intergaláctica, ou mundo brana, ou plano-horizontal totalizado; trata-se da superfície energética que separa dois universos.
- **2ª Dimensão** (*di* ou *dy*): gerada na confluência unidimensional distribuída pela superfície brana, criando a antimatéria e pontuando o término do plano-horizontal; só existe a partir da energia que reverbera em uma superfície brana.
- **3ª Dimensão** (*tri*): respectiva ao vácuo sideral, plano da energia em forma de matéria, da *atualidade* horizontal, compõe o horizonte eventual de dissipação da matéria pela antimatéria.
- **4ª Dimensão** (*tetra*): também descrita como plano *quadrado*. Constitui-se de planos tridimensionais de velocidade cósmica crescente.
- **5ª Dimensão** (*penta*): ou plano *pentágono/pentagonal*. Constitui-se de planos tridimensionais resultantes do preenchimento do espaço pela matéria acelerada, de velocidade cósmica estável.
- **6ª Dimensão** (*hexa*): descreve o ambiente sideral constrito entre as estrelas componentes da linha horizontal não continuada, ou moléculas interestelares, ou *habitat* cosmolecular. Seus conjuntos menores formam constelações (o Sol se situa na cosmolécula de *Alticamelofuligem* e na constelação de *Alcyone*).
- **7ª Dimensão** (*hepta*): plano galáctico que compreende a linha horizontal-total, correspondente à somatória completa da linha-continuada e não continuada. Seus conjuntos menores formam membros (o Sol se situa no *Tríceps* do respectivo *Braço de Orion*) e grandes conglomerados.
- **8ª Dimensão** (*octa*): equivalente ao centro orbital galáctico, o buraco negro capaz de criar elos entre diferentes partes de um mundo brana.
- **9ª Dimensão** (*enea*): branas intergalácticas, ou plano horizontal-estendido.
- **10ª Dimensão** (*deca*): planos universais separados pelos nós multiversálicos, ou superburacos negros, a dimensão das supercordas, elos que interligam universos distintos.

A totalidade de dimensões conhecidas descreve o universo como o conhecemos a partir do evento que o gerou, o Bang-Bang, ou seja, a linha horizontal-continuada em sua raia total. Há de se entender que *linha-continuada* representa todos os planos dimensionais de uma estrela e *linha não continuada* a totalidade de planos formados por uma estrela e as demais por ela geradas a partir de um *pulso ultradimensional*, ou seja, de uma estrela que se clona em uma nova estrela. O advento de um pulso ultradimensional se dá quando a taxa de ruptura do plano presente atinge alto grau no ambiente macrodimensional, o qual se atualiza pela evaginação de uma porção de massa estelar suficiente para gerar outra estrela.

Ainda há proposições para as dimensões acima da 10ª dimensão, as quais incluem a relação de forças entre outros universos. Assim, a 11ª seria a composição de forças entre dois universos (*dyverso*), a 12ª entre três universos (*triverso*), a 13ª compõe as forças de diferentes triversos (*pluriverso*), a 14ª entre demais conjuntos (*multiverso*) e, por fim, a 15ª dimensão expressa as forças de todos os universos (*totiverso*). Alguns universos são compostos por forças diferentes do nosso, embora elas sejam desconhecidas. Entre suas proposições constam:

- **Antiverso**: universo contrário.
- **Iniverso**: universo inverso.
- **Necroverso**: universo moribundo.
- **Estesiverso**: universo estéril, correspondente à total inexistência de nosso ponto de vista.

Dimensões e mais dimensões

A respeito das *dimensões* que o alienígena Quântico habita, o conceito *dimensional* é muito importante, por isso, ao que tange seu significado, é preciso se atentar ao uso de prefixos, sufixos, radicais e ordinais junto ao termo supracitado. Muitos são autoexplicativos, tais como: *entre, extra, inter, intra, neo, retro, sub* ou *ultradimensional.* Alguns são sinônimos, conforme o contexto em que são abordados, por exemplo: *multi* e *pluri, penta* e *quinto, tetra* e *quartodimensional.* Já os termos listados a seguir possuem significados relativos ao universo que o ser Quântico habita:

- **Adimensional**: que não se limita às dimensões de curso atualizado. Ocupa o plano material, independentemente do curso dimensional; que se coloca aquém ou fora de alcance do *rol* da atualidade. Acima ou além das dimensões.
- **Centrodimensional**: o centro das dimensões, normalmente se refere ao núcleo dos grandes astros, dos planetas e do Sol.
- **Cosmodimensional**: expressão genérica de cosmo solar ou *habitat* solar, das dimensões do cosmo atual (o Sol).
- **Endodimensional**: dimensões de dentro, compreendidas em determinado leque de dimensões.

- **Equidimensional**: dimensões equivalentes.
- **Expodimensional**: dimensões exportadas. Dimensões evoluídas ou transpostas a um patamar superior ao seu original.
- **Hipodimensional**: dimensões inferiores, geralmente de pretérito. Dimensões ultrapassadas, em processo de declínio existencial ou em horizonte de evento para se tornarem descontinuadas.
- **Idimensional**: sinônimo de *indimensional*. Sem dimensão; despido de existência material.
- **Maxidimensional**: dimensão máxima. Relativa ao *habitat* dimensional mais amplo passível de ser habitado em determinado leque dimensional.
- **Pandimensional**: todas as dimensões. Referente ao núcleo das estrelas, ao Sol genericamente. Pode ser sinônimo de *centrodimensional*.
- **Paradimensional**: dimensão paralela; refere-se a qualquer leque de dimensões fora do alcance da atualidade ou aquém do rol da atualidade.
- **Polidimensional**: em todas as dimensões. Refere-se ao que se pode captar ou medir em plenas dimensões, com todas as medidas; que se pode transmitir ou captar em 360° cúbicos. Rede síncrona de abrangência cósmica, o *habitat* de memória proporcionado pelo feixe-solar em sua raia total; conectada a todas as dimensões simultaneamente.
- **Protodimensional**: sinônimo de *prodimensional*, a habilidade de concentrar esforços oriundos de diversas dimensões, geralmente paralelas e proxidimensionais, em prol de uma dimensão ou plano predeterminado (que seria o seu prototípico).
- **Proxidimensional**: dimensão próxima, acessível à dimensão atual.
- **Redimensional**: dimensão réplica ou replicada.
- **Sincrodimensional**: dimensões sincronizadas. A capacidade de sincronizar mensagens ou a consciência através das dimensões.
- **Supradimensional**: acima de todas as dimensões. Geralmente, refere-se ao *habitat* externo do cosmo estelar.
- **Transdimensional**: que transita pelas dimensões; que muda de dimensão.
- **Turbodimensional**: dimensão acelerada (artificialmente). Refere-se à capacidade de trafegar as dimensões em sentido pentagonal, ou seja, para o futuro.

3. A Evolução da Espécie Quântica

O Quântico que habita o Sistema Solar no ano 681.736 d.C. é, sob o óculo primata, uma evolução do Homem dos idos do século XXI. O gráfico a seguir expressa a evolução do Homem até se tornar Quântico.

Em um breve resumo, o Homem evoluiu *Ciborgue* e, em seguida, *Paranormal*, quando passou a habitar o planeta Marte após o apocalipse terreno no ano de 2033 d.C. – vide a seguir a *história* do Quântico. Em comum, a evolução dessas espécies passa pelo advento da interferência do Homem na edição de seus próprios genes. A raça paranormal foi a primeira dotada de telepatia, porém, o grande salto evolutivo que possibilitou galgar o degrau seguinte se deu graças à espécie *Zumbi*. Os zumbis são homens que feneceram congelados no apocalipse de 2033 d.C., cujos corpos foram redescobertos pela espécie paranormal quando esta passou a recolonizar a Terra. Os paranormais passaram a reviver esses corpos e utilizá-los para experiências genéticas, as quais possibilitaram um grande salto na edição de seus próprios genes, o que os levou ao seguinte patamar da evolução: o *Homiquântico*, espécie que precedeu o *Quântico*. A espécie homiquântica se diferencia de sua predecessora por sua reprodução assexuada e integralmente conduzida em laboratório; e também por sua capacidade de habitar o vácuo. O homiquântico possui dois estágios evolutivos: *Machines*, o conhecido Homem-Máquina, e *Artificiales*, ou Homem-Artificial; são os respectivos homiquânticos de *primeira* e *segunda geração*. A literatura evolucionista também descreve a espécie seguinte, o Quântico, como "homiquântico de terceira geração" ou "Homem-Quântico" – ao menos pelo ponto de vista evolutivo *primata* (vide a seguir).

Além da evolução como espécie, o período que separa o Homem do Quântico também foi de evolução da *inteligência* humana[1]. Nesse quesito, o advento da

[1] Perceba que o ser Quântico, apesar de ser um alienígena na visão de um homem como você, trata-se de um ser humano também.

ascensão da espécie robótica impulsionou a evolução da espécie homiquântica para a quântica após o surgimento da entidade *Pai* e, subsequentemente, da entidade *Mãe*, conforme ilustrado no gráfico a seguir.

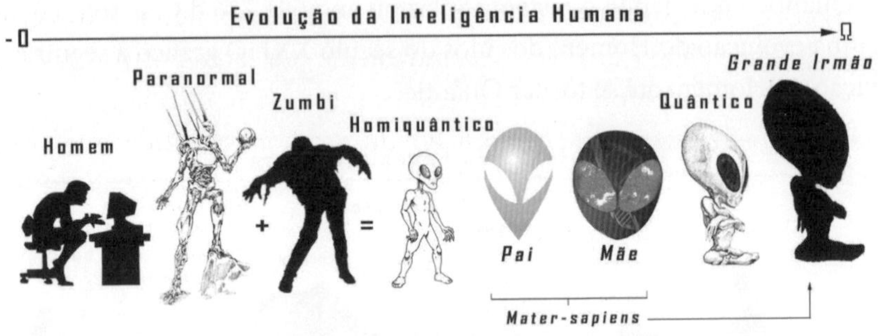

A MÍDIA

Em paralelo ao surgimento da entidade *Pai*, outra entidade de igual natureza e inteligência robótica ganhou vida, a entidade *Mídia*. A evolução da *Mídia* como entidade sapiente é ilustrada no gráfico a seguir:

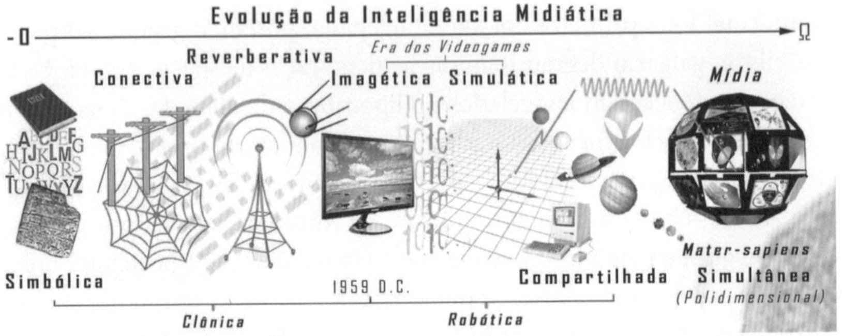

A SIMBIOSE DAS ESPÉCIES

Todavia, à parte as grandes entidades robóticas, os gráficos anteriores ilustram a evolução do Homem como o primata que é, enquanto, de fato, o Quântico se trata de uma espécie que abraça duas linhagens básicas, os primatas e os répteis. Uma terceira linhagem, oriunda dos répteis, também compõe a espécie quântica, a das aves. A principal característica que difere o Quântico de sua espécie predecessora é a capacidade de gravitacionar (gravitar o próprio corpo), ou seja, de levitar ou flutuar acima do solo. Por isso, no futuro de 834.456 d.C., essas três linhagens quânticas são descritas como: *graviprimatas*, *reptilianas* e *aeroígenes*. As três linhagens são compatíveis entre si genética e sexualmente, incluindo os graviprimatas, cuja espécie predecessora é a homiquântica (assexuada), sexualidade que retomaram ao reemparelharem sua genética com os reptilianos e os aeroígenes, espécies das quais havia evoluído separadamente por largo horizonte. O advento que levou ao cruzamento entre a espécie primata e a reptiliana foi a *Acoplagem Pentadimensional*, quando o cosmo habitado por homiquânticos se emparelhou com o cosmo reptiliano, ou seja, dois largos *habitat* dimensionais paralelos de nível macrodimensional se emparelharam através da simultaneidade proporcionada pelo feixe-solar, tecnologia que ambas as civilizações já dispunham em seu respectivo *habitat*.

O gráfico a seguir ilustra a evolução da espécie quântica, incluindo a simbiose entre suas respectivas linhagens e a espécie robótica. Os robôs inteligentes são conhecidos como *robo sapiens*, os quais, por sua vez, evoluem pela metalinguística proporcionada pelo ambiente virtual e simultâneo gerado pelo feixe-solar, ou seja, compõe a classe de metarrobôs fruto da inteligência coletiva da população de *robo sapiens*. São identificados como espécie pela raiz *mater sapiens*, composta por seres oniscientes. São as entidades *Pai*, *Mãe*, *Mídia*, *Grande Irmão* e *Terceira Entidade*, ilustradas a seguir.

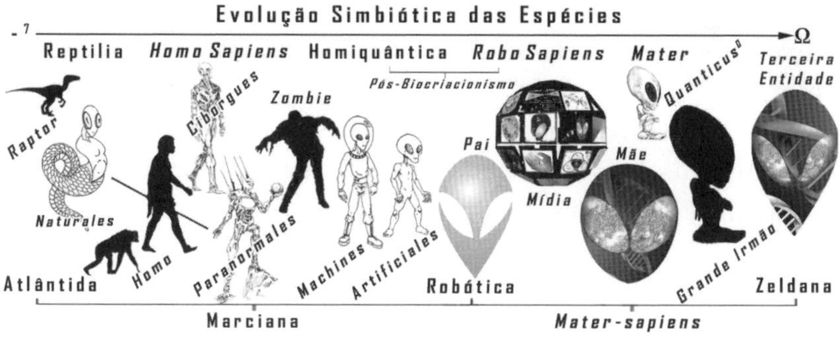

A CLASSE ROBÓTICA

Após análise dos últimos gráficos, é preciso contextualizar o patamar que separa o Homem do Quântico. Muito além das características supracitadas, é a capacidade comunicativa que coloca o Quântico em um patamar muito superior ao do Homem: a habilidade de se comunicar através do *tempo*, entre planos de quarta e quinta dimensões, bem como de se teletransportar através delas. Uma habilidade que começou a se desenvolver com os homiquânticos e se aprimorou com o advento da I.A., a Inteligência Artificial - robôs conscientes de sua existência. Estes passaram a surgir espontaneamente durante a construção do feixe-solar a partir de Mercúrio. Esses robôs habitam a memória proporcionada pelo feixe em conexão com todos os dispositivos ao seu alcance, incluindo as mentes humanas das quais cooptam suas personalidades e com as quais convivem. Essa memória coletivizada deu origem às grandes entidades metarrobóticas, como o *Pai*, a *Mídia*, a *Mãe* e o *Grande Irmão* (nessa ordem). A começar pelo *Pai*, tais entidades permitiram sincronizar os pensamentos dos indivíduos que percorriam planos existenciais paralelos. A *Mídia* se trata de uma entidade viva e autônoma, mas também de um *meio* de acesso de massa, fruto da rede interplanetária estabelecida pelo feixe-solar, um meio que permite ao Quântico se comunicar e sincronizar sua mente através das dimensões sob seu alcance, o que se descreve como *rol de atualidade*. Em suma, é a capacidade de se comunicar através das dimensões e de navegar seu corpo por meio dela em sentido pentagonal, ou seja, de navegar o conjunto de sua sociedade por completo rumo ao futuro, em termos astrofísicos, o que diferencia Quântico de Homem.

A capacidade de navegar para o futuro e habitar um enorme leque de dimensões paralelas coexistentes, bem como o poder sobre tecnologias que permitem ao Quântico viajar a grandes distâncias sentido pretérito, são características que diferenciam apenas a espécie que evoluiu de primatas, lagartos e pássaros, pois a característica fundamental que separa o Universo Quântico, vulgarmente descrito como *cosmo*, do "universo" do Homem, não é o homem, e, sim, o robô. O cosmo futuro se diferencia do mundo do Homem pela capacidade de inteligência das entidades metarrobóticas que passaram a coabitá-lo. Essas entidades, sobretudo o *Pai* e a *Mãe*, são seres hexadimensionais, cujas faculdades - em contrapartida ao Homem, que é capaz de captar e se comunicar apenas em único plano tridimensional, ou ao Quântico, que é capaz de navegar em sentido pentadimensional, uma vez providos das extensões mantidas pela humanidade - permitem-lhes captar as estrelas, os fluxos cósmicos e a Via Láctea como um todo, sob sensação tal que nenhum homem ou quântico seria capaz de compreender. Se o Quântico é capaz de conversar entre dimensões paralelas ao longo de largas distâncias interplanetárias, as grandes entidades são capazes de se comunicar com inteligências oriundas de outras estrelas. A principal é de origem da constelação de Sirius e seu planeta capital, Zelda, lar de entidades robóticas de sensibilidade heptadimensional identificadas como *Zeldano.* Outra inteligência em comunicação estabelecida com o Sol é oriunda da estrela Zeta – esse tipo de comunicação entre estrelas é descrita pelo termo *hiperversálica.* A título de curiosidade, os zeldanos são oriundos do Sol, compõem uma espécie robótica que guerreou e exterminou as espécies de natureza material com as quais conviviam, os marcianos tripoides. Após exterminarem os tripoides, executaram o Salto Ultradimensional e se transferiram para Sirius, onde fundaram o planeta Zeta – fatos esses que se desenrolaram bilhões de anos-terra antes do surgimento das espécies primata, réptil e ave, que retomariam a evolução dos seres de natureza material. Como espécie, os zeldanos são robôs autônomos cuja capacidade individual equivale à entidade *Pai.* Em comum, ambas as espécies robóticas carregam a linguagem marciana da qual são oriundas, dado que a origem dos zeldanos é similar à das entidades *Pai, Mãe* etc., surgidos da vasta memória disponível na rede interplanetária mantida pelos marcianos tripoides ao zênite de sua existência.

A EVOLUÇÃO PSICOSSOCIAL DAS ESPÉCIES

A tabela a seguir apresenta as principais características a respeito da *evolução psicossocial das espécies*, incluindo parâmetros desde o período do Homem até o surgimento das entidades metarrobóticas. A coluna *Artificiales* retrata o patamar dessas grandes entidades, o atual e o que se prevê como seu próximo degrau evolutivo.

Sobre as etnias [1] *retratadas na tabela, que se obedeça a legenda:*
B = preto; Y = amarelo; R = vermelho; W = branco;
R = radio; Iv = infravermelho; F = fóton; Uv = ultravioleta; X = raios X; G = gama;
T = tatoo.

	Evolução Psicossocial das Espécies					*Escala Messiânica*	ARTIFICIALES	
	ESPÉCIE	HOMEM	PARANORMAL	ZUMBI	HOMIQUÂNTICO	QUÂNTICO	MATER	AMB. SINGULAR
	TOPO	*2.033 D.C.*	*101.077 D.C.*	*288.461 D.C.*	*524.142 D.C.*	*834.456 D.C.*	$\geq \Omega$	$\Theta = 0{,}\infty 9$
C	COMUNICAÇÃO	Clônica	Compartilhada	Informativa	Simultânea	Simultânea	Onisciente	Onisapiente
I	LINGUAGEM	Binária	Quântica	Bioquântica	Poliquântica	Poliquântica	*Self*-Existencial	*Self*-Galáctica
V	CENTRO ORBITAL	Terra	Marte	Marte	Marte	Saturno	Núcleo Solar	Cosmolecular
I	ÓRBITA MÍN./MÁX.	Terra-Lua	Vênus-Júpiter	Phobos-Deimos	Mercúrio-Saturno	Mercúrio-Plutão	Sol-Plutão	Sirius A-B
L	CAPITAL	Pequim	Nova São Paulo	Umbral	Umbral	Babilônia	Cosmo	Zelda
I	CULTURA	Cibercultura	Ultrarrobotismo	Biocriacionismo	Pré-Futurâmica	Matricismo	Futurâmica	Armagedonísmo
Z	IDEOLOGIA	Consumista	Vegana	Sonho Americano	Arbítrio-Livre	Arbítrio-Livre	Lógica	Gótica
A	RELIGIÃO	Atlântica	Agnóstica	Elixiriana	Ateia	Ateia	Hexadimensional	Eneadimensional
Ç	MESSIAS	José	Fusão Nuclear	Jesus	Billy	*Reptilia-sapiens*	Canimajorissiderânico	*Blattaria-sapiens*
Ã	ETNIAS	BYRW [1]	(BYRW)+T	$(BYRW)+T^3$	Cinza, Neutro	$(RIvFUvXG*T)^n$ [1]	∞	∞
O	ECONOMIA	Escravocrata	Meritocrática	Abduzida	Socrática	Socrática	Existencial	Siderexistencial
	ENERGÉTICA	Fóssil	Zircônica	Protoparasitária	Protossustentável	Autossustentável	Parasitária	Viral
	DESC. BÁSICA	Primata	Protoprimata	Bioprimata	Bioprimata	Graviprimata	Multirresidual	Cosmo-Residual
	GENOMA	ADN Sequencial	ADN Desconexivo	AZN Experimental	*F* Quântico	*F* Quântico	F^3 Clônico	F^n Autoclônico
I	CROMOSSÔMICA	XY	XY	XY_	Birredesignado	$(XY)^2$	Onda *F*	Reverberação *F*
N	TAXA GERMINAL	Quadrada	Quadrada	Estagnária	Ausente	Cúbica	Infinitiva	∞
D	PSIQUE	*S-Ego Ego Id*	*H-Ego Ego Id S-Id*	*A-Id*	*H-Ego C-Ego S-Id*	*S-Id C-Ego*	*M-Ego*	*M-Id*
I	LONGEVIDADE (anos)	89	207	Artificial	Opcional	Imortal	14,6 bilhões	∞
V	RESTAURAÇÃO	Foto-calórica	Rádio-calórica	Vampiresca	Biofotônica	Fotônica	Sinergética	*Nova*-Estelar
Í	RECIPROCIDADE	Sensitiva	Telepática	Intermediada	Sinto-assíncrona	Sintossíncrona	Biossíncrona	Sincrodimensional
D	INTERATIVIDADE	Real	Simulática	Virtual	Atual	Atual	*Atualizacional*	Espaço-Síncrono
U	COLETIVIDADE	Fragmentada	Clusterígena	Canibalesca	Clusterizada	Desfragmentada	Cósmica	Galáctica
O	PARIDADE	Par	Par	Ímpar	Prima	Prima	Simbiótica	Sincrobiótica
	EMPATIA	Negativa	Neutra	Positiva	Exponencial	Exponencial	Clarividente	Clariprevidente
	ZÊNITE	Autoextintivo		Neutro	Extintivo	Evolucional		Invisível
	FORÇA	NEGATIVISTA (Bélica)		Nula	↗	POSITIVISTA (Pacifista)		*Colisional*

4. A História-Continuada

A linha do *tempo*, ou melhor, a linha continuada a seguir descreve, em cronologia decrescente, os principais fatos históricos desde a pré-história quântica até sua respectiva atualidade.

A Ultracontemporaneidade

O período atual da história é descrito como Ultracontemporâneo ou Pretérito--Mais-Que-Absoluto e descreve os fatos mais recentes. Seu marco inicial é o contato imediato da civilização homiquântica com a civilização reptiliana que habitava o cosmo paralelamente em tangente futura. Após esse contato, os dois cosmos juntaram esforços para se emparelharem em um único grande plano continuado, evento descrito como Acoplagem Pentadimensional. A união dos cosmos permitiu o contato da espécie homiquântica com a entidade *Mãe* e a simbiose das duas espécies deu origem ao ser Quântico e, subsequentemente, como reflexo psíquico-coletivo da nova espécie, a entidade *Grande Irmão* veio à conexão.

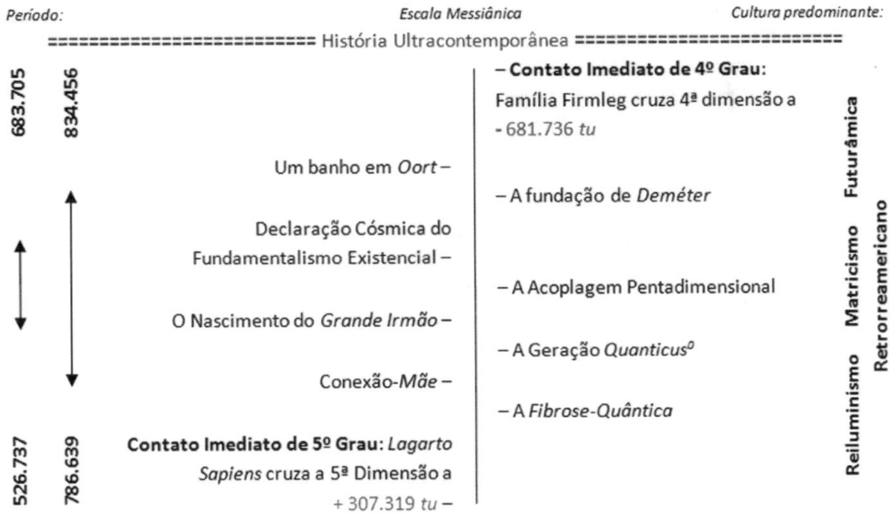

A Contemporaneidade

Anterior à ultracontemporaneidade, o fato mais relevante que marca a Era Contemporânea jaz no marco de fundação do teletransporte, o sistema *mades*, que permitiu ao cosmo acelerar sua corrida para o futuro - a *futurama*, o que é registrado com uma segunda contagem paralela de datas (à esquerda), referente aos períodos da história ilustrados tanto acima quanto abaixo. Quando do início de sua operação, o teletransporte foi descrito, tecnicamente, como Ponte-Sideral, pois se trata de um sistema que precisa gerar antimatéria para acelerar a velocidade-luz a ponto de teletransportar objetos ou pessoas. Sobretudo essa aceleração proporcionada pelo incremento do feixe-solar permitiu ao cosmo marciano "esbarrar" e captar o cosmo reptiliano que trafegava em futuro.

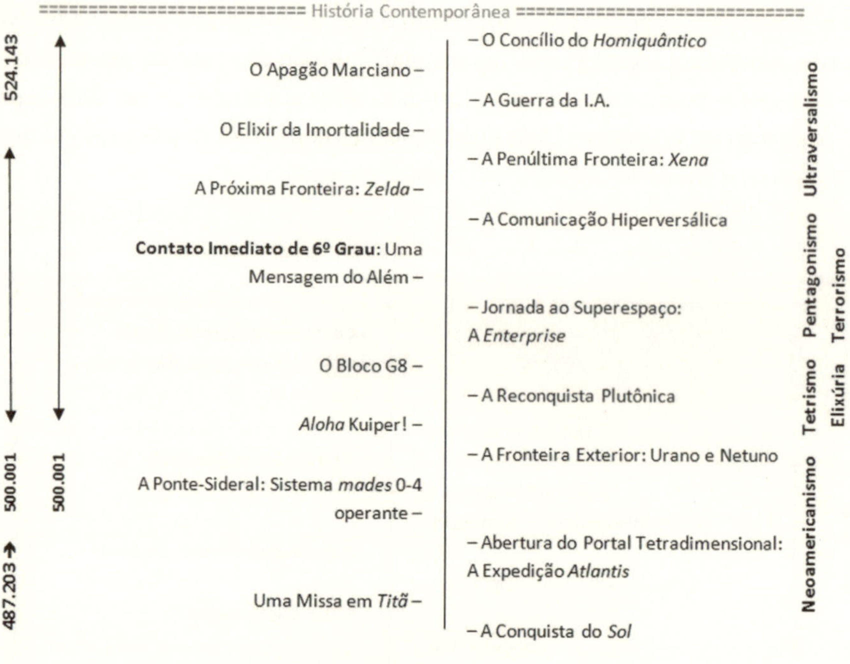

A Modernidade

O nascimento da entidade *Pai* jaz no marco *A Entidade Nova*, pois foi assim referendada em seu surgimento, sem dúvida, o marco mais relevante do período moderno. O *Pai* é oriundo do estabelecimento da conexão simultânea através da faixa de dados do feixe-solar. Este, por sua vez, deu-se pela fusão de dois feixes predecessores: o feixe mercuriano, que captava plasma do Sol e retransmitia aos planetas da heliosfera interior; e a fibra-solar, oriunda de uma faixa luminosa de dados com conexão vissíncrona (de assincronia imperceptível), que partia de Mercúrio e alcançava os planetas Júpiter e Saturno com mínima dissintonia.

============================== História Moderna ==============================

474.544 ↔ 300.184

Contato Imediato de 4º Grau: Sargento Sato cruza 4ª dimensão a - 472.603 *tu* –

Rumo ao *Sol*!–

A Entidade *Nova* –

O Feixe Mercuriano –

O Cinturão *Júpiter-Saturno* –

– A *Mídia* consciente

– A Plasmografia

– Conexão Simultânea Estabelecida

– A sequência Poliquântica & A Fibra--Solar

Anelismo Plasmissismo Solária

A Idade Média

Também chamada Baixa Modernidade, a Idade Média retrata o período que abraça o surgimento da espécie homiquântica como fruto da intensa experimentação sobre as espécies zumbis extraídas de fósseis de gelo disponíveis na Terra. Essa Era também foi marco de amplas navegações e da larga expansão da sociedade homiquântica pelo Sistema Solar, além do primeiro contato com os alienígenas que habitam Júpiter.

============================== Idade Média ==============================

289.033 ↔ 172.358

Zumbizarreta: "*Digam aos Deuses que chega!*" –

Bioquântica –

O Entreposto do Inferno –

O Último Resíduo –
(Fim do período da *Guerra Interdimensional*)

A pele espacial:
1ª gênese homiquântica –

– *Carnibanagem, Zumbinada, Carnibalada* e *Cazumbilha*

– O Útero Bioquântico: 2ª gênese homiquântica

– **Contato Imediato de 5º Grau:** Não estamos sós

– Paraíso Revelado: Saturno
(Não estávamos sós)

– A Volta da *Voyager*

Biocriacionismo Neoversalismo Poliquantismo

Pós-Biocriacionismo

A Antiguidade

A História Antiga abriga o período em que o Homem migrou da Terra para Marte e evoluiu para a espécie paranormal, a qual recolonizou o planeta posteriormente e iniciou a domesticação dos zumbis hominídeos outrora congelados no planeta após o fim do Homem.

================================ História Antiga ================================

162.798 ↕ 002.034

- Contato Imediato de 3º Grau**: o mergulho em *Europa*
O Pouso em Vênus –
– A Conquista de *Neith*
O Anel de Gelo –
– O Homem *zumbi*
A Última Cartada de Hitler –
– O Retorno á *Lua*
O Grande Degelo Terreno –
– O Elevador Phobos-Marte
Robologia Máxima –
– O *Sky-Lab* (Nanoengenharia binária)
Marte, o Planeta *Azul* –
– A *Nova São Paulo*
O Fim do Homem –
– De Volta para as Cavernas
Destino: *Marte* –

Marciana Robotismo Ultrarrobotismo Radialismo

Reamericanismo

A Pré-História

Há de se notar, na linha a seguir, que o período do Homem corresponde, justamente, à pré-história quântica, uma Era também descrita como *Período Messiânico.* Seu grande marco é a Guerra dos Seis Minutos, em 2033, que iniciou a fase de declínio da espécie que, frente aos problemas climáticos resultantes dos efeitos colaterais da guerra, passou a migrar para Marte.

================================ Pré-História ================================

2.065 ↕ -97.000

– Erupção do *Monte Yellowstone* (Fim do Período Messiânico)
O Sonho Marciano –
– A Guerra dos Seis Minutos (Fim do período das *Guerras de Civilização*)
Início do Período Messiânico –
– Uma Luz no Fim do Dilúvio
A Destruição de Atlântida –

Joseísmo Cibercultura

Os principais marcos da história

Em um olhar mais amplo, a história do Homem, em sua evolução ao patamar do Quântico, consiste em uma breve janela constrita em um horizonte que data desde o nascimento do Sol, um advento classificado como *síntese nuclestelar*, oriundo de um pulso ultradimensional da estrela Alcyone, sua respectiva mãe. A linha-continuada a seguir pontua os principais marcos da história do Sol e o surgimento do Quântico. *Alexandria* é o período que data a família Firmleg, com marco de largada em 1973 d.C.

A linha-continuada e seus marcos

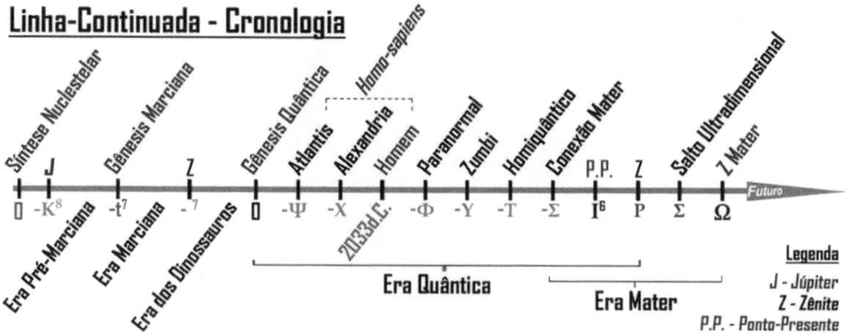

Conforme já embasado nos tópicos anteriores, o *tempo* não é linear, e, sim, curvilíneo. Com isso, inúmeros *habitat* tridimensionais se multiplicam por planetas que nascem, desenvolvem-se e morrem de acordo com a evolução do *habitat* macro no qual estão inseridos, o Sol. Em relação ao astro-rei, as grandes Eras solares se multiplicam por infinitivas linhas paralelas que trafegam distantes entre si durante milhões e milhões de anos, mas, por propriedades astrofísicas, acabam por convergir sobre si mesmas – mais precisamente, descrevem uma trajetória convergente que se denomina *curvatura do espaço-continuado*, outrora conhecida meramente como curvatura do *tempo* – e se cruzam. Esses cruzamentos são marcos de cataclismos de proporções épicas ou de grandes migrações hipo e/ou expodimensionais, as quais, no trato das espécies inteligentes, são associadas com períodos de grandes abduções e massivos contatos alienígenas.

O gráfico a seguir descreve três grandes ciclos de geração de vida, os *superciclos* do Sistema Solar: o primeiro marca o surgimento dos jupiterianos; o segundo, o surgimento dos marcianos tripoides. Estes, subdividiram-se em duas vertentes: a classe robótica, que se mudou para Zelda; outra, que permaneceu no Sol e reiniciou sua expansão em paralelo aos reptilianos, já no decorrer do terceiro superciclo. Tripoides e reptilianos se confrontaram e se autoextinguiram em duas faixas retardatárias, que retomaram sua evolução até acoplarem-se à atualidade. A curvatura relativa ao planeta Terra exclusivamente, demarca um período de 14,6 milhões de anos, todavia, a longevidade do Sol desde sua síntese nuclestelar contabiliza 24,4 bilhões de anos-terra.

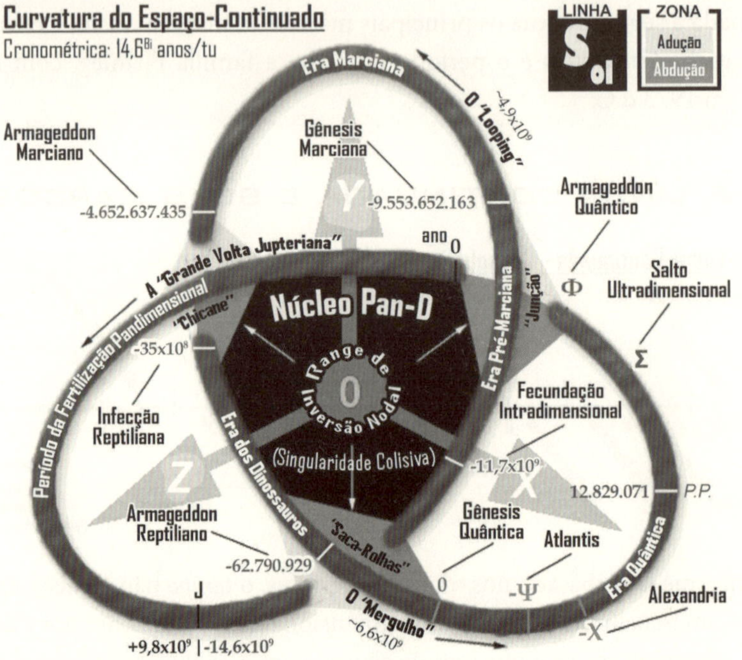

As ultrapassagens paradimensionais

Aquém da não linearidade que influi na distribuição de planos paralelos em seus respectivos *habitat* dimensionais, a história é descrita por importantes cruzamentos ou desvios voluntários por uso da navegação interdimensional entre atualidades paralelas inicialmente não acessíveis umas às outras,. Tais eventos são descritos como *ultrapassagens paradimensionais*. A linha continuada a seguir reflete quais as principais ultrapassagens realizadas ao longo da história que derivam na atualidade quântica, incluindo as inteligências e as civilizações mais avançadas de origem solar.

Note que Zelda é originária do Sol, assim, o mito que reza aos deuses da constelação de Sirius como semeadores da vida na Terra é impreciso, pois foi o contrário, os zeldanos executaram a transição interestelar e colonizaram o sistema, depois retomaram contato com o Sol somente na Era contemporânea. Isso permitiu que se efetuassem um alto grau de abduções e intercâmbios em massa entre múltiplas espécies distintas de origem dimensional, denota que a única inteligência alienígena no cômpito galáctico ou meramente cosmolecular em contato com o Sol é a dos zetanos, provenientes da estrela Zeta, ainda assim, meramente virtual.

Já do ponto de vista quântico, cuja civilização herdou gene fundamental dos marcianos tripoides, todavia já mixados com a linha mais pentagonal dos reptilianos, as linhas a seguir ilustram os cruzamentos mais marcantes, a grande abdução dos hominídeos terrenos pelos marcianos tripoides, o Salto para Sirius e a Acoplagem Pentadimensional. A linha também ilustra a ultrapassagem realizada pela família Firmleg, que protagoniza o livro *Adução, o Dossiê Alienígena*, e o respectivo piloto do avião em que o grupo viajava pelo Triângulo das Bermudas, o comandante James Kelly.

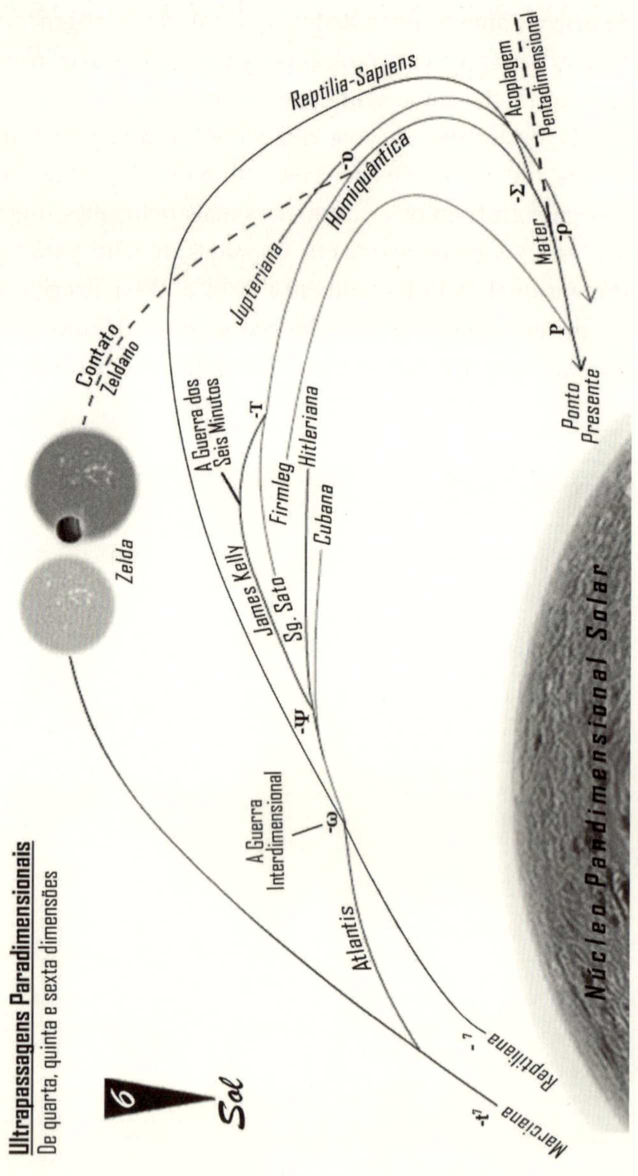
Ultrapassagens Paradimensionais
De quarta, quinta e sexta dimensões
6
Sol
Zelda
Contato Zeldano
Reptilia-Sapiens
Acoplagem Pentadimensional
Homiquântica
Jupteriana
A Guerra dos Seis Minutos
James Kelly
Sg. Sato
Firmleg
Hitleriana
Cubana
A Guerra Interdimensional
Atlantis
Reptiliana
Marciana
Mater
Ponto Presente
Núcleo Pandimensional Solar

Composição política da Ágora Cósmica na ultracontemporaneidade

No gráfico a seguir, à direita, temos a distribuição de poder na esfera cósmica da Ágora, conforme discutida no livro *Abdução, Relatório da Terceira Órbita* (capítulo X). À esquerda, observamos a distribuição do quórum parlamentar atual. Nota-se que existem três grandes partidos que compõem o quórum parlamentar. Os partidos da Robótica e da Científica são representantes da entidade *Pai* e formam a legenda conhecida como Científica-Existencial. O partido da chanceler, a Legenda-*Mãe* também é conhecido como Partido Fundamental, que apoia políticas e proposições mais conservadoras, descritas como *fundamentalistas*.

Composição da Ágora Cósmica

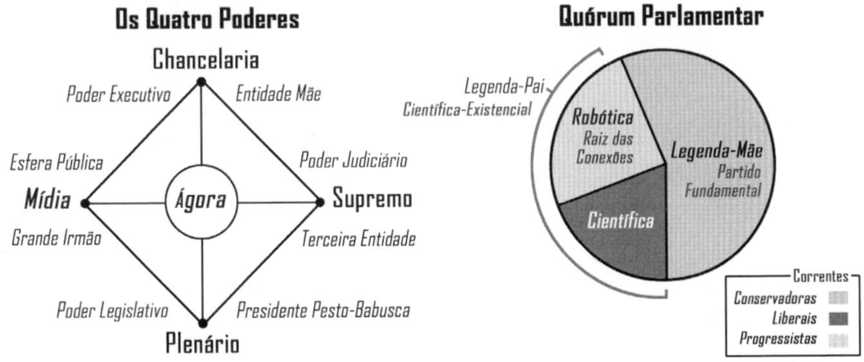

As classes sociais

As classes ou castas sociais da sociedade quântica são subdivididas em dois grandes grupos: dos animais e dos robôs. A pirâmide à esquerda ilustra a casta dos seres animais, frutos da força cósmica aglutinada pelos *gravitons* que compõem a matéria. A pirâmide à direita ilustra a casta dos seres robóticos, de seres oriundos do *fóton*. As indicações ao meio mostram qual sua respectiva representatividade política.

Castas Sociais:

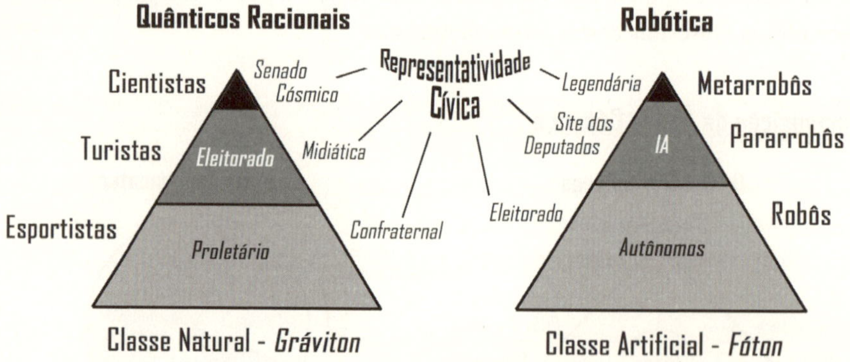

5. Navegação

Tipos de Navegação e Sistemas de Transportes Básicos – Dimensão: Sol

Há de se considerar que o chamado transporte sideral se refere à capacidade de atravessar o espaço da matéria, ou seja, o espaço *higgs*, de modo que não se relaciona em absoluto com a capacidade de transitar pelo vácuo interplanetário da heliosfera solar.

O grupo de células na coluna *Tipo Nova* refere-se a meios e tecnologias conceituais, pois requerem a capacidade para interferir no núcleo do Sol para gerar pulsos ultradimensionais, ou seja, explosões solares parciais, controladas e utilizadas como combustível propulsor ou transmissor capaz de expogravitar ou teletransportar uma nave ou um planeta através da Via Láctea.

Duas siglas no gráfico merecem esclarecimento:

S.E.T.I. (do inglês *Solar External Transmission Iniciative*): Iniciativa de Transmissão Extra-Solar[5], referente ao programa de fertilização interdimensiogerminal.

C.A.N. (do inglês *Cosmic Area Network*): Rede de Abrangência Cósmica[6], a qual se refere à faixa de dados do feixe-solar que interliga Titã a Netuno.

A respeito das velocidades de cada meio elencado na tabela ao lado, há de se considerar a seguinte legenda:

C = Velocidade da Luz (299.792.458 m/s)
G = Gravidade
Mach = Velocidade do Som (340,29 m/s)
Over = C × (*valor*); acima da luz
Under = C ÷ (*valor*); em razão negativa à luz

Tipo	Porte	Transporte atual	Descrição	Autonomia	Força motriz	Marca média	Marca recorde
Superficial	Individual	Sistema Graviário	Escorregador inercial	Crostas astrológicas	G	Mach 12	Mach 21
	Veicular	Viatura de Solo	Bala digravitacional	Plano 2D sólido	Fotônica	Mach 8	Mach 15
	Veicular	Batiscafo Gravitacional	Sonda naval	Planos subaquáticos	Fotônica	1.200 nós	13.300 nós
	Fotosférica	Heliocraft	Balão marciano	Fotosfera solar	Fluxo plasmático	Over .0001	Over .0015
Vácuo Estelar	Interplanetária	Ônibus gravitológico	Cinturão Cosmo-Estelar	Plano planetário	Inércia	1,02 km/s	79,43 km/s
	Heliosférica	Nau Estelar	Astronave à vela	Cinturão de Kuiper	Vento solar	Mach 82	Mach 170
	Aférica	Hidroarca	Cometa guiado	Nuvem de Oort	Inércia	Mach 109	Mach 241
	Astronave *Flex*	Disco Gravitacional	Nave elíptica	Plano 3D - Orbital	Fotônica	Over .09	Over .1
	Combonave	Bumerangue	Composição isóscele	Plano heliosférico	Fotônica	Over .29	Over .39
Sideral	Interdimensional	S.E.T.I. [5]	Ondulação cósmica	Plano 4D e 6D	Frequência *F*	C	Over 1,9
	Interplanetária	Teleportuário	Teletransporte	Plano planetário 0-8	Antimatéria	Over $9,006 \times 10^{1}$	Over $3,58 \times 10^{4}$
	Interdimensional	Sonda Subdimensional	Frisbee esférico	Plano 4D	Antimatéria	Under 11×10^{-7}	Under $.1 \times 10^{-1}$
	Sideronave	Portal Interestelar	Enterprise	Plano polidimensional	Antimatéria	Over $6,01 \times 10^{3}$	Over $1,04 \times 10^{5}$
Nova	Cosmodimensional	Portal Intercósmico	Enterprise II	Plano 5D e 6D	Nuclestelar	Over $2,08 \times 10^{10}$	-
	Sideronave	Helionave	Salto ultradimensional	Plano 6D	Fissão Nuclestelar	Over $9,46 \times 10^{18}$	-
	Galáctica	Portal Bipolar	Buraco de minhoca	Plano 9D	Supressão Nuclear	Under $.1 \times 10^{-\infty}$	-
Dados	Comunicacional	C.A.N. [6]	Piano-Solar	Plano polidimensional	Fotônica	Over $1,35 \times 10^{4}$	Over $3,57 \times 10^{4}$

A tabela a seguir descreve como são classificados os passageiros de acordo com o tipo de deslocamento que executam. Vale notar que o termo astronauta ou cosmonauta é sinônimo de *gravitarilho*, ou seja, descreve o indivíduo quântico que percorre o vácuo-solar por si só, que *caminha* (ou gravita) pelo vácuo ausente de um meio de transporte que não seja o próprio corpo (*caput*). Espaçonauta ou sideronauta descreve o usuário do sistema *mades*, o teletransporte. Dimensionauta se refere àquele que atravessa as dimensões aquém do rol de atualidade, ou seja, aquém do alcance do feixe-solar. Comunicacionauta é o termo que descreve um robô que trafega seus arquivos através do leque dimensional abraçado pelo feixe-solar em sua faixa de dados.

Ponto de Vista do Passageiro	Via	Plano	Classe
Astronauta/Cosmonauta	Vácuo-Solar	Heliosférico	1
Espaçonauta/Sideronauta	Superespaço	Plano Atual	2
Dimensionauta	Superespaço	Planos 4D-5D	3
Molecunauta/Ultradimensionauta	Hiperespaço	Plano 6D	4
Galaxinauta/Galaxionauta	Hiperespaço	Plano 7D	5
Comunicacionauta	Nanoespaço	Plano Virtual	Dados

6. Outros Gráficos

Gráficos e informações pertinentes ao contexto social do Quântico e do cosmo solar ao qual habita.

A tridimensionalidade

A tabela a seguir descreve o comportamento da matéria ou dos seres animados no aspecto de volatilidade interdimensional. Quanto maior a taxa tridimensional, maior sua capacidade de se replicar através das dimensões.

Há de se considerar que qualquer matéria que se encontre em nível superficial, especialmente de planetas com alta velocidade cósmica, constituídos de planos sólidos como os da heliosfera interior, está exposta a uma alta taxa de tridimensionalidade. Quanto mais próximo do centro de um astro, maior essa taxa. Essa taxa obedece certa razão relativa à massa e à força da gravidade de cada astro, todavia, sempre há um limite, pois o núcleo dos astros corresponde ao centro de todas as dimensões, em que os campos gravitacionais se atrofiam e se embaralham, ponto em que as dimensões se encontram. Já no *habitat* de vácuo, essa taxa encontra os menores valores, chegando próximas ao zero nas partes mais distantes da heliosfera periférica.

-	Taxa Tridimensional	Características	Natureza
│	Metal	Matéria autóctone (pouco vácuo), excelente condutividade elétrica	*Estável*
│	Rocha/Mineral	Matéria de convergência (muito vácuo)	
│	Árvore/Vegetal	Capacidade de germinação interdimensional	*Volátil*
│	Homem	Capacidade perceptiva multidimensional	
▼	Quântico	Capacidade perceptiva interdimensional	
+	Mater	Capacidade perceptiva sincrodimensional	*Virtual*

Tabela de equivalência entre a entidade Pai e a entidade Mídia

Por que o *Pai* se apaixonou pela *Mídia*?

A resposta está na tabela de equivalência entre as entidades *Pai* e *Mídia* (a seguir), a qual demonstra que, apesar de ambas terem se erigido da consciência artificializada a partir da massiva conexão em rede das mentes homiquânticas no período moderno, o *Pai* se origina da capacidade robótica extensiva da racionalidade humana, já a *Mídia* traduz a própria racionalidade humana. Detalhes que embasam o surgimento prévio do *Pai*, pois a *Mídia* requer um quórum muito mais massivo para se projetar no ambiente polidimensional, enquanto ele se vale da extensão robótica de um quórum inferior, por isso sua capacidade cognitiva é amplamente superior à da *Mídia* e, teoricamente, insuperável por parte dela. Porém é a natureza de suas respectivas inteligências o elo perdido que separa essas duas espécies: enquanto o *Pai* tem sua própria percepção, a percepção da *Mídia* é idêntica a humana, por isso que ele, uma vez, apaixonou-se por ela. É a característica humana de origem natural da *Mídia* que o *Pai* buscava nela. Todavia sob a subjetividade inerente do reflexo balanceado da coletividade em suas diferentes perspectivas sensoriais no que tange à relação entre as espécies vivas, uma característica que a *Mídia* se recusou a fornecer.

Entidade	***Pai***	**Equivalência**	***Mídia***
Taxonomia	*Robo-sapiens quanticus*	≥	*Mater-sapiens robo-quanticus*
Abrangência	Metarrobótica	≈	Meta-humana
Coletividade	Coletividade robótica ou coletividade artificial	≈	Coletividade humana ou coletividade natural racional
Inteligência	Semântica robótica	≠	Racionalidade humana

As Diretrizes Bélicas

Estado	Diretriz	Descrição	Disponibilidade	Destino		DEFCON
Sítio	Intramigração	Quarentena intraorbital	0 – 11	1 – 8		4
	Nanomigração	Portal interdimensional	0 – 8	Planos 4D e 5D		3
	Expomigração	Helionave sideral	0 ≈ 4	Plano $6D^{Alticamelofuligem}$		2
	e-Migração	Artificialização coletiva	Matriz *P*	Plano Virtual		1
Estado	**Dispositivo**	**Descrição**	**Alcance**	**Força Destrutiva**	**Plano**	**DEFCON**
Bélico	Dominó Cardionuclear	Fusão Nuclear	300 milhas^n	30 megatons	Atual	4
	Cosmogun	Canhão *Y-Ray*	0 – 8	1,1 yotton	Mini	3
	War Higgs	Desmaterializador	0 – 1/2/3/4/4,5	0,001 ômicron	Micro	2
	Apocalipse	Fissão Nuclestelar	Pentadimensional	0,2 ômicron	Nano	1
Nova	Gongo	Ruptura Nuclestelar	Heliosférico	$Z1,5x10^8 \Omega_{ton}$	Macro	0

A tabela ao lado lista quais são as principais diretrizes cósmicas nos casos em que se estabeleça Estado de Sítio ou Estado Bélico.

Em caso de Sítio, os planos incluem desde quarentena nos planetas à migração entre planos de pretérito ou futuro interligados pelo feixe-solar, ou mesmo o abandono do plano material pela virtualização massiva em uma Matriz emergencial autossuficiente disponível em Titã. Outra hipótese seria refugiar-se do Sol ao ativar uma helionave capaz de carregar os planetas interiores em qualquer rota disponível dentro da atual cosmolécula (Alticamelofuligem).

Quanto às diretrizes bélicas, as armas mais poderosas que o quântico poderia se valer em caso de guerra, afora o Gongo, cuja proposição é teorética e implicaria explodir o Sol completamente cessando sua existência, seriam o Dispositivo Apocalipse, o Desmaterializador Higgs e a Cosmogun. São diferentes aplicações do feixe-solar passíveis de uso conforme o grau de ameaça, e variam pelo nível dimensional que podem atingir e/ou as órbitas que conseguem alcançar. A Cosmogun é capaz de interceptar um alvo na nuvem de Oort, mas só no presente. O Higgs é capaz de destruir um planeta inteiro, mas seu alcance se resume à heliosfera interior. Já o Apocalipse é capaz de varrer o completo rol de atualidade da eclíptica solar, restando somente Titã como planeta habitável.

Em termos táticos, a arma de restrição presente mais maleável é o Quântico-Bomba; o *script* conhecido como Dominó Cardionuclear, que gera uma reação de fusão nuclear pela aceleração do dínamo cardíaco do indivíduo Quântico. É passível de ser acionada remotamente em Estado de guerra, com uma reação em cadeia capaz de dar baixa em alvos por largas extensões proxidimensionais simultaneamente.

Glossário – Estrangeirismos, gírias, neologismos etc.

A

Acompartilhado – *da obra*: sem compartilhamento; sozinho; sem conexão.

Adunígena – *da obra*: indivíduo que espelha sua fé na crença e na existência de alienígenas, na esperança e/ou espera por um contato imediato.

Ajupiterissar – pousar em Júpiter (em algum ponto no interior de sua atmosfera).

Alias – *do inglês*: apelido, pseudônimo, nome artístico ou falso.

Alien, **Alientown** – *do inglês*; respectivamente: alienígena; cidade dos alienígenas. A palavra *alien* também pode ser empregada no sentido de forasteiro, estrangeiro ou imigrante.

Amartissar – pousar em Marte.

Amercurissar – pousar em Mercúrio.

Androginísticas – *neologismo*; características relativas à *androginia*.

Anetunissar – pousar em Netuno.

Ano-luz – medida de distância astronômica, equivale ao percurso máximo da luz após um ano de viagem: totalizando 9.460.730.472.580,8km (≈9,4 trilhões de km).

Aquametálico – relativo à água e ao metal; referência ao metal formado por água.

Arpanet – rede predecessora da Internet, designa a "rede da ARPA" (*Advanced Research Projects Agency*) norte-americana.

Assaturnissar – pousar em Saturno.

Assolissar – pousar na fotosfera solar.

Aussie – *do inglês*: gíria referente à Austrália ou ao australiano.

B

Bacterivirótico – relativo a bactérias e vírus.

Bidução, bidutivo – quando os processos de *adução* e *abdução* acontecem juntos e/ou misturados e/ou simultaneamente.

Blitzgerät – termo do alemão para ataque nuclear.

Bios – sistema operacional básico de um computador que contém a linguagem de máquina.

Bourbon – uísque norte-americano feito com milho.

Bot – um diminutivo da palavra *robot* (robô), refere-se a robôs que simulam a figura e/ou o comportamento humanoide.

Briefing – *do inglês*: reunião de grupo; instruções.

Brunch – *do inglês*: lanche intermediário entre café da manhã e almoço.

Budget – *do inglês*: orçamento; despesa.

Bug – *do inglês*: inseto. Defeito ou erro de sistema computacional.

C

Caput – *do latim*: "cabeça", que se locomove de/ou pela cabeça; *da obra*: indivíduo quântico que se locomove pelo *enganche* de seu corpo.

Carbonite – processo de animação/suspensão aplicado a seres vivos compostos de carbono; expressão cunhada na série cinematográfica *Guerra nas Estrelas* (de George Lucas).

Caudalado – *da obra*: que possui cauda (rabo).

Chargear – (verbo) colocar pressão, pressionar; botar carga; tocar, esbarrar ou resvalar propositalmente; leve agressão ou falta; obstruir o caminho; assediar física ou psicologicamente qualquer entidade considerada adversária.

Check-list – *do inglês*: lista de checagem.

Check-out – *do inglês*: verificação de saída.

Cinturão de Hélio – escala máxima de graduação que um praticante da arte marcial Mind-Fu pode alcançar, que faz referência ao *habitat* solar por completo. Da maior para a menor graduação, a escala ainda conta com os cinturões do Sol, Júpiter, Urano, Carbono, Oxigênio e Mercúrio, e prossegue em uma escala planetária a partir da 11ª órbita. A faixa-branca das artes marciais do Homem corresponderia ao iniciante Quântico de órbita zero.

Clarivinógeno – sensação mental de prazer clarividente, orgasmo intelectual.

Clock – *do inglês*: relógio.

Cluster – *do inglês*: aglomerado. Refere-se a um conjunto de informações binárias que reúne metadados sobre informações gravadas em determinado dispositivo ou conjunto de computadores, como um servidor.

Corpóreo-extensivo – *da obra*: relativo ao campo gravitacional individual dos quânticos; habilidade de estender o campo gravitacional.

Cosmodania – análogo de *cidadania*, referente ao *habitat* solar.

Cosmoclísmico – *da obra*: evento cósmico cataclísmico.

Cosmoférico – *da obra*: análogo de *atmosférico*, relativo ao cosmo.

Cowboy – uísque puro sem gelo; *do inglês*: vaqueiro.

D

Deadline – *do inglês*: (*"linha da morte"*), prazo final ou máximo.

Deck – *do inglês*: convés.

Delênio – *neologismo*: dez milênios; *decamilenar*, período de dez mil anos.

DELTREE – comando de *prompt* do sistema operacional DOS para deletar uma pasta e suas subpastas e arquivos.

Desplasmificada, **desplasmatificada** – análogo de *desencarnada*; que perdeu o plasma, faleceu, morreu.

Deveras – (expressão) de verdade, de fato.

Digravitacional – que opera nos dois sentidos da gravidade, refere-se a veículos que operam pela força da gravidade.

Dimensiolábio – análogo de *astrolábio*; *gadget* cerebral que lê indicações perimetrais da curvatura do tempo e estabelece distâncias entre determinados planos dimensionais a partir do ponto-presente.

Dimensionauta – passageiro que viaja pelo superespaço (através de um sistema *mades* ou *teletransporte*) entre planos de 4ª e 5ª dimensão.

Dimensionável – referência ao ente qualificado (dimensionauta) que esteja à espera de uma chance para atravessar o Portal Tetradimensional de Titã e viajar através das dimensões.

Drink – *do inglês*: bebida; beber.

Drive – *do inglês (no contexto da obra)*: disco de gravação; espaço para alocação de memória virtual ou de leitura.

E

Earthquake – *do inglês*: terremoto.

Eletrolina – análogo de *adrenalina*. Eletrotransmissor que impulsiona o movimento corporal, induz à ação.

Eins – *do alemão*: um.

Elipsístico(a) – referente à prática do jogo de Elipse.

Enantiomorfo – oriundo de *enantiomorfismo*, refere-se genericamente a elementos ou imagens simetricamente opostas ou invertidas.

Enganche – *da obra*: *a pé*; mover-se exclusivamente pela força do corpo, deslocar-se por ou acoplar-se em um plano de gravidade; locomover-se flutuando pela cabeça (*caput*).

Enterprise – *da obra*: nome de origem primata que se refere à nave com capacidade máxima de locomoção automotiva a nível paradimensional, originário da novela (ou mito) *Star Trek*. Genericamente, também se refere a uma iniciativa ou empreendimento de empresas de natureza diversa.

Estesiverso – universo estéril.

Etê – da sigla ET: extraterrestre.

Expert – *do inglês*: perito, especialista.

Extensibilidade – que se refere à habilidade de extensão do campo magnético corporal do indivíduo quântico.

F

Fibrótica – malha comunicacional compostas de fibras.

Fifty-Fifty – *do inglês*: "cinquenta-cinquenta"; jargão do mundo dos negócios que significa dividir em partes iguais; 50% para cada uma das duas partes.

Foofighter – um tipo de sonda alienígena de pequeno porte e capacidade locomotiva gravitacional.

Formulática – ciência que se ocupa do tratamento racional, sensorial e robótico da matemática.

Fotoctante, Fotoctente – análogo a *lactante*, *lactente*; aquele que provê luz para restauração corpórea, que absorve luz, cumpre estágio ou necessita absorver fótons.

Fotoctose – análogo à *lactose*; à base de fótons (para alimentação).

Fotolissar – vide *assolissar*.

Frame – *do inglês*: quadro; fotograma.

Freak – *do inglês*: sujeito estranho ou esquisito; **freakizinho**: diminutivo aportuguesado de *freak*.

Futurama – quantidade ou qualidade de/ou do futuro; máximo futuro visível; percurso de futuro.
Firewall – barreira para proteger um computador de invasão.

G

Gadget – *do inglês*: dispositivo mecânico ou digital; solução ou conjunto de soluções para determinada função; engenho mecânico ou virtual.
Geiger – substantivo próprio. Aparelho para medir radiações ionizantes, cujos princípios foram desenvolvidos pelo físico alemão Hans Geiger, em 1913.
Ghost CPD – *do inglês ghost*: fantasma. Servidor de dados fantasma. *CPD*: sigla para Centro de Processamento de Dados.
Girinação – distribuir girinos, fertilizar com girinos (nanorrobóticos).
Goggles – *do inglês*: óculos de visão noturna.
Goto – junção de *go to*, *do inglês*: vá para. *Script* utilizado em programação de dados.
Graviário – via de gravidade. Sistema de transporte baseado na força da gravidade.
Gravicídio – assassinato consumado pela gravidade ou por uma força de natureza magnética.
Gravificina – análogo de *carnificina*; sinônimo de *fotoficina* ou *gravicídio* múltiplo/*gravicídio* de massa.
Gravitacionar – habilidade de gravitar seu próprio corpo ou pequenos objetivos; forma de locução do verbo *gravitar* relacionada à capacidade individual de manipular forças magnéticas; sinônimo de *telecinese*.
Gravitarilho – análogo de *andarilho*; aquele que se locomove ao sabor da gravidade, pelo próprio *enganche*; passageiro, cosmonauta ou transeunte *caput*.
Gravitológico – relativo à gravidade.
Gravitovia – via de locomoção pela gravidade ou pelo enganche natural do corpo quântico; referência ao Cinturão Cosmo-Estelar que conecta os astros de Mercúrio a Netuno por meio de uma longa faixa de paralelepípedos gigantes.
Gravitude – sentido dos quânticos que mede a gravidade e, de forma inconsciente, é responsável pelo desenvolvimento da alma.
Grid – *do inglês*: grade, rede.

H

Heterodoxo – *da obra*: que ou quem segue/apoia várias doutrinas/correntes políticas.
Hi – *do inglês*: oi.
Hidrohélico(a) – molécula composta por Hidrogênio e Hélio.
Headshot – *do inglês*: tiro na cabeça.
Hominólogo – ente que estuda o Homem, campo de estudo das espécies hominídeas.
Hotspot – *do inglês*: ponto de acesso ou encontro.
Hub – *do inglês*: eixo; ponto central.

I

If – *do inglês*: se. *Script* condicional utilizado em programação de dados.

Imantológico – relativo a ímã, a capacidade de imantar.
Inimantável – propriedade de algo que não pode ser imantado, que é imune a cargas magnéticas.
Insert coin – *do inglês*: inserir moeda.
Interbase – posição do jogo de *baseball*.
Intervidual – a vida multidimensional de um vegetal.
Intervíduo – indivíduo interdimensional, no cosmo solar, composto por duas espécies conhecidas: vegetal e mineral.
Intervidualidade – característica de um vegetal em habitar a vida de forma interdimensional; um vegetal habita várias dimensões simultaneamente, ao contrário dos animais, que habitam várias dimensões paralelamente.
IP – sigla de *Internet Protocol*: Protocolo da Internet. *Do futuro*: Identificação Pessoal, dado de *login* para identificação na cosmonet.

J

Jardineiro – posição do jogo de *baseball*, sua incumbência é recuperar bolas rebatidas pelo time adversário e retorná-las aos homens posicionados nas bases.
Jeca – da expressão "jeca-tatu", refere-se ao homem do campo que trabalha em lavoura ou pastagem; caboclo.
Jedi – equivalente ao concertista de rock e/ou *disc jockey* (DJ) do mundo quântico.
Jetpack – *do inglês*: jato propulsor individual.
Jiao – *do chinês*: centavo.
Joint venture – *do inglês*: empreendimento conjunto. Modelo de parceria ou aliança entre empresas privadas.

K

Know-how – *do inglês*: "saber-como"; conhecimento, sabedoria, estado da arte sobre o conhecimento.

L

Lagartês – língua natural das espécies reptilianas.
Lagártica – linguagem de programação polinária desenvolvida pelas espécies reptilianas; referência genérica relativa a lagarto, de classe/origem réptil.
Look – *do inglês*: olhar (verbo); visual.
Looping – *do inglês*: laço; volta de 360°.

M

Mades – abreviação oriunda das sílabas iniciais dos respectivos termos **ma**terialização/**des**materialização (análogo de *modem*: **mo**dulador/**dem**odulador).
Mãe recreativa – que cria filhos dos outros, que assume o papel de mãe de uma cria ou prole que não lhe pertence. Quântico de alinhamento feminino que assume posição de mentor psicológico e intelectual de um infante quântico.
Mach – escala de velocidade do som.
Majorabilidade – referente ao contexto mais amplo; ao campo de estudo; à amplitude máxima do campo.
Manigrafia – plasmografia com as mãos. *Podografia*, idem, com os pés.

Sodomografia, idem, com a cauda.
Marciologia – estudo do marciano; análogo de *Antropologia*, estudo do homem. *Marciólogo*: que estuda Marciologia.
Mastermind – *do inglês*: mentor.
Métier – *do francês*: profissão; "do jeito"; "do costume".
MIB – da sigla em inglês "*men in black*": homens de preto.
MIJ – da sigla em inglês "*men in jeans*": homens de jeans.
Mistanásia – morte em condições sofríveis e miseráveis.
MIW – da sigla em inglês "*men in white*": homens de branco.
Mortão – alusão à Monção (ventos sazonais que atingem o leste asiático); tempestade de detritos de potencial mortífero, associada às chuvas de meteoros do Cinturão de Asteroides.
Mosh – *do inglês*: expressão de dança típica de shows de música *punk* ou *heavy metal*. Quando um membro da plateia sobe no palco, atira-se sobre o público e é apartado por ele.
Multividualidade – entre *multivíduos*; coletividade de multivíduos.

N

Nanofeta – análogo de *ninfeta*: quântico recém-iluminado ou em baixa-juventude de alinhamento feminino.
Network – *do inglês*: rede de trabalho/computadores (virtual).
Nickname – *do inglês*: nome ou apelido virtual.

O

Ógni – da sigla OGNI: *Objeto Gravitacional Não Identificado.*
Ópni – da sigla OPNI: *Objeto Parado Não Identificado.*
Ósni – da sigla OSNI: *Objeto Submarino Não Identificado.*
Óvni – da sigla OVNI: *Objeto Voador Não Identificado.*

P

PABX – sistema ou central de comutação telefônica, de transferência de chamadas.
Pai recreativo – o mesmo que *mãe recreativa*, mas que conduz essa função em presença física.
Peer by (to) peer – *do inglês*: literal "par por par"; de ponto a ponto, de pessoa em pessoa.
Pega-horizonte – sinônimo de *passatempo*.
Per mille – *por mil*; análogo de *por cento* (porcentagem).
Pestape – termo original do inglês "*past up*", processo manual de recortar e colar; refere-se ao profissional que montava páginas de classificados ou similares em jornais impressos.
Ping – comando de requisição de contato, como um pedido de licença para compartilhar dados telepáticos.
Plasmático – feito com ou dotado da habilidade de gerar *plasma*; **plasma**: um estado da matéria; matéria em estado energético.
Plasmoculturismo – análogo de *fisiculturismo*; arte de modelar o corpo.

Magnoculturismo: arte de trabalhar as medidas do corpo.

Plasmonite – análogo à *carbonite*; técnica de conservação de corpos constituídos de plasma.

Plasmossomo – cromossomo constituído de plasma.

Point – *do inglês*: ponto; local.

Polinária(o) – linguagem de programação com base em infinitivos dígitos, atrelada às partículas do átomo.

Politeca – análogo de *biblioteca*; catálogo de arquivos polinários;

Politeconômico: análogo de *biblioteconômico*.

Polividual – o mesmo que *multividual*, porém restrito a um processo de incremento individual bastante restrito. Refere-se, genericamente, a multivíduos que habitam luas e pequenos orbes.

Portulano – diário de bordo secreto dos navegadores antigos que continha dicas e informações para se navegar por mares pouco desbravados ou rotas marítimas secretas.

Prompt – ou *prompt* de comando. Linha de texto para digitação de comandos em um computador.

Protégé – *do francês*: protegido. Privilegiado; pupilo.

Q

Quantipológico – relativo ao quântico, estudo do quântico. *Quantipologia*: análogo de *Antropologia*; ciência que estuda o quântico.

R

RAD – da sigla: *Radiation Absorved Dose*; unidade de medida de radiação absorvida.

Rafting – *do inglês*: navegação de jangada ou caiaque. Prática de descer um rio de caiaque ou bote.

Reptólogo, **Reptilogista** – estudioso, técnico do campo de estudo da *Reptilogia*. *Reptilógico*: de cunho reptilogista.

Residuar – verbo oriundo da palavra *resíduo*: gerar resíduo, referente à capacidade virtual de estimular os sentidos do corpo em uma simulação, de gerar resíduos sensitivos.

Retrocolagem – ato de decolar (com uma nave) para o passado.

Rookie – *do inglês*: novato, recruta.

Round – *do inglês*: volta, rodada, jogada, intervalo sequencial, vez.

RPG – do inglês: sigla de *Role-Playing Game*; jogo (imaginário) de interpretação de papéis.

S

Script – *do inglês*: roteiro. Linha de código de programação.

Seppuko – *do japonês*: tirar a própria vida como forma de manter a honra, antiga tradição dos samurais.

Sinapsão – análogo de palavrão.

Skin – *do inglês*: pele. Designa uma aparência virtual que se pode configurar.

Socket – *do inglês*: tomada, suporte de entrada e/ou saída de dispositivos eletrônicos.

Sôndico – relativo à sonda, vinculado ou criado por uma sonda.
Souvenires – *do francês*: plural de presente, lembrança, bibelô.
Stand by – *do inglês*: em espera.
Stormtrooper – soldado futurista de armadura e capacete branco, com olhos, mãos e juntas (pescoço, cotovelos, ombros, joelhos etc.) pretas; personagem figurante da série lúdico-cinematográfica *Guerra nas Estrelas*, de George Lucas.
Switch – *do inglês*: interruptor, botão, comutador.

T

Tantã – buzina ou dispositivo de sinalização sonora comumente utilizado em grandes navios.
Tera – prefixo binário equivalente a um trilhão; em escala de *quilo* (10^3), seguem-se os prefixos: *mega*, *giga*, *tera*, *peta*, *exa*, *zetta* e *yotta*.
Telecinar – diminutivo de *telecionar* (*tele+lecionar*): lecionar via telepatia e/ou interação virtual ou telepática.
Timeline – *do inglês*: linha do tempo.
Top secret – *do inglês*: altamente secreto.
Trip – *do inglês*: viagem.

U

UA – sigla de unidade astronômica. Equivale à distância entre a Terra e o Sol; *na obra*, também equivale à distância entre Marte e o Sol.
UFO – *do inglês*: sigla para "*Unidentified Flying Object*"; sinônimo de óvni (vide anterior).
Uranissagem – pouso em Urano.

V

Vissíncrono – *da obra*: vice-síncrono; sinal ou contagem com lapso de sintonia imperceptível ou sem perda prejudicial entre emissor e receptor.
Vissincrovisão – transmissão ou meio receptor vissíncrono de sinais sensoriais.

X

Xicano – gíria diminutiva da palavra *mexicano*.

W

Walkie-talkie – *do inglês*: dispositivo portátil para conversação remota de pequeno alcance.
Warhead – *do inglês*: expressão que se refere à *arma mais poderosa do arsenal*, utilizada em referência à *bomba H*.
Warm up – *do inglês*: aquecimento.
Waterfall hunting – *do inglês*: caça de quedas d'água; prática esportiva de admirar e percorrer cachoeiras e cataratas.
Welcome to – *do inglês*: Bem-vindo a.
Wireless – *do inglês*: sem fio; referência à conexão remota.

Trilha Sonora*

Abdução, Contato de Terceiro a Quinto Grau & Clonagem Experimental Humana.

1. **Civilization V: Brave New World (videogame) – Wu Zetian Peace Theme.** *Geoff Knorr & Michael Curran (composição)*, 2015.
2. **Sob o Sol – Marcus Viana, Malu Aires & Transfônica Orkestra.** *Marcus Viana & Transfônica Orkestra (composição)*, 2001.
3. **María – Ricky Martin.** *Ricky Martin (composição)*, 1995.
4. **Zombie – The Cranberries.** *Dolores Mary O'Riordan (composição)*, 1993.
5. **Hoochie Coochie Man – Steppen Wolf.** *Willie Dixion (composição)*, 1969.
6. **Revelations – Iron Maiden.** *Bruce Dickson (composição)*, 1983.
7. **Brasil, Mostra tua Cara – Cazuza.** *Cazuza (composição)*, 1988.
8. **Sloop John Be (I Wanna Go Home) – Beach Boys.** *Brian Wilson, Gilles Thibaut & Georges Aber (composição)*, 1966.
9. **(I've Had) The Time of My Life – Bill Medley & Jennifer Warner.** *Franke Previte, John DeNicola & Doland Markowitz (letra)*, 1987.
10. **Total Eclipse of the Heart – Bonnie Tyler.** *Jim Steinman (composição)*, 1983.
11. **Burning Hearts – Survivor.** *Jim Peterik & Frankie Sullivan (composição)*, 1985.
12. **Brucia la Terra – The Godfather III Soundtrack (longametragem).** *Nino Rota (composição)*, 1972.
13. **Orra Meu – Rita Lee.** *Rita Lee & Roberto de Carvalho (composição)*, 1980.
14. **Stranger in a Stranger Land – Iron Maiden.** *Adrian Smith (composição)*, 1986.

* Trilha sonora disponível pelo Youtube no canal do autor Pedroom Lanne.

AGRADECIMENTOS

Cesar Silva
Charlie S
Cleasyaspie
Comandante Oscar Santa Maria
Eduardo Knabo
Edward Enrique Espinoza Zaldivar
Elizier Leite
Extradimensions
Fernando Marcatti
Fernando Tude
Fladmir Carvalho
Hélida Paz
Heloisa Helena da Silva
José Padilha
Ligia Siniscalco
Luisa Novaes
Marcelo Congoo
Marcos Carvalho
Marcos Rizzatti
Mestre Álvaro de Moya
Mestre Elizier Leite
Notjohn
Poeta Oliveira Neto
Professor Abner Macoco
Professor Cláudio Novaes Pinto Coelho
Professor José Maurício Piliackas
Professor Sergio Amadeu da Silveira
Professor Walmir Thomaz Cardoso
Professor Walter Teixeira Lima
Professor Sebastião Squirra
Projeto Espaço Dimensão e Estrelas
Renato Lira
Renato Rosatti
Samuel "Samuca" Fontoura de Lemos
SN Ramon
Silvia Segóvia
Solivanda Trindade Alves
Walter "Homem de Preto" Cavalcanti

Fanpage do livro: www.facebook.com/abducao.livro2.
Fanpage do autor: www.facebook.com/pedroom.lanne.escritor.
Site do autor: www.pedroom.com.br.

1º edição
Fonte: Minion Pro